gradiva

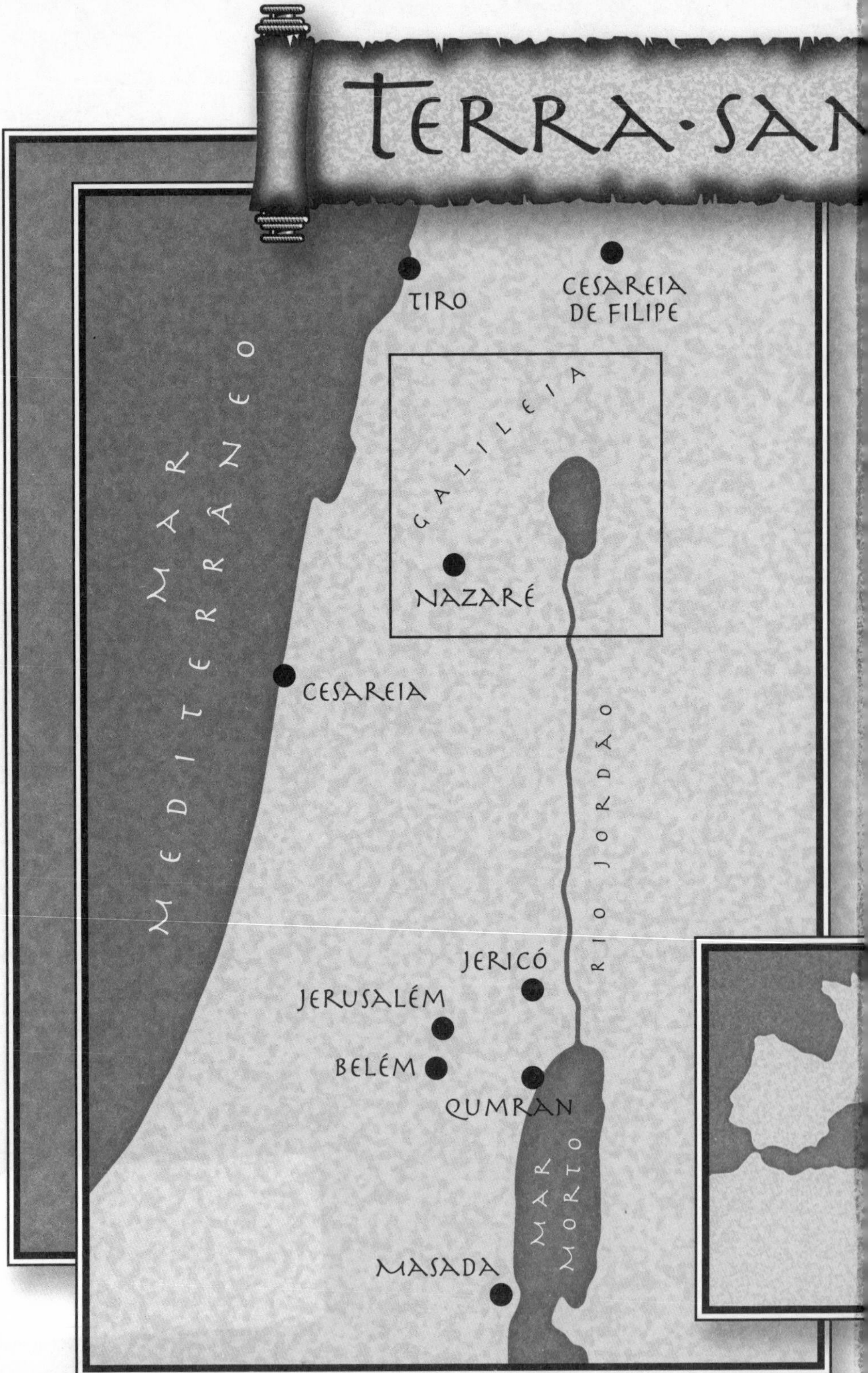

TERRA·SAN

TIRO

CESAREIA
DE FILIPE

GALILEIA

NAZARÉ

MAR
MEDITERRÂNEO

CESAREIA

RIO JORDÃO

JERICÓ

JERUSALÉM

BELÉM

QUMRAN

MAR
MORTO

MASADA

TA · SÉCULO · I

GALILEIA

COROZAIM

CAFARNAUM

MAGDALA

MAR DA GALILEIA

TIBERÍADES

SÉFORIS

NAZARÉ

GADARA

RIO JORDÃO

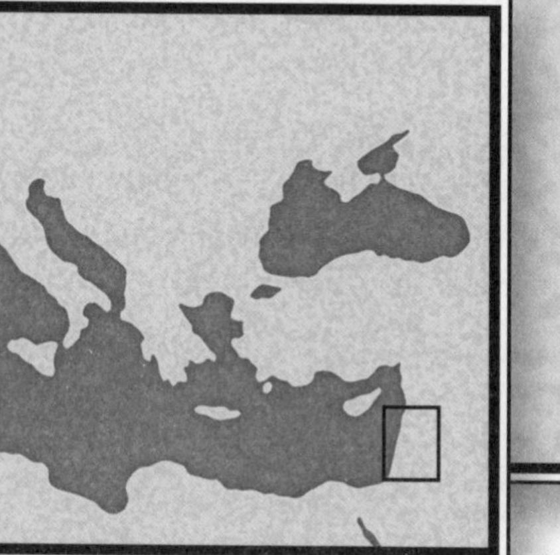

OBRAS DO AUTOR

ENSAIO

Comunicação, Difusão Cultural, 1992; Prefácio, 2001.
Crónicas de Guerra I — Da Crimeia a Dachau, Gradiva, 2001; Círculo de Leitores, 2002.
Crónicas de Guerra II — De Saigão a Bagdade, Gradiva, 2002; Círculo de Leitores, 2002.
A Verdade da Guerra, Gradiva, 2002; Círculo de Leitores, 2003.
Conversas de Escritores — Diálogos com os Grandes Autores da Literatura Contemporânea, Gradiva/RTP, 2010.
A Última Entrevista de José Saramago, Usina de Letras, Rio de Janeiro, 2010; Gradiva, Lisboa, 2011.

FICÇÃO

A Ilha das Trevas, Temas & Debates, 2002; Círculo de Leitores, 2003; Gradiva, 2007.
A Filha do Capitão, Gradiva, 2004.
O Codex 632, Gradiva, 2005.
A Fórmula de Deus, Gradiva, 2006.
O Sétimo Selo, Gradiva, 2007.
A Vida Num Sopro, Gradiva, 2008.
Fúria Divina, Gradiva, 2009.
O Anjo Branco, Gradiva, 2010.
O Último Segredo, Gradiva, 2011.

CONTACTO COM O AUTOR

Se desejar entrar em contacto com o autor para comentar o romance *O Último Segredo*, escreva para o *e-mail*

jrsnovels@gmail.com

O autor terá o maior gosto em responder a qualquer leitor que se lhe dirija a propósito desta obra.

JOSÉ RODRIGUES DOS SANTOS

O ÚLTIMO SEGREDO

romance

gradiva

Revisão de texto Helena Ramos
Capa Imagem retirada de *Images of The Bible – The New Testament*, editado por The Pepin Press, www.pepinpress.com/Armando Lopes (concepção gráfica)
Sobrecapa © Corbis/VMI (imagem da biblioteca)/© Thinkstock (imagem do terço e da Bíblia)/Armando Lopes (concepção gráfica)
Fotocomposição, impressão e acabamento Multitipo—Artes Gráficas, L.da

Rua Almeida e Sousa, 21 – r/c esq.—1399-041 Lisboa
Telef. 21 393 37 60—Fax 21 395 34 71
Dep. comercial Telefs. 21 397 40 67/8—Fax 21 397 14 11
geral@gradiva.mail.pt/www.gradiva.pt

1.ª edição Outubro de 2011
Depósito legal 333 744/2011
ISBN 978-989-616-446-1

Este livro foi impresso em Coral Book Ivory (Torraspapel)

gradiva
Editor: Guilherme Valente

Pedi e dar-se-vos-á;
procurai e achareis;
batei e abrir-se-vos-á.

Jesus Cristo

Às minhas três mulheres,
Florbela, Catarina e Inês

Todas as citações de fontes religiosas
e todas as informações históricas e científicas
incluídas neste romance
são verdadeiras.

Prólogo

O som abafado atraiu a atenção de Patricia.

"Quem está aí?"

Pareceu-lhe que o barulho tinha vindo da Sala Inventario Manoscritti, mesmo ao lado da Sala Consultazioni Manoscritti, onde se encontrava, mas nada vislumbrou de anormal. Os livros permaneciam em silêncio nas prateleiras ricamente trabalhadas daquela ala da Biblioteca Apostólica Vaticana, como adormecidos pela sombra que a noite projectava em silêncio sobre as lombadas poeirentas. Aquela podia ser a mais antiga biblioteca da Europa, e talvez também a mais bela, mas à noite o local respirava uma atmosfera soturna, quase intimidatória, como se uma ameaça oculta por ali pairasse.

"*Ay, madre mia!*", murmurou, estremecendo para debelar o medo irracional que dela por momentos se apossara. "Ando a ver demasiados filmes!..."

Devia ter sido o empregado a passar, pensou. Espreitou o relógio; os ponteiros assinalavam quase as onze e meia da noite. Não eram as horas normais de expediente na biblioteca, mas Patricia Escalona tornara-se amiga pessoal do *prefetto*, monsenhor Luigi Viterbo, que recebera em Santiago de Compostela durante o Xacobeo de 2010. Acometido por uma crise mística, monsenhor Viterbo decidira na altura percorrer a pé o Caminho de Santiago e, graças a um amigo comum, fora bater à porta da historiadora. Em boa hora o fez, porque ela cobriu-o de atenções quando o recebeu em casa, um belo apartamento convenientemente localizado numa ruela mesmo atrás da catedral.

Por tudo isso, quando chegou a Roma para consultar aquele manuscrito, Patricia não hesitou em cobrar o favor. O facto é que o *prefetto* da Biblioteca Apostólica Vaticana se mostrara à altura do pedido e, retribuindo as honras que o haviam rodeado em Compostela, mandou abrir à noite a Sala Consultazioni Manoscritti de propósito para a sua amiga galega fazer com absoluta tranquilidade o trabalho que ali a trouxera.

Mas fez mais do que isso. O *prefetto* mandou buscar o próprio original para ela consultar. Caramba, não era preciso tanto!, respondera então Patricia, quase embaraçada. Os microfilmes teriam chegado perfeitamente. Mas não, monsenhor Viterbo fizera questão de a mimar. Para uma historiadora do seu gabarito, insistira ele, só o original servia!

E que original.

A investigadora galega passou as mãos enluvadas pelos caracteres castanhos desenhados à mão com escrúpulo de copista piedoso, sobre folhas de pergaminho entretanto envelhecido e manchado por nódoas do tempo que os arquivistas haviam guardado em placas de material transparente. O manuscrito estava composto de uma maneira que lhe fazia lembrar o

Codex Marchalianus ou o *Codex Rossanensis*. A diferença é que era muito mais valioso.

Inspirou fundo e sentiu-lhe o cheiro adocicado. Ah, que maravilha! Como adorava o perfume quente que o papel antigo exalava!... Passeou os olhos enamorados pelos caracteres pequenos e muito bem arrumados, sem ornamentos nem maiúsculas, o grego corrido numa linha contínua, as letras arredondadas e equidistantes, as palavras sem nada a separá-las, como se cada linha fosse na verdade um único verbo, interminável e misterioso, um código arcano soprado por Deus na génese do tempo. A pontuação era rara, havendo aqui e ali espaços em branco, diéreses e abreviaturas dos *nomina sacra* e aspas invertidas para as citações do Antigo Testamento, a exemplo do que ela já vira no *Codex Alexandrinus*. Mas o manuscrito que tinha à frente era o mais precioso de todos quantos alguma vez manuseara. Só o título, aliás, impunha respeito: *Bibliorum Sacrorum Graecorum Codex Vaticanus B*.

O *Codex Vaticanus*.

Custava-lhe crer, mas a verdade é que o funcionário da Biblioteca Apostólica Vaticana, agindo sob ordens do *prefetto*, lhe pousara na mesa o célebre *Codex Vaticanus*. Aquela relíquia de meados do século IV era o mais antigo manuscrito sobrevivente da Bíblia praticamente completa em grego, o que fazia dela o maior tesouro da Biblioteca Apostólica Vaticana. E, vejam só, havia-lhe sido confiado, a ela. Que coisa incrível. Alguém lá na universidade iria acreditar?

Virou a página com infinito cuidado, quase como se receasse danificar o pergaminho, apesar de ele estar protegido pela placa de material transparente, e mergulhou quase instantaneamente no texto. Percorreu o primeiro capítulo da Carta aos Hebreus; o que procurava andava ali, perto do início. Passou os olhos pelas linhas, os lábios a murmurarem as frases em grego como se entoasse uma ladainha, até por fim chegar à palavra que buscava.

"Ah, aqui está!", exclamou. "*Phanerón*."

Era extraordinário. Já lhe tinham falado naquele vocábulo, mas uma coisa era conversar sobre o assunto à mesa da cantina da faculdade e outra vê-lo diante dos olhos em plena Biblioteca Apostólica Vaticana, desenhado por um copista do século IV mais ou menos na altura em que Constantino adoptou o cristianismo e em que se realizou o Concílio de Niceia, onde o essencial da teologia cristológica ficou enfim definido. Sentia-se em êxtase. Ah, que sensação! Só de pensar que...

Mais um barulho.

Com um salto de susto, Patricia voltou ao presente e fixou a atenção de novo na Sala Inventario Manoscritti, ali à direita, de onde mais uma vez lhe pareceu ter vindo o som.

"Está aí alguém?", perguntou, com voz trémula.

Ninguém respondeu. A sala parecia deserta, embora fosse difícil ter a certeza, considerando todas aquelas sombras e a penumbra. Será que o barulho tinha vindo da Leonina? O grande salão da biblioteca encontrava-se para lá da sua linha de visão, pelo que não tinha modo de se certificar. Sob o manto da noite aquele lugar enchia-a de calafrios.

"*Signore!*", chamou ela no seu italiano espanholado, em voz alta, buscando o empregado que o *prefetto* havia chamado ao serviço só para a atender. "*Per favore, signore!*"

O silêncio era absoluto. Patricia ainda considerou a possibilidade de permanecer sentada e prosseguir a consulta do manuscrito, rodeada pelo ambiente denso daquele lugar opressor, mas a verdade é que os sons inesperados e o mutismo pesado que os envolvia a enervaram. Onde diabo se metera o empregado? Quem estaria a fazer os ruídos que ela escutara? Se era o empregado, porque não respondia?

"*Signore!*"

Mais uma vez, ninguém replicou. Assaltada por uma inquietude que não conseguia explicar, a historiadora ergueu-se com um movimento repentino, como se esperasse que a brusquidão afugentasse o próprio medo. Tinha de tirar aquilo a limpo. Além do mais, acrescentou para si mesma, era a última vez que aceitaria fechar-se sozinha numa biblioteca à noite. Sob os contornos da treva, tudo lhe parecia sinistro e ameaçador. Ainda se tivesse o seu Manolo ao pé dela!...

Deu uns passos e cruzou a porta, decidida a esclarecer o mistério do desaparecimento do empregado. Entrou na Sala Inventario Manoscritti, que se encontrava mergulhada na escuridão, e apercebeu-se de uma mancha branca a seus pés. Desceu o olhar para ver o que era. Tratava-se de uma simples folha de papel pousada no chão.

Intrigada, ajoelhou-se e, sem pegar nela, inclinando-se como se a quisesse cheirar, estudou-a com uma expressão intrigada.

"Que diabo é isto?", interrogou-se.

Nesse instante sentiu um vulto sair da sombra e tombar sobre ela. O coração disparou com o susto e Patricia quis gritar, mas uma enorme mão tapou-lhe a boca com força e tudo o que conseguiu fazer foi emitir um gemido de horror, rouco e abafado.

Tentou fugir. Contudo, o desconhecido era pesado e prendeu-lhe os movimentos. Virou a cabeça para tentar identificar o assaltante. Não o conseguiu encarar, mas apercebeu-se confusamente de algo a cintilar no ar. No derradeiro instante compreendeu que se tratava de uma lâmina.

Não teve porém tempo de raciocinar sobre o que lhe estava a suceder porque sentiu uma dor lancinante rasgar-lhe o pescoço e o ar faltou-lhe de imediato. Tentou gritar, mas não tinha ar. Agarrou no objecto frio que lhe furava o pescoço, num esforço desesperado para o travar, mas ele era manejado com demasiada força e a energia começava a esvair-se do seu corpo. Um líquido quente jorrou-lhe sobre o peito em golfadas e, no estertor da aflição, tomou consciência de que era o seu próprio sangue.

Foi a última coisa em que pensou, porque de imediato a visão se encheu de luzes e depois de escuridão, como se um interruptor a tivesse para sempre desligado.

I

O pincel escovou a terra que ao longo dos séculos se acumulara sobre a pedra, entranhando-se nos poros mais minúsculos. Quando a nuvem de pó acastanhado se desvaneceu, Tomás Noronha aproximou os olhos verdes da pedra, à maneira de um míope, e inspeccionou o trabalho.

"Porra!"

Ainda havia terra por retirar. Suspirou fundo e passou as costas da mão pela testa, ganhando embalo para mais umas escovadelas. Aquele não era decididamente o tipo de tarefa que mais apreciava, mas resignou-se; sabia que na vida não se faz sempre aquilo de que se gosta.

Antes de recomeçar, todavia, ofereceu a si mesmo um momento de repouso. Rodou a cabeça e apreciou a lua cheia lá no alto, a irradiar um halo prateado sobre a majestosa Coluna de Trajano. A noite era sem dúvida a altura que mais apreciava para trabalhar ali no centro de Roma; de dia o trânsito tornava tudo caótico. O clamor das buzinadelas e o ronco furioso das britadeiras revelavam-se absolutamente infernais.

Consultou o relógio. Já era uma da manhã, mas estava determinado a aproveitar a pausa que o sono dos automobilistas romanos lhe havia concedido durante a noite para adiantar o máximo de trabalho. Só sairia dali às seis da manhã, quando os carros começassem a encravar as ruas e o concerto das buzinadelas e das britadeiras recomeçasse. Nessa altura iria dormir ao seu pequeno hotel na Via del Corso.

O telemóvel tocou no bolso das calças, arrancando-lhe uma expressão inquisitiva. Àquela hora? Quem diabo lhe ligaria à uma da manhã? Verificou o visor do telemóvel e, depois de identificar o autor da chamada, premiu o botão verde.

"Que se passa?"

A voz da mãe soou-lhe no aparelho no habitual queixume inquieto.

"*Filho, quando é que vens para casa? Olha que já se faz tarde!...*"

"Ó mãe, já lhe disse que estou no estrangeiro", explicou Tomás, enchendo-se de paciência; era a terceira vez que lhe dizia o mesmo nas últimas vinte e quatro horas. "Mas na próxima semana estou de regresso, está bem? Vou logo visitá-la aí a Coimbra."

"*Onde estás tu, rapaz?*"

"Em Roma." Teve vontade de acrescentar que era a milésima vez que o repetia, mas conteve a irritação. "Fique descansada, logo que volte a Portugal vou vê-la."

"*Mas o que estás tu a fazer em Roma?*"

A limpar pedras, apeteceu-lhe responder. E não estaria a mentir, considerou, lançando um olhar ressentido ao pincel.

"Vim ao serviço da Gulbenkian", acabou por esclarecer. "A fundação está envolvida no restauro das ruínas do fórum e dos mercados de Trajano, aqui em Roma, e vim acompanhar os trabalhos."

"*Mas desde quando és tu arqueólogo?*"

Ora aí estava uma boa pergunta! Apesar do Alzheimer que por vezes lhe nublava o discernimento, a mãe fizera uma pergunta bem certeira.

"Não sou. Acontece que o fórum tem duas grandes bibliotecas e, já sabe como é, quando se fala em livros antigos..."

A conversa não durou muito e, no instante em que desligou, Tomás sentiu-se acossado por um sentimento de culpa por quase se ter irritado durante o telefonema. A mãe não tinha responsabilidade nenhuma pelos acessos de amnésia provocados pela doença. Umas vezes melhorava e outras piorava; ultimamente andava pior e fazia mil vezes as mesmas perguntas. Os seus lapsos de memória tornavam-se enervantes, mas teria de ter mais paciência.

Pegou de novo no pincel, aproximou-o da pedra e voltou a escovar. Quando viu a nuvem libertar-se daquele pedaço de ruínas pensou que, à maneira de um mineiro, deveria estar já com os pulmões carregados do miserável pó castanho que se entranhara por toda a parte. Da próxima vez traria uma máscara, como as dos cirurgiões. Ou talvez o melhor fosse escapar àquele trabalho e dedicar-se aos relevos que decoravam a Coluna de Trajano. Levantou os olhos para o monumento. Sempre tivera curiosidade de observar as cenas de campanha na Dácia, gravadas na coluna e que apenas conhecia dos livros. Já que ali estava, porque não estudá-las ao vivo e de perto?

Escutou um burburinho atrás dele e virou a cabeça. Viu o responsável pelas obras de restauro, o professor Pontiverdi, falar alto com um homem engravatado e, com gestos espalhafatosos e uma voz estridente, mandá-lo ficar quieto. Depois aproximou-se de Tomás e esboçou um sorriso obsequioso.

"*Professore* Norona..."

"Noro*nha*", corrigiu Tomás, divertido por ninguém conseguir acertar com a pronúncia correcta do seu nome. "Diz-se *nhe*, como em ba*gno*."

"Ah, *certo!* Noronha!"

"Isso!"

"*Mi dispiace, professore*, mas está ali um polícia que insiste em falar consigo."

O olhar de Tomás desviou-se para o homem engravatado que permanecia a uns dez metros de distância, entre duas paredes em ruínas, o perfil recortado pelos holofotes que haviam sido instalados para iluminar o fórum; não parecia um agente da autoridade, talvez por não se encontrar de uniforme.

"Aquilo é um polícia?"

"Da Giudiziaria."

"Para mim?"

"Oh, é muito desagradável. Tentei mandá-lo embora, claro, e disse-lhe que não são horas para se incomodar ninguém. É uma da manhã, *Dio mio!* Mas o idiota insiste em falar consigo e já não sei o que lhe faça. Diz que é de suprema importância, que é urgente, que isto e que aquilo." Inclinou o rosto e estreitou os olhos. "*Professore*, se não o quiser atender, é só dizer. Falarei com o ministro, se for preciso! Falarei até com o presidente! Mas a si ninguém o incomodará." Fez um gesto pomposo apontando em redor. "Trajano deu-nos esta obra maravilhosa e o senhor está a ajudar-nos a recuperá-la. O que são os insignificantes assuntos da polícia ao pé de coisa tão magnífica?" Quase colou o indicador ao nariz de Tomás. "Falarei com o presidente, se for preciso!"

O historiador português soltou uma curta gargalhada. "Calma, professor Pontiverdi. Não tenho problema nenhum em falar com a polícia. Ora essa!"

"Veja lá, *professore!* Veja lá!" Apontou com vigor para o homem engravatado, o tom de voz já inflamado. "Olhe que não me custa nada mandar aquele *imbecille*, aquele *cretino*, aquele *stronzo*, para o raio que o parta!"

O polícia à paisana empertigou-se lá ao fundo.

"Está-me a chamar *imbecille* a mim? A mim?"

O arqueólogo italiano voltou-se para o polícia, o corpo a estremecer de justa indignação, os braços a gesticularem num frenesim, a mão acusadora a estender-se uma e outra vez na sua direcção.

"Sim, seu energúmeno! A si! A si! *Imbecille! Cretino!*"

Vendo a discussão começar a ficar fora de controlo, Tomás puxou o professor Pontiverdi.

"Calma! Calma!", disse, da forma mais conciliadora que pôde. "Não há problema nenhum, professor. Eu falo com ele. Não há drama."

"A mim ninguém me chama *imbecille*", protestou o polícia, o rosto rubro de fúria, bramindo no ar o punho cerrado e ameaçador. "Ninguém!"

"*Imbecille!*"

"Calma!"

"*Stupido!*"

Percebendo que não conseguiria travar a ira já descontrolada do arqueólogo italiano, e vendo o polícia a empertigar-se com a altercação, Tomás dirigiu-se apressadamente para o homem engravatado. Esquivando-se do chorrilho de insultos que os dois interlocutores trocavam como de uma corrente invisível que jorrava pelo ar, agarrou no polícia e arrastou-o para fora dali.

"O senhor queria falar comigo?", perguntou enquanto o puxava pelos ombros, esforçando-se por quebrar o fluxo da discussão. "Então venha daí."

O polícia à paisana ainda soltou mais dois insultos na direcção do professor Pontiverdi, ambos aos berros e a esbracejar com profusão, mas deixou-se levar.

"Ah, *porca miseria!*", desabafou logo que se voltou para o português. "Quem pensa aquele... aquele *scemo* que é? Ora já viu isto? *Mamma mia!* Que atrasado mental!"

Logo que sentiu que haviam ganho uma distância segura e já não havia risco de a discussão ser retomada, Tomás estacou junto à Via Biberatica e encarou o visitante.

"Então diga lá. O que quer de mim?"

O polícia respirou fundo e recuperou o fôlego, ainda a recompor-se da discussão. Tirou um bloco de notas do bolso e passou os olhos pelas anotações enquanto ajeitava a gola do casaco.

"O senhor é o *professore* Tomás Noronha, da Universidade Nova de Lisboa?"

"Sim, sou eu mesmo."

O polícia encarou as escadas de madeira que ligavam as ruínas do Fórum de Trajano à rua, situada no plano superior, e fez com a cabeça sinal para se porem a caminho.

"Tenho ordens de o levar para o Vaticano."

II

Uma azáfama inesperada dominava a Praça Pio XII, mesmo em frente à Praça de São Pedro e à sua imponente basílica iluminada. Embora fosse um lugar habitualmente tranquilo àquela hora da noite, um bulício frenético animava o espaço diante do Vaticano. Havia vários carros azuis da polícia e uma ambulância estacionados na Pio XII com as luzes azuis de emergência a girar nos tejadilhos, como faróis acelerados, embora mantendo-se em silêncio. Algumas pessoas formigavam em redor; umas eram *carabinieri* e outras, de bata branca, pareciam paramédicos.

"O que se passa?"

O polícia à paisana ignorou a pergunta, a exemplo do que havia feito durante a curta viagem pelas ruas desertas de Roma. Claramente, a discussão com o professor Pontiverdi nas ruínas do Fórum de Trajano tinha-o deixado maldisposto e com pouca vontade de esclarecer as dúvidas do seu acompanhante.

O *Fiat* anónimo da polícia acelerou pela Via di Porta Angelica e, com uma travagem brusca, estacionou aos pés das muralhas altas do Vaticano, perto da Porta Angelica. O polícia abriu a porta do automóvel e emitiu um grunhido, fazendo sinal a Tomás de que o seguisse. O visitante apeou-se e alçou o olhar para o enorme vulto iluminado que se erguia à esquerda; tratava-se da grande e emblemática abóbada iluminada da Basílica de São Pedro, que recortava a noite como um gigante adormecido.

Encaminharam-se ambos para o complexo do Vaticano, na zona de Belvedere, o italiano à frente em passo apressado, o historiador atrás ainda sem perceber exactamente o que se passava. O polícia fez continência a um homem alto que os esperava junto à Porta Angelica, vestido com uma fantasia espampanante em faixas berrantes de azul e amarelo, como se a roupa fosse um estandarte, e com uma boina negra na cabeça. Seria um palhaço? Ali?

"*Professore* Noronha", disse o desconhecido das roupas garridas, cumprimentando-o. "Faça o favor de me acompanhar."

Atordoado com a vertigem dos acontecimentos, Tomás amaldiçoou-se em voz baixa. Como podia ter confundido um guarda suíço com um palhaço? Devia estar a dormir em pé! Aquelas roupas, que momentos antes lhe tinham parecido bizarras, haviam sido desenhadas por um dos maiores pintores da história, Miguel Ângelo. Como podia ser tão estúpido? Era decerto do adiantado da hora!...

"Onde vamos?"

"Onde o esperam."

Engraçadinho, pensou Tomás. Aquela era uma forma de responder sem dizer nada.

"Esses trajes", lançou o português em jeito de provocação. "Vocês andam sempre assim vestidos?"

O suíço lançou-lhe um olhar enfadado.

"Não", retorquiu no tom contrariado de quem não gosta de explicar as suas vestes garridas. "Estávamos a fazer um exercício de parada no Portone di Bronzo, que a esta hora está fechado, quando me chamaram de urgência."

O desagrado do homem era evidente, pelo que Tomás encolheu os ombros de resignação e acompanhou em silêncio o guarda suíço pelos pátios e pelas passagens do Vaticano, os passos de ambos a ecoarem com secura pelo piso. Caminharam uns cinquenta metros até desaguarem num pátio cercado pela arquitectura opulenta da Santa Sé, marcada por uma torre redonda que o historiador logo reconheceu; era a antiga sede do Banco Ambrosiano, agora entregue ao Istituto per le Opere di Religione. Passaram por um posto da Polizia Vaticana, uma força diferente da guarda suíça e que dava um certo ar de gendarmeria francesa, e viram adiante, à direita, a farmácia.

"Chegámos", anunciou o guarda suíço.

O homem conduziu o visitante por uma porta discreta. Subiram umas escadas e foram dar a um átrio envidraçado e apetrechado de sistemas de segurança. Adiante abria-se um salão com as paredes repletas de livros. Passaram a segurança, entraram no salão e, ao estudar as estantes com a sua panóplia de lombadas antigas, Tomás percebeu que se encontravam na Biblioteca Apostólica Vaticana.

As janelas abriam-se para o Cortile del Belvedere, mas a atenção do historiador voltou-se para o movimento junto à porta de acesso ao grande salão da Leonina. Viam-se dois guardas suíços, três *carabinieri*, dois religiosos e mais umas pessoas à paisana; falavam em voz baixa, umas movimentando-se com propósito, outras aparentemente perdidas ou ociosas.

O guia entregou-o a um homem à paisana, que o levou ao longo da Leonina até uma mulher que se encontrava de costas, de *tailleur* cinzento-escuro, à executiva, debruçada sobre uma mesa a estudar o que parecia uma grande planta do edifício.

"Inspectora, aqui está o suspeito."

Suspeito?

Tomás quase olhou para trás, num esforço para identificar a pessoa a quem o homem se referira, mas percebeu de imediato que o suspeito era ele próprio. Ele. O uso daquela palavra em referência à sua pessoa deixou-o chocado. Suspeito? Era suspeito de quê? Que se passava? O que vinha a ser aquilo?

A inspectora voltou-se para o encarar e o historiador sofreu um novo choque, mas desta vez de natureza diferente. Ela tinha os cabelos castanhos encaracolados até aos ombros, o nariz pontiagudo e uns olhos azuis profundos e límpidos, à Jacqueline Bisset. Não estava maquilhada, mas parecia-lhe encantadora.

"Que se passa?", perguntou ela ao surpreender-lhe a expressão embasbacada. "Que cara é essa? Está a olhar para mim e parece que viu o Diabo!..."

"O Diabo, não", retorquiu Tomás, esforçando-se por retomar a compostura. "Um anjo."

A inspectora fez um estalido de contrariedade com a língua.

"Olhem a minha sorte!", exclamou, revirando os olhos. "Saiu-me um galanteador na rifa! Confirma-se assim que os Romanos deixaram mesmo descendência em Portugal!..."

Tomás corou e baixou os olhos.

"Desculpe, não resisti."

A italiana levou a mão ao bolso interior do casaco e extraiu um cartão que exibiu na direcção do recém-chegado.

"Chamo-me Valentina Ferro", identificou-se com uma voz profissional. "Sou inspectora da Polizia Giudiziaria."

O visitante sorriu.

"Tomás Noronha, galanteador. Nas horas vagas sou também professor na Universidade Nova de Lisboa e consultor da Fundação Gulbenkian. A que devo a honra do convite para nos encontrarmos em local tão exótico a hora tão comprometedora?"

Valentina fez um esgar de desagrado.

"Aqui quem faz as perguntas sou eu, se não se importa", repreendeu-o com rispidez. Cravou os olhos no seu interlocutor, como uma gata atenta à reacção dele às palavras que ia proferir. "Por acaso conhece a professora Patricia Escalona?"

O nome surpreendeu Tomás.

"A Patricia? Sim, claro. É uma colega minha da Universidade de Santiago de Compostela. Uma simpatia de moça. É da Galiza. Os Galegos e os Portugueses são povos gémeos, sabia?" Olhou a italiana, subitamente inquieto. "Porquê? Que se passa? Porque quer saber da Patricia? Aconteceu alguma coisa?"

A inspectora perscrutou-lhe o rosto com os olhos semicerrados, como se tentasse avaliar o significado e a sinceridade da expressão facial dele ao ouvir a pergunta e ao responder. Deixou-se ficar momentaneamente calada, enquanto ponderava o passo seguinte e os prós e contras de abrir o jogo.

Acabou por se decidir.

"A professora Escalona morreu."

A informação constituiu uma estalada brutal, que fez Tomás arregalar os olhos e recuar um passo, como se estivesse a ponto de perder o equilíbrio.

"A Patricia? Morreu?" Ficou por instantes de boca aberta, tentando absorver a notícia. "Mas... mas... que absurdo! Como é que isso... Como foi que... O que aconteceu?"

"Foi assassinada."

Nova estalada.

"O quê?"

"Esta noite."

"Mas... mas..."

"Aqui no Vaticano."

Abalado pela notícia, Tomás cambaleou para junto da mesa onde estava estendida a grande planta do Vaticano e deixou-se cair numa enorme cadeira.

"A Patricia? Assassinada? Aqui?" Falava pausadamente e a abanar a cabeça, como se a informação não fizesse qualquer sentido e tivesse até dificuldade em assimilá-la. "Mas... mas quem? Porquê? Como? O que aconteceu?"

A italiana aproximou-se devagar e pôs-lhe a mão no ombro, num gesto de compaixão.

"É para perceber isso que aqui estou", disse ela. "E o senhor também."

"Eu?"

Valentina pigarreou, como se considerasse a melhor forma de pôr a questão.

"Sabe, na investigação de um homicídio costuma haver uma figura crucial para deslindar o caso", disse. "Trata-se da última pessoa com quem a vítima esteve ou falou."

Tomás sentia-se de tal modo abananado que mal reagiu a estas palavras.

"Ai sim?"

"Acontece que estivemos a ver a lista de chamadas do telemóvel da professora Escalona nas duas horas que precederam a sua morte", acrescentou, falando com vagar deliberado. "Adivinhe qual foi o último número para o qual ela ligou?"

Como era possível que Patricia tivesse sido assassinada?, questionava-se Tomás sem cessar. A informação era de tal modo difícil de digerir que mal conseguia acompanhar as palavras da sua interlocutora.

"Hã?"

Valentina respirou fundo.

"O seu."

III

O ar frio de Dublin acolheu o passageiro solitário que desembarcava do pequeno e luxuoso *Cessna Citation X* acabado de aterrar. Passava já das duas da manhã e o aeroporto estava prestes a encerrar por umas horas; aquele tinha sido o último voo da jornada e o próximo, primeiro da jornada seguinte, só estava previsto para as seis da manhã.

O passageiro solitário levava apenas bagagem de mão, uma mala de executivo de couro negro que nem sequer foi inspeccionada porque o pequeno bimotor a jacto havia sido fretado de propósito para ele e descolara de um pequeno aeródromo. Seguiu directamente as indicações para a saída e resmungou, contrariado, quando o fizeram passar pela alfândega; o seu voo tinha decorrido dentro do espaço aéreo da União Europeia e não via necessidade de exibir os documentos. Contudo, a apreensão revelou-se desnecessária porque o inspector alfandegário irlandês lançou apenas um olhar sonolento e desinteressado ao passaporte do recém-chegado.

"Vem de onde?", quis saber, evidentemente mais por curiosidade do que por necessidade de serviço.

"Roma."

O irlandês, decerto um católico praticante, suspirou de melancolia; era como se uma visita a Roma estivesse no itinerário dos seus sonhos. Devia ter invejado o passageiro que acabara de desembarcar, mas isso não o impediu de esboçar um sorriso fraco e de lhe fazer sinal para passar.

Uma vez no átrio do terminal, o visitante ligou o telemóvel. Uma musiquinha assinalou a reactivação do aparelho. Digitou o código de acesso e o telemóvel pôs-se de imediato à procura de rede. O processo levou mais de dois minutos, tempo que ocupou a levantar dinheiro de uma caixa multibanco, mas acabou enfim por se alinhar com uma rede irlandesa que lhe enviou sucessivas mensagens automáticas de boas-vindas e lhe comunicou os preços do *roaming*.

Ignorando aquelas informações irrelevantes, o recém-chegado digitou de memória o número internacional e aguardou que atendessem do outro lado. Bastaram dois toques.

"*Chegaste, Sicarius?*"

O passageiro cruzou as portas automáticas do aeroporto e sentiu a frescura agreste da noite atlântica esbofetear-lhe a face e envolver-lhe o corpo com agressividade.

"Sou eu, mestre", confirmou. "Aterrei há minutos."

"*Correu bem a viagem?*"

"Uma maravilha. Dormi que nem um bebé."

"*É melhor ires descansar. Fiz-te há pouco uma reserva no Radisson aí no aeroporto e...*"

"Não, vou avançar agora."

Fez-se uma pausa do outro lado da linha e Sicarius ouviu a respiração pesada do mestre.

"*Tens a certeza? O trabalho em Roma foi impecável, mas não quero que corras riscos desnecessários. Isto envolve responsabilidade e deve ser feito sem falhas. Talvez seja preferível repousares.*"

"Prefiro não perder tempo", disse o recém-chegado sem hesitar. "Pela noitinha é sempre mais tranquilo. E quanto mais fulminante for a operação menor tempo de reacção terá o inimigo."

O seu interlocutor ao telefone suspirou, vencido mas não inteiramente convencido.

"*Muito bem*", assentiu. "*Se achas assim...*" Fez uma pausa e ouviu-se um remexer de papéis. "*Vou falar com o meu contacto e já te ligo.*"

"Fico à espera, mestre."

Fez-se nova pausa no outro lado da linha.

"*Tem cuidado.*"

E desligou.

IV

O corpo estava estendido no chão, coberto por um lençol branco, e apenas os pés eram visíveis; um encontrava-se descalço, o outro tinha um sapato de senhora com o salto quebrado. Viam-se algumas manchas de sangue espalhadas pelo chão e vários homens de cócoras ou em pé a examinarem pormenores, alguns com lupas e todos de luvas brancas, evidentemente em busca de indícios que pudessem dar-lhes mais informações sobre o que ali se passara. O que sobretudo procuravam era vestígios, como cabelos, traços de sangue ou impressões digitais, que os conduzissem à identidade do homicida.

Valentina acocorou-se ao lado do corpo e lançou por cima do ombro um olhar a Tomás, que se aproximava a medo. "Preparado?"

O historiador engoliu em seco e assentiu. A inspectora da Polizia Giudiziaria pegou numa ponta do lençol e dobrou-o com um movimento suave, destapando uma parte do corpo.

A cabeça. Tomás reconheceu a face de Patricia, já com um toque de lividez a lavar-lhe a pele, os olhos paralisados numa expressão vítrea de espanto, os lábios entreabertos com a língua enrolada para dentro e uma mancha densa de sangue seco e escuro agarrada ao pescoço.

"Meu Deus!", exclamou Tomás, tapando a boca com a mão enquanto fitava horrorizado o cadáver da colega espanhola. "Foi... foi estrangulada?"

Valentina abanou a cabeça e indicou a mancha no pescoço.

"A expressão correcta é degolada", corrigiu-o. "Como um cordeiro, está a ver?" Aproximou os dedos da fenda que lhe rasgava a pele. "Usaram uma faca e..."

"Coitada! Que coisa horrível! Como é possível?" Desviou o olhar, recusando-se a ver mais; a morte parecia despojar a sua amiga de toda a dignidade. "Quem lhe fez uma coisa destas?"

A italiana voltou a tapar o rosto da vítima e ergueu-se devagar, encarando o historiador.

"É justamente o que estamos a tentar perceber. E para isso precisamos da sua ajuda."

"Tudo", exclamou ele, enfático, ainda com o rosto de lado. "Tudo o que for preciso."

"Então comecemos pelo telefonema. Como explica que a última chamada que ela fez tenha sido para si?"

"É muito simples", disse Tomás, devolvendo-lhe enfim o olhar; sabia que a questão era crucial, considerando que aquele pormenor os levava a encararem-no como um suspeito. "Estou aqui a trabalhar nas obras de restauro do Fórum de Trajano, a pedido da Fundação Gulbenkian, de que sou consultor. A Patricia faz... fazia também consultoria ocasional para a Gulbenkian e conhecemo-nos de alguns trabalhos de peritagem que tivemos de levar a cabo em conjunto. Ela chegou esta noite a Roma e, como pelos vistos sabia que eu também cá estava, fez-me um telefonema. Foi isto e só isto."

Valentina esfregou o queixo, avaliando o que acabara de escutar.

"Como soube ela da sua presença em Roma?"

O historiador hesitou.

"Isso... isso não sei."

A inspectora, que anotava no seu bloco estas informações, parou de escrever e levantou os olhos para o suspeito.

"Não sabe como?"

"Não sei", repetiu ele. "Suponho que alguém da fundação lhe deve ter dito..."

"Tem a noção de que vamos verificar tudo?"

Tomás esboçou uma expressão cândida.

"Esteja à vontade", disse, retirando o telemóvel do bolso. "Se quiser, digo-lhe já o número do engenheiro Vital, em Lisboa. É ele que habitualmente lida comigo e com a Patricia." Premiu umas teclas. "Cá está. É o 21..."

"Dá-me o telefone dele depois", interrompeu-o Valentina, aparentemente convencida com a explicação e a mente já ocupada com outras questões mais prementes naquele momento. "Ela revelou-lhe o que veio cá fazer?"

"Não. Pareceu-me até um pouco misteriosa quanto a isso."

"Misteriosa?"

"Sim, não quis dizer tudo ao telefone. Mas combinámos almoçar amanhã e é natural que nessa altura me contasse." O olhar de Tomás passeou pelas estantes ricamente decoradas da Sala Consultazioni Manoscritti. "Percebo agora que veio fazer uma investigação aqui à Biblioteca do Vaticano..."

Valentina parecia já não o escutar; lia com atenção umas fotocópias cheias de rabiscos e anotações marginais. O português espreitou as fotocópias e verificou, surpreendido, que incluíam uma velha fotografia sua; era um relatório com o perfil dele.

"Vejo aqui que, além de historiador, o senhor é criptanalista e perito em línguas antigas."

"Exacto."

A inspectora deu dois passos para o lado e indicou uma folha branca de papel pousada no chão.

"Sabe dizer-me o que é isto?"

Tomás pôs-se ao lado da italiana e inclinou-se sobre a folha, analisando-a de perto.

"Que estranho!", murmurou. "Não se parece com nenhuma língua ou alfabeto que eu conheça..."

"De certeza?"

O historiador permaneceu ainda alguns segundos a estudar os estranhos símbolos, procurando pistas que o conduzissem a uma solução, até que endireitou o corpo.

"Absoluta."

"Veja lá bem."

Tomás manteve a atenção presa no enigma. Um dos símbolos, o último, chamou-lhe a atenção; parecia bem diferente dos restantes. Para o ver de uma outra perspectiva, deu uns passos e contornou a folha de papel. Baixou-se de novo e analisou mais uma vez a charada. Após uns instantes, os lábios abriram-se num sorriso e fez sinal à inspectora.

"Venha ver."

Valentina foi ter com ele e, inclinando-se também sobre o papel, encarou o enigma na perspectiva inversa.

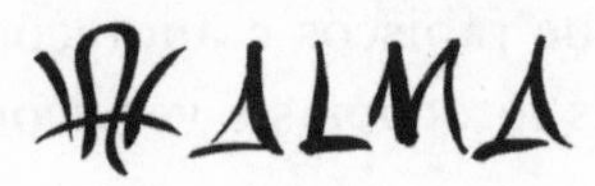

"Alma?", murmurou ela, sem descolar os olhos da folha, agora de cima para baixo em relação à perspectiva anterior. "Que diabo quer isto dizer?."

O historiador inclinou a cabeça.

"Ora!", exclamou, apontando para a palavra. "Não sabe?"

"Em italiano, *alma* significa *espírito*..."

"Tal como em português, aliás."

"Mas, neste contexto, o que raio quererá isto dizer?"

Tomás curvou os lábios numa expressão de ignorância. "Não sei. Será que o assassino se quer fazer passar por uma alma penada? Pretenderá insinuar que nunca o apanharão porque é fugidio como um espírito?"

Valentina pousou a mão sobre o ombro do seu interlocutor e deu-lhe umas palmadas de encorajamento, claramente impressionada.

"Você é bom, não há dúvida", disse num tom de aprovação. Endireitou-se e encarou-o com uma expressão de desafio. "Quem sabe se conseguirá ajudar-me ali com uma outra charada... Quer ver?"

"Mostre lá."

A inspectora fez-lhe sinal de que a seguisse e, contornando o cadáver estendido no chão, aproximou-se da mesa de leitura, no centro da Sala Consultazioni Manoscritti. Um enorme volume encontrava-se deitado sobre a madeira envernizada da mesa, aberto numa página já perto do fim. "Sabe o que isto é?"

Tomás seguiu-a, caminhando com mil cautelas para evitar pisar qualquer mancha de sangue e perturbar assim os trabalhos de recolha de indícios. Encostou-se à mesa, inclinou-se sobre o volume e percebeu, pelo estado do pergaminho, que se tratava de um documento muito antigo. Leu umas linhas e franziu a sobrancelha.

"Isto é S. Paulo", identificou. "Um trecho da Carta aos Hebreus." Inspirou o aroma exalado pelo pergaminho, sentindo-lhe o perfume adocicado pelos séculos. "Um original da Bíblia, portanto. Escrito em grego, por sinal." Olhou com uma expressão interrogadora para a italiana. "Que manuscrito é este?"

Valentina pegou no volume e exibiu as letras na capa dura. "*Codex Vaticanus.*"

Ao ver o título, o historiador escancarou a boca de admiração e cravou de novo os olhos no manuscrito, desta feita com incredulidade, como se visse e não acreditasse. Reanalisou o pergaminho para se certificar de que era mesmo antigo e a seguir aproximou o nariz para o cheirar. A confirmação deixou-o estupefacto.

"Isto é o *Codex Vaticanus*? O documento original?"

"Sim, claro. Porquê essa admiração?"

Como se o manuscrito fosse uma relíquia que valesse o seu peso em ouro, Tomás arrancou-o das mãos da inspectora e pousou-o com infinito cuidado sobre a mesa de leitura; dir-se-ia que manejava um delicado candelabro de cristal.

"Isto é um dos mais valiosos manuscritos que existem no planeta!", disse, num tom de repreensão. "Não se pode pegar nele assim de qualquer maneira. Meu Deus, isto é uma coisa única! Não tem preço! É como... é como se fosse a *Mona Lisa* dos manuscritos, percebe?" Lançou um olhar fulminante para a porta, como se o papa ali estivesse e o quisesse admoestar nos termos mais vigorosos por não guardar devidamente um tesouro daqueles. "Nem sabia que eles autorizavam com tanta facilidade a consulta deste original. É incrível! Uma coisa destas não devia ser permitida! Como é possível?"

"Tenha calma", devolveu Valentina. "O *prefetto* da biblioteca já me explicou que, em condições normais, ninguém tem acesso a este manuscrito, apenas a cópias. Mas parece que a vítima era um caso especial..."

Tomás assentou os olhos no corpo tapado pelo lençol, na passagem entre as duas salas, e engoliu a indignação.

"Ah, bom..."

Se o acesso ao original do *Codex Vaticanus* era excepcional, raciocinou, nada tinha a dizer.

"O que eu queria era saber o que tem este manuscrito de tão especial."

A atenção do historiador regressou ao códice pousado sobre a mesa de leitura.

"De todas as Bíblias que recuam aos primórdios do cristianismo, o *Codex Vaticanus* é provavelmente a de melhor qualidade." Passou a mão sobre o pergaminho amarelecido ao longo de quase dois milénios. "Data do século IV e contém a maior parte do Novo Testamento. Dizem que foi uma oferta do imperador bizantino ao papa." A palma da mão desceu sobre a folha e acariciou-a com um movimento suave. "Um tesouro. Nunca imaginei poder um dia tocar nele." O rosto abriu-se num sorriso quase beatífico. "O *Codex Vaticanus*. Quem diria?"

"Não consegue imaginar o que a professora Escalona procuraria nestas páginas?"

"Não faço a mínima ideia. Porque não perguntam a quem lhe encomendou o trabalho?"

Valentina suspirou.

"Pois, esse é um dos problemas", admitiu. "Não sabemos para quem estava ela a trabalhar. Aliás, pelos vistos mais ninguém sabia. Nem sequer o marido. Parece que a professora Escalona encarava este trabalho como um segredo de estado, está a ver?"

A observação acicatou a curiosidade de Tomás. Um segredo de estado? O historiador perscrutou o manuscrito e encarou-o com novos olhos, já não ofuscado pela sua importância como relíquia histórica, mas vendo-o como fonte de informação que poderia ser relevante para o crime que ali tinha sido cometido.

"O códice está aberto na página em que a Patricia o deixou?"

"Sim. Ninguém mexeu nele. Porquê?"

Tomás não respondeu, preferindo ler o texto com atenção renovada. O que haveria ali que tivesse interessado à sua amiga? Que segredos estariam encerrados naquelas linhas? Traduziu o texto mentalmente até embater na palavra fatídica. Pronunciou-a em voz alta.

"*Phanerón.*"

"Perdão?"

O historiador indicou uma linha no manuscrito.

"Vê o que está aqui escrito?"

Valentina observou os caracteres arredondados, um dos quais lhe parecia rasurado, e, abanando a cabeça, riu-se.

"Não entendo nada. É chinês?"

Tomás pestanejou.

"Ah, desculpe! Às vezes esqueço-me que nem toda a gente lê grego." Voltou a atenção para a linha que indicara. "O que temos aqui é uma epístola de S. Paulo que consta do Novo Testamento. Trata-se da Carta aos Hebreus. Este versículo é o 1:3 e a palavra que está aqui rasurada é *phanerón*. *Phanerón*, ou *manifesta*. Nesta linha Paulo diz que Jesus 'manifesta todas as coisas pela Sua palavra poderosa'. Mas a maior parte dos manuscritos da Bíblia usa neste trecho a palavra *pherón*, que significa sustém. Ou seja, uma coisa é dizer que Jesus manifesta todas as coisas e outra é dizer que Jesus sustém todas as coisas. Percebe? São sentidos diferentes." Indicou a palavra rasurada e uns gatafunhos à margem do manuscrito. "Está a ver isto?"

"Sim..."

"Ao consultar o *Codex Vaticanus*, um escriba leu *phanerón* e achou que havia um erro. O que fez ele? Rasurou essa palavra e substituiu-a pela expressão mais comum, *pherón*. Mais tarde um segundo escriba apercebeu-se desta rasura, rasurou *pherón* e reescreveu *phanerón*, a palavra original." Apontou para os gatafunhos. "E aqui na margem rabiscou esta nota: 'Estúpido e ignorante! Deixa o velho texto em paz, não o alteres!'"

Valentina cerrou as sobrancelhas, tentando extrair daquela explicação um sentido que fosse relevante para o assunto que tinha em mãos.

"Ah, muito interessante", disse, evidentemente a pensar o contrário. "E então? Qual a pertinência dessa charada para esta investigação?"

Tomás cruzou os braços e apoiou o queixo nas mãos, numa pose pensativa, enquanto considerava as implicações da descoberta que acabara de fazer.

"É muito simples", disse. "Esta rasura no *Codex Vaticanus* ilustra um dos maiores problemas da Bíblia." Inclinou a cabeça para o lado, como se algo tivesse acabado de lhe ocorrer. "Deixe-me fazer-lhe uma pergunta: na sua opinião, a Bíblia representa a palavra de quem?"

A italiana riu-se.

"Ora, que pergunta!", exclamou. "De Deus, claro. Toda a gente sabe isso!"

O historiador não acompanhou a gargalhada. Em vez disso ergueu uma sobrancelha, numa expressão teatral de cepticismo.

"Está a dizer-me que foi Deus quem escreveu a Bíblia?"

"Bem... quer dizer, não", atrapalhou-se Valentina. "Deus inspirou os cronistas... as testemunhas... enfim, os evangelistas que escreveram as Escrituras."

"Essa inspiração divina significa o quê? Que a Bíblia é um texto infalível?"

A inspectora hesitou; era a primeira vez que a forçavam a pensar nisso dessa maneira.

"Suponho que sim. A Bíblia traz-nos a palavra de Deus, não é? Nesse sentido, acho que se pode afirmar que é infalível."

Tomás lançou uma espreitadela ao *Codex Vaticanus* e fez um estalido com a parte lateral dos lábios.

"E se eu lhe disser que pelos vistos a Patricia andava à caça dos erros do Novo Testamento?"

A inspectora esboçou um esgar inquisitivo.

"Erros? Que erros?"

O historiador susteve-lhe o olhar.

"Não sabia? A Bíblia contém muitos erros."

"O quê?"

Tomás girou a cabeça em redor, procurando certificar-se de que ninguém o escutava. No fim de contas encontrava-se em pleno Vaticano e não queria desencadear nenhum incidente. Viu dois sacerdotes junto à porta que conduzia à Leonina, um deles devia ser o *prefetto* da biblioteca, mas concluiu que a distância era suficientemente grande e não corria o risco de ser escutado.

Inclinou-se, mesmo assim, para a sua interlocutora e numa postura de conspirador preparou-se para partilhar com ela um segredo com quase dois milénios.

"São milhares de erros a infectar a Bíblia", murmurou. "Incluindo fraudes."

V

O silêncio da noite de Dublin foi perturbado pelo toque impaciente do telemóvel. Havia já vinte minutos que Sicarius aguardava aquela chamada num canto discreto no exterior do aeroporto, longe dos candeeiros ou de qualquer outra iluminação. Retirou o aparelho do bolso e verificou a origem do telefonema antes de atender.

"*Já tenho a informação de que precisas*", anunciou-lhe a voz do outro lado da linha. "*Parece que o nosso amigo está enfiado na Chester Beatty Library.*"

Sicarius extraiu do bolso a caneta e o bloco de notas e pôs-se a rabiscar a informação.

"Ches... ter Bi..." Hesitou. "Como se soletra a segunda palavra?"

"*B... E... A... T... T... Y*", entoou o mestre do outro lado da linha. "*Beatty.*"

"Library", completou Sicarius. Guardou o bloco de notas e espreitou o relógio, que durante o voo tinha já ajustado à hora de Dublin, uma a menos que em Roma. "Aqui são duas e meia da manhã. O gajo está numa biblioteca a esta hora?"

"*Estamos a lidar com historiadores...*"

Sicarius soltou uma gargalhada seca e começou a caminhar, abandonando o canto sombrio e dirigindo-se à fila dos táxis, duas dezenas de metros adiante.

"E esta? Só me saem ratos de biblioteca na rifa!...", observou. "Dê-me uma referência ali perto."

"*Uma referência? Porquê?*"

"Não quero indicar ao taxista a Chester Beatty Library. Quando amanhã a coisa começar a ser noticiada é importante que ele não se recorde que transportou um cliente justamente para aquele local a estas horas..."

"*Ah, estou a ver.*" Calou-se e ouviu-se na linha o som de papéis a serem remexidos. "*Estou a verificar aqui no mapa e... olha, o Castelo de Dublin. A biblioteca fica ao pé do castelo.*"

Sicarius tomou nota da referência.

"Mais alguma coisa?"

O seu interlocutor afinou a voz.

"*Ouve, não pensei que quisesses actuar já, por isso não tratei do teu acesso ao edifício. Terás de improvisar um pouco. Mas joga pelo seguro, ouviste?*"

"Fique descansado, mestre."

"*Não te deixes apanhar. E se fores apanhado já sabes o que tens de fazer.*"

"Fique descansado."

"*Boa sorte!*"

Sicarius guardou o telemóvel no bolso e estacou diante da fila dos táxis. Chamar fila àquilo era, porém, uma forma de falar; só lá estavam dois automóveis. Os respectivos motoristas pareciam adormecidos, as cabeças tombadas sobre os volantes, os vidros fechados para os abrigar do frio. O recém-chegado bateu à janela da viatura da frente e o motorista despertou com um sobressalto. Olhou estremunhado para o cliente e levou um instante a focar os olhos, recompor-se e fazer-lhe sinal.

"Entre!"

O recém-chegado instalou-se no lugar de trás, junto à janela, e pousou a pasta de couro negro no regaço.

"É para o Castelo de Dublin."

O táxi arrancou, deslizando num murmúrio pelas vias de saída do aeroporto rumo à cidade. As ruas estavam desertas e a iluminação pública projectava um halo espectral sobre a neblina.

Com movimentos precisos, Sicarius abriu a pasta e contemplou a preciosidade que trazia ali dentro. A adaga reluzia como cristal. Inspeccionou o metal e não encontrou o menor vestígio de sangue; a limpeza tinha sido perfeita. O viajante ficou um longo momento a admirar-lhe o brilho, quase como se estivesse enamorado; a lâmina era uma verdadeira obra de arte, ondulante e aguçada, a prova de que os seus antepassados milenares, inspirados pela graça divina, sabiam moldar os metais até à perfeição.

Meteu a mão na pasta e pegou na *sica;* era surpreendentemente pesada. Passou o dedo pelo fio da lâmina e sentiu-lhe o poder cortante; talvez fosse mesmo capaz de dividir uma folha de papel como se não passasse de um bife tenro. A lâmina cintilava de tão cristalina, reflectindo as luzes do exterior como um diamante puro. Com o jeito de um pai carinhoso que deposita a filha adormecida no leito, Sicarius devolveu-a com cuidado ao seu lugar no interior da pasta. Sabia que a adaga não permaneceria assim imaculada muito mais tempo.

O sangue esperava-a.

VI

A face contrariada de Valentina Ferro constituiu um sinal de alerta de que Tomás de imediato se apercebeu. A inspectora pareceu reagir mal à revelação de que a Bíblia continha milhares de erros e fechou o rosto, criando uma súbita barreira entre os dois. O português tinha consciência de que, se havia assuntos de grande sensibilidade, as convicções religiosas eram sem dúvida um dos que requeriam maiores cuidados. Não valia a pena ferir susceptibilidades e ofender as pessoas, mesmo que fosse com a verdade.

Em busca de uma saída, deitou teatralmente uma mirada ao relógio e fez um ar admirado.

"Ah, já é tão tarde!", exclamou. "Parece-me que é melhor voltar para o Fórum de Trajano. Os trabalhos de restauro vão prosseguir até ao amanhecer e o professor Pontiverdi está a contar comigo."

A inspectora fez um esgar de descontentamento.

"O senhor não vai a parte nenhuma enquanto eu não autorizar", sentenciou num tom frio.

"Porquê? Ainda precisa de mim?"

Valentina desviou o olhar para o corpo coberto que permanecia deitado no chão.

"Tenho um crime para deslindar e os seus talentos podem-me ser úteis."

"Mas o que quer ainda saber?"

"Quero perceber a investigação que a vítima estava a conduzir e a sua relação com o homicídio. Isso pode dar-me pistas cruciais."

O historiador abanou enfaticamente a cabeça.

"Eu não disse que havia uma relação!..."

"Mas digo eu."

A declaração deixou Tomás atónito. Olhou momentaneamente para o cadáver e depois para a inspectora.

"O quê?", admirou-se. "Acha que a Patricia foi assassinada por causa da investigação que estava a fazer? Porque diz isso?"

O rosto de Valentina voltou a fechar-se.

"Cá tenho as minhas razões", murmurou de uma forma críptica. Pousou a mão sobre o *Codex Vaticanus*, redireccionando a conversa para a questão que considerava central. "Explique-me lá essa treta dos erros da Bíblia que ela procurava neste manuscrito."

O historiador hesitou. Deveria mesmo meter-se por aquele caminho de destino incerto? Os instintos respondiam-lhe que não. Sabia que poderia ter de dizer coisas consideradas ofensivas por um crente e não tinha a certeza de que isso seria sensato. Cada pessoa tinha as suas convicções, e quem era ele para as pôr em causa?

Mas havia o outro lado da questão a levar em conta. Afinal uma amiga dele tinha sido assassinada e, se a inspectora encarregada da investigação considerava que os seus talentos e conhecimentos poderiam ser importantes para deslindar o caso, porque haveria de lhe negar ajuda? Além do mais, não podia esquecer o pormenor de que tinha sido considerado sob suspeita. Pressentia que, se não colaborasse nas investigações, isso poderia ser problemático.

Respirou fundo e cerrou os olhos por momentos, como um pára-quedista prestes a lançar-se no vazio, e deu o passo que mais temia.

"Muito bem", concordou. "Mas primeiro deixe-me esclarecer uma coisa."

"O que quiser."

Os olhos verdes de Tomás cravaram-se no azul celestial dos de Valentina, como se quisessem ver para além deles e chegar ao fundo para perceber o que os animava.

"Você é cristã, presumo."

A inspectora da Polizia Giudiziaria assentiu com um movimento discreto da cabeça e puxou de debaixo da gola da camisola um delicado fio de prata que trazia pendurado ao pescoço.

"Católica romana", disse, exibindo uma pequena cruz pendurada no fio. "Sou italiana, não é verdade?"

"Então há uma coisa que é importante que perceba", afirmou ele. Encostou a palma da mão ao seu próprio peito. "Eu sou historiador. Os historiadores não investigam com base em fé religiosa, antes assentam as suas conclusões nos vestígios: restos arqueológicos ou textos, por exemplo. No caso do Novo Testamento, estamos a falar essencialmente de manuscritos. Eles são uma importantíssima fonte de informação para perceber o que aconteceu no tempo de Jesus. Porém, têm de ser usados com muita cautela. Um historiador precisa de perceber as intenções e os condicionalismos do autor dos textos para descobrir coisas para além do que está lá escrito. Repare, se eu ler uma notícia do *Pravda* no tempo na União Soviética a dizer que foi feita justiça sobre um lacaio imperialista que punha em causa a revolução, tenho de eliminar toda a retórica ideológica e perceber o facto por detrás dessa notícia: foi executada uma pessoa que se opunha ao comunismo. Certo?"

O olhar de Valentina tornou-se gelado.

"Está a comparar o cristianismo com o comunismo?"

"Claro que não", apressou-se ele a esclarecer. "Estou apenas a dizer que os textos exprimem a intenção e os condicionalismos dos seus autores, e um historiador deve levar isso em conta quando os lê. Os autores dos Evangelhos não queriam meramente relatar a vida de Jesus. Pretendiam glorificá-lo e persuadir outras pessoas de que ele era o Messias. Isso é algo que um historiador não pode ignorar. Percebe?"

A italiana fez um sinal afirmativo.

"Claro, não sou burra", disse. "No fundo também é isso que um detective faz, não é verdade? Quando ouvimos uma testemunha, temos de interpretar o que ela diz em função da sua situação e das suas intenções. Nem todas as suas afirmações são para levar à letra. Parece-me óbvio."

"Nem mais", exclamou Tomás, satisfeito por se ter feito entender. "O mesmo se passa connosco, os historiadores. Somos uma espécie de detectives do passado. Mas é importante que perceba que, quando estudamos uma grande figura da história, por vezes descobrimos coisas que os seus admiradores incondicionais talvez não gostassem de saber. Coisas que podem ser... desagradáveis, entende? Porém, verdadeiras."

Fez uma pausa para se assegurar de que este ponto tinha sido perfeitamente assimilado.

"E então?", impacientou-se Valentina.

"E então preciso de saber se me quer escutar até ao fim, sabendo que vou dizer algumas coisas sobre Jesus e a Bíblia que poderão mexer profundamente com as suas convicções religiosas. Não quero que se zangue comigo a cada revelação que lhe faça. Se é para isso, mais vale eu ficar calado."

"Essas coisas que me pode revelar... de certeza que são verdadeiras?"

Tomás fez que sim com a cabeça.

"Tanto quanto podemos determinar, sim." Esboçou um sorriso sem humor. "Chamemos-lhes... verdades inconvenientes."

"Então, força com isso."

O historiador perscrutou-a com cuidado, como se duvidasse da sinceridade do que acabara de escutar.

"De certeza? Não me vai prender no fim?"

A pergunta teve o condão de quebrar o gelo no rosto de Valentina.

"Não sabia que tinha medo de mulheres", sorriu.

Tomás riu-se.

"Só das lindíssimas."

"Ah, pois. Já cá faltavam os galanteios", repreendeu-o a italiana, corando. Antes que ele pudesse retorquir, porém, Valentina voltou a pousar a mão no *Codex Vaticanus*, reencaminhando mais uma vez a conversa. "Então diga lá. Que erros são esses que constam da Bíblia?"

O historiador fez-lhe sinal de que se sentasse e ele próprio se acomodou à mesa de leitura, junto ao célebre códice do século IV. Tamborilou os dedos na madeira envernizada da mesa, tentando decidir por onde começar; havia tanta coisa para dizer que a dificuldade era justamente estabelecer o roteiro da conversa.

Por fim ergueu os olhos e fitou-a.

"Por que razão é cristã?"

A inspectora foi apanhada de surpresa.

"Bem...", titubeou a italiana, "é uma questão de... enfim, a minha família é católica, cresci com essa educação e... e sou também católica. Porque quer saber isso?"

"Está a dizer-me que é cristã meramente por tradição familiar?"

"Não... quer dizer, claro que a tradição conta. Mas acredito nos valores cristãos, acredito no que Jesus nos ensinou. É isso que faz de mim uma cristã."

"E quais são os ensinamentos de Jesus que mais valoriza?"

"O amor e o perdão, sem dúvida."

Tomás deitou um olhar ao *Codex Vaticanus*, testemunha silenciosa daquela conversa.

"Conte-me um episódio do Novo Testamento que considere mais emblemático desses ensinamentos."

"Ah, a história da adúltera", disse Valentina sem hesitar. "A minha avó falava-me muito nessa história, era a sua favorita. Presumo que a conheça bem, não?"

"Quem não a conhece? Se exceptuarmos as narrativas do nascimento e da crucificação de Jesus, esse é o episódio mais famoso do Novo Testamento." Recostou-se na cadeira, como se se preparasse para assistir a um espectáculo. "Mas diga-me lá: o que sabe sobre a história da adúltera?"

O pedido voltou a atrapalhar a italiana.

"Sei o que toda a gente sabe, acho eu", disse. "A lei judaica prevê que os adúlteros sejam apedrejados até à morte, não é verdade? Acontece que certa vez os fariseus foram ter com Jesus e levaram-lhe uma mulher que tinha sido apanhada em adultério. Queriam testar o respeito de Jesus pela lei de Deus. Os fariseus lembraram-lhe que a lei que Deus entregou a Moisés previa a lapidação da adúltera..."

"É o que diz a Bíblia", atalhou Tomás. "Em Levítico, 20:10, Deus diz a Moisés: 'Se um homem cometer adultério com a mulher de outro homem, com a mulher do seu próximo, o homem e a mulher adúltera serão punidos com a morte.'"

"Pois", assentiu Valentina. "Os fariseus conheciam, claro, essa ordem de Deus, mas pretendiam primeiro saber o que tinha Jesus a dizer sobre o assunto. Deveriam apedrejá-la até à morte, como requeria a lei, ou deveriam conceder-lhe o perdão, como Jesus andava a pregar? Esta pergunta era evidentemente um ardil, uma vez que, se recomendasse a lapidação, Jesus estaria a contradizer tudo o que ensinara sobre o amor e o perdão. Mas se a libertasse estaria a violar a lei de Deus. O que fazer?"

"Toda a gente conhece a resposta a esse dilema", sorriu o historiador. "Sem levantar a cabeça, e sempre a rabiscar coisas na areia, Jesus disse-lhes que atirasse a primeira pedra quem nunca tivesse pecado. Os fariseus ficaram atrapalhados, porque evidentemente todos eles já haviam cometido pecados, mesmo que mínimos, e foram-se embora, deixando a adúltera com Jesus. Quando ficou a sós com ela, Jesus mandou-a também embora, dizendo-lhe: 'Vai e doravante não tornes a pecar.'"

Os olhos de Valentina brilhavam.

"Não acha brilhante?", perguntou ela. "De uma penada, Jesus impossibilitou a aplicação de uma lei cruel sem a revogar. É de génio, não é?"

"A história é lindíssima", concordou Tomás. "Tem drama, tem conflito, tem tragédia e, no momento do clímax, quando a tensão atinge o apogeu e Jesus e a adúltera parecem perdidos, ela destinada à morte à pedrada e ele ao escárnio dos fariseus, apresenta-nos uma resolução surpreendente e maravilhosa, cheia de humanidade, compaixão, perdão e amor. Basta escutar esse episódio maravilhoso para perceber a grandeza de Jesus e dos seus ensinamentos." Fez uma careta e ergueu um dedo, interrompendo assim o fluxo das suas palavras. "Só há um pequenino problema."

"Problema? Qual problema?"

O historiador assentou os dois cotovelos na mesa, apoiou o queixo nas mãos e fitou intensamente a sua interlocutora.

"Isso nunca aconteceu."

"Como?!"

Tomás suspirou.

"A história da adúltera, minha cara, é forjada."

VII

A iluminação nocturna que beijava as paredes exteriores do Castelo de Dublin conferia às muralhas um certo aspecto fantasmagórico, como se os postes fossem sentinelas a vigiar um vulto adormecido no meio da cidade. Um manto denso de neblina abatera-se sobre o casario, parecia que um véu de prata havia tombado na noite, e os candeeiros exalavam um halo amarelado de luz que projectava estranhas sombras sobre os passeios e as fachadas de tijolos dos edifícios.

Logo que o táxi se afastou, Sicarius pôs-se a esquadrinhar as ruas em torno do castelo, em busca do seu destino. Depressa percebeu, contudo, que a Chester Beatty Library não era tão simples de localizar como inicialmente supusera. Verificou no mapa, onde tudo se lhe afigurava claro, mas o formato real das ruas pareceu-lhe diferente e ficou confuso. Acabou por se deparar com umas tabuletas que o conduziram aos Dubh Linn Gardens e por fim à entrada da biblioteca.

O edifício deixou-o algo desconcertado. Esperava um monumento imponente, à altura dos tesouros de valor incalculável que albergava nos seus cofres, mas encontrou algo diferente. Considerando o ambiente histórico que a rodeava, a Chester Beatty Library encontrava-se alojada num edifício surpreendentemente moderno, ao lado do oitocentista Clock Tower Building.

Observou durante algum tempo a grande porta envidraçada da entrada e todo o espaço em redor. Apenas se apercebeu de um sem-abrigo a dormir no jardim com uma garrafa de *whisky* ao lado; não era uma ameaça. Já com a certeza de que ali não circulava ninguém que o pudesse importunar, aproximou-se com cautela.

A porta estava fechada, como era natural àquela hora da madrugada, mas o visitante apercebeu-se de luzes acesas no interior do edifício. Teria de haver pelo menos um guarda, claro. Talvez mais. O importante, porém, era o visitante que, segundo o mestre, ali se encontrava.

O alvo.

Sicarius colou o rosto ao vidro da porta. Apercebeu-se de que havia um guarda a dormitar por detrás de um balcão circular. Estudou o dispositivo de alarme instalado no interior do edifício. Percebeu que não seria fácil entrar ali. O ideal seria contar com a colaboração de um cúmplice, como acontecera no Vaticano graças aos contactos do mestre, mas em Dublin estava por sua conta e risco. Voltou a analisar o dispositivo de alarme. Havia luzes vermelhas a piscar e câmaras de vídeo instaladas em pontos estratégicos nas paredes. Sem ajuda nem planificação atempada, parecia-lhe quase impossível entrar na biblioteca sem ser detectado. Teria de improvisar.

Como o acesso frontal lhe estava vedado, avaliou a possibilidade de penetrar por uma das janelas. Situavam-se num plano um pouco elevado, mas à primeira vista pareciam-lhe acessíveis. Estudou-as da rua e ponderou avançar, mas acabou igualmente por se convencer de que, sem um trabalho adequado de preparação, os riscos de a sua intrusão por aí ser detectada eram também consideráveis.

Convencido em definitivo de que não estavam reunidas as condições para ser bem sucedido, decidiu não tentar penetrar na Chester Beatty Library. Em vez disso procurou um canto recatado junto à entrada da biblioteca e instalou-se aí; o local parecia-lhe perfeito, ao abrigo de quaisquer olhares indiscretos.

Calçou as luvas negras e ultimou os preparativos. Depois pressionou a fechadura da sua pequena mala de couro negro e, com um clique surdo, abriu-a. O interior da maleta era de uma treva impenetrável, mas no meio daquela sombra cerrada um reflexo límpido cintilou, como o faiscar de um diamante; tratava-se da luz dos faróis de um automóvel que passara na rua e se reflectira na lâmina cristalina.

Extraiu a adaga com um movimento delicado e sentiu-lhe o peso milenar. Era perfeita. Depois atirou um olhar para a entrada da biblioteca e delineou o plano. Para que as coisas acontecessem, só lhe faltava que o alvo desse sinais de vida.

Ele se encarregaria de os transformar em morte.

VIII

"Forjada?"

A face de Valentina quase se contorcia, desfigurada por um misto de espanto e de indignação; o que acabara de ouvir sobre a história da adúltera, de longe a sua favorita da Bíblia, deixara-a em estado de choque.

Tomás percebeu a estupefacção e respirou fundo, odiando ser o mensageiro daquela notícia.

"Receio bem que sim."

A italiana estava boquiaberta e perscrutava o rosto do historiador em busca de sinais de que tudo aquilo não passava de uma brincadeira de mau gosto. Não os encontrou.

"Como, forjada?", questionou, num tom intensamente incrédulo. "Oiça, não basta dizer uma coisa dessas para que eu acredite. Para o afirmar é preciso provar!" Deu uma palmada furiosa na mesa de leitura. "Provar, ouviu?"

O académico português deitou os olhos ao manuscrito silencioso que se encontrava sobre a mesa de leitura, como se o *Codex Vaticanus* o pudesse ajudar a aplacar a fúria que fervia dentro dela.

"Se quer a prova, primeiro precisa de entender algumas coisas", disse num registo sereno. "Para começar, quantos textos não cristãos do século I existem a relatar a vida de Jesus?"

"Muitos, claro!", exclamou Valentina. "Jesus foi só o homem mais importante dos últimos dois mil anos, não é verdade? Não era possível ignorá-lo!..."

"Mas que textos são esses?"

"Todas as coisas que os Romanos escreveram."

"Que coisas?"

A inspectora atrapalhou-se.

"Bem... sei lá! Você é que é o historiador..."

Tomás desenhou um círculo com o polegar e o indicador e ergueu-o ao nível dos olhos da sua interlocutora.

"Zero."

"Perdão?"

"Não há um único texto romano do século I sobre Jesus. Nem manuscritos, nem documentos administrativos, nem certidões de nascimento ou de óbito, nem vestígios arqueológicos, nem alusões de passagem, nem referências crípticas. Nada. Sabe o que os Romanos do século I tinham a dizer sobre Jesus?" Voltou a desenhar o círculo com os dedos. "Um grandessíssimo zero!"

"Não pode ser!"

"A primeira referência de um romano a Jesus foi feita já no século II, por Plínio, o Jovem, numa carta ao imperador Trajano, na qual menciona a seita dos cristãos e diz que eles 'veneram Cristo como um deus'. Antes de Plínio, o silêncio é absoluto. Há, porém, um historiador judeu, Josefo, que num livro sobre a história dos judeus escrito no ano 90 menciona

Jesus de passagem. De resto, é um deserto. Significa isto que as únicas fontes de que dispomos sobre a vida de Jesus são as cristãs."

"Não fazia a mínima ideia!..."

O historiador pousou os olhos no *Codex Vaticanus.*

"E sabe que textos fazem parte do Novo Testamento?"

Valentina ainda vacilou, tentando perceber se o seu interlocutor não estaria a desviar a conversa. Acabou por lhe conceder o benefício da dúvida e, fazendo um esforço para controlar as emoções, decidiu colaborar. Respirou fundo e buscou na mente resposta à pergunta.

"Bem, confesso que nunca prestei grande atenção a isso", admitiu, fazendo um ar pensativo. "Deixe ver, são os quatro evangelhos: Mateus, Marcos, Lucas e João." Hesitou. "E acho que há mais umas coisinhas, não há?"

"Há pois", riu-se Tomás. "Na verdade, os textos mais antigos do Novo Testamento não são os Evangelhos. São as Epístolas de Paulo."

"A sério?"

"Sim, as cartas de Paulo", repetiu o português, clarificando o significado da palavra *epístolas.* "Sabe, para perceber como nasceram os textos do Novo Testamento é preciso ter presente que os primeiros cristãos consideravam que a Bíblia era exclusivamente constituída pelo Antigo Testamento dos judeus. O problema era como interpretar as Sagradas Escrituras à luz dos ensinamentos de Jesus, uma vez que os diferentes ramos dos seus seguidores estavam a escolher caminhos diversos, por vezes até contraditórios, e invocavam sempre o Messias para legitimar as suas posições. O líder de um desses ramos era Paulo, um judeu muito activo na propagação da palavra de Jesus e que, por isso mesmo, fez inúmeras viagens a cidades distantes em todo o Mediterrâneo oriental para converter pagãos. Dizia-lhes que só se devia adorar o Deus judaico e que Jesus morreu pelos pecados do mundo e voltaria em breve para o dia do juízo final. Acontece que, quando ia a meio dessas viagens, chegavam-lhe por vezes notícias de que os fiéis de uma congregação que havia fundado estavam a adoptar uma teologia da qual ele discordava, ou então de que havia nessa congregação comportamentos imorais, ou qualquer outro problema. Para voltar a pôr os crentes no que achava ser a verdadeira senda, Paulo escreveu-lhes cartas, chamadas epístolas, carregadas de admoestações por se terem desviado do caminho e de exortações a regressarem ao rumo que ele considerava correcto. A primeira dessas cartas que sobreviveu foi dirigida à congregação de Tessalónica, chamada Primeira Carta aos Tessalonicenses e redigida em 49, menos de vinte anos após a morte de Jesus. Há também uma carta que endereçou à congregação de Roma, a chamada Carta aos Romanos, outras à congregação de Corinto, chamadas Cartas aos Coríntios, e assim sucessivamente. É importante perceber que, quando foram escritas, essas epístolas não se destinavam a ser encaradas como Sagradas Escrituras — eram simples cartas."

"Como os *e-mails* que trocamos hoje em dia?"

Tomás riu-se.

"Isso, só que usando um correio um pouco mais lento", gracejou. "Acontece que naquele tempo as pessoas eram em geral analfabetas, pelo que estas epístolas acabavam por ser lidas em voz alta a toda a congregação. O próprio Paulo termina a sua Primeira Carta aos Tessalonicenses a apelar a que a missiva «seja lida a todos os irmãos», o que demonstra que essa era a prática comum. Com o tempo, e após sucessivas cópias e muitas leituras em voz alta, estas epístolas passaram a ser consideradas uma referência e de certo modo começaram a constituir um elo comum entre todas as congregações. Ao todo, o Novo Testamento é constituído por vinte e uma epístolas, de Paulo e de outros líderes, como Pedro, Tiago, João e Judas, mas sabemos que foram escritas muitas mais cartas que não sobreviveram."

Valentina deitou um olhar curioso ao *Codex Vaticanus*, como se se tratasse da Bíblia original.

"E os Evangelhos? Surgiram também em cartas?"

"A história dos Evangelhos é diferente." Tomás indicou a cruz de prata que a italiana trazia discretamente ao pescoço. "Inicia-se com a crucificação de Jesus. Receando ser mortos pelos Romanos, os seus seguidores fugiram e esconderam-se. Depois surgiu a história da ressurreição e eles começaram a dizer que Jesus em breve voltaria à Terra para o dia do juízo final. Por isso instalaram-se em Jerusalém e ficaram à espera. Enquanto aguardavam, puseram-se a contar histórias de Jesus."

"Ah!", exclamou a inspectora. "E foi assim que os Evangelhos foram escritos."

"Não, de modo nenhum! Os apóstolos achavam que o regresso de Jesus estava iminente e não viam o menor motivo para pôr essas histórias por escrito. Para quê? Em breve Jesus voltaria! Além do mais, é importante lembrar que os primeiros seguidores de Jesus eram gente pobre e sem educação. Logo, analfabetos. Como iriam eles redigir as narrativas? O que havia portanto eram histórias avulsas e que os historiadores designam 'perícopas orais'."

"Foi desse modo que se preservaram as narrativas da vida de Jesus?"

"Sim, mas não com a intenção de as preservar", insistiu Tomás. "Lembre-se que para eles Jesus estava prestes a voltar.

Eles contavam essas histórias apenas para ilustrar situações que poderiam dar a solução para os novos problemas que entretanto iam surgindo. Este pormenor é importante, porque indicia que estes narradores retiravam as histórias do contexto próprio e lhes davam um novo contexto, alterando assim subtil e inconscientemente o seu sentido. O problema é que, à medida que os primeiros seguidores foram envelhecendo e morrendo sem que Jesus regressasse, foi-se percebendo que era necessário um registo escrito para ser lido em voz alta nas diversas congregações, sob pena de a memória se perder. As perícopas foram então redigidas em folhas de papiro e lidas fora dos seus contextos originais. E Jesus continuou sem voltar. Chegou-se depois à conclusão de que, para surtir melhor efeito junto dos fiéis, era possível alinhar as perícopas segundo uma determinada ordem e reuni-las em grupos: as referentes aos milagres, as dos exorcismos, as das lições morais... O passo seguinte foi juntar todos estes grupos para formar narrativas mais alargadas, designadas proto-evangelhos, e que contavam uma história completa. Esses proto-evangelhos foram por fim unidos numa única narrativa e nasceram...”

“Os quatro evangelhos”, atalhou Valentina com um sorriso. “Fascinante!”

Tomás fez uma careta.

“Na verdade, não foram só quatro”, corrigiu. “Apareceram dezenas de evangelhos.”

“Dezenas?”

“Mais de trinta. Os primeiros de que temos registo foram o Evangelho segundo Marcos e a Fonte Q, um evangelho perdido e cuja existência inferimos a partir de outros dois evangelhos, os de Mateus e Lucas, que parecem ir ambos beber a uma mesma fonte, o Q.”

"Q?" estranhou Valentina. "Que raio de nome é esse?"

"Q de *Quelle*, palavra alemã que designa *fonte*. Mas há outras fontes, como a M, usada exclusivamente por Mateus, e a L, usada apenas por Lucas."

"Todas perdidas?"

"Sim", assentiu o historiador. "Depois surgiram mais evangelhos, como o de João, o de Pedro, o de Maria, o de Tiago, o de Filipe, o de Maria Madalena, o de Judas Tomás, o de Judas Iscariotes, o de Tomé... enfim, dezenas de evangelhos diferentes."

"Pois, confesso que já li qualquer coisa sobre isso", observou a italiana. "O que não sei é o que aconteceu a esses evangelhos..."

"Mais tarde foram rejeitados."

"Sim, mas porquê?"

Era uma boa pergunta, sabia o historiador.

"Sabe, nenhum evangelho é uma mera crónica dos acontecimentos", explicou. "Os evangelhos são reconstituições teologicamente orientadas."

"O que pretende dizer com isso?"

"Simplesmente que cada evangelho apresentava uma teologia específica", indicou, evitando mais pormenores controversos para não desencadear um novo ataque de fúria da italiana. "Isso estabeleceu o caos entre os fiéis, como deve calcular. Uns evangelhos apresentavam Jesus como uma figura exclusivamente humana, outros como uma figura exclusivamente divina, outros ainda como uma figura divina dentro de uma figura humana. Uns diziam que havia ensinamentos secretos só acessíveis a iniciados, outros que Jesus nem sequer morrera. Havia quem defendesse que existia apenas um deus, outros diziam que eram dois deuses, outros apontavam para três, outros para doze, outros para trinta..."

"*Madonna!* Que confusão!"

Tomás assentiu.

"De facto, ninguém se entendia", disse. "Formaram-se vários grupos dominantes de seguidores de Jesus, cada um com os seus evangelhos. Havia os ebionitas, judeus que diziam ser Jesus apenas um rabino que Deus escolhera por se tratar de uma pessoa particularmente correcta e conhecedora da lei entregue a Moisés. Há indícios de que Pedro e Tiago, irmão de Jesus, eram considerados precursores desta corrente. Depois surgiram os paulistas, que preconizavam a universalização dos ensinamentos aos gentios e achavam que Jesus tinha características divinas e a salvação decorria da crença na sua ressurreição, e não do respeito pela lei. Havia também os gnósticos, que encaravam Jesus como um homem temporariamente encarnado por um deus, Cristo, e pensavam que alguns seres humanos continham dentro deles uma centelha divina que poderiam libertar se tivessem acesso a um conhecimento secreto. Por fim existiam os docetistas, que diziam que Jesus era um ser exclusivamente divino que apenas parecia humano. Nem sequer tinha fome ou sono, apenas fingia ter."

Valentina fez um gesto largo com o braço direito, englobando a Biblioteca do Vaticano e tudo o que a rodeava.

"Qual dessas correntes é a nossa?"

Tomás sorriu.

"A nossa? Quer dizer, a da actual Igreja?"

"Sim."

"Os cristãos de Roma", sentenciou. "Foram estes que se organizaram de forma mais eficiente, com hierarquia e estruturas nas suas congregações. Nasceram assim as igrejas. Os outros grupos tinham organizações mais informais. Além disso, beneficiaram da forte implantação dos paulistas no mundo pagão. É certo que o centro do cristianismo continuou, durante algum tempo, a ser Jerusalém, onde se encontravam os judeus cristãos. Acontece que, no ano 70, os Romanos destruíram Jerusalém e o centro de gravidade do cristianismo não poderia continuar aí. Para onde acha que se transferiu?"

A italiana encolheu os ombros.

"Sei lá!"

O historiador apontou para o chão.

"Para aqui, claro! Não era Roma a capital do império? Não iam todos os caminhos dar a Roma? Não é a igreja hoje dominante designada católica apostólica *romana*? Quem melhor poderia liderar o cristianismo que os cristãos que se encontravam aqui na capital imperial? Ocupavam uma situação privilegiada, que lhes permitiu tornarem-se dominantes. E fizeram pleno uso dessa posição. Com o tempo rejeitaram os evangelhos de vários grupos diferentes, que catalogaram como heréticos, e valorizaram os textos que consideravam verdadeiros. O seu juízo tinha muita força, porque estes cristãos apresentavam-se bem organizados e com estruturas hierárquicas rígidas lideradas por bispos, o que facilitava a transmissão de ordens. Além disso, eram mais abastados e emitiam instruções a partir da capital do império. Os evangelhos considerados heréticos deixaram de ser copiados e gradualmente a doutrina dominante passou a assentar nos quatro textos evangélicos perfilhados pelos romanos: os de Mateus, Marcos, Lucas e, embora inicialmente com alguma relutância, João."

"E foi assim que os Evangelhos se juntaram às cartas como textos de referência?"

"Exacto. Acontece que alguns desses textos, como o Evangelho segundo Mateus e a Primeira Carta de Paulo a Timóteo, começaram a pôr as palavras de Jesus ao nível das

Sagradas Escrituras, está a ver? Insinuavam assim que elas tinham a mesma autoridade que se reconhecia ao Antigo Testamento, o que constituiu uma importante inovação teológica." Fez uma careta teatral. "A palavra de Jesus valia tanto como a das Sagradas Escrituras?" Desfez a careta. "Mais ainda, na Segunda Carta de Pedro consta uma crítica aos 'incultos e inconstantes' que deturpam as epístolas de Paulo 'como o fazem com as outras Escrituras'. Ou seja, as próprias cartas de Paulo já são aqui elevadas à categoria de Escrituras! Daqui até à sua aceitação como cânone, como deve calcular, bastou um passo."

"Quando foi isso?"

"O cânone ficou definido alguns anos depois de Constantino ter adoptado o cristianismo", disse, fazendo um gesto na direcção do *Codex Vaticanus*. "Mais ou menos quando este códice foi feito, no século IV. Determinou-se então que as novas Escrituras eram constituídas por vinte e sete textos: os evangelhos de Lucas, Marcos, Mateus e João, que narravam a vida de Jesus, e ainda as crónicas da vida dos apóstolos, a que se chamou Actos dos Apóstolos, e as diversas cartas escritas pelos próprios apóstolos. Para além do Apocalipse, de João, a fechar."

A italiana assentou o queixo na palma da mão, numa pose pensativa, e reflectiu sobre o que acabava de escutar.

"Pode haver textos considerados heréticos que sejam verdadeiros", observou ao fim de alguns instantes. "Como sabemos que só os quatro evangelhos canónicos são historicamente correctos?"

"A questão é legítima", concordou Tomás. "Porém, há um certo consenso entre os académicos de que a escolha foi globalmente bem feita. Os textos heréticos, hoje chamados apócrifos, são demasiado fantasiosos. Um deles mostra Jesus em menino a matar outras crianças com actos de magia, veja só! Outro põe a cruz da crucificação a falar, como se fosse uma pessoa. Já viu? Uma cruz falante! Os cristãos de Roma não eram dados a fantasias e foram rejeitando estes textos. De todos os apócrifos, sabe qual é o único que pode ter material genuíno?"

A pergunta extraiu um olhar vazio de Valentina.

"Não faço a mínima ideia."

"O Evangelho segundo Tomé", disse. "Já há muito tempo que se sabia da existência desse evangelho, mas pensava-se que, depois de ser declarado herético, estava perdido para sempre. Acontece que em 1945 foram descobertos acidentalmente em Nag Hammadi, no Egipto, vários volumes de manuscritos apócrifos, incluindo o Evangelho segundo Tomé. Houve uma grande agitação, como pode calcular, maior ainda quando se leu o seu conteúdo."

A revelação excitou a curiosidade da inspectora.

"Ai sim? O que tinha ele?"

"É um manuscrito muito interessante porque não inclui nenhuma narrativa. Nada de nada. Limita-se a registar cento e catorze ensinamentos de Jesus, muitos dos quais também aparecem nos evangelhos canónicos, e outros ensinamentos que não aparecem em parte nenhuma, mas que podem ser *agrafa*, isto é, citações autênticas não canónicas. Aliás, há académicos que acham que as citações que se encontram no Evangelho segundo Tomé são mais próximas das palavras realmente pronunciadas por Jesus do que as citações que se encontram nos evangelhos canónicos. Daí que alguns lhe chamem o quinto evangelho."

"Se assim é, porque foi excluído do cânone?"

"Porque alguns dos seus ensinamentos podem ser interpretados como gnósticos", devolveu Tomás. "Isso é algo que os cristãos romanos, que se tornaram a ortodoxia, queriam em absoluto evitar. Mas o Evangelho segundo Tomé é um documento com informação histórica que pode ser pertinente, embora o assunto divida os académicos. De qualquer modo, a sua descoberta consolidou uma velha suspeita de que a Fonte Q, o manuscrito perdido que alimentou Mateus e Lucas, seria igualmente um texto composto apenas por ensinamentos."

Valentina balançou a cabeça num movimento afirmativo e emitiu um som apreciativo.

"Muito curioso, sim senhor", disse. "Mas onde quer chegar com isso tudo?"

O historiador endireitou-se no seu lugar e passeou a atenção pelas estantes carregadas de livros da Biblioteca Apostólica Vaticana.

"Quero chegar a esta pergunta", disse, virando-se para a sua interlocutora. "Onde estão os originais de todos os textos canónicos que compõem o Novo Testamento?"

Num movimento quase instintivo, os olhos azuis da inspectora da Polizia Giudiziaria acompanharam a deambulação visual de Tomás pela Sala Consultazioni Manoscritti.

"Bem... aqui no Vaticano", disse. "Talvez mesmo nesta biblioteca." Sentiu o olhar perscrutador do seu interlocutor a examiná-la e, intuindo que tinha dado a resposta errada, hesitou. "Não?"

Tomás abanou a cabeça.

"Não", disse com ênfase. "Não há originais."

"Como?"

"Os originais do Novo Testamento não existem."

IX

Estudar um manuscrito através de um ecrã de computador era uma tarefa exigente para qualquer um, mas fazê-lo pela madrugada fora revelou-se uma verdadeira loucura. Alexander Schwarz esfregou os olhos cansados e injectados de sangue e endireitou o tronco, sentindo as articulações doerem-lhe. Havia demasiado tempo que estava sentado naquela posição, a atenção a dançar entre o texto no ecrã e o bloco de notas onde registava as suas observações.

"Já chega!", murmurou nesse instante, sentindo os olhos pesarem-lhe. "Não posso mais!..."

Fez *logout* ao *file* do manuscrito e desligou o computador. Olhou em redor e viu a sala deserta e mergulhada na treva, as sombras a reflectirem a luz da lâmpada que incidia sobre ele. Havia também o candeeiro do balcão, lá ao fundo, para onde Alexander espreitou. Quis chamar o funcionário que a biblioteca tinha destacado para o acompanhar naquela noite, mas não o descortinou. Devia ter ido ao quarto de banho, pensou.

Arrumou os seus papéis, engoliu de uma assentada os restos já frios do café que tinha no copo descartável e levantou-se por fim. Cambaleou no primeiro passo, o corpo afectado pela posição prolongada à mesa de trabalho. Os músculos pareciam enferrujados, embora ao fim de três passos já caminhasse normalmente. Chegou junto do balcão de atendimento e espreitou em todas as direcções, mas não viu sinais do rapaz.

"Onde raio se meteu o tipo?", interrogou-se em voz baixa.

Espreitou no quarto de banho e não o encontrou. Pensou que poderia ter ido buscar qualquer coisa para beber e foi até à máquina do café, mas não vislumbrou vivalma.

"Alô?", chamou em voz alta. "Alô?"

Ninguém respondeu. A Chester Beatty Library estava integrada num edifício de traça moderna. À noite, porém, com as salas às escuras e as raras fontes de luz a projectarem estranhas sombras no chão e nas paredes, a biblioteca adquiria uma atmosfera inesperadamente lúgubre. E o pior é que o ambiente pesado o contagiava já.

"Alô? Está aí alguém?"

A voz ecoou pela sala e morreu no silêncio. Definitivamente, o empregado desaparecera. Alexander decidiu não esperar mais e meteu pelo corredor. O problema é que o resto do piso estava mergulhado na escuridão e ele não sabia onde se encontrava o interruptor da luz. Caminhou devagar, a tactear as paredes, a imaginar o caminho mais do que a vê-lo. A escuridão começava a afectar-lhe os nervos e, sem conseguir controlar-se, sentiu uma ponta de medo a eriçar-lhe a pele.

"Que disparate!", dialogou consigo mesmo, esforçando-se por se tranquilizar. "Só tenho de encontrar a saída, mais nada!..."

Às escuras era difícil. Caminhou com cuidado e dobrou uma esquina. Foi nesse instante que se apercebeu de um vulto a cortar um halo difuso de luz e tomou consciência de que não se encontrava sozinho naquele corredor.

"Quem está aí?", perguntou, assustado.

Escutou o som de alguém a respirar.

"Sou eu."

"Eu, quem?"

Esforçou-se por destrinçar as feições do vulto que se aproximava na escuridão, mas não conseguiu. Precisava de luz. Assim, às escuras, sentia-se estupidamente vulnerável.

"Eu."

O vulto estacou diante de Alexander, que ficou momentaneamente sem saber o que fazer. Ouviu um clique e, acto contínuo, o corredor iluminou-se. À sua frente estava um rapaz de cabelo desgrenhado e olheiras a rodearem os olhos azuis.

O empregado da biblioteca.

"Ah!", exclamou Alexander com alívio. "Onde diabo se meteu você?"

O rapaz ergueu a mão e exibiu o telemóvel.

"Fui conversar com a minha namorada", disse. "Saí da sala para não o incomodar." O empregado olhou para o fundo do corredor. "Já terminou o que estava a fazer?"

"Sim, sim. Desliguei o computador e tudo. Estou muito cansado." Abriu a boca e bocejou, como se assim quisesse reforçar o que dissera. "Como se sai daqui?"

O rapaz indicou o outro lado do corredor.

"Vai por aqui, passa pelas galerias e desce as escadas. O resto já sabe, não é?"

Alexander despediu-se e seguiu na direcção indicada. Passou por uma galeria e lançou um olhar contemplativo aos tesouros que ela albergava, os manuscritos antigos. Estavam ali os originais que ele consultara pelo computador, mas também outras preciosidades, como fragmentos dos manuscritos do Mar Morto, esplêndidas cópias ilustradas do Alcorão e velhos textos budistas e hindus. Já os observara mil vezes, mas sempre que passava por aquela galeria sentia a mesma chama do encantamento a animá-lo. Como era possível que tamanhas raridades tivessem ido parar a uma colecção privada?

A galeria seguinte exibia outras maravilhas, como livros chineses de jade, caixas inro japonesas, belas miniaturas mughal e magníficas iluminuras persas. Coisas de encher o olho, mas, na perspectiva de Alexander, não tão valiosas e interessantes quanto as riquezas preservadas na galeria dos manuscritos.

Desceu as escadas e chegou ao átrio, de arquitectura moderna. O guarda nocturno dormitava atrás do balcão e despertou ao escutar os passos. Levantou-se e veio abrir-lhe a porta para o deixar sair.

"Boa noite, *sir*."

Alexander despediu-se também e, mergulhando no ar frio da rua, fez-se ao caminho. Ia fatigado, mas satisfeito com o trabalho dessa noite. Avançara bem na investigação e calculou que apenas precisava de mais um dia de pesquisa na biblioteca para concluir a tarefa que o trouxera a Dublin. Ia para o hotel, mas sentia-se tão entusiasmado e motivado que sabia que não poderia estar muito tempo afastado dos manuscritos que tanto o enfeitiçavam. Quando acordasse, e depois de comer, retornaria de imediato à Chester Beatty Library. No fim de contas, tinha ainda de...

Nesse instante sentiu uma presença atrás dele.

X

O *Codex Vaticanus* tornara-se de repente, de novo, o centro das atenções na Sala Consultazioni Manoscritti. A inspectora Valentina Ferro cravou nele a sua atenção, quase como se o velho manuscrito pousado na mesa de leitura tivesse culpa do que ela acabara de ouvir.

"Não existem os originais do Novo Testamento?"

Tomás fez um gesto vago no ar.

"Nunca ninguém os viu", disse. "Puf!", soprou, como se expulsasse grãos de poeira. "Sumiram-se! Desapareceram com o tempo!"

"Ai sim?", admirou-se Valentina, fazendo um gesto na direcção do códice diante dela. "Só temos estas... estas cópias?"

Nova negativa do historiador.

"Nem isso."

A italiana franziu o sobrolho.

"Não temos as cópias?"

"Não."

A italiana pousou a mão no *Codex Vaticanus*.

"Então o que é isto? Um fantasma?"

"Quase", retorquiu Tomás com o vestígio de um sorriso a formar-se-lhe na face. "Oiça o que lhe digo: não temos os originais do Novo Testamento nem as respectivas cópias. Na verdade, não temos as cópias das cópias, nem sequer as cópias das cópias das cópias." Pousou a mão sobre o manuscrito depositado ao seu lado. "O primeiro evangelho que chegou até nós foi o de Marcos, escrito por volta do ano 70, isto é, ainda no século I. Ora o *Codex Vaticanus*, embora seja um dos mais antigos manuscritos que sobreviveram com o texto do Novo Testamento, é datado de meados do século IV! Ou seja, este códice é uns trezentos anos mais recente do que o original do Evangelho segundo Marcos, o que faz dele a enésima cópia da cópia dos originais escritos pelos autores dos textos agora canónicos."

"*Madonna!*", exclamou a italiana. "Não fazia ideia!"

Tomás recostou-se na cadeira, procurando uma posição mais confortável, mas manteve os olhos presos na sua interlocutora.

"Isto cria um problema, como deve calcular."

Valentina balançou afirmativamente a cabeça; era detective e sabia bem a importância de aceder às fontes primárias.

"Como podemos ter a certeza de que a enésima cópia é igual ao original?"

"Bingo!", exclamou o historiador, dando uma palmada na mesa. "Já me aconteceu certa vez contar uma história a uma amiga, essa amiga contar a história a outra pessoa e essa outra contar a uma terceira, que depois me veio contar. Quando a história regressou a mim, após ter passado por três filtros sucessivos, já chegou diferente. Agora imagine o que é estarmos a falar de uma história que foi copiada vezes sem conta por escribas, os primeiros dos quais eram decerto amadores pouco qualificados. Que alterações não sofreu ela?"

"Algumas, imagino."

O académico português voltou a sua atenção para a página onde o *Codex Vaticanus* estava aberto.

"Daí a importância desta nota marginal do escriba a repreender o copista que a Patricia veio consultar", disse, indicando a anotação escrevinhada no manuscrito. "'Estúpido e ignorante! Deixa o velho texto em paz, não o alteres!' Tudo porque alguém tinha mudado *phanerón* para *pherón*." Folheou o códice com cuidado. "E não é caso único aqui no *Codex Vaticanus*. Ora repare no que vem escrito no Evangelho segundo João." Localizou o evangelho e procurou a referência. "João, 17:15. Aqui está. É Jesus a implorar a Deus a favor da humanidade." O texto estava redigido em grego, mas Tomás traduziu-o directamente. "'Não peço que os livres do mal.'" O historiador ergueu os olhos interrogativos na direcção da sua interlocutora. "'Não peço que os livres do mal'? Jesus pediu a Deus que mantivesse o mal a afligir a humanidade? Mas o que é isto?"

Valentina devolveu-lhe o olhar com uma expressão perdida, sem saber como interpretar a estranha frase.

"Pois... não percebo bem."

Tomás bateu com o dedo no velho pergaminho.

"Isto é um erro de copista!", exclamou. "A frase original é 'Não peço que os tires do mundo, mas que os livres do mal'. Acontece que o copista do *Codex Vaticanus* saltou inadvertidamente uma linha e copiou 'Não peço que os livres do mal'. Este tipo de erro chama-se *periblepsis* e ocorre quando duas linhas de um texto terminam com as mesmas palavras ou as mesmas letras. O copista está a copiar uma linha, baixa os olhos para escrever, e quando os levanta olha para a mesma palavra na linha seguinte, não na linha anterior, acabando sem querer por ignorar o texto entre as duas palavras iguais." Fez um gesto para o manuscrito. "E estamos a falar do *Codex Vaticanus*, que é considerado um dos trabalhos de cópia mais profissionais do mundo antigo! Agora imagine os erros que não andarão por toda a Bíblia, cujos originais desapareceram e dos quais só temos cópias das cópias das cópias das cópias das..."

"Pois, já percebi", impacientou-se Valentina. "E então? Que eu saiba, uma andorinha não faz a Primavera! Lá porque encontrou um ou outro errozito, isso não invalida o Novo Testamento!..."

Tomás fez um ar escandalizado.

"Um ou outro errozito? Tem ideia de quantos erros já foram detectados nos mais de cinco mil manuscritos antigos da Bíblia que sobreviveram?"

A italiana encolheu os ombros e pegou numa pequena garrafa de água mineral que um polícia corpulento lhe veio trazer.

"Não sei", disse enquanto desenroscava a tampa. "Quantos? Vinte? Trinta erros? E depois?"

Desenroscou a tampa e levou a garrafa à boca, quase indiferente à resposta. O historiador inclinou-se para diante, a atenção presa nela enquanto bebia a água mineral, e soprou-lhe o número perto do ouvido.

"Quatrocentos mil."

Valentina engasgou-se e tossiu, deixando a água escorrer pelo queixo e voltando-se para o lado de modo a evitar salpicar o *Codex Vaticanus*. Passou as costas da mão pela boca, para se secar, e fitou Tomás com uma expressão incrédula.

"Quatrocentos mil erros na Bíblia? Está a brincar!..."

O historiador acenou afirmativamente, a confirmar o número.

"Quatrocentos mil", repetiu. "Na verdade, mais do que isso."

"Mas... mas... não pode ser! A Bíblia contém mais de quatrocentos mil erros? Que absurdo!"

"É verdade que a esmagadora maioria é composta por coisas pequenas", concedeu Tomás. "Palavras mal copiadas, linhas que se saltam, esse tipo de coisas acidentais." Soergueu o sobrolho. "Mas há outros erros que são propositados. Coisas que os autores dos Evangelhos inventam, por exemplo."

"Que disparate!", retorquiu a italiana. "Como pode saber se uma determinada coisa que aparece escrita no Novo Testamento é ou não inventada? Esteve lá para poder dizer isso?"

"Posso não ter lá estado, mas, tal como vocês, detectives, também nós, historiadores, dispomos de métodos para apurar a verdade dos factos."

"Que métodos? Do que está a falar?"

"Estou a falar do método de análise histórica, que assenta em critérios de crítica textual." Tomás abriu a palma da mão, mostrando todos os dedos estendidos. "Cinco critérios."

"Desculpe, mas não vejo como se possa, através da mera análise de um texto, determinar o que há nele de verdade ou de invenção, e muito menos na Bíblia. Sejam quantos forem os critérios a que recorra."

"Oiça antes de julgar", recomendou o historiador. "Estes critérios são fiáveis quando bem aplicados. Olhe, o primeiro é o da antiguidade. Quanto mais antigo é um manuscrito, maior é a nossa confiança no seu rigor. Isto porque o texto de uma cópia antiga sofreu necessariamente menos corrupções do que uma mais recente. O segundo critério é a abundância de fontes. Quanto mais fontes independentes umas das outras disserem a mesma coisa, mais confiança temos de que essa coisa aconteceu realmente. Mas precisamos de nos assegurar de que as fontes são mesmo independentes. Por exemplo, uma informação que apareça nos evangelhos de Lucas e Mateus não é necessariamente independente, uma vez que os dois evangelistas estão muitas vezes a citar a mesma fonte, o manuscrito Q. O terceiro critério é o do embaraço. Diz-se em latim: *proclivi scriptioni praestat ardua*, isto é, *a leitura mais difícil é melhor do que a fácil*. Ou seja, quanto mais embaraçosa for uma informação, mais certeza temos de que é verdadeira."

"Uma informação embaraçosa?", estranhou Valentina. "O que quer dizer com isso?"

"Deixe-me dar-lhe um exemplo do Novo Testamento", sugeriu Tomás. "Os vários Evangelhos narram que Jesus foi baptizado por João Baptista. Esta informação é embaraçosa para os cristãos, porque se acreditava que a pessoa que baptizava era espiritualmente superior àquela que era baptizada. Ora o episódio mostra Jesus numa situação de subalternidade espiritual em relação a João. Como é isso possível, se Jesus é o Filho de Deus? Além do mais, o baptismo servia para purificar uma pessoa dos seus pecados. Se Jesus se baptizou, isso significa que também ele era um pecador. Mais uma vez, como pode isso ser verdadeiro se ele era o Filho de Deus? É altamente improvável que os autores dos Evangelhos tenham inventado este episódio do baptismo de Jesus, tão embaraçoso ele se revela. Porque o fariam, se tal relato põe em causa a superioridade e a pureza de Jesus? Os historiadores consideram por isso que o baptismo de Jesus por João ocorreu mesmo. É um facto histórico. Nenhum evangelista inventaria uma coisa tão embaraçosa."

"Ah, estou a entender."

"O quarto critério é o do contexto. Será que as informações que constam de um evangelho se enquadram no contexto da época? E o quinto critério é o da própria estrutura intrínseca do texto, ou seja, o seu estilo de escrita, o vocabulário usado e até a tendência teológica do seu autor. Se num trecho aparecem por exemplo várias palavras que não surgem em qualquer outra parte, é altamente provável que se trate de um acrescento feito por um copista. Mas atenção, estes critérios não devem ser aplicados às cegas. Pode haver um texto que seja mais antigo do que outro mas, porque elimina determinados elementos embaraçosos ou acrescenta coisas fantasiosas, deixa-nos a convicção de que se trata de uma cópia de pior qualidade, quando comparada com um texto mais recente. Enfim, tudo tem de ser ponderado."

A italiana fez que sim com a cabeça.

"Pois, trabalho de detective!...", observou. "Com tudo isto, no entanto, onde quer chegar?"

"Quero chegar aos episódios ficcionais do Novo Testamento." Aguardou um instante, para obter efeito dramático. "Como a história da adúltera, por exemplo."

Valentina quase saltou da cadeira.

"Ah, sim! Disse que me ia dar a prova de que essa história é uma fraude. Pois ainda não vi nada!"

O historiador lançou-lhe um olhar carregado de avisos.

"Olhe que não é apenas essa história. Há outras."

"Quais?"

Tomás respirou fundo, subitamente cansado. Tinha dispendido a última meia hora a explicar à inspectora italiana matéria elementar sobre os manuscritos da Bíblia. O mais duro, porém, estava para vir. E era duro, sabia, porque atingia alguns elementos centrais da teologia cristã. O académico tamborilou os dedos na mesa de leitura e nem se atreveu a olhar para a sua interlocutora quando por fim ganhou coragem e respondeu à pergunta.

"A narrativa da ressurreição de Jesus, por exemplo."

"A narrativa da… da ressurreição?", alarmou-se Valentina. "O que tem ela?"

Encarou-a por fim.

"É outra fraude."

XI

A relva dos Dubh Linn Gardens estava molhada com a humidade gelada que a neblina ali pousara de mansinho, mas Paddy McGrath mostrava-se já insensível àquele género de desconforto. E porque haveria de se importar? Tinha cinquenta e dois anos, encontrava-se desempregado, a mulher abandonara-o e ele achava-se o homem mais infeliz do mundo.

Estendeu-se no tapete verde e ergueu bem alto a garrafa de *whisky;* o líquido cor de caramelo ia a um terço da garrafa, o que significava que ainda lhe restava uma boa quantidade para afogar as memórias do ano pavoroso que tinha tido.

"*And it's all for me grog, me jolly jolly grog*", cantarolou em voz baixa. "*All for me beer and tobacco. Well I've spent all me tin with the ladies drinking gin...*"

O *whisky* fazia-o feliz por umas horas, ou pelo menos apagava-lhe durante esse tempo a infelicidade da memória, pelo que engoliu mais um trago e recomeçou a entoar a música que na sua juventude animara muitas folias. Paddy tinha consumido quase trinta anos da sua vida a trabalhar na função pública. Trinta anos! De repente veio a crise, os bancos foram atingidos, o governo financiou-os, o défice público ficou a descoberto, veio o FMI e seguiram-se os despedimentos em cadeia. Fora apanhado na voragem dos cortes em pessoal e viu-se de repente sem emprego.

Com mais de cinquenta anos, quem o iria contratar? Sentindo-se um farrapo abandonado, começou por encharcar as mágoas nas Guinness do Mulligan's, o *pub* da esquina. Chegava a casa todas as noites a cambalear e a vomitar. Ao fim de alguns meses nisso, a mulher, aquela cabra de voz esganiçada e língua viperina, abandonou-o e regressou a Limerick.

"Bruxa!", rosnou logo que pensou nela. "Que apodreça corroída pelo seu próprio veneno!..."

Depois vieram os bancos e ficaram-lhe com a casa por causa das mensalidades que deixara de pagar.

"Uns abutres, esses tipos dos bancos!", acrescentou de seguida, já sem saber se falava com ele próprio ou se alguém o escutava. "Que se enterrem na porcaria que andaram a fazer, esses animais!..."

Porém, Paddy tinha bem a consciência de que quem andava enterrado na porcaria era ele, ele que ficara sem tecto e dormia ao relento. Havia já quatro meses que fizera dos Dubh Linn Gardens a sua cama. Ergueu a cabeça e olhou em redor. Havia sítios piores, considerou, esfregando os cabelos desgrenhados. O jardim podia não ser um local muito confortável para dormir, em especial nas noites frias e húmidas de Inverno, mas ao menos era bonito. Além disso tinha vizinhos de prestígio, como o castelo e a biblioteca. E silenciosos, ainda por cima. No fundo de que se queixava ele?

Lançou um olhar quase carinhoso na direcção da Chester Beatty Library, como se buscasse confirmação dos predicados que acabara de lhe atribuir. Ficou por isso admirado quando viu a porta de entrada abrir-se e o guarda nocturno da biblioteca despedir-se de um homem alto e magro, com um porte distinto.

"Olaré! Movimento a esta hora?"

Sentia-se entorpecido pelo álcool e bebeu mais um gole, como se essa fosse a maneira mais eficiente de recuperar a sobriedade. Depois observou o homem alto e magro a afastar-se. Fez tenção de se voltar a estender na relva, aproveitando o embalo do sono que começava a pesar-lhe nos olhos, mas um movimento inesperado fê-lo deter-se um instante mais.

De uma sombra lá ao fundo emergiu um vulto que se aproximou a correr em direcção às costas do homem que acabava de sair da biblioteca. O vulto avançava com passos rápidos, mas furtivos, e, com uma agilidade fulminante, saltou sobre a sua presa. As duas figuras ficaram momentaneamente unidas, os contornos dos corpos esbatidos na escuridão. Depois o vulto emitiu um grito de consternação e afastou-se a correr, deixando o homem estendido no chão.

Apanhado de surpresa pela brevidade e pela estranheza do sucedido, Paddy esfregou os olhos com força e depois voltou a abri-los. Fitou o local onde lhe parecera que algo tinha sucedido e pensou por momentos que havia sonhado, mas depressa situou o corpo estendido no chão e percebeu enfim que os sentidos não o tinham enganado e que havia de facto visto o que pensara que vira.

Levantou-se da relva, cambaleante, e, com a sua voz de ébrio, gritou por socorro.

XII

A beldade de cabelos castanho-escuros encaracolados e olhos azuis abanava a cabeça sem cessar, recusando-se terminantemente a aceitar o que acabara de ouvir.

"Agora já não é apenas a história da adúltera que é falsa?", perguntou de dentes cerrados, mal contendo a irritação que a envenenava. "Também a ressurreição de Jesus? Mas que conversa vem a ser essa? Está a brincar comigo ou quê?"

O tom era de tal modo agressivo que Tomás deu por uma gota de transpiração a escorrer-lhe pelas têmporas, ziguezagueando como uma lágrima. Teria feito mal em contar aquilo? Começava a alimentar sérias dúvidas sobre a sensatez de expor a uma católica devota as informações históricas sobre Jesus que haviam sido extraídas pelos historiadores dos vestígios existentes. Mas uma vez que se pusera a trilhar aquele caminho, sabia, já não havia recuo. Não podia dizer coisas daquelas sem ir até às últimas consequências. Era tarde de mais para se arrepender...

"Tenha calma", pediu. "Não se enerve."

"Eu estou calma, ouviu?", quase gritou a italiana. "Não me enervo facilmente! Não sou dessas! Mesmo quando por vezes tenho motivos para me enervar. Como quando escuto certas alarvidades!..."

"Não são, receio bem, alarvidades. São coisas que..."

"Ai não são?", cortou ela. "Diz coisas dessas sem apresentar a mínima prova e está à espera de quê? Que digamos ámen? Obrigado por nos trazer a luz, a nós, os papalvos? Está à espera que lhe agradeça? Está à espera de quê?"

O olhar de Tomás endureceu.

"Estou à espera que me oiça", disse, com veemência inesperada. Apontou-lhe o dedo. "Você disse-me que me escutaria sem se zangar, não disse? Agora cumpra!"

Valentina fechou os olhos, pronunciou num sussurro uma litania imperceptível em italiano, respirou fundo e voltou a encarar Tomás, desta feita no perfeito controlo das emoções.

"Então diga lá", concedeu, num registo perfeitamente tranquilo que surpreendeu o seu interlocutor; parecia impossível transfiguração tão instantânea. "Quais são afinal as provas que tem para me apresentar?"

Tomás olhou-a com desconfiança, na dúvida sobre se aquele tom era genuíno ou fingido. Percebendo a hesitação, a italiana pestanejou e exibiu um sorriso tão encantador e luminoso que lhe arrancou, também a ele, um sorriso.

"A primeira coisa que tem de perceber é que há erros na Bíblia que são intencionais", disse Tomás, apesar de tudo com cautela. "Os erros acidentais são muito mais numerosos, claro. Mas os intencionais, receio bem, também existem."

"As provas, professor Noronha."

"Olhe, logo o segundo versículo do Evangelho segundo Marcos", indicou. "O texto diz: 'Conforme está escrito no profeta Isaías: Eis que envio, à Tua frente, o Meu mensageiro, a fim de preparar o Teu caminho.' O problema é que o autor do Evangelho se enganou, porque essa citação não é de Isaías, mas do Êxodo, 23:20. Muitos copistas aperceberam-se deste erro e emendaram para 'Conforme está escrito pelos profetas'. Ora isso é uma alteração fraudulenta do texto original."

Valentina curvou os lábios.

"Sim, mas não me parece grave."

"É uma alteração intencional e não está fiel ao original", insistiu Tomás. "E, ao contrário do que possa parecer à primeira vista, é uma alteração importante. O erro revela-nos algumas limitações teológicas do autor do Evangelho. Ao apagar o erro, está-se a adulterar a percepção da qualidade do seu autor."

A italiana inclinou levemente a cabeça para o lado, concedendo o argumento.

"Seja", disse. "Mas ainda não me apresentou as provas sobre as fraudes nas histórias da adúltera e da ressurreição..."

Tomás ergueu a mão, como se a quisesse travar.

"Já lá vai", indicou, pedindo-lhe que tivesse paciência. "Primeiro queria que ficasse com uma ideia mais clara do tipo de alterações intencionais que os copistas foram fazendo ao longo dos séculos." Indicou com o olhar o códice pousado na mesa. "Leia o que está escrito em Mateus, 24:36. Jesus profetiza o fim dos tempos e diz: 'Quanto àquele dia e àquela hora, ninguém o sabe, nem os anjos do Céu, nem o Filho; só o Pai.' Este versículo traz problemas óbvios ao conceito de Santíssima Trindade, que, entre outras coisas, estabelece que Jesus é Deus. Se é Deus, é omnisciente. No entanto, neste versículo, Jesus admite que não sabe quando será o dia e a hora do juízo final. Como é possível? Jesus não é Deus? Não é ele omnisciente? Para resolver este paradoxo incómodo, muitos copistas eliminaram a expressão 'nem o Filho', e assim resolveram o problema." Bateu com o indicador na mesa. "Esta, minha cara, é uma alteração intencional típica feita por motivos teológicos. Não sendo inocente, também não é inconsequente, como estou certo que perceberá."

"Mas essa alteração mantém-se, ainda hoje?"

"Esta alteração foi denunciada e, após grande polémica, as traduções mais fiéis decidiram recuperar o texto original. Assim sendo, mantêm o paradoxo e rezam para que os fiéis não o notem. Mas o importante é sublinhar que os copistas não cometem apenas erros acidentais. Há muitas alterações que são intencionais. Por exemplo, quando encontravam pequenas alterações de uma história nas diferentes cópias, muitos deles eliminavam as diferenças e harmonizavam os textos, alterando assim intencionalmente o que copiavam. Chegaram ao ponto de inserir histórias que não se encontravam nos evangelhos que estavam a copiar." Fez uma pequena pausa, para efeito dramático. "É o caso da história da adúltera e da narrativa da ressurreição no Evangelho segundo Marcos."

"Ah-ha!" exclamou Valentina. "Custou, mas foi! Chegámos finalmente ao que interessa!"

Tomás riu-se.

"O que interessa está muito para lá dessas duas histórias, acredite."

"Isso não sei", respondeu ela. "O que sei é que você pôs em causa duas narrativas fundamentais da Bíblia e, que eu saiba, ainda não apresentou uma única prova!"

"Quer provas?"

"Não estou à espera de outra coisa..."

Sentindo uma dor nos rins por causa da posição incómoda em que se encontrava sentado, o historiador endireitou o tronco e encheu os pulmões de ar, como se os quisesse exercitar.

"A primeira noção que tem de ter é que, apesar de ser muito conhecido, o episódio da adúltera encontra-se numa única passagem, do Evangelho segundo João. Mais exactamente, do versículo 7:53 até ao 8:12."

Valentina arregalou os olhos.

"*Mamma mia!*", exclamou, sem conter a admiração. "Você até decorou os números dos versículos! Que crânio!"

"Minha cara, sou historiador", sorriu ele. "Mas é importante que perceba que esse episódio não constava originalmente desse evangelho. Aliás, nem desse, nem de qualquer outro. Foi acrescentado por escribas."

A italiana esfregou o indicador no polegar, como a pedir algo de material.

"Provas?"

"É muito simples", disse Tomás. "A história da adúltera não se encontra nos manuscritos mais antigos do Novo Testamento, considerados mais fiéis ao texto original. Só aparece nas cópias posteriores. Além disso, o estilo de escrita difere marcadamente do existente no resto do Evangelho segundo João, incluindo as narrativas que se situam nos versículos imediatamente antes e depois. Por fim, este episódio inclui um grande número de palavras e frases que não são usadas no resto deste evangelho. Por tudo isto, há um consenso no mundo académico de que este trecho foi acrescentado. É uma fraude."

A inspectora carregou as sobrancelhas.

"Ah!", expeliu, percebendo que não tinha maneira de contra-argumentar. "Esta agora!" Olhou para o *Codex Vaticanus*. "E como foi esse episódio ali parar?"

"Ninguém sabe. É possível que tenha sido inserido por teólogos cristãos que, num debate com judeus sobre a lei de Deus, se sentissem embaraçados pelas regras divinas estabelecidas em Levítico. Não encontrando nada em Jesus a contrariar a ordem de apedrejar os adúlteras, inseriram esse episódio no Evangelho segundo João."

"Mas... mas faziam isso assim, sem mais nem menos?"

"Atenção, isto é apenas uma teoria. Naquele tempo as pessoas acreditavam que certas ideias religiosas que lhes ocorriam eram verdadeiras porque lhes tinham sido implantadas na mente pelo Espírito Santo. Jesus é citado por Marcos em 13:11 a dizer o seguinte: 'Quando vos levarem para serdes entregues, não vos inquieteis com o que haveis de dizer, mas dizei o que vos for dado nessa hora, pois não sereis vós a falar, mas sim o Espírito Santo.' Ou seja, acreditavam que o Espírito Santo os guiava quando lhes vinha à cabeça um qualquer conceito teológico. Se a inspiração não fosse divina, como lhes poderiam ter ocorrido essas ideias? Daí até inserir a narrativa da adúltera, que convenientemente desautorizava uma ordem incómoda de Deus estabelecida de maneira inequívoca em Levítico, foi um passo." Tomás comprimiu os lábios. "Outra hipótese é que um escriba tivesse anotado esse episódio na margem de um manuscrito, baseado numa qualquer tradição oral sobre Jesus. Décadas depois um outro escriba que estivesse a copiar o texto poderá ter achado que a anotação marginal pertencia à narrativa e inseriu-a a meio do Evangelho. É curioso notar que o episódio da adúltera aparece nos diversos manuscritos em diferentes pontos da narrativa: nuns casos em João 8:1, noutros após João 21:25, e noutros ainda em Lucas 21:38. Isso dá uma certa credibilidade a esta hipótese." Encolheu os ombros. "Seja como for, o que interessa é que a história é comprovadamente uma falsificação da Bíblia."

Valentina fez um assobio suave.

"Quem diria!", exclamou, balouçando a cabeça. Ergueu a sobrancelha, de repente preocupada. "E a ressurreição de Jesus? Porque diz que é falsa?"

O historiador folheou com cuidado o *Codex Vaticanus*, em busca de uma passagem específica.

"Pelos mesmos motivos", disse. "Neste caso estamos a falar do Evangelho segundo Marcos. Mais precisamente dos derradeiros versículos. O fecho deste evangelho não constitui um trecho que pareça familiar às pessoas em geral, mas tem grande peso na interpretação bíblica, como já vai perceber." Parou na última página do Evangelho segundo Marcos. "Aqui está!"

Num movimento quase automático, a italiana inclinou-se também sobre o manuscrito, mas o texto estava caligrafado em grego e, quase decepcionada, teve de aguardar a explicação do seu interlocutor.

"O final de Marcos aborda, claro, a morte de Jesus", explicou Tomás. "Ele foi crucificado, como sabe, e, uma vez morto, José de Arimateia pediu o seu corpo e foi depositá-lo num sepulcro cavado na rocha, cuja entrada tapou com uma pedra. Ao amanhecer de domingo, Maria Madalena, Salomé e Maria mãe de Tiago desceram ao sepulcro para besuntar o cadáver de óleo, como era da tradição. Quando chegaram ao local, porém, encontraram a entrada destapada e um jovem de túnica branca sentado à direita, que lhes disse: 'Buscais a Jesus de Nazaré, o crucificado? Ressuscitou, não está aqui.' As três mulheres fugiram do sepulcro, a tremer, 'e não disseram nada a ninguém porque tinham medo'."

Valentina impacientou-se.

"Onde está a fraude?"

O académico português pousou o indicador num ponto do texto do *Codex Vaticanus*, mesmo a fechar o Evangelho.

"Nos doze versículos seguintes", disse. "Aqui, de 16:9 a 16:20. Diz Marcos que, depois de as três mulheres fugirem apavoradas do sepulcro, Jesus ressuscitado apareceu primeiro a Maria Madalena e depois aos apóstolos. E disse-lhes: 'Ide pelo mundo inteiro e anunciai a Boa Nova a toda a criatura. Quem acreditar e for baptizado será salvo, mas quem não acreditar será condenado.' Depois Jesus foi arrebatado para o Céu e sentou-se à direita de Deus."

A italiana carregou as sobrancelhas, derramando irritação do olhar azul subitamente nublado.

"Está a insinuar que esse relato da ressurreição é uma fraude?"

Tomás abriu os braços, num sinal de rendição.

"Não estou a insinuar nada", apressou-se a esclarecer. "Se Jesus ressuscitou ou não, isso é uma matéria de convicção religiosa na qual de certeza não me meto. Estou apenas preocupado em extrair a verdade histórica do texto, recorrendo a uma análise crítica dos documentos ao nosso dispor segundo os cinco critérios que lhe expliquei."

"Mas, se o entendi bem, está a pôr em causa a validade desses versículos que relatam a ressurreição..."

"De facto, assim é."

Valentina olhou-o de sobrolho carregado, indicando-lhe que esperava que ele a elucidasse.

"E então?"

O historiador desviou a atenção para o texto redigido em grego no manuscrito aberto diante dele.

"Isto é uma fraude", sentenciou. "Os versículos da ressurreição de Jesus estão ausentes dos dois melhores e mais antigos manuscritos que contêm o Evangelho segundo Marcos."

A italiana arregalou os olhos.

"O quê?"

"É uma situação em tudo semelhante ao episódio da adúltera", indicou o académico. "Além de não constarem dos textos mais antigos, e consequentemente mais próximos dos originais, o estilo de escrita destes versículos é diferente do utilizado no resto do Evangelho. Ainda por cima, muitas das palavras e frases que são usadas nestes doze versículos da ressurreição não se encontram noutras partes do texto de Marcos." Bateu insistentemente com o dedo no pergaminho do *Codex Vaticanus*, como se quisesse reforçar a ideia. "Ou seja, esta narrativa da ressurreição não pertence ao texto original e foi acrescentada por um escriba posterior." Cravou os olhos na inspectora, como um juiz no momento de um veredicto terrível. "É uma intrujice."

Valentina desviou a atenção do seu interlocutor, quase embaraçada por escutar estas palavras em referência à Bíblia, e observou o bulício tranquilo nas duas salas contíguas da Biblioteca Apostólica Vaticana. Os seus subordinados analisavam ainda vestígios e os paramédicos tinham sido autorizados a recolher o cadáver estendido no chão, pelo que faziam os preparativos para a remoção do corpo.

"Tudo isto por causa da investigação que a sua amiga estava a conduzir", murmurou, quase com ressentimento.

Tomás evitou com o olhar a actividade que, com a chegada ao local dos paramédicos, de repente se desencadeou em torno do corpo de Patricia. Em vez disso concentrou-se no velho manuscrito depositado a dois palmos dele.

"Ela estava à caça dos erros do Novo Testamento", disse. "O facto de ter deixado o *Codex Vaticanus* aberto precisamente nesta página é indício seguro disso."

A inspectora da Polizia Giudiziaria meditou durante alguns instantes, considerando as pontas soltas da sua investigação. Havia uma coisa importante que ainda não esclarecera, lembrou-se, pelo que apontou para a passagem entre as duas salas.

"E o que me diz daquela charada que encontrámos no chão?", perguntou. "Acha que tem alguma relação com isto tudo? Ou é apenas uma brincadeira?"

Tomás voltou a atenção para o papel pousado sobre o mármore da biblioteca e ponderou o assunto. Sim, que papel desempenhava o enigma naquele assunto sórdido? Prendeu os olhos na folha e focou-os na mensagem cifrada que nela fora rabiscada.

ALMA

O que queria dizer aquele *alma*? Seria um gracejo? Uma referência ao mundo dos espíritos? E o estranho sinal antes da palavra? Parecia uma forquilha. Ou então uma... uma...

"Uma flor-de-lis!?"

O historiador ergueu-se com um movimento brusco, assustando a inspectora.

"Jesus!", exclamou ela, dando um salto na cadeira. "Que foi? Que se passa?"

Tomás deu dois passos na direcção da passagem entre as duas salas e apontou com veemência para a folha de papel pousada no chão.

"Já sei!", vociferou, num estado de excitação repentino. "Já sei o que isto é!"

Valentina fitou a folha, percebendo enfim o rebuliço.

“Ai sim? E o que é?”

O académico português acocorava-se já junto ao enigma rabiscado no papel, observando-o com novos olhos, os de quem percebeu enfim o que estava realmente a ver.

“É o segredo de Maria”, exclamou. “A Virgem que não era virgem.”

XIII

Correr na escuridão é uma coisa naturalmente difícil para qualquer um, mas fazê-lo com dois terços de uma garrafa de *whisky* a circular no sangue revelou-se tarefa quase impossível para Paddy McGrath.

"Ajudem!"

O homem ébrio tombou duas vezes na relva molhada dos Dubh Linn Gardens, mas das duas vezes levantou-se e recomeçou a correr. Era uma corrida trôpega, cambaleante, feita quase aos trambolhões, numa rota aos ziguezagues, os pulmões a arfarem, a garganta seca, o mundo em redor a andar à roda.

Porém, correu.

"Ajudem!"

Chegou ao pé do vulto tombado no chão e estacou, a respiração ofegante. A seus pés o homem mexia-se, mas não conseguia falar; emitia apenas uns sopros gorgolejantes. O pior era que havia uma poça de sangue ao lado da cabeça. Paddy olhou-o, atrapalhado, sem saber como proceder. Quis ajudá-lo, mas hesitou. Como? O que tinha a fazer? O que sabia ele de primeiros socorros?

"Espere!", titubeou, fazendo-lhe gestos enfáticos. "Aguente!" Olhou em volta, atarantado. "Ajudem!", gritou. Ninguém apareceu e encarou com impotência o ferido agonizante. "Eu vou... vou buscar ajuda. Espere um bocadinho. Já volto!" Procurou de novo em redor. "Ajudem!"

Apenas o vento respondeu. Paddy largou o ferido e, em estado de desorientação, deu uns passos para um lado e depois para o outro, atarantado e indeciso quanto ao que fazer. De repente viu luz num edifício e correu naquela direcção. Era a Chester Beatty Library.

Chegou diante da porta e bateu com frenesim no vidro.

"Ajudem!", berrou. "Abram a porta! Alguém ajude!"

Acto contínuo, o guarda da noite apareceu no átrio interior da biblioteca com ar de poucos amigos. Aproximou-se da porta envidraçada e encarou Paddy do outro lado do vidro. Com um gesto peremptório, fez-lhe sinal com o braço de que se fosse embora.

"Abra a porta!", insistiu Paddy, batendo de novo no vidro, agora ainda com mais força. "Ajude!"

O guarda nocturno pareceu irritar-se. Tirou o cassetete do cinto e abriu a porta com modos agressivos.

"O que vem a ser isto?", rugiu, bramindo o cassetete. "Ponha-se já daqui para fora! Andor!"

Paddy apontou para a esquerda.

"Ali!", disse. "Está ali um homem que precisa de ajuda! Está ferido. Pode ajudar?"

O guarda nocturno espreitou naquela direcção e vislumbrou um vulto a contorcer-se no chão. Intrigado e desconfiado, puxou do *walkie-talkie*.

"Phoenix para Eagle."

Foram precisos dois segundos para uma voz responder no aparelho.

"*O que é, Phoenix?*"

"Tenho um problema à porta da Chester", disse. "Vou sair e comunico de novo em trinta segundos."

"*Fico à espera, Phoenix.* Over."

O guarda trancou a porta atrás dele e caminhou em passo rápido para o corpo estendido no chão, mas assegurando-se de que o sem-abrigo malcheiroso se mantinha a uma distância prudente. O guarda sabia que precisava de ser cuidadoso e tomar todas as precauções; havia sempre a possibilidade de tudo aquilo não passar de uma encenação para assaltar a biblioteca.

Quando chegou junto ao vulto caído, porém, as dúvidas desfizeram-se. O guarda nocturno reconheceu de imediato o utente que, apenas um minuto antes, acompanhara à porta da biblioteca.

Foi então que viu o sangue.

"*My God!*"

Ajoelhou-se junto do ferido e localizou a ferida; estava no pescoço e, pelo aspecto, era grave. Demasiado grave para ele, sozinho e com os seus limitados conhecimentos de primeiros socorros, conseguir prestar uma ajuda eficiente. A vítima estremecia convulsivamente, como se estivesse atacada por uma febre alta. Precisava de auxílio profissional. E depressa.

O guarda nocturno colou o *walkie-talkie* aos lábios.

"Phoenix para Eagle."

"*O que é, Phoenix?*"

"Tenho um ferido grave à porta da Chester", disse. "Chame imediatamente uma ambulância. É urgente."

Largou o *walkie-talkie* e curvou-se de novo sobre o ferido, que tremia descontroladamente. O guarda colou-lhe os dedos ao pescoço e tentou localizar a abertura por onde jorrava todo aquele sangue, na esperança de o estancar. Foi nesse instante que o líquido vermelho deixou de golfar e que o tremor cessou. A sua primeira reacção foi de alívio, mas depois olhou para o rosto da vítima e percebeu por que razão a hemorragia e a trepidação haviam parado.

O homem tinha morrido.

XIV

Os dois paramédicos puseram-se em posição, um a segurar os ombros do cadáver e o outro as pernas, contaram até três e, com um movimento sincronizado, transferiram-no para a maca. Depois voltaram a cobrir o corpo com o lençol e levantaram a maca, transportando Patricia pela biblioteca em direcção à saída.

Acocorado na ligação entre as duas salas dos manuscritos, Tomás viu a maca passar diante dele e desaparecer para além da porta que conduzia à Joanina. Permaneceu um longo instante a olhar para a porta deserta; parecia hipnotizado, mas na verdade despedia-se em silêncio da amiga galega.

"Que história é essa de Maria?", questionou-o Valentina, quebrando a solenidade constrangedora do momento. "Diz você que ela é a Virgem que não é virgem?"

O historiador apontou para a charada rabiscada no papel que fora abandonado no chão.

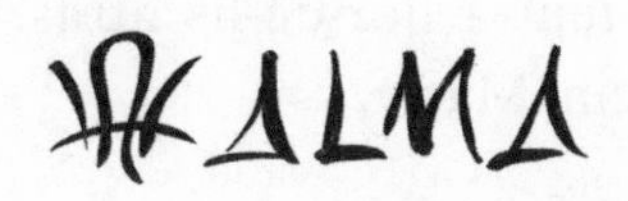

"É o que revela este enigma."

A inspectora da Polizia Giudiziaria olhou interrogadoramente para a mensagem incompreensível, tentando perceber onde poderia o académico português ver ali uma referência à Virgem Maria. Por mais que esquadrinhasse aqueles gatafunhos, não conseguia destrinçar a menor ligação.

"Como me disse há pouco, o que está aqui escrito é a palavra *alma*", lembrou. "Que eu saiba, não há nenhuma referência à mãe de Jesus."

Tomás apontou com o dedo para o primeiro rabisco da mensagem, antes da palavra *alma*.

"Está a ver este símbolo que parece uma forquilha?", perguntou. "É ele a chave da descodificação desta mensagem."

"Porquê? O que é isso?"

"É o desenho esquemático de uma flor-de-lis." Arqueou as sobrancelhas, para sublinhar o significado da descoberta. "O símbolo da pureza da Virgem Maria."

"Ah, então a *Madonna* sempre é virgem!...", exclamou Valentina, carregada de ironia. "Pensei que tinha dito que..."

"Calma!", pediu Tomás, reprimindo um sorriso. "A flor-de-lis serve apenas para direccionar a interpretação da palavra que está a seguir. *Alma*."

A italiana cruzou os seus olhos azuis com os verdes de Tomás.

"Então *alma* não remete para espíritos?"

"Não quando tem a flor-de-lis atrás. Neste caso remete-nos para a Virgem Maria."

"Porque diz isso? O que está escrito aqui é *alma*, não é *virgem* nem *Maria*."

Embora se mantivesse acocorado, o historiador endireitou o tronco para melhor se equilibrar naquela posição.

"Sabe onde está a informação de que a mãe de Jesus era uma virgem?"

"Na Bíblia, presumo."

Tomás fez um V com os dedos.

"Apenas em dois evangelhos", disse. "Mateus e Lucas. Marcos ignora por completo a questão do nascimento de Jesus e João diz em 1:45: 'É Jesus, o filho de José, de Nazaré.' Ou seja, refere directamente que José é pai de Jesus, afirmação que implica contradizer Mateus e Lucas." Ergueu o dedo. "Mas o mais importante é o testemunho de Paulo, mais antigo que os Evangelhos. Diz Paulo na Carta aos Gálatas, em 4:4: 'Deus enviou o seu Filho, nascido de mulher.' Paulo, escrevendo mais perto dos acontecimentos, pelos vistos esqueceu-se de mencionar que a dita mulher era uma virgem. Não me parece possível que tenha achado esse pormenor irrelevante. Uma virgem que dá à luz não é coisa normal, pois não? Se tivesse acontecido com Maria, decerto Paulo não se esqueceria de o mencionar. Ora se Paulo não o refere, é porque tal nunca lhe foi dito. E porquê? Porque provavelmente essa tradição não existia ainda nesse tempo. Foi inventada mais tarde."

Valentina arregalou os olhos.

"Inventada? Você é incrível! Há-de ir para o Inferno! Como pode afirmar uma coisa dessas, *Dio mio*?"

Tomás indicou o papel pousado no chão.

"Por causa desta palavra", explicou. "*Alma*."

A italiana baixou os olhos para a charada e levantou-os de novo, perdida naquela argumentação.

"Não entendo. Que quer dizer com isso?"

"A resposta a essa pergunta é-nos dada por Lucas e por Mateus. Diz um anjo a Maria, no Evangelho segundo Lucas, em 1:35: 'O Santo que vai nascer há-de chamar-Se Filho de Deus.' E esclarece Mateus em 1:22 e em 1:23, ao apontar as razões pelas quais Jesus nasceu de uma virgem: 'Tudo isto sucedeu para que se cumprisse o que foi dito pelo Senhor e anunciado pelo profeta: Eis que a Virgem conceberá e dará à luz um filho; e chamá-Lo-ão Emanuel, que quer dizer Deus connosco.' "

O historiador calou-se, deixando que as implicações das duas citações do Novo Testamento fossem absorvidas pela sua interlocutora, mas Valentina devolveu-lhe um olhar opaco, ainda sem nada entender.

"E então?"

"Não percebe? Lucas relaciona o facto de Jesus ter nascido de uma virgem com a afirmação de que é o Filho de Deus. O mais importante é que Mateus atribui isso ao 'que foi dito pelo Senhor e anunciado pelo profeta'." Fez uma nova pausa. "Dito pelo Senhor? Anunciado pelo profeta?" Inclinou a cabeça para a italiana, interpelando-a directamente. "O profeta revelou que o Messias nascerá de uma virgem? E chamar-se-á Emanuel? Que profeta escreveu tal coisa?"

"Bem, presumo que se trate de um profeta do Antigo Testamento, não é verdade?"

"Claro que é um profeta do Antigo Testamento! A questão é esta: que profeta das Escrituras previu que o Messias iria nascer de uma virgem e se chamaria Emanuel?"

Valentina encolheu os ombros.

"Sei lá!"

Tomás levantou-se e fez sinal à inspectora de que o seguisse. Sentaram-se ambos de novo à mesa de leitura e o historiador folheou com infinito cuidado o velho *Codex Vaticanus*.

"Na verdade, consultando o Antigo Testamento, descobre-se que há de facto um profeta que fez a previsão mencionada por Mateus", disse, enquanto virava as páginas do códice do século IV. "Trata-se do profeta Isaías." Chegou ao trecho das Escrituras que buscava. "Aqui está! Repare o que diz Isaías em... em 7:14: 'Por isso, o mesmo Senhor por sua conta e risco, vos dará um sinal: Olhai: A virgem está grávida e dará um filho, por-lhe-á o nome de Emanuel.' "

A italiana arregalou os olhos.

"Então... então Mateus tinha razão!", exclamou com entusiasmo. "O nascimento de Jesus estava de facto previsto por um profeta do Antigo Testamento! E esse profeta anunciou que o Messias nasceria de uma virgem, como de facto veio a suceder!"

Tomás encarou-a demoradamente, como se lhe estudasse o rosto. Na verdade, avaliava apenas a forma como lhe iria explicar o enigma bíblico que aquela charada encerrava.

"Sabe em que língua foi originalmente escrito o Novo Testamento?", perguntou de repente.

"Não foi em latim?"

O historiador sorriu.

"Não brinque comigo", disse. "Que língua falava Jesus?"

"Bem... hebraico, acho."

"Aramaico", corrigiu o académico. "É verdade que o aramaico é uma língua muito próxima do hebraico." Baixou por momentos os olhos para o *Codex Vaticanus*. "E a Bíblia? Em que língua acha que foi originalmente escrita?"

"Enfim, se Jesus falava aramaico, parece-me natural que os Evangelhos também tenham sido escritos em aramaico..."

Tomás assentiu.

"O Antigo Testamento foi de facto escrito em aramaico e em hebraico", disse. Indicou as palavras em grego alinhadas no manuscrito do século IV. "Mas o Novo Testamento, criado em torno da figura e dos ensinamentos de Jesus, foi originalmente redigido em grego." Apontou para a charada que se encontrava no chão, junto à passagem entre as duas salas. "O que explica muita coisa, não lhe parece?"

"Não vejo o quê!..."

O historiador pousou o dedo sobre uma palavra a meio de uma linha do *Codex Vaticanus*.

"A palavra-chave do enigma é esta", indicou. "*Parthenos*. Ou seja, *virgem* em grego." Releu a frase desenhada no códice. "'A virgem está grávida e dará um filho.'"

Valentina olhou para a linha em grego, cheia de curiosidade e fascínio. As letras eram arredondadas e tinham sido desenhadas com esmero.

"É essa a linha onde Isaías profetiza o nascimento de Jesus filho da Virgem Maria?"

"Seria", retorquiu Tomás, "não fosse o facto de o profeta Isaías não ter profetizado tal coisa!"

"Como pode você dizer isso?", protestou, indicando o *Codex Vaticanus*. "Pois não está a profecia muito clara? O Messias nascerá de uma virgem. Foi isso o que Isaías profetizou."

Tomás voltou a bater com o indicador na palavra *parthenos* grafada no velho códice.

"Foi o que Isaías profetizou na tradução do Antigo Testamento em grego", disse. "Acontece que o Antigo Testamento foi originalmente escrito em hebraico e aramaico. No caso das profecias de Isaías, o texto foi redigido em hebraico. E a minha pergunta agora é esta: que palavra hebraica usou Isaías quando mencionou a mulher que daria um filho que seria o Messias?"

"Bem, presumo que seja a palavra *virgem* em hebraico!..."

"Aí é que está o problema!", exclamou. "É que a palavra usada originalmente por Isaías em hebraico neste versículo do Antigo Testamento não foi *virgem*."

"Então qual foi?"

"*Alma*."

A italiana arregalou os olhos.

"Perdão?"

"A palavra original neste versículo é *alma*. Que em hebraico significa *mulher jovem*. Ou seja, o que Isaías originalmente escreveu em hebraico foi: "'A mulher jovem está grávida e dará um filho.'" Voltou a bater em cima da palavra *parthenos* grafada no *Codex Vaticanus*. "O que se passou foi que, na antiguidade, o tradutor do Antigo Testamento em grego se enganou neste versículo e, em vez de traduzir *mulher jovem*, traduziu *virgem*. Acontece que os autores dos dois evangelhos, Lucas e Mateus, leram a profecia de Isaías na sua tradução grega, e não no original em hebraico. Querendo associar Jesus às profecias das Escrituras, para o legitimar enquanto Messias e Filho de Deus, escreveram que Maria era virgem, coisa que aliás Marcos, João e Paulo nunca referiram. Além do mais, é bom não esquecer que Jesus teve vários irmãos. Escreveu Marcos em 6:3: 'Não é Ele o carpinteiro filho de Maria e irmão de Tiago, de José, de Judas e Simão? E as Suas irmãs não estão aqui entre nós?' Se a mãe de Jesus era de facto virgem, como pretendem Lucas e Mateus, como concebeu ela essa filharada toda? Também por obra e graça do Espírito Santo? Foram todas imaculadas concepções?"

Valentina levou a mão à boca, estupefacta.

"*Madonna!*", exclamou. "Enganaram-me este tempo todo!" Estreitou os olhos. "E a Igreja? O que diz a Igreja desses irmãos todos?"

Tomás sorriu.

"É um embaraço, claro!", exclamou. "Os teólogos cristãos puxaram pela imaginação e arranjaram várias desculpas. Uma é que os irmãos são, na verdade, meios-irmãos, todos filhos de José mas não de Maria. Outra é que não se trata de irmãos, mas de primos. E outra é que a expressão *irmãos* era muito abrangente e podia ser aplicada a companheiros."

"Ah, isso explica a filharada toda!..."

O historiador abanou a cabeça com ênfase.

"Não, minha cara", disse. "A frase de Marcos, 'Não é Ele o carpinteiro filho de Maria e irmão de Tiago, de José, de Judas e Simão? E as Suas irmãs não estão aqui entre nós?', torna evidente pelo seu contexto que se está a referir a irmãos de sangue. O resto não passa de esforços desesperados para adaptar os factos à teologia." Colou o indicador às têmporas. "Meta isto na cabeça: Maria não era virgem. O relato da sua maternidade enquanto virgem resulta de um erro de tradução do Antigo Testamento em grego e da vontade de Lucas e Mateus de associar Jesus às profecias de Isaías, para reforçarem a ideia de que ele era o Filho de Deus e sem consciência de que o trecho de Isaías que leram em grego estava manchado por um erro de tradução."

Valentina bufou.

"Pois, isso encaixa."

"E o pior é que este erro desencadeou uma sucessão de adulterações do texto bíblico ao longo dos séculos", acrescentou Tomás, quase ainda no mesmo fôlego. "Por exemplo, quando Lucas diz que José e Maria levaram Jesus ao Templo e Simeão o identificou como o Senhor, escreve o evangelista em 2:33: 'Seu pai e Sua mãe estavam admirados com o que se dizia d'Ele.'" O historiador fez uma careta. "Seu *pai?*

Como pode Lucas dizer que José é pai de Jesus se ele nasceu de uma virgem? Confrontados com este problema, muitos copistas alteraram o texto para 'José e Sua mãe estavam admirados...' O mesmo aconteceu uns versículos mais à frente, em 2:43, quando Lucas diz que José e Maria 'regressaram a casa e o Menino ficou em Jerusalém, sem que os pais o soubessem'. *Pais?* José volta aqui a ser apresentado como pai de Jesus. Novamente os copistas corrigiram o texto, escrevendo 'sem que José e a mãe soubessem'. Em 2:48, Maria repreende o pequeno Jesus por ter ficado para trás, dizendo: 'Teu pai e eu andávamos aflitos à Tua procura.' Os copistas mudaram para 'Andámos à tua procura', evitando assim de novo chamar a José pai de Jesus." Sorriu. "Enfim, estamos perante uma catadupa de adulterações do texto original, nascidas de um simples erro de tradução de Isaías do hebraico em grego."

"É incrível!", exclamou Valentina. "Absolutamente incrível!" Ergueu o sobrolho. "É comum os autores dos Evangelhos cometerem esses erros de tradução?"

"Mais do que os teólogos cristãos gostariam", retorquiu o académico português. "No Evangelho segundo João está descrita uma conversa entre Jesus e um fariseu chamado Nicodemo. Em 3:3, Jesus diz-lhe: 'Quem não nascer de novo não pode ver o Reino de Deus.' Ao que Nicodemo responde, no versículo seguinte: 'Como pode nascer um homem sendo velho? Poderá entrar segunda vez no seio de sua mãe e voltar a nascer?' Jesus esclarece que não está a falar de um nascimento pela segunda vez, mas de um nascimento de origem divina. Este equívoco de Nicodemo é perfeitamente natural, uma vez que a expressão *outra vez* tem, em grego, um duplo significado: quer dizer *uma segunda vez*, mas também *do alto*. Nicodemo pensava que Jesus tinha usado a palavra no sentido de *nascer uma segunda vez*, mas o Messias esclareceu que queria dizer *nascer do alto*, isto é, nascer de Deus. Acontece que, a ter ocorrido, esta conversa teria forçosamente de ter sido em aramaico, a língua de Jesus. O problema é que, em aramaico, a palavra *outra vez* não tem esse duplo sentido. O duplo sentido existe apenas em grego. Assim sendo, esta conversa não pode ter ocorrido. É uma invenção."

Valentina parecia abismada.

"Mas como é possível que eu nunca tenha ouvido estas coisas na missa?"

O historiador encolheu os ombros.

"Isso não sei", disse, lançando um olhar de esguelha para o contorno do corpo de Patricia que ficara desenhado a giz no sítio onde a historiadora fora encontrada. "Nem isso é o que nos interessa nesta investigação. A questão realmente pertinente é perceber por que razão o equívoco em torno da virgindade de Maria é abordado nesta charada."

A italiana respirou fundo, deixando esvair-se a irritação por só então descobrir um conjunto de coisas que nunca ninguém lhe havia explicado sobre a sua própria religião. O seu interlocutor tinha razão, sabia; precisava de se concentrar no essencial. Dadas as circunstâncias, o essencial era deslindar aquele crime na Biblioteca Apostólica Vaticana. Tudo o resto não passava de distracções.

"A resposta a essa questão depende de saber quem redigiu o enigma", retorquiu ela. "Se foi a vítima ou o homicida. Já encomendei uma peritagem caligráfica para determinar se a letra em que o enigma foi rabiscado é ou não da sua amiga."

Tomás assentiu com a cabeça, a mente a deter-se num pormenor que ainda não ficara claro.

"Há uma coisa que gostaria que me explicasse."

"O quê?"

"Disse-me há pouco que há uma relação entre o homicídio e a investigação que a Patricia estava a levar a cabo", recordou. "Mas não me revelou que relação é essa."

Valentina indicou o espaço vazio onde antes se encontrara o cadáver da historiadora espanhola.

"O assassino entrou aqui com o único fito de matar a sua amiga."

"Como sabe isso?"

A inspectora indicou os códices e os incunábulos que enchiam as prateleiras da biblioteca.

"Estivemos a verificar o catálogo e não desapareceu nada", disse. "Logo, o roubo não foi o móbil do crime." Indicou a porta. "Além do mais, descobrimos o empregado da biblioteca inconsciente no quarto de banho de serviço. Pelos vistos o assassino não o quis matar, apenas neutralizar. Isto significa que o intruso veio especificamente com a missão de matar a sua amiga."

"Ah, bom."

"E depois há o homicídio propriamente dito."

"O que tem ele?"

"A sua amiga foi degolada, lembra-se?"

O português estremeceu.

"Por favor, poupe-me a esses pormenores!..."

"Estes pormenores são muito importantes", sentenciou a inspectora da Polizia Giudiziaria. "A maior parte dos homicídios em Itália, e, aliás, no resto da Europa, são levados a cabo com lâminas. As vítimas são esfaqueadas até à morte."

"Portanto, a Patricia foi vítima de um homicídio comum..."

Valentina abanou a cabeça.

"Não necessariamente", disse devagar. "Sabe, apesar da frequência de assassínios com recurso a lâminas, a verdade é que a degolação não é uma maneira simples de matar alguém. As vítimas lutam muito, criam enormes dificuldades e atrapalham as manobras necessárias. É difícil cortar o pescoço a uma pessoa. É por isso que a degolação constitui uma forma muito rara de homicídio. Tão rara, aliás, que em geral só ocorre numa situação muito específica."

Fez uma pausa, espicaçando a curiosidade de Tomás.

"Qual?"

"Lembra-se de eu lhe ter dito que a sua amiga foi degolada como um cordeiro?", perguntou ela. "Essa imagem, embora admissivelmente de gosto dúbio, é muito feliz porque exprime com exactidão a natureza deste tipo de crime."

O português arqueou as sobrancelhas, sem entender onde queria a inspectora chegar.

"Não percebo."

Valentina fitou Tomás com intensidade.

"É que a degolação em geral é reveladora de um homicídio ritual."

"O quê?"

"A morte da sua amiga não foi um mero assassínio", sentenciou. "Foi um acto ritual."

"Mas... mas..."

A italiana indicou o *Codex Vaticanus.*

"É por isso que estou convencida de que este crime está relacionado com a investigação que ela estava a conduzir." Apontou para o seu interlocutor. "E é por isso que a sua ajuda é preciosa. Estou convencida que me poderá fornecer pistas que se revelem a chave deste crime."

"Eu? Mas não estou a ver o que mais possa..."

Uma voz interrompeu-os.

"*Signora* inspectora", disse um homem corpulento que se aproximara deles com um telemóvel na mão. "Dá licença?"

Valentina rodou o corpo e virou-se para ele.

"Sim, Vittorio. Que é?"

"Recebemos agora uma comunicação da polícia da Irlanda", disse. "Parece que houve para lá um homicídio e querem falar consigo."

A inspectora da Polizia Giudiziaria arregalou os olhos, apanhada de surpresa.

"Comigo? A polícia da Irlanda? A esta hora?"

"Parece que o crime ocorreu há pouco..."

A italiana soltou uma gargalhada seca.

"Ora esta, eles falam como se eu não tivesse mais nada que fazer!" Fez um gesto com a mão, mandando Vittorio embora. "Diga-lhes que estou ocupada. Eles que nos enviem um ofício segundo os trâmites normais nestes casos."

O polícia à paisana não se mexeu e manteve os olhos pousados na superiora hierárquica.

"Parece que em Dublin assassinaram esta noite um historiador", afirmou num registo lacónico. "A polícia da Irlanda viu o relatório preliminar que enviámos para a Interpol e percebeu as semelhanças com o nosso caso. Os irlandeses consideram imprescindível a sua colaboração. Querem que vá a Dublin o mais depressa possível."

A inspectora franziu o sobrolho.

"*Mamma mia!*", exclamou. "São rápidos, esses irlandeses." Esboçou um gesto de indiferença. "Muito bem, na mesma noite foram mortos dois historiadores. Um no Vaticano, outro em Dublin. E depois? Será que os irlandeses nunca ouviram falar em coincidências?" Novo gesto com a mão, mandando o subordinado embora. "Vá, mande-os dar uma volta. Tenho mais que fazer."

Vittorio manteve-se ainda absolutamente imóvel; era como se nem sequer a tivesse escutado.

"O historiador assassinado esta noite em Dublin estava a investigar manuscritos antigos da Bíblia", revelou no seu tom monocórdico. "Foi degolado. Ao lado do corpo, a polícia encontrou um papel com uma coisa estranha."

"Estranha como?"

O polícia arqueou as sobrancelhas, sublinhando a derradeira informação que tinha para dar.

"Uma outra charada."

XV

Uma luz de chumbo pintava a manhã de tonalidades tristes. O céu apresentava-se densamente nublado e o clarão difuso do dia emprestava um azul sombrio e deprimente àquele canto verdejante no centro de Dublin.

"Nem sei como me deixei arrastar para aqui", queixou--se Tomás. "Eu devia estar a tratar das ruínas do Fórum de Trajano!..."

Valentina Ferro lançou-lhe uma censura com o olhar.

"Outra vez a lamuriar-se?", perguntou. "Já lhe expliquei mil vezes que a sua colaboração é essencial para o sucesso deste inquérito. A forma como me ajudou a deslindar as pistas bíblicas semeadas na Biblioteca Vaticana foi brilhante." Juntou os dedos da mão para cima, num gesto muito italiano. "Bri-lhan-te!"

"Está bem, mas o meu trabalho não é este..."

"O seu trabalho é colaborar com a justiça", sentenciou a inspectora da Polizia Giudiziaria. Encarou o historiador e suavizou o tom das suas palavras, numa clara mudança de táctica argumentativa. "Não quer encontrar o assassino da sua amiga galega? Não acha que lhe deve pelo menos isso?"

Tomás sabia que o argumento era manipulador, mas não deixava de ser válido. Devia de facto isso a Patricia. Como amigo dela, o mínimo que poderia fazer era ajudar a polícia a encontrar o assassino. Que raio de amigo seria ele se nem a uma coisa dessas estivesse disposto? Se a polícia solicitava a sua colaboração, era de facto seu dever oferecê-la. Como a poderia recusar?

"Tem razão", concedeu por fim, conformando-se com a situação. "É só que eu..."

"Inspectora Ferro?"

Um homem de cabelo grisalho e gabardina creme, imagem acabada de um detective, aproximou-se dos dois recém-chegados com uma pasta de cartolina verde na mão.

"Sim, sou eu", disse Valentina. "E este é o professor Tomás Noronha, que nos está a ajudar a investigar o homicídio no Vaticano."

O desconhecido estendeu a mão para os cumprimentar. "Sou o superintendente Sean O'Leary", identificou-se. "Inspector do NBCI, o National Bureau of Criminal Investigation da An Garda Síochána, a polícia da República da Irlanda. Fui eu que pedi a vossa presença aqui em Dublin." Abriu o rosto num sorriso acolhedor. "Sejam bem-vindos. A viagem foi boa?"

"Normal", retorquiu Valentina com indiferença; tinha mais que fazer do que alimentar conversa de circunstância. "Pelo que me disseram do vosso caso existe uma extraordinária semelhança com o nosso. Acha mesmo que estão relacionados?"

O superintendente O'Leary devolveu-lhe o olhar, como se considerasse a resposta evidente.

"O que acha?"

A italiana encolheu os ombros.

"Não sei. Explique-me o que aconteceu e logo lhe direi."

O superintendente do NBCI indicou com o polegar o edifício atrás dele; era uma construção de traça moderna, encravada entre dois edifícios de linhas clássicas.

"Esta é a Chester Beatty Library, uma biblioteca fundada com o espólio de um magnata do sector mineiro", disse. Retirou da sua pasta de cartolina verde a fotografia de um sexagenário de porte elegante e olhos pálidos. "Acontece que um historiador holandês, um tal Alexander Schwarz, professor de Arqueologia da Universidade de Amesterdão e colaborador da *Biblical Archaeology Review*, veio cá consultar uns manuscritos antigos da Bíblia." Fez com a cabeça sinal para o edifício. "Parece que esta biblioteca tem umas coisas com um certo valor..."

Tomás sorriu com a observação.

"Umas coisas?", perguntou com sarcasmo. "O espólio de Bíblias da Chester Beatty Library é melhor que o do Vaticano!"

"O quê?", admirou-se Valentina. "Está a brincar!..."

"A sério!", insistiu o historiador, apontando para o edifício. "Oiça, esta biblioteca guarda dois grandes tesouros. Um é o P45, o mais antigo exemplar quase completo do Novo Testamento que jamais foi encontrado. Trata-se de um manuscrito em pergaminho e escrito em letras minúsculas. Recua ao século III. O P45 é ainda mais antigo do que o *Codex Vaticanus*!"

"*Dio mio!*"

"E esta biblioteca guarda também o P46, a mais antiga cópia quase completa das Epístolas de Paulo. Este pergaminho foi redigido no ano 200, veja lá. Isto significa que o P46 foi escrito pouco mais de cem anos depois da morte de Paulo. É talvez o mais antigo texto do Novo Testamento que chegou até nós." Fez um gesto no ar. "Consegue calcular o valor destas preciosidades? À falta dos originais e das cópias iniciais, estes pergaminhos são o que temos de mais próximo dos primeiros manuscritos do Novo Testamento."

O polícia irlandês afinou a voz, dando sinal de que tinha coisas pertinentes para dizer.

"Tem graça que mencione esses dois documentos", observou, extraindo um bloco de notas do bolso. "É que o professor Schwarz veio cá justamente para os consultar." Verificou as cotas dos textos nas suas anotações. "Passou a noite a estudar as reproduções em computador do P45 e requisitou para esta tarde a consulta do P46."

"E então?", impacientou-se a italiana. "Que lhe aconteceu?"

O superintendente O'Leary passou os olhos nos seus apontamentos.

"Alegando urgência no seu trabalho, o professor Schwarz obteve uma autorização especial para trabalhar durante a noite, fora do horário normal de expediente. Por volta das três da manhã terminou a consulta do P45 e despediu-se do funcionário encarregado de o acompanhar. O guarda nocturno abriu-lhe a porta e deixou-o sair. Depois voltou para o seu lugar e diz que não viu nada de anormal." Virou a folha do bloco de notas. "Um minuto mais tarde apercebeu-se de um *homeless* aos berros e aos murros ao vidro da porta. O guarda nocturno foi ter com ele para o mandar embora. Foi nessa altura que avistou o corpo do professor Schwarz no chão." Indicou um ponto protegido por fitas instaladas pela polícia. "Ali. Foi ter com ele e apercebeu-se de que ainda estava vivo. Pediu ajuda à central de segurança, mas quando os paramédicos cá chegaram já não havia nada a fazer. O professor tinha morrido."

"Esse *homeless*", disse Valentina, atenta aos pormenores, "viu alguma coisa?"

"Parece que sim." Folheou o bloco, em busca das anotações da testemunha. "Repetiu a mesma frase aos paramédicos. 'Foi um acidente', disse ele. 'Foi um acidente.' "

"Um acidente? Um acidente como?"

"Foi o que ele disse aos paramédicos."

"E a vocês? O que vos disse ele?"

O irlandês corou e baixou os olhos,

"Pois... enfim, ainda não falámos com esta testemunha."

A inspectora da Polizia Giudiziaria esboçou um esgar intrigado.

"E estão à espera de quê?"

O homem do NBCI permaneceu embaraçado, incapaz de a encarar de frente.

"Adormeceu", murmurou. "Parece que estava embriagado. Os paramédicos insistiram em levá-lo para o hospital e só esta tarde o poderemos interrogar."

Valentina assentiu com a cabeça. Reflectiu um momento e indicou o local onde o corpo do professor Schwarz havia tombado.

"E a vítima? Qual a causa do óbito?"

O superintendente O'Leary passou o dedo pelo pescoço, num gesto universal.

"Degolação."

Tomás e Valentina trocaram um olhar. Tudo indicava tratar-se de um novo homicídio ritual, em circunstâncias semelhantes às do assassínio ocorrido na noite anterior na Biblioteca Vaticana. Não podia de facto ser coincidência.

A inspectora da Polizia Giudiziaria suspirou.

"Estamos, pois, perante um assassino em série", observou, pensando em voz alta. "Alguém que mata historiadores especificamente envolvidos em investigações com manuscritos antigos da Bíblia. E que sente necessidade de praticar assassínios rituais." Fez com as mãos um gesto a simular uma pistola. "Podia dar-lhes um simples tiro. Era rápido, limpo e fácil. Mas não. Degola-os como cordeiros." Fitou o seu homólogo irlandês. "Porquê?"

O'Leary fez um gesto de ignorância.

"Não faço ideia", disse. "Estava à espera que me pudesse ajudar. Vi o relatório preliminar que vocês enviaram à Interpol e percebi que estávamos perante o mesmo caso. Penso que temos de cooperar para o resolver."

"Isso é evidente", concordou Valentina. "Disseram-me que, tal como aconteceu no Vaticano, também aqui foi encontrado um papel com uma charada. Isso tem algum fundamento?"

O homem do NBCI irlandês retirou mais uma fotografia da pasta verde que trazia na mão.

"Está a referir-se a isto?"

Os dois recém-chegados inclinaram-se para a imagem. A foto mostrava um papel amarrotado com uma série de uns e quatros alternadamente rabiscados a negro.

14/414

"Exactamente como no Vaticano", constatou Valentina. "Agora é uma nova mensagem."

"O que significa isto?", quis saber o irlandês.

"A noite passada tive muitas dúvidas a propósito do enigma que encontrámos no chão da Biblioteca Vaticana", indicou a inspectora da Polizia Giudiziaria. "A charada podia ter sido uma brincadeira da própria vítima, algo que ela escrevera enquanto trabalhava e que tombou no chão no momento em que foi morta. Ou poderia ser uma assinatura deixada pelo assassino." Apontou para a fotografia. "Mas se o mesmo tipo de charada aparece horas depois num homicídio semelhante perpetrado a milhares de quilómetros de distância, isso só pode significar que a resposta verdadeira é a segunda."

O'Leary olhou para a fotografia que tinha na mão.

"Ou seja, isto é uma assinatura do assassino."

Tomás posicionou-se ao lado do superintendente irlandês, de modo a melhor observar a imagem. Não precisou de mais de dois segundos para formar opinião.

"Ou algo diferente", sugeriu, metendo-se na conversa. "Uma mensagem."

Os dois polícias voltaram-se para ele, os rostos contraídos numa expressão inquisitiva.

"Parece-lhe mesmo?", perguntou a italiana. "Uma mensagem? Sente-se capaz de a decifrar?"

O historiador pegou na fotografia e analisou com atenção a sequência de algarismos.

"Já o fiz."

"Ai sim? E o que é?"

Tomás estudou a imagem por alguns segundos mais. Depois levantou a face e sorriu com timidez, quase envergonhado por ser portador de uma nova revelação que a italiana não iria decerto apreciar.

"Mais uma coisa embaraçosa do Novo Testamento, receio bem."

XVI

O trânsito à entrada da cidade revelou-se intenso, embora fluido. Os blocos de apartamentos pareciam verdadeiros caixotes cinzentos e monolíticos; tinham um aspecto vagamente decadente, como era imagem de marca da construção da era soviética. Além disso, pairava no ar um certo cheiro a óleo queimado, um pouco desagradável, e o barulho lá fora mostrava-se desagradavelmente invasivo.

Incomodado, Sicarius premiu o botão com uma seta para cima e o vidro eléctrico do automóvel emitiu um zumbido prolongado enquanto a janela se fechava. Já isolado dos ruídos e dos odores exteriores, encostou o carro à berma, pegou no telemóvel e digitou o número.

"Cheguei, mestre!", anunciou logo que o destinatário atendeu. "Estou à espera de instruções."

A pessoa do outro lado da linha fez um ruído de mastigação; deveria estar a comer.

"*Foi boa a viagem?*"

"Longa."

Ouviu-se o som de talheres a tilintarem em loiça e depois papéis a serem remexidos.

"*Tenho informações sobre o teu novo alvo*", disse o mestre, dirigindo-se ao assunto sem mais delongas. "*Entrou na faculdade às nove da manhã em ponto para dar aulas. Ao meio-dia termina a lição e vai direito para casa, onde entrará ao meio-dia e vinte e dois.*"

"Entra em casa ao meio-dia e vinte e dois?", estranhou Sicarius. "Nem um minuto mais tarde? Como pode estar tão seguro disso?"

A voz soltou uma gargalhada.

"*Parece que o nosso amigo é um tipo de hábitos rígidos*", explicou. "*Há colegas da faculdade que acertam o relógio pela passagem dele. Tudo o que faz é previsível.*"

Sicarius fungou.

"Perfeito", disse. "Assim é mais fácil."

"*Eu sabia que ias gostar*", ronronou a voz ao telefone. "*Mas não facilites, ouviste? Assegura-te de que não haverá complicações. Quero tudo a correr sobre rodas, como até aqui. Avança apenas quando for seguro.*"

"Esteja descansado, mestre."

"*Bom trabalho!*"

Sicarius desligou e guardou o telemóvel no bolso das calças. Pegou no seu caderno, consultou as anotações e identificou a morada que procurava. Era em Stariot Grad. Identificou o local no mapa da cidade e a seguir introduziu o endereço no sistema de GPS do carro.

Concluída a operação, ligou o pisca-pisca para a esquerda, sinalizando que ia retomar a marcha, e espreitou o trânsito pelo retrovisor lateral; vinham vários automóveis a passar, não tinha possibilidade de arrancar de imediato.

Lançou por isso uma espreitadela à mala de couro negro que trazia no lugar ao seu lado. A mala estava aberta, exibindo o conteúdo como se fosse um passageiro silencioso.

A adaga sagrada.

XVII

Um delicioso aroma a especiarias e uma fragrância quente de café enchiam o espaço junto ao átrio ocupado pelo restaurante da Chester Beatty Library. Os três visitantes acomodaram-se a uma mesa da esplanada do Silk Road Café, situado na torre do relógio, e Tomás apreciou a magnífica vista para o jardim do Castelo de Dublin. Pediram chá de camomila, doces *baclava* e *kataif*, panquecas libanesas recheadas de nozes e coco, muito recomendadas pelo empregado, mas a ementa que os levava ali era o crime cometido nessa madrugada às portas da biblioteca.

Logo que o empregado se afastou, o historiador português fez sinal para a pasta de cartolina verde que Sean O'Leary havia pousado no chão, junto à cadeira.

"Mostre-me aí a fotografia da charada."

O irlandês inclinou-se, apanhou a pasta e retirou a fotografia, que entregou a Tomás. Nesse instante apareceu um polícia fardado que chamou O'Leary. O superintendente trocou umas palavras com ele e voltou-se para os seus convidados.

"Queiram desculpar", disse. "O dever chama-me."

O'Leary afastou-se, deixando Tomás e Valentina a sós. O académico estudou a fotografia da charada e deteve-se demoradamente na sequência alternada de uns e quatros, como se quisesse confirmar a sua conclusão preliminar.

14 14 14

"Então?", impacientou-se Valentina. "O que é isso?"

Foi a vez de Tomás se inclinar no seu lugar e retirar de um saco de plástico um livro volumoso que havia comprado à chegada numa livraria do aeroporto de Dublin. A italiana espreitou a capa e viu o título.

A Bíblia.

"Os únicos evangelhos que dão a genealogia de Jesus são o de Mateus e o de Lucas", disse o historiador, folheando o livro. "O que é interessante é que são ambas feitas a partir da linha genealógica de José. O que é intrigante, não acha?"

"Com efeito", admitiu ela. "Se José não era o pai biológico de Jesus, como estabelecem esses dois evangelhos, por que motivo fizeram a genealogia de Jesus a partir dele?" Indicou a Bíblia. "Não há genealogia feita a partir da linha de Maria?"

"Não, apenas de José", esclareceu Tomás. "A outra coisa interessante é que as genealogias apresentadas por Mateus e por Lucas, embora acompanhem a ascendência de José, são diferentes uma da outra." Fixou o livro na primeira página do primeiro dos Evangelhos. "Mas apenas nos vamos ocupar da genealogia delineada no Evangelho segundo Mateus."

"Porquê essa?"

O académico indicou a fotografia deixada pelo superintendente O'Leary.

"Porque é esta genealogia que nos irá conduzir à decifração da charada deixada pelo assassino." Afinou a voz e colou os olhos à linha inicial do texto. "O primeiro versículo deste evangelho começa assim: 'Genealogia de Jesus, filho de David, filho de Abraão.'"

"Filho de David?", surpreendeu-se Valentina. "Não é de José?"

"Já lá vamos", retorquiu Tomás, fazendo sinal à sua interlocutora de que tivesse paciência. "O segundo versículo deste evangelho traça a linhagem a partir de Abraão: 'Abraão gerou a Isaac; Isaac gerou a Jacob; Jacob gerou a Judá e a seus irmãos...', e assim sucessivamente até chegar a Jessé e dizer: 'Jessé gerou o rei David.' Depois recomeça, dando a linhagem a partir de David. 'David, da mulher de Urias, gerou a Salomão; Salomão gerou a Roboão...' e assim consecutivamente até desembocar na deportação para a Babilónia. O texto retoma novamente a linhagem e a sucessão de nomes acaba por chegar a Jacob, terminando assim: 'Jacob gerou a José, esposo de Maria, da qual nasceu Jesus, que se chama Cristo.'"

"E assim se liga Jesus genealogicamente a David e a Abraão."

"Nem mais", murmurou o historiador, a atenção retida no texto bíblico. "Agora repare no que está escrito no versículo 17 deste primeiro capítulo do Evangelho segundo Mateus. 'De sorte que todas as gerações, desde Abraão até David, são catorze gerações. De David até ao desterro de Babilónia, catorze gerações; e, desde o desterro de Babilónia até Cristo, catorze gerações.'"

Ergueu o rosto e fitou a sua interlocutora, esperando que ela tirasse as suas próprias conclusões. Os olhos de Valentina desviaram-se para a fotografia da charada encontrada junto ao corpo da vítima dessa madrugada.

"Catorze, catorze, catorze", disse a italiana com a cadência mecânica de um autómato. Levantou a cabeça e encarou o historiador, os olhos arregalados. "É incrível! Acertou outra vez!" Bateu palmas e sorriu. "Bravo!"

O rosto cansado de Tomás abriu-se num vasto sorriso. "Obrigado."

"O assassino estava a chamar a atenção para esse versículo do Novo Testamento!", observou. Passada a excitação inicial, contudo, a sombra de uma dúvida atravessou-lhe o olhar. "Muito bem, já percebi a ligação entre a charada e a Bíblia. Mas, ao colocar este enigma junto ao corpo da vítima, o que queria o tipo dizer exactamente? Qual o significado disso?"

O dedo do historiador bateu no texto que reproduzia o Evangelho segundo Mateus.

"Estes versículos incidem na numerologia da ancestralidade de Jesus", disse. "Repare, temos aqui catorze gerações entre Abraão e David, o maior dos reis de Israel. Seguem-se mais catorze gerações entre David e a escravização dos judeus na Babilónia, o que corresponde ao fim do primeiro templo. E depois mais catorze gerações entre a Babilónia e Jesus."

"E então?"

"Não percebe? Mateus está a dizer-nos que, de catorze em catorze gerações, há um evento de importância transcendente na vida dos judeus. Ao fim das primeiras catorze gerações surge David, ao cabo das segundas catorze gerações acontece o fim do primeiro templo e a consequente escravização na Babilónia. O que quer dizer que Jesus, que surge catorze gerações depois da Babilónia, é também um acontecimento de importância transcendente."

"O que é uma evidência", sentenciou Valentina. "Jesus *foi* um acontecimento transcendente."

"Não discuto a fé de ninguém", declarou Tomás. "Mas permito-me salientar vários erros cometidos por Mateus. O primeiro é que o último grupo de catorze gerações só contabiliza treze. Pelos vistos Mateus não sabia contar. O segundo erro é que a contabilidade de Mateus também não bate certo com a do Antigo Testamento. Mateus diz em 1:8 que Jorão é o pai de Ozias." Recuou, de uma assentada, centenas de páginas no seu exemplar da Bíblia. "Mas consultando as Crónicas, no Antigo Testamento, descobrimos em 3:10 que Jorão não é o pai de Ozias, mas o trisavô! Ou seja, Mateus fez desaparecer três gerações."

Valentina pegou na Bíblia e contou as gerações no primeiro livro das Crónicas. Depois verificou o que estava escrito no Evangelho segundo Mateus.

"Tem razão", confirmou. "Porque aconteceu isso?"

"Não é evidente?", perguntou o académico português num tom retórico. "Se incluísse todas as gerações, Mateus não tinha modo de demonstrar que ocorria um evento de importância transcendente de catorze em catorze gerações. O que fez ele para resolver o problema? Aldrabou a contagem."

A italiana emitiu com a língua um estalido agastado; a associação da palavra *aldrabou* com a Bíblia não era manifestamente do seu agrado.

"Oh, não diga isso!"

"Não tenhamos medo das palavras só porque estamos a falar da Bíblia", insistiu Tomás. "Mateus adulterou intencionalmente a contabilidade das gerações para forçar um efeito numerológico. Precisava que a conta desse catorze gerações e por isso subtraiu as que estavam a mais."

Não havia maneira de contra-argumentar, pelo que a inspectora da Polizia Giudiziaria optou por ignorar o assunto. Fez um gesto para a fotografia deixada por O'Leary.

"Acha que era isso o que o homicida estava a tentar demonstrar? Que o Evangelho segundo Mateus fez uma... enfim, uma engenharia com a genealogia de Jesus?"

"Sim, mas por outros motivos. Sabe, o algarismo sete é considerado na Bíblia o número perfeito. Não foi Deus que descansou ao sétimo dia? Assim sendo, o que é o catorze senão o sete em duplicado? No contexto genealógico, catorze é a perfeição a dobrar."

"Estou a entender."

Tomás voltou a bater com o indicador nos versículos iniciais do primeiro evangelho.

"A genealogia de Mateus destina-se a sublinhar o estatuto de Jesus como o rei de Israel previsto pelas Escrituras. Em Samuel II, os cronistas judaicos afirmam que Deus disse a David em 7:16: 'Tua casa e teu reino permanecerão eternamente, e o teu trono será firme para sempre.' Ou seja, o trono seria sempre ocupado por um descendente de David. Porém, e devido às vicissitudes da história, já não havia um descendente de David no trono. Deus, no entanto, tinha prometido que haveria. Como resolver este paradoxo? Mateus dá uma solução: Jesus. Quem é o Jesus apresentado por este evangelista? É descendente de David por via de duas sequências de catorze gerações, o duplo número perfeito." Pegou numa caneta e pôs-se a rabiscar num guardanapo de papel com o logótipo do Silk Road Café. "Nas línguas antigas, as letras do alfabeto tinham valores numéricos e eram numeradas. Em hebraico, por exemplo, as três primeiras letras são o alef, o beth e o guimel, não é? Pois o alef vale um, o beth vale dois, o guimel vale três, e assim sucessivamente.

Chama-se a isso guematria." Pegou de novo na caneta. "O nome *David* escreve-se com estas três letras."

Grafou D-V-D no guardanapo, o que suscitou a estranheza dos dois polícias.

"DVD?", admirou-se Valentina. "Faltam duas letras!..."

"No hebraico não se escrevem as vogais", esclareceu o historiador. "*David* fica DVD." Atribuiu algarismos às letras. "O valor do D, ou daleth em hebraico, é quatro, e o valor do V, ou waw, é seis. Assim sendo, D-V-D é daleth-waw-daleth, ou quatro-seis-quatro. Quanto dá a soma destes três algarismos?"

"Catorze."

Tomás confirmou a conta no guardanapo, desenhando no final um gordo *14*, e mostrou o resultado à sua interlocutora.

"Ou seja, a guematria do nome de David é catorze, o duplo número perfeito", enunciou. "Foi esta a razão pela qual Mateus arrumou a genealogia de Jesus em três grupos de catorze. O evangelista queria associar Jesus a David por laços de sangue, cumprindo assim a promessa divina que consta em Samuel II." Ergueu um dedo, como se lhe tivesse ocorrido uma ideia. "Aliás, é interessante notar uma outra coisa. Ao longo de todo o Novo Testamento, Jesus é apelidado de Filho de Deus. O que significa essa expressão?"

A italiana fez um esgar de admiração, como se a resposta fosse óbvia.

"Não é evidente?", questionou. "Filho de Deus significa que Jesus é Deus Filho."

O historiador sorriu e abanou a cabeça.

"É um facto que essa expressão é hoje associada à ideia de que Jesus é Deus na terra. Mas ela não tem originalmente esse sentido. A sua origem encontra-se em Salmos, cuja autoria a tradição atribui a David. Diz David no versículo

2:7: 'Divulgarei o decreto do Senhor. Ele disse-me: «Tu és meu filho, hoje mesmo te gerei.»' Ou seja, e sem nunca reivindicar qualquer estatuto divino, David apresenta-se como o Filho de Deus. Então o que fazem os evangelistas? Chamam a Jesus o Filho de Deus. Com essa expressão não estão a afirmar que Jesus é um deus, ou o Deus Filho, como agora se pretende, mas que é descendente de David, condição essencial para reclamar o trono de Israel. É nesse sentido que os Evangelhos lhe chamam Filho de Deus."

Os dedos de Valentina baquetearam pela mesa numa cadência ritmada, enquanto ela tirava as consequências do que acabara de escutar.

"Já percebi essa parte", afirmou. "Mas agora explique-me uma coisa: o que queria o homicida dizer realmente quando deixou essa charada? Isso é o que não compreendo!..."

O historiador inclinou a cabeça e lançou-lhe um olhar simuladamente admirado.

"Ainda não percebeu?", perguntou. "O nosso amigo está a marcar os homicídios com pistas sobre as fraudes no Novo Testamento."

A italiana revirou os olhos, esforçando-se por conter a irritação.

"*Madonna!*", protestou. "Lá vem você com essas palavras... desagradáveis. De que tipo de... enfim, de problemas da Bíblia estamos agora a falar? Novamente de erros?"

Com a caneta a girar entre os dedos, Tomás ponderou a questão.

"Não são bem erros", disse devagar, como se ainda estivesse a pensar no problema. Fez uma curta pausa. "Sabe, para lhe poder explicar o significado profundo da questão suscitada por esta charada vou ter de lhe revelar algo que a chocará."

Se tivesse um cinto de segurança, Valentina tê-lo-ia posto nesse momento. À luz das coisas que já tinha escutado, pressentia que o que aí vinha não era agradável.

"Diga lá."

O académico acariciou a capa do seu exemplar da Bíblia.

"Não existem textos de ninguém que tenha conhecido Jesus pessoalmente."

A italiana arregalou os olhos.

"Ai não? Essa agora! Então e os evangelhos de Marcos, Lucas, Mateus e João?", contra-argumentou. "Não foram eles testemunhas dos acontecimentos?"

Tomás coçou a ponta do nariz e baixou os olhos, como se se sentisse embaraçado por desfazer mais um mito.

"Minha cara", disse, "ao contrário do que está escrito na Bíblia, Marcos, Lucas, Mateus e João não escreveram os Evangelhos." Fez uma pausa. "E a maior parte dos textos que aparecem no Novo Testamento são pseudo-epígrafos."

"Pseudo... quê?"

"Pseudo-epígrafos", repetiu o académico. "Um nome pomposo que se arranjou para não chamar os bois pelos nomes. Diz-se pseudo-epigrafia e evita-se assim usar uma palavra mais desagradável para descrever a maior parte dos textos da Bíblia."

"Que palavra?"

Tomás fitou-a nos olhos e esforçou-se por manter a expressão o mais neutra possível.

"Falsificações."

XVIII

O centro da povoação exibia uma beleza desconcertante, com os soberbos promontórios de rochedos a rasgar de verdura o emaranhado da urbe, plano e espraiado. Um pequeno rio serpenteava entre os edifícios, mas eram os promontórios que verdadeiramente chamavam a atenção; pareciam castelos erguidos na planície, imponentes e majestosos, verdadeiras jóias que coroavam a cidade.

Sicarius baixou o vidro da janela do automóvel e interpelou um transeunte.

"Onde é a Stariot Grad?"

O homem, um velho de longas barbas brancas e corpo curvado pelos anos, indicou o promontório central.

"Ali", disse. "No monte."

Sicarius seguiu naquela direcção, percebendo o que o GPS não conseguia explicar-lhe: o seu destino estava numa elevação. Tentou meter pelo monte, mas a inclinação da rua era demasiado grande e, além do mais, havia ali um sinal a proibir o trânsito. O recém-chegado viu-se por isso forçado a dar meia volta e a deixar o carro estacionado no sopé do promontório.

Seguiu a pé, com a mala de couro negro a balouçar na mão. Escalou a rua, íngreme e estreita, mas Sicarius estava em boa forma e não teve dificuldade em galgar o monte e internar-se em Stariot Grad. Os edifícios tinham uma traça muito original, com o primeiro andar mais largo do que o rés-do-chão e sustentado por traves de madeira. O traço balcânico, cruzado com elementos otomanos, era por demais evidente.

O visitante perdeu-se no emaranhado de ruelas da cidade velha, pelo que teve de consultar o endereço que havia anotado num papel e dirigir-se a um quiosque.

"A Casa de Balabanov?"

A rapariga do quiosque apontou para um edifício de esquina, junto a uma rua estreita que descia acentuadamente.

"É aquela."

Sicarius seguiu de imediato em direcção à casa e inspeccionou a fachada pintada de branco e *bordeaux*, repleta de janelas com o topo arredondado, o primeiro andar erguido em *erker*. As linhas arquitectónicas eram tradicionais e revelavam-se em tudo semelhantes às das restantes construções antigas de Stariot Grad. Considerou a possibilidade de penetrar no interior, por uma janela ou até mesmo pela porta, mas constatou que a cidade velha permanecia tranquila e optou por se plantar na rua.

Consultou o relógio. Os ponteiros assinalavam meio-dia e um quarto. O recém-chegado escolheu uma grande árvore ao lado da Casa de Balabanov e sentou-se à sua sombra, junto ao tronco. Abriu a mala de couro negro e, sempre com gestos de grande delicadeza, extraiu a adaga. Uma faísca cristalina cintilou na ponta, para êxtase de Sicarius; era como se Deus tivesse acabado de lhe enviar um sinal.

Espreitou de novo o relógio. Meio-dia e dezanove. Desceu a rua com o olhar e lá ao fundo viu um homem iniciar a escalada. Procurou-lhe as feições do rosto e reconheceu-as das fotografias integradas no dossiê que o mestre lhe entregara. Acto contínuo, acariciou o punho da adaga, sentindo-lhe a superfície macia.

A hora tinha chegado.

XIX

A palavra que acabara de escutar deixou Valentina à beira de uma explosão de fúria.

"Falsificações?", protestou ela, a face a enrubescer. "Lá vem você mais uma vez com essas palavras depreciativas! Irra! Parece que faz de propósito!"

Tomás encolheu os ombros.

"O que quer que lhe faça?", perguntou. "Quer que lhe esconda estes factos?" Indicou a fotografia da charada deixada pelo assassino de Dublin. "Se o fizer, nunca irá compreender o significado deste enigma. E se não compreender jamais poderá deslindar estes casos."

A inspectora lançou um olhar em redor, em busca de ajuda do superintendente O'Leary, mas o irlandês ainda não voltara. A italiana suspirou longamente com resignação. A agonia que lhe atacava o estômago roubava-lhe toda a vontade de resistir.

"As coisas que tenho de fazer pelo meu trabalho", desabafou ela. Esboçou com a mão um gesto de rendição. "Está bem, conte lá o que se passa com os Evangelhos."

O historiador folheou o seu exemplar da Bíblia até localizar o primeiro evangelho na sequência do Novo Testamento, o de Mateus.

"A primeira coisa que tem de perceber é que os Evangelhos são textos anónimos", disse. "O primeiro a ser escrito foi o de Marcos, entre 65 e 70, ou seja, quase quarenta anos depois da crucificação de Jesus. Ainda haveria apóstolos vivos, mas já deviam estar velhos. Os textos de Mateus e Lucas foram escritos uns quinze anos mais tarde, entre 80 e 85, e o de João dez anos depois, entre 90 e 95, numa altura em que a primeira geração já deveria ter morrido. Estes evangelhos circulavam entre as comunidades de fiéis sem que se soubesse quem eram os autores. Aliás, atribuir-lhes uma autoria até os descredibilizava. Ao serem apresentados sem autores, o ponto de vista subjectivo era anulado e os textos apareciam como portadores da verdade absoluta, objectiva e anónima. Quase como se fossem directamente a palavra de Deus."

"Sendo assim, nenhum dos evangelistas afirma ter escrito os Evangelhos..."

"Exacto", confirmou Tomás. "Se alguém cometeu fraude não foram eles com certeza, mas quem mais tarde abusivamente lhes atribuiu a autoria dos Evangelhos. O mais importante é que temos a certeza de que os dois discípulos, Mateus e João, não escreveram esses textos. O Evangelho segundo Mateus, por exemplo, refere-se a Jesus e aos apóstolos como *eles*, não como *nós*. Isto mostra que o autor do texto não era um apóstolo. Mas Mateus era. Além disso, em 9:9, este evangelho descreve o apóstolo Mateus na terceira pessoa. Logo, Mateus não pode ser o autor do Evangelho segundo Mateus. Isso é uma mistificação posterior da Igreja."

Valentina voltou a revirar os olhos.

"Mistificação?", questionou. "Lá vem você outra vez com essas palavras acintosas!..."

"Isso é ainda mais claro no caso do Evangelho segundo João", disse o historiador, ignorando o protesto. "No final do Evangelho, o autor fala no 'discípulo que Jesus amava' para afirmar nos derradeiros versículos: 'É esse o discípulo que dá testemunho destas coisas e as escreveu; e nós sabemos que o seu testemunho é verdadeiro.' Ou seja, o próprio autor admite que não é um apóstolo, apenas alguém que falou com um apóstolo. Assim, o autor não pode ser João."

"E os outros dois evangelistas?"

"Marcos não era um discípulo, mas companheiro de Pedro, e Lucas era companheiro de viagem de Paulo. Quer isto dizer que nem Marcos nem Lucas foram testemunhas directas dos acontecimentos. E já percebemos que Mateus e João não escreveram os evangelhos que lhes são atribuídos." Cravou os olhos na sua interlocutora, interpelando-a. "Assim sendo, qual é a conclusão que tira?"

A inspectora da Polizia Giudiziaria suspirou, vencida e quase desanimada.

"Não temos testemunhas."

O académico português estreitou os olhos.

"Pior ainda", acrescentou. "Parece haver um grande distanciamento entre os apóstolos e os autores dos Evangelhos. Repare, temos como seguro que Jesus e os seus discípulos eram todos pessoas de baixa condição que viviam na Galileia. Ora calcula-se que nesta época só dez por cento das pessoas no Império Romano sabiam ler. Uma percentagem menor conseguia escrever frases rudimentares e apenas uma ínfima parte era capaz de elaborar narrativas completas. Tratando-se de gente sem educação, os discípulos eram analfabetos. Aliás, em 4:13 os Actos dos Apóstolos descrevem explicitamente Pedro e João como *agrammatoi*, ou 'homens iletrados'. Jesus seria uma excepção. Lucas apresenta-o a ler na sinagoga em 4:16, mas em nenhuma parte Jesus aparece a escrever."

"No episódio da adúltera", apressou-se Valentina a lembrar, "Jesus está a escrever no chão."

"O problema desse episódio é que é uma fraude, como já lhe expliquei. Não está nas cópias mais antigas do Novo Testamento."

A italiana bateu com a palma da mão na testa.

"Ah, pois é!..."

Tomás voltou a sua atenção para o exemplar da Bíblia que tinha pousado na mesa do Silk Road Café.

"Em suma, os discípulos de Jesus eram analfabetos de classe baixa que falavam aramaico e viviam na Galileia rural", recapitulou. Pôs a mão sobre a Bíblia. "No entanto, lendo os Evangelhos depressa percebemos que os seus autores não são apenas alfabetizados. À excepção de Marcos, que escrevia em grego popular, são todos falantes de grego de classe alta que viviam fora da Palestina."

"Como pode ter a certeza desses pormenores todos?"

"Devido a um vasto número de razões linguísticas de natureza técnica, o consenso académico hoje em dia é que todos os evangelhos foram originalmente escritos em grego e não na língua de Jesus e dos seus discípulos, o aramaico", explicou. "Por exemplo, sabemos que Mateus copiou várias histórias de Marcos palavra a palavra na versão grega. Se Mateus tivesse sido originalmente escrito em aramaico, seria impossível que essas histórias fossem copiadas exactamente com as mesmas palavras que estão no texto grego."

"Ah, estou a ver."

"Além do mais, a complexidade estilística dos Evangelhos, que incluem parábolas e outros artifícios literários, implica que os seus autores eram pessoas com educação elevada. Mais ainda, não se tratava de judeus nem de gentios que vivessem na Palestina. Percebemos isso porque os autores dos Evangelhos revelam certa ignorância em relação aos costumes judaicos. Por exemplo, Marcos indica em 7:3 que 'Os fariseus efectivamente, e os judeus em geral, não comem sem ter lavado cuidadosamente as mãos, conforme a tradição dos antigos', o que é falso. Na época os judeus em geral não tinham ainda o hábito de lavar as mãos antes de comer. Se o autor deste evangelho vivesse na Palestina, sabê-lo-ia com certeza e não teria escrito tamanho disparate. Assim sendo, temos fundamentos para concluir que os autores dos Evangelhos eram falantes de grego oriundos de classes altas que não viviam na Palestina, o que contrasta com os discípulos falantes de aramaico oriundos de classe baixa que habitavam na Galileia. Como estão linguística, social, geográfica e culturalmente afastados dos discípulos, podemos com segurança afirmar que os verdadeiros autores dos Evangelhos não eram apóstolos, mas pessoas que não viveram nem testemunharam os acontecimentos que narraram."

Valentina recostou-se na cadeira e voltou a olhar em redor, como se pedisse ajuda. Contudo, o superintendente irlandês permanecia retido pelas suas funções. Era evidente que dali não viria qualquer auxílio.

"Espere aí!", exclamou a inspectora da Polizia Giudiziaria, ainda combativa. "De onde vem então a atribuição da autoria dos Evangelhos? Apareceram assim sem mais nem menos, por obra e graça do Espírito Santo?"

Tomás riu-se.

"Quase", gracejou. "Isso resultou da tradição. Apesar das provas de que Mateus e João não são os autores dos textos que lhes são atribuídos, e dos indícios de que Marcos e Lucas também não o são, a mais antiga tradição da Igreja atribui a autoria de dois evangelhos a Mateus e a Marcos."

"Ah-ha!", exclamou Valentina num tom triunfante. "Eu sabia que algum fundamento haveria!"

O historiador voltou a soltar uma gargalhada.

"Tenha calma, isto não é uma competição", disse. "Sabe, a fonte mais antiga dessa tradição é um autor chamado Pápias, que numa obra da primeira metade do século II terá dito que falou pessoalmente com cristãos que conheceram pessoas a quem chamaram 'os anciãos'. Esses anciãos afirmaram ter conhecido alguns dos discípulos. Pápias terá escrito, e vou citar mais ou menos de cor: 'O ancião costumava dizer «quando Marcos era o tradutor de Pedro anotou rigorosamente tudo o que se lembrava do que o Senhor disse e fez, mas não por ordem. Pois ele não escutou o Senhor nem o acompanhou, mas mais tarde, como indicado, ele acompanhou Pedro, que adaptava os ensinamentos às circunstâncias, sem fazer uma composição ordenada das palavras do Senhor. Marcos limitou-se a escrever alguns destes assuntos como os lembrava. Só tinha um propósito: não deixar de fora nada do que tinha escutado nem incluir nenhuma falsidade».' Sobre Mateus, Pápias terá escrito: 'E então Mateus compôs as máximas na língua hebraica.'"

Valentina irradiava felicidade, como se aquelas palavras fossem melodia divina.

"Está a ver?", exultou. "Está a ver?"

"Olhe que há aqui uns problemas..."

"Problemas?", exaltou-se a italiana. "Que problemas? *Dio mio*, lá está você a complicar!"

O historiador voltou a ignorar o protesto.

"O primeiro problema é que não possuímos o texto original de Pápias", explicou. "O que temos é o que escreveu um antigo historiador cristão chamado Eusébio. Ou seja, tudo o que sabemos sobre Marcos é que alguém diz que alguém escreveu que alguém conheceu alguém que conheceu alguns discípulos que conheceram o evangelista. Ou, por outras palavras, Eusébio diz que Pápias escreveu que conheceu cristãos que dizem que conheceram anciãos que afirmam ter conhecido discípulos que alegaram ter conhecido Marcos." Contraiu o rosto. "Um pouco rebuscado, convenhamos. São fontes em quarta mão, com todas as consequências que isso acarreta. Aliás, outras informações atribuídas a Pápias são consideradas erradas pelos historiadores, o que mostra tratar-se de uma fonte de pouca confiança. Mesmo que a sua informação fosse rigorosa, nada nos garante que o evangelho de Marcos a que Pápias se referiria é o evangelho que nos chegou."

"E sobre Mateus?"

"Pior ainda. Eusébio não diz qual a fonte de Pápias. E a pouca informação que nos dá sobre o evangelho de Mateus decididamente não corresponde ao nosso Evangelho segundo Mateus. Pápias terá indicado que o evangelho de Mateus era constituído por uma colecção de máximas, como o Evangelho segundo Tomé, e, presumivelmente, a fonte Q. Mas o nosso Mateus deu-nos uma narrativa completa, não uma mera colecção de máximas. Por outro lado, o Mateus de Pápias terá sido escrito em hebraico, enquanto o nosso Mateus foi comprovadamente redigido em grego. Pápias parece portanto estar a falar de um evangelho que se terá perdido."

"Então como é que os nossos evangelhos foram atribuídos a esses autores?"

"A primeira referência segura aos quatro evangelhos canónicos foi feita por um líder cristão gaulês chamado Ireneu no ano 180", respondeu. "Nesta altura já havia curiosidade em saber quem eram os autores dos textos considerados pela hierarquia mais fiáveis, uma vez que existiam muitos evangelhos a circular que teriam sido escritos por discípulos, como Maria Madalena, Pedro, Tomé e outros. Recuperando tradições orais, um evangelho foi atribuído a Mateus e outro a Marcos. As restantes atribuições foram mais arbitrárias. Percebeu-se que o autor do terceiro evangelho escrevera também os Actos dos Apóstolos, onde Paulo é uma figura preeminente, pelo que se achou que o autor teria de ser alguém ligado a Paulo. Escolheram Lucas, companheiro de viagem de Paulo. E o nome de João foi ligado ao quarto evangelho, apesar de o autor anónimo desse texto afirmar explicitamente que não era um discípulo."

"Nesse caso, em parte alguma aparecem esses nomes a reivindicar a autoria dos evangelhos canónicos..."

"Exacto. O que significa que os autores destes textos não testemunharam coisa nenhuma. Os Evangelhos foram escritos décadas depois dos acontecimentos que relatam, por pessoas que não conheceram Jesus, não falavam a sua língua, tinham outra cultura e educação e viviam num país diferente. Nestas condições, que confiança podemos ter no que elas escreveram?"

Valentina emitiu um suspiro longo e desanimado.

"Felizmente o Novo Testamento não é apenas constituído pelos Evangelhos", desabafou. "Sempre há outros textos, não é verdade?"

A observação produziu uma hesitação em Tomás. Deveria ou não problematizar esta questão? Ainda considerou a possibilidade de a deixar passar em branco, mas percebeu que, tendo em conta que toda a informação poderia ser relevante para deslindar aqueles crimes, teria de levar a explicação até ao amargo fim.

"Receio que os outros textos também levantem problemas graves", disse, quase a medo. "Aliás, bem mais graves!..."

"O quê?"

"Dos vinte sete textos do Novo Testamento, apenas oito são de autoria segura", revelou. "É o caso de sete epístolas de Paulo e do Apocalipse, de João, embora não se trate do apóstolo João. Os autores dos restantes dezanove textos são incertos. Semelhante ao caso dos Evangelhos é a Carta aos Hebreus, texto anónimo atribuído a Paulo mas quase de certeza de outro autor. A Carta de Tiago é também genuína, mas o autor não é o Tiago irmão de Jesus, conforme erradamente pensou a Igreja quando aceitou este texto. Os restantes textos, minha cara, são puras fraudes."

A italiana abanou a cabeça, desanimada.

"Lá vem você!..."

"Lamento, mas a verdade é para se dizer", insistiu o historiador. "Várias epístolas de Paulo são provavelmente falsificações: a Segunda Carta aos Tessalonicenses, que contradiz a primeira e parece ser um texto posterior para corrigir certas coisas ditas anteriormente e que não ocorreram, e as Cartas aos Efésios e aos Colossenses, redigidas num estilo diferente do de Paulo e abordando problemas que não existiam no tempo de Paulo. Paulo também não escreveu as duas Cartas a Timóteo nem a Carta a Tito, uma vez que abordam igualmente problemas que não existiam no tempo do seu suposto autor. Além disso, um terço das palavras usadas nestas epístolas nunca foi usado por Paulo, e a maior parte eram palavras características dos cristãos do século II. Por outro lado, João não escreveu as três Cartas de João e Pedro não escreveu as duas Cartas de Pedro. Convém lembrar que estes dois apóstolos eram analfabetos." O historiador pegou na Bíblia e exibiu-a. "Ou seja, a maior parte dos textos que compõem o Novo Testamento não foi escrita pelos autores que lhes foram atribuídos. São fraudes."

Valentina não parava de abanar a cabeça.

"Não posso acreditar!", murmurou. "Não posso acreditar!" Fitou por momentos o jardim diante da biblioteca, a mente perdida no que acabara de escutar, até que estremeceu e encarou o seu interlocutor. "A Igreja sabe?"

"Claro que sabe."

"Então... então porque não retirou esses textos do Novo Testamento?"

"Se o fizesse, o que ficava? Sete epístolas de Paulo e o Apocalipse de João? Parece curto, não acha?"

"Mas como é então justificada a manutenção desses textos na Bíblia?"

Tomás sorriu.

"São inspirados."

"O quê?"

"Os teólogos já perceberam que estão a lidar com falsificações ou textos anónimos. A primeira coisa que fazem para enfrentar o problema é evitar usar as palavras *fraude* ou *falsificação*. Dizem *textos pseudo-epígrafos* e a coisa fica disfarçada. Depois afirmam que, apesar de os autores desses textos não serem os atribuídos, os textos são sagrados porque foram inspirados por Deus." Fez um movimento rápido com as mãos, como se fosse um ilusionista. "E assim, quase por artes mágicas, fica o problema resolvido."

Por esta altura já Valentina fervia, agastada com a forma como a Bíblia se desfazia na boca daquele historiador português. Mesmo assim a agente italiana manteve a compostura. No fim de contas, guardava ainda alguns argumentos na manga.

"Pode dizer o que quiser", afirmou, "mas uma coisa é indiscutível: os textos do Novo Testamento contam todos a mesma história. E isso é a prova de que pelo menos a história de Jesus é verdadeira."

"Por acaso não é verdade", respondeu. "Cada texto bíblico conta uma história diferente. E vários episódios são completamente inventados."

"Está a brincar comigo!..."

Tomás coçou a cabeça.

"A história de que Jesus nasceu em Belém, por exemplo."

XX

Havia já muito tempo que o professor Vartolomeev andava a pensar em mudar de casa, mas no momento da verdade nunca reunia coragem para consumar o projecto. Afinal vivia na histórica Casa de Balabanov, uma construção novecentista em Stariot Grad, a zona antiga que havia sido erguida no preciso promontório onde nascera a velha cidade. Só um louco se desfaria, sem precisar de o fazer, de uma casa daquelas e num local como aquele.

No entanto, era sempre no momento em que escalava a rua a caminho de casa que o pensamento lhe voltava. Desde que cruzara os cinquenta anos que sentia mudanças no corpo, e para pior. A escalada do monte tornava-se mais penosa a cada dia, com os músculos das pernas a endurecerem como pedras e os pulmões a arfarem como se ele tivesse corrido uma maratona. E isto apenas por subir uma rua inclinada! Quanto mais tempo conseguiria escalar o monte? Já sabia que, logo que chegasse a casa...

"Senhor professor."

... e se estendesse no sofá, estes pensamentos se desvaneceriam como vapor em ar puro. Mas não podia ser assim. Definitivamente, tinha de se convencer que a juventude fora consumida pelos anos e o seu corpo não tinha culpa das indulgências a que se entregava o espírito. Viver em Stariot Grad era muito bonito, sem senhor. O problema é que não era prático. Bastava ver...

"Senhor professor?!"

Ouviu a voz interpelá-lo e estacou, aparvalhado.

"Hã?"

"Sou eu, senhor professor", disse a voz à sua direita. "*Zdravei'te!*", saudou-o. "Não leva hoje o seu exemplar do *Maritsa?*"

Olhou naquela direcção e viu a rapariga do quiosque a estender-lhe o jornal com um sorriso luminoso.

"Ah, Daniela!" Deu dois passos e colou-se ao quiosque com uma moeda na mão. "Onde tenho eu hoje a cabeça, valha-me Deus? Claro que quero o *Maritsa!* Claro!"

Daniela entregou-lhe o periódico e, acto contínuo, acenou-lhe com um pequeno livro.

"A Hermes publicou mais um daqueles livrinhos de que tanto gosta. Quer levar este?"

O professor espreitou o título e a capa.

"Amanhã", decidiu. "Hoje basta-me o jornal."

Vartolomeev fez tenção de se afastar, mas a rapariga prendeu-lhe o braço.

"O senhor hoje tem uma visita."

"Eu? Uma visita?"

Daniela apontou para o vulto que se encontrava lá ao fundo, junto à casa.

"É um estrangeiro", sussurrou. "Está à sua espera."

O professor lançou um olhar interrogativo na direcção do vulto e recomeçou a andar, cheio de curiosidade. Seria o correio com o resultado das amostras? Vartolomeev acreditava firmemente que era possível resolver o problema do encurtamento dos telómeros, mantendo assim os cromossomas intactos. Talvez as últimas experiências tivessem sido bem sucedidas, quem sabe? Aqueles resultados eram na verdade cruciais para toda a investigação. Se conseguisse solucionar esse colossal problema científico, tinha a certeza absoluta de que dessa vez o Prémio Nobel da Medicina seria mesmo seu.

O vulto tornou-se um homem cujas feições o cientista teve dificuldade em reconhecer quando se aproximou dele. É que o desconhecido estava à sombra da árvore e os olhos do professor Vartolomeev, como de resto o seu corpo, já não gozavam da saúde de outrora. Mesmo assim percebeu que o indivíduo ocultava um objecto na mão e as esperanças recrudesceram. Seria uma carta? Uma encomenda? Talvez os resultados das experiências? Ah, como era importante aquele momento! Sentindo a ansiedade apertar-lhe o estômago, o cientista ajeitou os óculos para ver melhor.

Foi nesse instante que o desconhecido desatou a correr ao seu encontro. O professor estacou, apanhado de surpresa. Mais espantado ficou quando enfim reconheceu o objecto que o homem trazia na mão. Não se tratava de nenhum envelope com o resultado das experiências. Era uma faca. Obedecendo ao instinto, o cientista voltou-se para fugir.

Tarde de mais.

XXI

O empregado do Silk Road Café não podia ter chegado em melhor hora. Distribuiu o chá, as panquecas libanesas e as baclavas pela mesa, e isso bastou para desanuviar a tensão e trazer o sorriso de volta ao rosto encantador de Valentina.

"Desde criança que me contam sempre a mesma história sobre a vida de Cristo", disse ela enquanto se deliciava com a primeira baclava. "Que conversa é essa de que Jesus não nasceu em Belém e cada texto do Novo Testamento contém uma narrativa diferente? As palavras podem ser diferentes, claro. Mas que eu saiba a história é sempre a mesma."

Tomás pegou de novo no seu exemplar da Bíblia.

"Acha que sim?", perguntou num tom de desafio enquanto folheava as páginas do livro. "Então por onde quer começar? Pelo nascimento de Jesus? Pela morte? Por onde?"

A italiana encolheu os ombros.

"É-me indiferente", disse. "Você falou em Belém, não falou? Que tal começarmos por aí?"

Ao escutar a sugestão, o historiador foi direito ao início do primeiro dos evangelhos.

"Belém remete-nos para o princípio", observou. "Os dois únicos evangelhos que abordam o nascimento de Jesus são o de Mateus e o de Lucas." Baixou o tom de voz, como se fizesse um aparte. "Mantenho os nomes dos evangelistas por uma questão de comodidade, claro. Na verdade não foram eles quem escreveu estes evangelhos, como já lhe expliquei." Retomou o tom original. "Mateus conta a história de Maria ser uma virgem que concebe pelo Espírito Santo e depois fala nos magos que seguiram uma estrela até Jerusalém em busca do rei dos judeus. O rei Herodes informa-se sobre o caso e diz-lhes que foi de facto profetizado o seu nascimento em Belém. A estrela conduz os magos até uma casa de Belém onde vive a família de Jesus e onde eles oferecem presentes ao bebé. Com receio da ameaça que o rei recém-nascido pode representar, Herodes dá ordens para se matarem todas as crianças de Belém. É então que Jesus e Maria fogem para o Egipto."

"É essa exactamente a história que sempre me contaram."

Tomás galgou dezenas de páginas do livro até chegar ao terceiro evangelho.

"A história de Lucas também começa com a narrativa da imaculada concepção, quando Quirino era o governador da Síria, e depois diz que o casal decidiu ir para Belém, de onde eram os antepassados de José. Jesus nasce numa manjedoura, 'por não haver para eles lugar numa hospedaria', e os pastores vão prestar tributo ao menino. A seguir Jesus é levado ao Templo, em Jerusalém, para ser apresentado a Deus. Depois a família regressa a Nazaré."

Valentina hesitou.

"Pois, é... é essa a história que eu conheço."

O seu interlocutor levantou a mão direita, como um polícia a mandar parar o trânsito.

"Espere aí!", disse ele. "As duas histórias são diferentes, já reparou?"

"Bem... têm um ou outro pormenor diferente, é verdade. Mas apenas em minudências. O essencial está lá."

Tomás apontou para a Bíblia.

"Desculpe, mas as histórias são muito diferentes! Mateus põe a imaculada concepção a ocorrer em Belém, enquanto Lucas diz que ela sucedeu em Nazaré. Mateus faz os eventos decorrerem no tempo de Herodes, enquanto Lucas defende que tudo aconteceu na época de Quirino, que só foi governador da Síria dez anos *depois* da morte de Herodes. Mateus diz que a família vivia numa casa em Belém, Lucas afirma que tudo se passou numa manjedoura de Belém. Mateus conta que o menino foi visitado por magos, Lucas só fala em pastores. Mateus diz que a família fugiu para o Egipto para escapar a Herodes, mas Lucas põe a família a visitar o Templo de Jerusalém e a regressar a Nazaré." Cravou o olhar na italiana. "São histórias diferentes!"

"Não", argumentou ela. "São histórias complementares."

"Complementares? A imaculada concepção ocorreu em Nazaré ou em Belém? Uma hipótese elimina a outra, não a complementa! Isso aconteceu no tempo de Herodes ou de Quirino? Os dois tempos são diferentes e os acontecimentos não podem ter ocorrido em simultâneo! Jesus nasceu numa casa ou numa manjedoura? Não pode ter nascido nos dois sítios ao mesmo tempo! A família fugiu para o Egipto ou regressou directamente a Nazaré? Se foi para o Egipto, não seguiu directamente para Nazaré, e vice-versa! Que eu saiba, uma possibilidade exclui a outra! Não podem ser as duas verdadeiras simultaneamente! Percebe?"

Valentina passou a mão pelo rosto e massajou a face com a ponta dos dedos.

"Pois, realmente..."

O historiador pegou de novo no seu exemplar da Bíblia, que brandiu no ar como um troféu.

"Este problema percorre todo o Novo Testamento", declarou. "Todo." Pousou o livro e voltou a folheá-lo. "Há incoerências e contradições ao longo de todos os textos, mas não quero massacrá-la com uma análise episódio a episódio, por isso vou apenas mostrar-lhe o fim da história." Localizou as partes que buscava. "Como sabe, a vida de Jesus termina na cruz, não é verdade? Marcos, Lucas e Mateus afirmam que a execução decorreu na sexta-feira de Páscoa, João afirma que foi no dia anterior. Não pode ter sido simultaneamente na sexta-feira e na véspera, pois não? Mas adiante. O que dizem os Evangelhos que sucedeu então? Os quatro concordam que, ao terceiro dia, Maria Madalena foi ao sepulcro e o encontrou vazio. A partir daqui é a confusão total."

"Isso não é verdade!..."

O historiador fez um gesto enfático para o livro.

"Leia você mesma!", exclamou. Apontou para os versículos. "João afirma que Maria Madalena foi sozinha, mas Mateus diz que ela foi acompanhada por uma segunda Maria, Marcos acrescenta-lhes Salomé e Lucas substitui Salomé por Joana e adiciona-lhes 'outras mulheres'. Afinal em que ficamos? Maria Madalena foi sozinha ou foi com mais mulheres? E quantas mulheres exactamente? E quem eram elas? Os Evangelhos contradizem-se uns aos outros e não podem estar todos certos. A pergunta seguinte é esta: quem encontrou ela, ou elas, ao chegar ao sepulcro? Mateus diz que deram com 'um anjo', mas Marcos afirma que foi 'um jovem', Lucas garante que foram 'dois homens' e João não fala em ninguém. Em que ficamos? E a seguir, o que sucede? Na verdade não sei, porque os Evangelhos voltam a contradizer--se. Marcos assegura que as mulheres 'não disseram nada a ninguém', mas Mateus afirma que elas 'correram a dar a notícia'." Fez um ar perplexo. "Está tudo doido?" Folheou o livro. "Se deram a notícia, deram-na a quem? Mateus diz que foi 'aos discípulos', mas Lucas indica que foi aos discípulos 'e a todos os restantes' e João afirma que elas foram ter 'com Simão Pedro e com o outro discípulo', que não nomeia. Afinal qual dos Evangelhos diz a verdade?"

Valentina quase encarava o seu interlocutor a medo.

"Não é possível conciliá-los?"

"Isso é o que os teólogos cristãos têm andado este tempo todo a tentar fazer", disse ele. "Contudo, não creio que se possa conseguir isso sem mutilar gravemente os textos ou fingir que não estão aqui escritas coisas que estão de facto escritas. A verdade é que Jesus ou nasceu no tempo de Herodes ou nasceu no tempo de Quirino. E ou morreu na sexta-feira de Páscoa ou morreu na véspera. Não há ginástica que resolva todas estas contradições." Ergueu a mão, em advertência. "E olhe que eu apenas levantei a ponta do véu. Se estudar os Evangelhos episódio a episódio, vai encontrar múltiplas situações destas. Ga-ran-ti-do!"

A inspectora da Polizia Giudiziaria não sabia bem o que dizer. Era verdade que nestes episódios cada evangelho contradizia todos os outros a cada versículo. Ela própria acabara de o verificar no exemplar da Bíblia usado por Tomás.

"Então, quer dizer...", gaguejou. "Isso significa que não é possível ter nenhuma certeza sobre Jesus!..."

"Isso é verdade sobre qualquer figura histórica. Em história nunca se tem a certeza absoluta de nada, apenas se calculam probabilidades em função dos indícios existentes. Em relação a Jesus há algumas certezas relativas. Os historiadores dão como seguro que estamos perante um rabino de Nazaré que viveu na Galileia, era um dos filhos do carpinteiro José e da sua mulher Maria, foi de facto baptizado por João Baptista e arranjou um grupo de seguidores composto por pescadores, artesãos e algumas mulheres da região, a quem pregou a chegada do reino de Deus. Por volta dos trinta anos partiu para Jerusalém, protagonizou um incidente no Templo, foi preso, julgado sumariamente e crucificado. Tudo isto é informação considerada segura. O resto... bem, o resto é incerto."

"Mas como sabe que esses pormenores são verdadeiros? Como se chega lá?"

"Porque várias fontes diferentes os relatam, incluindo as mais remotas", explicou Tomás. "As epístolas de Paulo são os textos mais antigos do Novo Testamento, escritas uns dez a quinze anos antes do primeiro evangelho, o de Marcos. Mas o Evangelho segundo Marcos começou a ter grande circulação antes de essas epístolas serem copiadas pelas congregações. Portanto, Marcos e Paulo de certeza que não se usaram mutuamente como fontes. Se os dois dizem a mesma coisa, isso reforça a credibilidade dessa informação porque estamos perante fontes antigas comprovadamente diferentes. E muita dessa informação é duplamente credível por ser embaraçosa. Lembra-se daquilo que lhe disse? Quanto mais embaraçosa teologicamente for uma informação, mais confiança temos de que não foi inventada?"

"Sim, já me falou nisso."

"Veja a vida de Jesus na Galileia, por exemplo. Nenhuma profecia antiga indicava que o Messias viveria na Galileia.

E muito menos em Nazaré, uma terriola tão insignificante que nem sequer é mencionada no Antigo Testamento. Que cronista cristão inventaria informação tão inoportuna?"

"Mas ele nasceu em Belém. Diz você que isso é invenção?"

O historiador pegou na Bíblia e folheou até ao texto de um dos últimos profetas do Antigo Testamento.

"Claro que é", confirmou. "O nascimento em Belém não passa de um episódio arquitectado para satisfazer uma profecia das Escrituras. O profeta Miqueias, referindo-se a Bet-Ephrata, ou Belém, disse em 5:1: 'Mas tu, Bet-Ephrata, tão pequena entre as famílias de Judá, é de ti que me há-de sair aquele que governará Israel.' Perante isto, o que fizeram Mateus e Lucas? Puseram Jesus a nascer em Belém! Conveniente, não? Mas as contradições entre os dois evangelistas quanto ao nascimento de Jesus são tantas que se traem mutuamente e revelam a ficção. Ambos sabiam que Jesus era oriundo de Nazaré, mas tinham de conciliar esse facto incómodo com a profecia de Miqueias. O que fizeram? Cada um inventou a sua maneira de tirar Jesus de Nazaré e de o pôr a nascer em Belém. Repare, a verdade é esta: se 'aquele que governará Israel' nasceu de facto em Belém, como é profetizado por Miqueias e garantido pelos autores de Lucas e Mateus, por que razão Marcos e João não falam nisso? Nem sequer Paulo. Como poderiam ignorar evento tão relevante, que tão espantosamente confirmava a velha profecia? A resposta só pode ser uma. Mateus e Lucas fizeram Jesus nascer em Belém apenas para satisfazer essa profecia e assim convencer os judeus de que Jesus era de facto o rei profetizado nas Escrituras por Miqueias."

"Um pouco como a história da Virgem Maria?"

"Precisamente! Os mesmos Mateus e Lucas disseram que Maria concebeu virgem também para tentarem satisfazer o que pensavam ser outra profecia bíblica." Indicou a fotografia do papel com a charada de Dublin. "E o mesmo se passa com este 141414. É uma tentativa de fazer recuar a genealogia de Jesus a David, de maneira a ir ao encontro das profecias das Escrituras."

"Estou a entender."

"Isto é, de resto, uma constante nos Evangelhos. Os evangelistas tentaram em todas as oportunidades apresentar provas de que os diversos aspectos da vida de Jesus mais não eram do que coisas que as Escrituras profetizavam sobre o Messias. Procuraram desse modo provar aos judeus que Jesus era o salvador profetizado. Se os factos não o confirmavam, inventavam-nos. Inventaram que Jesus nasceu em Belém, inventaram que a mãe o concebeu virgem, inventaram que era descendente de David."

Valentina franziu o sobrolho.

"Está a insinuar que o Antigo Testamento nunca profetizou o nascimento de Jesus?"

O rosto de Tomás abriu-se num sorriso.

"Não estou a insinuar", disse. "Estou a afirmar."

XXII

O médico examinava o corpo enquanto dois polícias vedavam o acesso àquele sector da rua e se esforçavam por convencer os mirones a afastarem-se. Um bafo opaco de neblina prateada ensombrava o final da manhã, pintando as ruelas de tonalidades tristes.

Agarrada ao lenço e com os olhos inchados de lágrimas, Daniela fungava ainda. O homem magro fitava-a com uma expressão de serena impaciência.

"Conte lá o que aconteceu."

Uma nova lágrima brotou do canto do olho da rapariga, mas ela esforçou-se por dominar os nervos.

"Nem sei como explique, senhor... senhor..."

"Pichurov", identificou-se o homem magro, todo ele feito de uma impaciência paciente. "Inspector Todor Pichurov."

Mais um soluço de Daniela.

"O professor passou por mim, comprou-me o jornal e...

e foi para casa." Apontou para a árvore, quase a medo. "Neste sítio estava o homem à espera dele e..."

"Que homem, menina Daniela?"

"O estrangeiro." Novo soluço. "Estava à espera do professor."

"Como era ele?"

"Não reparei bem, vi-o de relance. Mas pareceu-me ser um homem novo e bem constituído. Estava vestido de negro."

O inspector tomou nota.

"E o que aconteceu a seguir?"

"Como o professor se afastou, peguei no telefone e liguei à Desi por causa de uns livros que ela e a Iveline iam..."

"Quem são essas?"

A rapariga assoou-se ruidosamente.

"Umas amigas." Limpou o nariz avermelhado e secou as lágrimas que lhe molhavam a face. "Estava eu a meio da conversa quando... quando..."

Daniela recomeçou a chorar. O polícia revirou os olhos e suspirou, esforçando-se por se manter paciente. Odiava lidar com familiares e amigos de vítimas de homicídios; a choradeira era constante e os comportamentos repetidos e previsíveis. Deixou-a acalmar-se e esperou o momento adequado para a incitar a retomar o seu testemunho.

"Quando o quê?"

"Quando ouvi o grito."

Oprimida pela penosa recordação daquele berro dos infernos, o choro baixo da rapariga do quiosque transformou-se num uivo prolongado. O inspector Pichurov bufou; tinha de aguardar ainda uns instantes. Aproveitou a nova pausa para tomar mais notas e deixou passar uns trinta segundos antes de voltar a intervir.

"Que palavras gritou o professor Vartolomeev?"

A moça tinha o rosto mergulhado no lenço, mas abanou a cabeça.

"Não foi ele. Foi o estrangeiro."

"O estrangeiro?", estranhou o polícia, parando momentaneamente de escrever. "Então o professor Vartolomeev é que é assassinado e quem grita é o estrangeiro?"

Daniela fez que sim com a cabeça.

"Foi um grito de... de angústia, de dor... sei lá."

O inspector Pichurov esboçou um esgar intrigado, mas anotou a observação.

"E depois?"

Ela soluçou.

"Olhei e vi o estrangeiro a fugir e... e o professor estendido no chão." Mais lágrimas de pranto. "Vim a correr e foi então que vi o sangue e..."

Desatou de novo a chorar, agora convulsivamente, o corpo sacudido em soluços contínuos. O polícia percebeu que teria de ser um pouco mais paciente e, para queimar tempo, passeou os olhos em redor. Reparou nesse instante numa pequena folha de papel pousada por baixo de uma pedra, aos pés do cadáver.

Ajoelhou-se e pegou no papel. Achou o conteúdo bizarro. Ergueu-se e virou-o para a rapariga.

"Sabe o que isto é?"

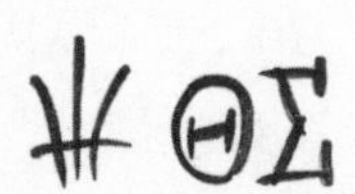

Daniela espreitou por trás do lenço e passou os olhos congestionados de lágrimas pelos rabiscos, mas acabou por sacudir negativamente a cabeça.

"Não faço ideia."

O inspector Pichurov voltou a estudar o papel e ficou um longo momento a reflectir. Pensativo, passou os dedos pelo cabelo, que começava a escassear-lhe no topo da cabeça, e estreitou os olhos no momento em que capturou na mente a imagem dos relatórios que tinha visto essa manhã no computador, mesmo antes de sair à rua para vir tratar daquele caso.

"Pois a mim faz-me lembrar uma coisa."

XXIII

O superintendente O'Leary não dera ainda sinais de vida, mas Valentina e Tomás estavam de tal modo embrenhados na análise das questões suscitadas pelas charadas encontradas nos locais dos crimes que nem deram pela passagem do tempo.

"Sempre ouvi dizer que a vida de Jesus estava profetizada no Antigo Testamento", disse a inspectora da Polizia Giudiziaria. "Agora vem você garantir-me o contrário. Que história é essa?"

O historiador desenhou com a mão um gesto vago no ar.

"Ponha-se na cabeça da gente daquele tempo", sugeriu. "O grande problema dos primeiros seguidores de Jesus era convencer os restantes judeus de que o Messias prometido pelos profetas das Escrituras tinha enfim chegado e era aquele desgraçado que os Romanos haviam crucificado." Pegou na caneta e escreveu *Messias* no guardanapo. "*Messias* vem de *mashia*, palavra hebraica que significa ungido, ou *christus*, em grego, expressão usada no Antigo Testamento para indicar pessoas especialmente escolhidas por Deus, como reis e sacerdotes. Já vimos que no Antigo Testamento Deus prometeu a David que haveria sempre um descendente seu no trono de Israel, promessa quebrada com o exílio na Babilónia. Naquele tempo as pessoas eram muito supersticiosas. Se as coisas corriam bem, atribuíam os bons tempos à graça de Deus; se corriam mal, diziam que o Senhor os estava a punir por se terem desviado do caminho. Assim sendo, os fiéis interpretaram a quebra da promessa de que o trono de Israel seria sempre ocupado por um descendente de David como uma punição de Deus por um desvio da virtude. Os judeus suspiravam assim por um descendente de David que reconciliasse Deus com os Seus filhos. Miqueias tinha profetizado que em Belém nasceria 'aquele que governará Israel' e reconciliará Deus com o Seu povo. O prometido. O *mashia*."

"Ou seja, Jesus."

"Isso era o que argumentavam os seguidores de Jesus, mas não o que pensava a generalidade dos restantes judeus", lembrou. "Acontece que a profecia de Miqueias não era a única sobre o Messias. Os Salmos referem em 2:2 que 'Sublevam-se os reis da terra, os príncipes conspiram entre si contra o Senhor e contra o seu ungido'. A palavra *ungido* diz-se *mashia* em hebraico, ou Messias, e falam em 2:7-9 num decreto de Deus a proclamar: 'Tu és meu filho, hoje mesmo te gerei. Pede-me e eu te darei as nações por herança e os confins da terra por domínio. Quebrá-las-ás com ceptro de ferro.' Os Salmos de Salomão prevêem mesmo que esse descendente de David terá 'força para destruir os governantes ímpios'. E Daniel diz em 7:13 que teve uma visão em que viu 'aproximar-se, sobre as nuvens do céu, um ser semelhante a um Filho do homem', e que 'O Seu império é um império eterno que não passará jamais, e o Seu reino nunca será destruído'. Já Esdras teve uma visão de uma figura que designou 'Filho do homem' em que o viu 'soltar da boca uma corrente de fogo e dos seus lábios sair um hálito flamejante'. Quer isto dizer que os judeus estavam à espera de um descendente de David que fosse tão poderoso que pudesse quebrar as nações 'com ceptro de ferro' e 'destruir os governantes ímpios', ou então de um ser cósmico, esse tal 'Filho do homem', que governasse um império eterno e soltasse 'da boca uma corrente de fogo'." Fitou a italiana. "E agora pergunto-lhe: quem lhes saiu na rifa?"

"Jesus."

"Um rabino pobre da Galileia, cujo exército não passava de um punhado de pescadores e artesãos analfabetos, mais algumas mulheres que lhes pareciam desencaminhadas por terem abandonado os seus lares. Era este o descendente de David que governaria com ceptro de ferro, expulsaria os Romanos e destruiria os governantes ímpios? Era este o Filho do homem que teria um 'império eterno'? Este... este maltrapilho? Os judeus riram-se. Era inacreditável! E o pior foi que, em vez de se impor como um rei poderoso, alguém que reunia um grande exército e repunha a soberania de Deus em Israel, Jesus foi preso, humilhado e crucificado como um vulgar bandido, destino que nenhum profeta alguma vez vaticinou. Nestas condições, qual o judeu que acreditaria que era Jesus o rei profetizado por Miqueias, o Messias previsto nos Salmos, o Filho do homem augurado por Daniel e Esdras?"

Valentina enrodilhara os dedos no cabelo encaracolado enquanto acompanhava a explicação.

"Pois...", admitiu. "Era difícil acreditar."

"Quando Jesus morreu, os seus seguidores ficaram desanimados. O líder afinal não era o Messias. Só que depois veio a história da ressurreição. Isso era um sinal, a prova de que ele tinha o especial favor de Deus! Jesus era mesmo o Messias! Ficaram todos excitados. O problema é que os restantes judeus não estavam a ir na conversa, sobretudo porque o crucificado não correspondia ao perfil do Messias. Paulo admite mesmo, na Primeira Carta aos Coríntios, em 1:23, que a noção de o Messias ser crucificado era um 'escândalo para os judeus'. O que fizeram os seus seguidores? Puseram-se a atribuir a Jesus elementos que constavam das antigas profecias, de modo a convencer os outros judeus. Jesus era de Nazaré, terra nunca mencionada nas Escrituras? Está bem, mas arranjou-se maneira de o pôr convenientemente a nascer em Belém para satisfazer a profecia de Miqueias. O pai de Jesus era um mero carpinteiro? Está certo, mas confabulou-se que ele afinal descendia de David, como requerido nos Salmos. A tradução em grego das profecias de Isaías dizia que a mãe do Messias seria uma virgem? Pois lá se improvisou uma imaculada concepção feita à medida. E o que fazer da crucificação, que nunca ninguém profetizou e atrapalhava sobremaneira esta construção messiânica, constituindo 'escândalo para os judeus'? Como resolver esse imbróglio? Os evangelistas deitaram mãos à obra e puseram-se a reler as Escrituras à lupa. E o que descobriram eles? Que Isaías escreveu uns versículos sobre o sofrimento de um servo de Deus não nomeado."

Valentina lançou uma espreitadela à Bíblia.

"Onde está isso?"

"Em 53:3-6", indicou Tomás, pondo-se a ler o texto de Isaías. "'Desprezado e evitado pelos homens, como homem das dores, experimentado nos sofrimentos; diante do qual se tapa o rosto, menosprezado e desestimado. Na verdade, ele tomou sobre si as nossas doenças, carregou as nossas dores; nós o reputávamos como um leproso, ferido por Deus e humilhado. Mas foi castigado pelos nossos crimes, esmagado pelas nossas iniquidades; o castigo que nos salva pesou sobre ele, fomos curados nas suas chagas. Todos nós andávamos desgarrados como ovelhas, cada um seguia o seu caminho; o Senhor carregou sobre ele a iniquidade de todos nós.' " O português respirou fundo e ergueu as mãos para o céu, num gesto teatral. "Aleluia! Estava encontrada a profecia da morte do Messias! Deus é grande!"

"Desculpe, mas essa descrição assenta que nem uma luva na paixão de Jesus!"

O historiador indicou as páginas abertas diante dele.

"As pessoas vêem aqui o que quiserem ver", sentenciou. "A verdade é que Isaías em parte alguma diz que o servo da sua profecia era o Messias. Os historiadores acreditam até que este texto está relacionado com o sofrimento dos judeus na Babilónia. Mas que interessava isso? A profecia encaixava no episódio da crucificação. E descobriram-se também uns versículos dos Salmos a propósito de alguém que sofre e que começam com esta frase em 22:2: 'Meu Deus, meu Deus, porque me abandonastes?' e concluem assim em 22:8: 'Todos os que me vêem escarnecem de mim; torcem os lábios, meneiam a cabeça.' Logo os primeiros cristãos acharam que isso era um texto a profetizar o que aconteceu a Jesus. Conclusão: os Salmos também previram a sua morte!"

A italiana agitou-se de novo.

"Espere aí!", cortou. "Jesus disse essa frase na cruz, tenho a certeza. «Meu Deus, meu Deus, porque me abandonaste?» Ele disse mesmo isso! Eu já li isso! Essa profecia está mesmo certa!"

Tomás fitou-a como um professor que acabou de escutar uma resposta errada durante uma oral.

"Já vi que não percebeu o que lhe tenho tentado explicar", observou. Voltou a folhear o seu exemplar da Bíblia. "Essa frase está no final de Marcos, quando Jesus se encontra já pregado à cruz, em 15:34: 'E à hora nona Jesus exclamou em voz alta: «Eloi, lama sabachthani?», que quer dizer: «Meu Deus, meu Deus, porque Me abandonaste?»' Uma frase semelhante aparece em Mateus." O historiador pousou o indicador no versículo. "Isto, minha cara, é mais um esforço dos evangelistas para colar Jesus às profecias. Atribuíram-lhe esta frase para poderem dizer que se cumpriram as palavras das Escrituras e deste modo convencer os restantes judeus. Está a perceber?"

"Como pode ter a certeza de que Jesus não proferiu essa frase?"

"Certezas, minha cara, em história nunca ninguém tem", lembrou ele. "No entanto, a semelhança desta frase com os versículos dos Salmos torna-a altamente suspeita, como é evidente. Lembre-se que nenhum seguidor de Jesus esteve com ele na hora final, como admitem os próprios evangelistas. Os homens 'fugiram todos', conforme estabelece Marcos em 14:50, e as mulheres estavam 'a observar de longe' a crucificação, como diz o mesmo Marcos, em 15:40. Nenhum deles se encontrava suficientemente perto da cruz para ouvir as últimas palavras do seu líder."

"Os apóstolos podem ter mais tarde interrogado um legionário que estivesse perto da cruz..."

"Os apóstolos estavam era cheios de medo e receavam ser também executados. A última coisa que queriam era chegar-se perto de legionários, uma vez que os Romanos tinham por hábito matar os líderes que criavam problemas e também os seus seguidores. Há muitos exemplos disso. Mas admitamos que os apóstolos conseguiram falar com um legionário. Será que o romano entenderia o aramaico de Jesus? E terá sido fiel na reprodução do que o moribundo disse? A verdade é que não temos um testemunho directo, é tudo com base no 'alguém disse que alguém disse'." Fez um gesto impreciso no ar. "De resto, a narrativa da paixão parece construída em redor do que está escrito no Salmo 22 e não em testemunhos presenciais."

"Então tem tudo a ver com o Antigo Testamento..."

"De uma ponta à outra!", confirmou Tomás. "Todos os Evangelhos estão impregnados de palavras, frases e expressões reminiscentes das velhas Escrituras. Os Salmos falam no Messias? Os Evangelhos dizem que Jesus é o Messias. Daniel e Esdras descrevem um Filho do homem? Os Evangelhos chamam a Jesus o Filho do Homem. Os Salmos apelidam o rei David de Filho de Deus? Os Evangelhos designam Jesus Filho de Deus. Os Salmos dizem que Deus disse a David: 'Tu és meu filho, hoje mesmo te gerei'? Marcos põe Deus a dizer a Jesus após o baptismo: 'Tu és o Meu Filho muito amado, em Ti pus toda a Minha complacência.' Os Salmos descrevem alguém que sofre a dizer: 'Meu Deus, meu Deus, porque me abandonastes?' Marcos faz Jesus dizer na cruz: 'Meu Deus, meu Deus, porque Me abandonaste?' Tudo é reminiscente do Antigo Testamento!" Estreitou as pálpebras. "Mesmo os episódios da vida de Jesus."

Valentina esboçou uma careta.

"Que quer dizer com isso?"

"Não tinha reparado? O Êxodo descreve uma ordem do faraó para que se matassem todos os meninos judeus quando Moisés era bebé, não descreve? O que fez Mateus?

Arranjou uma ordem semelhante de Herodes quando Jesus era bebé. O Êxodo relata a saga dos judeus a fugirem do Egipto? Mateus relata a aventura da família de Jesus a fugir para o Egipto. Moisés foi à montanha receber as tábuas da lei? Mateus leva Jesus à montanha para comentar alguns aspectos dessa mesma lei. Moisés separou as águas do Nilo? Jesus caminhou sobre as águas do Mar da Galileia. Os judeus andaram quarenta anos perdidos no deserto? Três evangelistas põem Jesus quarenta dias no deserto. Moisés arranjou o maná para alimentar os judeus? Jesus apresentou aos discípulos o pão da vida. Até os milagres e os exorcismos, amplamente descritos nos Evangelhos, têm antecedentes bíblicos em Elias e Isaías!" Indicou a Bíblia. "Os autores do Novo Testamento não estavam a escrever história. Estavam a tentar convencer os seus contemporâneos de que Jesus respondia às profecias e preenchia os requisitos das Escrituras. Nem mais nem menos."

Os dois ficaram em silêncio um longo momento, como se medissem as implicações de tudo aquilo.

"Ajude-me, Tomás", disse Valentina por fim, tentando reencontrar terreno seguro no meio daquela avalanche de informação. "Temos dois historiadores degolados quando faziam pesquisas em manuscritos antigos do Novo Testamento e, em ambos os casos, o assassino deixou-nos mensagens enigmáticas. O que está ele a dizer-nos?"

"Não é claro ainda? O tipo está a mostrar-nos problemas sérios que existem no Novo Testamento. A primeira charada alude à origem do mito da Virgem Maria." Indicou a fotografia que O'Leary lhes tinha deixado. "A segunda charada aborda os esforços dos evangelistas para associar Jesus a profecias das Escrituras sobre a ligação genealógica entre o Messias e o rei David." Cravou os olhos na italiana. "O nosso homem está a dizer-nos que o Novo Testamento não passa de uma colagem fraudulenta ao Antigo Testamento."

"Mas porque nos diz ele isso? Qual a ligação entre esse assunto e estas mortes?"

O historiador encolheu os ombros.

"A polícia é você."

Um grupo de agentes invadiu nesse instante a esplanada do Silk Road Café; à cabeça vinha Sean O'Leary com as faces muito coradas e o semblante compenetrado.

"Superintendente!", saudou-o Valentina com um esgar surpreendido. "Por onde tem o senhor andado?"

O irlandês fez um gesto vago na direcção da rua.

"Fui interrogar a testemunha ao hospital."

"E então? Disse alguma coisa de interessante?"

O'Leary tirou o bloco de notas do bolso no seu característico jeito desajeitado.

"Quer saber pormenores?", perguntou, os olhos a deslizarem já pelas anotações. "Chama-se Patrick McGrath, um desempregado que os amigos conhecem por Paddy. É um *homeless* e estava ali no jardim a tentar dormir quando o crime ocorreu."

"Ele consegue identificar o homicida?"

O superintendente torceu os lábios enquanto consultava os seus apontamentos.

"Viu o homicídio na escuridão da noite e à distância", disse. "Infelizmente não teve oportunidade de observar o rosto do assassino nem notou nada de particular na sua fisionomia."

"Ah, que pena!..."

O polícia irlandês fungou, sem tirar os olhos do bloco de notas.

"Mas houve uma coisa estranha. Perguntei-lhe se era verdade que esta madrugada disse aos paramédicos que a morte do professor Schwarz tinha sido um acidente. Ele confirmou. Aliás, insiste em repetir a mesma coisa."

Valentina fez um gesto a desvalorizar esse testemunho.

"É absurdo!", considerou ela. "Não se degola ninguém por acidente. O que o leva a afirmar isso?"

"Ele alega que, depois de cair em cima do professor Schwarz, o assassino se pôs aos berros. Diz a nossa testemunha que era um urro de agonia, uma espécie de lamento."

A italiana trocou um olhar intrigado com Tomás.

"Agonia? Lamento? O que quer ele dizer?"

O'Leary parecia embaraçado.

"Pois... não sei. Apertei-o um pouco quanto a esta questão, mas o homem garante que o assassino lamentou a morte do professor Schwarz com um grito de sofrimento."

Valentina abanou a cabeça.

"Não há dúvida de que essa testemunha estava com os copos", sentenciou. "Oiça, tenho os meus homens em Roma a reconstituir a vida da primeira vítima, a professora Escalona, ao longo do último ano. Precisava que me fizesse a mesma coisa em relação ao professor Schwarz. Temos de saber onde esteve, quando, o que foi lá fazer... Essas coisas."

"Isso já está a ser preparado. Dou-lhe amanhã um relatório preliminar."

"Será interessante cruzar as duas reconstituições e ver se existem pontos em comum nos trajectos recentes das duas vítimas, o que nos permitirá..."

Nesse instante o telemóvel do superintendente tocou e ele, pedindo licença, atendeu de imediato.

"Está sim?" Fez uma curta pausa e endireitou-se de repente. Quase se pôs em sentido. "Sim, sou eu, *sir*." Uma pausa mais longa, durante a qual o polícia foi arregalando os olhos. "O quê?" Mais uma pausa. "Onde? Esta manhã?

Mas... mas como é isso possível?" Ainda uma pausa. "Imediatamente? Mas eles acabaram de chegar, *sir!...*" Nova pausa. "Sim, *sir*. Vou já falar com eles. Muito bem, *sir*." Quase fez continência. "É para já, *sir*. Obrigado, *sir*."

O irlandês desligou o telefone e as faces coradas tinham desaparecido; estava lívido, como se tivesse visto um fantasma. Olhou para os dois convidados com cara de caso.

"O nosso homem atacou outra vez!"

"Quem?"

"O *serial killer*", disse com uma ponta de impaciência. "Voltou a fazer das suas!"

Valentina e Tomás deram um salto nas cadeiras.

"Morreu mais alguém?"

O'Leary fez que sim com a cabeça.

"Na Bulgária."

Os dois interlocutores abriram a boca, estupefactos.

"O quê?"

O superintendente acenou com o telefone, como se se tratasse de uma entidade superior, de autoridade absolutamente indiscutível.

"Querem-vos lá o mais depressa possível."

XXIV

Uma fina neblina branca cobria a cidade, envolvendo-a num manto de luz angelical. Os picos nevados do Vitosha, o vulcão adormecido à distância como uma sentinela silenciosa, elevavam-se acima da névoa e davam a impressão de estar cobertos por iogurte derramado, os veios brancos de neve a entornarem-se pela serra nua.

Os primeiros sinais registados por Sicarius de que estava a chegar ao destino foram os grandes blocos de apartamentos de linha soviética que enxameavam a periferia como formigueiros gigantes plantados em largos espaços de um verde cru e acinzentado; faziam pensar numa boa ideia mal concretizada. As tabuletas em caracteres cirílicos indicavam *Grad*, mas foi só quando o automóvel desembocou no emaranhado elegante das ruas bem arranjadas do centro, circulando entre belos edifícios de traça francesa ou em estilo balcânico, que o automobilista pegou no telemóvel e fez a chamada.

"Cheguei a Sófia."

Do outro lado da linha, o mestre parecia ansioso.

"*E a missão?*", quis saber. "*Correu bem?*"

"Como previsto."

A voz ao telefone suspirou de alívio.

"*Ufa! Ainda bem que acabou. Já estava em cuidados.*"

Em contraste com os arredores, onde a traça soviética se misturava com linhas modernas, o centro da capital búlgara respirava ordem e exibia uma arquitectura clássica de bom gosto. A atenção de Sicarius foi, aliás, atraída nesse instante pela Igreja Russa, um edifício que parecia saído de um conto de fadas, com cúpulas verdes e douradas que emprestavam à cidade um toque de presépio moscovita.

"O que faço agora? Tem uma nova missão para mim?"

O mestre riu baixinho.

"*És uma máquina, Sicarius*", ronronou com satisfação. "*Um digno filho de Deus. Para já não. Volta para casa.*"

A ordem deixou o operacional um tudo-nada decepcionado.

"Acabou? Não há mais?"

"*Eu não disse isso*", corrigiu o mestre. "*Isto está longe de ter acabado. Ainda vou precisar de ti.*"

"Ainda bem."

"*Mas não de momento. Volta para casa. O teu trabalho foi inestimável e estou certo de que o guerreiro precisa de repouso.*"

Sicarius respirou fundo, resignando-se à decisão.

"Está bem. Adeus."

E desligou.

O carro passava nessa altura pela grande catedral de Alexandre Nevski, com as suas espectaculares cúpulas bizantinas. Sicarius abrandou para apreciar melhor o edifício e depois virou em direcção ao aeroporto. Passou por uma rua estreita e movimentada, os passeios repletos de transeuntes, uns a caminharem despreocupadamente e outros a espreitarem as vitrinas das lojas. Algumas montras exibiam produtos búlgaros, outras expunham marcas internacionais e aqui e ali viam-se néones coloridos a publicitar casinos.

Foi nesse instante que Sicarius sentiu a irritação trepar-lhe pelo estômago.

"Ímpios", vociferou entre dentes. "Impuros e pecadores."

XXV

O sol batia com um hálito acolhedor sobre o casario quando o automóvel da polícia búlgara que trazia Tomás e Valentina do aeroporto de Sófia deu finalmente entrada no perímetro urbano. Uma tabuleta assinalou a chegada a Plovdiv.

"Sabem quantos anos tem esta cidade?", perguntou o motorista com evidente orgulho. "Seis mil!" Virou a cabeça e sorriu para os passageiros no banco de trás. "Seis mil anos, já viram?" Voltou-se de novo para a frente. "Incrível!"

Tomás tinha os olhos colados aos blocos de apartamentos de arquitectura soviética; conhecia bem aquele lugar pelos livros de História da faculdade.

"Foi fundada no Neolítico", observou com uma expressão sonhadora. "É a cidade mais velha da Europa."

Uma vez cruzado o rio Maritsa, os blocos de cimento da periferia deram lugar a um centro arejado, com edifícios de traça tradicional encravados amiúde em ruínas antigas. O mais desconcertante era a visão dos montes verdes cobertos de rochedos escarpados e coroados com casas que se erguiam abruptamente a meio da urbe.

O motorista apontou para o maior desses promontórios, cravado em pleno centro como se uma pedra gigantesca ali tivesse de repente tombado do céu.

"Stariot Grad", indicou. "A cidade velha."

Os dois passageiros ergueram os olhos para o topo do promontório, fascinados por aquela imagem fantástica.

"Foi ali que construíram as primeiras habitações, há seis mil anos?", quis saber o historiador.

"Exacto", confirmou o búlgaro ao volante. "E foi ali que ontem ocorreu o crime."

De cenário histórico, aos olhos curiosos dos recém-chegados, Stariot Grad passou de imediato a palco de um homicídio.

"Vamos agora para lá?"

"Para Stariot Grad?", admirou-se o motorista. "Não. Tenho ordens de vos deixar na Glavnata."

Ao chegarem à Glavnata deram com uma rua soalheira de peões, larga e encaixada numa fileira de edifícios coloridos, com fachadas de clara influência francesa, os andares superiores adornados por belas varandas, as lojas a ocuparem o rés-do-chão.

Valentina e Tomás foram levados para uma esplanada, onde um homem magro de imediato se levantou de uma cadeira e os acolheu de mão estendida para os cumprimentar.

"Todor Pichurov", anunciou. "Inspector da polícia búlgara. Sejam bem-vindos a Plovdiv."

Os visitantes apresentaram-se e instalaram-se à mesa. Pediram cafés e trocaram amabilidades com o anfitrião a propósito da beleza da cidade e do facto de o dia estar excelente, em contraste com a neblina que haviam encontrado nessa manhã ao desembarcarem em Sófia.

Mas a italiana não queria perder tempo e à primeira oportunidade entrou no assunto.

"Então o que se passa?", perguntou. "Disseram-me que precisavam da nossa ajuda por causa de um crime. Que aconteceu exactamente?"

O polícia búlgaro abriu uma pasta que estava pousada sobre a pequena mesa circular da esplanada e extraiu a fotografia de um homem de barba grisalha rala e olhar compenetrado.

"Este é o professor Petar Vartolomeev", identificou. "Tratava-se de um dos cidadãos mais notáveis da nossa cidade. Era professor catedrático de Medicina Molecular aqui na Universidade de Plovdiv. Vivia num edifício histórico de Stariot Grad, a Casa de Balabanov. Ontem de manhã, quando vinha das aulas, foi esfaqueado por um desconhecido que o esperava à porta de casa. Fui chamado de urgência, mas quando cheguei ao local já o professor estava morto."

Valentina aproveitou a pausa para intervir.

"Professor de Medicina Molecular?"

"Um dos mais reputados do mundo no seu campo", confirmou Pichurov. "Todos os anos se dizia que ia ganhar o Nobel da Medicina."

A italiana sacudiu a cabeça.

"Desculpe, mas não percebo. Nós estamos a investigar dois crimes que ocorreram na Europa ocidental e que envolvem dois historiadores que andavam a consultar manuscritos antigos do Novo Testamento. Uma paleógrafa foi assassinada em plena Biblioteca Vaticana, o outro era um arqueólogo, morto diante de uma biblioteca em Dublin. Mas o senhor está a falar-nos de um médico e, com franqueza..."

"Cientista molecular."

"O que seja", retomou Valentina, sempre no mesmo tom. "Um professor catedrático na área da Medicina, se prefere.

Para todos os efeitos, esta vítima não é um historiador. O senhor fez-nos cruzar a Europa de uma ponta à outra e vir aos Balcãs por causa desta morte. O que o levou a pensar que havia uma ligação entre o seu caso e os nossos dois historiadores?"

O inspector búlgaro exibiu uma fotografia do cadáver da vítima, tombado no chão, de barriga para baixo e a cabeça mergulhada numa vasta poça de sangue.

"O professor Vartolomeev foi degolado."

A italiana olhou de relance para a imagem e respirou fundo, subitamente impaciente.

"É desagradável", disse com frieza. "Não sei como é aqui na Bulgária, mas as degolações no meu país são muito raras. No entanto, e à parte esse pormenor repugnante, não vejo o que poderá ter este caso em comum com aqueles que estou...", olhou para Tomás e corrigiu, "... que estamos a investigar."

Pichurov coçou o nariz.

"Por coincidência, momentos antes de ser alertado para a ocorrência, estava a consultar o *site* da Interpol, como faço todas as manhãs, e cruzei-me com o seu relatório preliminar sobre o crime no Vaticano", disse. "Crime estranho, convirá."

"Muito."

"Interessei-me pela coisa e apercebi-me de que horas depois ocorreu um homicídio com características semelhantes em Dublin. Como sou uma pessoa de natureza curiosa, fui espreitar o relatório deste segundo crime e voltei a cruzar-me com o seu nome, o que me surpreendeu. Percebi que estava a ajudar os irlandeses e que era acompanhada por um historiador português."

Valentina deitou um olhar cúmplice a Tomás.

"De facto, assim é", confirmou. "E então? Onde quer chegar?"

"Achei os dois casos curiosos", disse. "As charadas deixadas pelo assassino pareceram-me intrigantes. Mas não pensei mais nisso, sobretudo a partir do momento em que fui chamado de urgência a Stariot Grad para lidar com um homicídio que tinha ocorrido junto à Casa de Balabanov. Quando cheguei lá, apercebi-me de que a vítima era o professor Vartolomeev. Descobri que ele tinha sido degolado."

"E foi aí que pensou nos casos que estou a investigar."

O inspector abanou a cabeça.

"Na verdade, não. Achei estranho, claro. Também aqui na Bulgária são raros os homicídios por degolação. Quando ocorrem têm sempre uma natureza ritual."

"Como em todo o mundo."

"Naturalmente que me questionei sobre o assunto. Por que razão haveria alguém de matar o professor Vartolomeev? E por que motivo o faria deste modo? Um assassínio ritual? Aqui, em Stariot Grad? E com um dos nossos mais respeitados concidadãos?" Esboçou uma careta. "Não faz sentido."

"Então o que o levou a estabelecer a ligação desse homicídio com os nossos casos?"

O polícia búlgaro voltou a meter a mão na sua pasta.

"Foi uma coisa que descobri ao lado do corpo", disse, retirando um plástico selado com uma folha de papel no interior. "Isto."

Virou a folha para os seus dois interlocutores.

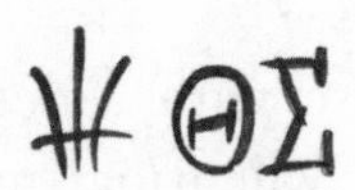

Tomás e Valentina debruçaram-se de imediato sobre o enigma e perceberam o raciocínio do anfitrião.

"É o nosso homem!", exclamou Valentina, apontando para o primeiro sinal, à esquerda. "Veja aqui. Até desenhou o símbolo da pureza da Virgem Maria, exactamente como no Vaticano."

O historiador olhava para a charada com uma expressão de perplexidade, como se o que estava a ver não fizesse sentido.

"Não pode ser!..."

"É o nosso homem!", insistiu a inspectora da Polizia Giudiziaria, rendida à evidência. "É mesmo ele!"

"Eu sei que é ele", assentiu Tomás. "Mas o símbolo da pureza da Virgem Maria..." Abanou a cabeça. "Esse símbolo não faz sentido ao lado do que ele desenhou a seguir."

A italiana quase se indignou.

"Ora essa! Porquê?" Fez um gesto a indicar a charada. "Pelo contrário, faz todo o sentido! Ele assinou o homicídio do Vaticano com esta flor-de-lis esquematizada e voltou a utilizá-la agora para assinar este novo crime. Parece-me tudo claro. Qual é a admiração?"

O académico português mirava o enigma como se estivesse hipnotizado, esforçando-se por extrair dele o sentido que lhe escapava. Porque raio tinha o assassino desenhado ali aquele símbolo? O contexto não batia certo. Talvez a resposta estivesse no contexto. Na verdade, raciocinou, se calhar deveria começar a interpretação pelo resto do enigma. Ora o que tinha ele ali? Tinha uma palavra escrita em... em...

"Já sei!", exclamou Tomás de repente.

Os dois polícias voltaram os olhares para ele.

"O quê? Que se passa?"

O historiador virou-se para Valentina e depois para Pichurov e de novo para Valentina, muito excitado, e exibiu o papel selado dentro do plástico.

"Já sei!"

As atenções voltaram-se para a charada que lhe dançava entre os dedos.

"Conseguiu decifrar?", espantou-se o búlgaro. "Já?"

A italiana sorriu e aplaudiu.

"Bravo, Tomás!", exclamou, com evidente orgulho nele, quase como se o português fosse o seu herói. "Bravo!"

Ao vê-la tão feliz, Tomás sentiu-se atrapalhado. Encolheu-se num gesto reflexo, recolheu a mão que brandia a charada e baixou os olhos tingidos de embaraço.

"Não sei se vai ficar contente depois de me escutar", disse ele a Valentina, quase sem coragem para a encarar. "Acho até que vai ter vontade de me degolar!..."

"Eu?!", admirou-se ela. "Que disparate! Porque diz isso?"

O olhar do historiador desviou-se para a charada encerrada no plástico selado.

"Este enigma remete-nos para mais uma fraude da Bíblia."

A face de Valentina toldou-se como se de repente tivesse sido coberta por uma sombra densa.

"Oh, não!", exclamou ela, irritada. "Sou mesmo ingénua! Devia ter desconfiado!"

Tomás inclinou-se para a sua pequena mala de viagem e pôs-se a vasculhar no interior com a mão esquerda. Fixou a mão num objecto e extraiu-o da mala, pousando-o sobre a mesa. Tratava-se do exemplar da Bíblia que já lhe havia sido útil em Dublin. Levantou os olhos embaraçados e colou-os enfim aos da italiana.

"A fraude da divindade de Jesus."

XXVI

O empregado ziguezagueou entre as mesas da esplanada da Glavnata a equilibrar a bandeja e, naquele menear profissional, aproximou-se da mesa onde o historiador e os dois polícias se encontravam. Distribuiu os cafés e afastou-se para atender os clientes que entretanto se tinham instalado numa mesa ao lado.

De novo à vontade, Tomás pegou no plástico que protegia a folha encontrada junto ao corpo do académico búlgaro e apontou para os três símbolos desenhados no papel.

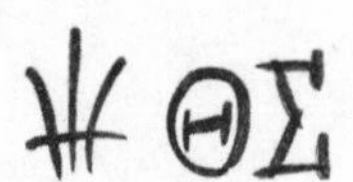

"Este enigma remete-nos para duas questões teológicas centrais do cristianismo", explicou. "São questões diferentes, mas relacionadas entre elas."

O inspector Pichurov mexeu-se no seu lugar.

"O professor falou na divindade de Jesus", observou, ansioso por ir direito ao assunto. "E disse que se tratava de uma fraude. Como é que essa gatafunhada levanta tal questão?"

O historiador indicou os símbolos do meio e da direita, ΘΣ. "Estão a ver isto? Sabem o que é?"

Os polícias prenderam os olhos nos dois caracteres.

"Parecem sinais alienígenas", brincou Valentina. "Daqueles que vemos desenhados nas naves dos extraterrestres em filmes de ficção científica. *Star Trek* e coisas do estilo."

Tomás riu-se.

"Realmente, estes caracteres parecem um pouco bizarros", admitiu. "Mas não são símbolos dos ET pintados em naves espaciais. São letras gregas grafadas na Bíblia."

Os dois polícias arregalaram os olhos, surpreendidos.

"Isso?"

O historiador assentiu.

"O símbolo do meio é um teta e o da direita é um sigma", identificou. "Quando juntas num manuscrito bíblico e com um traço no topo, teta-sigma dão a abreviatura de um dos *nomina sacra*."

"Que é isso?"

"Um nome sagrado. Neste caso, *Deus*."

O inspector Pichurov franziu o sobrolho numa expressão céptica, como quem dizia que aquela não engolia ele.

"O assassino deixou o nome abreviado de Deus ao pé da vítima?", questionou. "A que propósito?"

"Isso é o que iremos ver", disse Tomás, ignorando o tom incrédulo do polícia búlgaro. "O mais interessante é que, à luz do que o nosso *serial killer* já revelou nas duas mensagens anteriores, isto constitui sem dúvida um piscar de olho ao *Codex Alexandrinus* e a uma aldrabice habilidosa feita nesse manuscrito por um escriba."

A referência pareceu familiar a Valentina.

"Está a referir-se ao documento antigo que a professora Escalona estava a consultar na Biblioteca Vaticana?"

"Isso era o *Codex Vaticanus*", esclareceu o historiador. "Mas esta nova charada remete-nos para o *Codex Alexandrinus*, um manuscrito do século V oferecido pelo patriarca de Alexandria ao rei de Inglaterra e que se encontra guardado na Biblioteca Britânica. É também um dos manuscritos mais antigos e completos da Bíblia, com a versão grega do Antigo Testamento, a que faltam apenas dez folhas, e o Novo Testamento, excepto trinta e uma folhas, que desapareceram."

A italiana apontou para os dois símbolos, ΘΣ.

"Como sabe que este teta-sigma se refere especificamente a esse códice?"

"Trata-se de uma suposição sustentada no tipo de raciocínio desenvolvido até agora pelo nosso homem", explicou o académico português. "Já percebemos que ele parece obcecado com as fraudes no Novo Testamento. Ora acontece que existe de facto uma anomalia no *Codex Alexandrinus*, localizada justamente numa referência abreviada a Deus. Uma referência com teta e sigma."

"Não estou a perceber!..."

Tomás pousou o papel da charada na mesa e pegou na sua Bíblia, que se pôs a folhear.

"Um dos problemas da tese de que Jesus era uma divindade nasce de ele não se ter referido a si mesmo nesses termos de uma forma explícita nos textos mais antigos", explicou. "Apenas no último evangelho, o de João, escrito por volta de 95, Jesus indica com clareza a sua natureza divina. João cita Jesus em 8:58 a dizer isto: 'Antes de Abraão existir, Eu sou.' É uma referência clara ao Êxodo,

3:14, onde Deus diz a Moisés: 'Eu sou Aquele que sou.' Ou seja, o Jesus de João apresenta-se como o Deus das Escrituras."

"Ah-ha!"

"Curiosamente, Jesus não faz o mesmo nas fontes anteriores a João", apressou-se Tomás a sublinhar. "Nem Paulo, nem Marcos, nem Mateus, nem Lucas, que escreveram os seus textos antes do autor do Evangelho segundo João, põem Jesus a dizer-se Deus." Fez uma careta irónica. "Ter-se-ão esquecido? Terão achado esse pormenor irrelevante? Seria uma coisa sem importância?" Ergueu o dedo. "Quanto mais antiga é a fonte, menos divino Jesus aparece. O primeiro evangelho a ser escrito foi o de Marcos. Que Jesus nos é apresentado por Marcos? Um ser humano que nunca se reivindica Deus. O mais que Jesus faz é, durante o seu julgamento, e pressionado pelo alto sacerdote que lhe pergunta se é ele 'o Messias, Filho do Deus Bendito', responder em 14:62: 'Sou', adiantando que 'vereis o Filho do Homem sentado à direita do Poder e vir sobre as nuvens do céu.' Mas atenção que, na cultura hebraica, o *mashia* não é Deus, apenas alguém escolhido por Deus. Nunca em Marcos vemos Jesus afirmar ser Deus."

O inspector Pichurov, que assistia pela primeira vez a uma conversa de análise crítica do Novo Testamento, voltou a remexer-se na cadeira.

"Desculpe, eu de Bíblias percebo pouco", disse. "Mas não é Marcos que o apresenta como o Filho de Deus?"

"Todos os evangelhos apresentam Jesus como o Filho de Deus. E depois? No contexto da religião judaica, a expressão *Filho de Deus* não significa Deus-Filho, como agora se pretende, mas descendente do rei David, conforme estabelecido nas Escrituras. Nos Salmos, Deus diz a David, um ser de carne e osso, que ele é o Seu filho, coisa que confirma em Samuel II. Uma vez que os Evangelhos apresentam Jesus como um descendente do rei David, é natural que o designem por Filho de Deus, o título de David. E, atenção, o Filho de Deus pode até ser a própria nação de Israel, conforme estabelecido no Antigo Testamento por Oseias, em 11:1, onde Deus diz: 'Quando Israel era ainda menino, Eu o amei, e chamei do Egipto o Meu filho.' Ou em Êxodo 4:22: 'Assim fala o Senhor: Israel é o Meu filho primogénito.' Em suma, diz-se que é *Filho de Deus* alguém que tem uma relação especial com Deus. Isso não significa que esse alguém seja Deus."

Valentina lançou um olhar sobranceiro ao seu colega búlgaro, intimando-o a calar-se.

"Ele já me tinha contado isso", disse. "Depois explico-lhe tudo."

Pichurov encolheu-se no seu lugar e, percebendo que havia pormenores que o ultrapassavam naquela conversa, remeteu-se ao silêncio.

"Sendo assim, Marcos jamais afirma, ou insinua sequer, que Jesus é Deus", retomou Tomás. "Os evangelhos que se lhe seguiram foram os de Mateus e Lucas. Também estes nunca disseram que Jesus é Deus. Os três evangelistas põem até Jesus a afirmar que não tem poderes para decidir quem se sentará à sua direita e à sua esquerda, e a dizer que nem sabe o dia e a hora em que chegará o Reino de Deus. Ou seja, e ao contrário de Deus, Jesus não é omnipotente nem omnisciente. O grande debate entre estes três evangelistas e Paulo não é pois o problema de Jesus ser Deus, questão que nem sequer se levanta, mas determinar *quando* é que Deus atribuiu a Jesus o Seu favor e o transformou num ser humano especial. O primeiro evangelista, Marcos, dá a entender que isso aconteceu no momento em que João Baptista baptizou Jesus. Foi nessa altura que 'dos céus veio uma voz: «Tu és o Meu Filho muito amado, em Ti pus toda a Minha complacência»', conforme estabelecido em 1:11, frase inspirada numa citação dos Salmos hebraicos. Ou seja, Marcos considera que Jesus se tornou Filho de Deus no momento do baptismo. Já Lucas e Mateus defendem que isso aconteceu na altura do nascimento, com a imaculada concepção."

"E Paulo?"

"Esse apresenta ainda outra versão. É interessante notar que nos Actos dos Apóstolos, um texto do autor de Lucas a descrever o que fizeram os apóstolos depois da morte de Jesus, não encontramos nenhuma declaração de um discípulo a considerar que Jesus é Deus. Os apóstolos limitam-se a pregar que Jesus é alguém a quem Deus conferiu poderes especiais. Pedro é até citado em 2:36 a dizer 'Deus estabeleceu, como Senhor e Messias, a esse Jesus por vós crucificado', relacionando implicitamente o título de Messias com a crucificação, conceito explicitado em 13:33 por Paulo, segundo o qual Deus cumpriu a Sua promessa 'ressuscitando Jesus, como está escrito no salmo segundo: «Tu és Meu Filho, Eu gerei-te hoje!»', insinuando assim que esse estatuto especial foi entregue, não quando Jesus nasceu, não quando Jesus foi baptizado, mas *hoje*, o dia em que ele ressuscitou. Ou seja, Paulo e Pedro aparecem até a sugerir que, em vida, Jesus nem sequer era Filho de Deus! Isso só aconteceu com a sua morte." Os olhos de Tomás dançaram entre os dois polícias que o escutavam. "Para os textos mais antigos não está em causa Jesus ser Deus, mas apenas perceber *quando* é que Deus lhe conferiu o estatuto especial de o tornar Seu filho, na acepção judaica de descendente de David. Foi na imaculada concepção? Foi no acto de baptismo? Ou foi no momento em que ressuscitou?"

"Se bem entendi", observou Valentina, "só o último dos evangelhos estabelece que Jesus é Deus."

"O Evangelho segundo João", confirmou o historiador. "Quer isto dizer que, quanto mais perto no tempo um texto está dos acontecimentos, mais humano é Jesus. Quanto mais se afasta, mais divino ele se torna. O que parece natural. Com o passar dos anos, a memória histórica do ser de carne e osso foi-se perdendo, sendo substituída por elementos míticos de exaltação do herói a um estatuto de divindade. O ser humano Jesus transforma-se gradualmente num ser humano especial escolhido por Deus e, mais tarde, torna-se o próprio Deus. É uma espécie de processo de construção divina. E a questão é esta: porque haveremos nós de afirmar que Jesus era Deus se ele próprio não o fazia nos primeiros textos do Novo Testamento?" Recomeçou a folhear a sua Bíblia. "Os teólogos cristãos andaram muito tempo a queimar as pestanas à volta deste problema, até encontrarem uma importante referência numa epístola de Paulo, a Primeira Carta a Timóteo." Parou de folhear e pousou a mão numa página. "Está aqui." Procurou a referência. "Vejamos o versículo 3:16: 'Deus manifestou-se na carne, foi justificado pelo Espírito.'" Olhou para os seus interlocutores com uma expressão interrogativa, claramente a interpelá-los. "'Deus manifestou-se na carne'? Que Deus se manifestou na carne? A quem se está Paulo a referir?"

Valentina hesitou, receando dizer algum disparate, mas o historiador fez um sinal a encorajá-la e ela avançou.

"O Deus que se manifesta na carne é Jesus, parece-me a mim." Vacilou. "Ou não?"

"Claro que é Jesus!", confirmou Tomás, tranquilizando-a quanto à sua interpretação. "Aliás, essa é ainda hoje a tese oficial da Igreja. Jesus é Deus a manifestar-se em carne. Mas a questão essencial não é essa. O mais importante é que esta frase é de Paulo."

Ao aperceber-se das implicações dessa constatação, a italiana quase deu um pulo na cadeira.

"Paulo é o primeiro dos autores do Novo Testamento!", exclamou. "As suas cartas foram escritas dez a quinze anos antes do primeiro evangelho! Isso significa que temos o autor mais antigo a referir-se a Jesus como Deus!"

Tomás sorriu.

"Vinte valores para a *signora* Valentina Ferro!", anunciou, como se estivesse a atribuir uma nota na faculdade. "É isso mesmo! Esta citação é fundamental porque significa que o mais antigo dos autores do Novo Testamento, e consequentemente o mais próximo dos acontecimentos, não se referiu a Jesus como uma mera figura humana especialmente escolhida por Deus. Paulo apresentou Jesus como se ele fosse o próprio Deus. Com Jesus, 'Deus manifestou-se na carne'. É verdade que nas restantes epístolas Paulo atribuiu um estatuto divino a Jesus, mas só depois da ressurreição, não em vida. Daí que esta frase tenha uma importância crucial, porque põe o autor mais antigo a expor uma teologia que só apareceu mais tarde, a de que em vida Jesus era Deus."

A inspectora da Policia Giudiziaria, já habituada às súbitas reviravoltas do seu interlocutor, hesitou.

"De certeza que me vai apresentar aí um qualquer problema", disse, cheia de prudência repentina. "E acho que já sei qual é: só existe um manuscrito onde Paulo afirma tal coisa."

O historiador regressou à linha que havia lido.

"Não, pelo contrário", assegurou. "Este versículo da Primeira Carta a Timóteo é o que consta na maior parte dos manuscritos antigos que chegaram até nós."

"Então qual é o problema?"

"O problema é que, se formos consultar este versículo no *Codex Alexandrinus*, verificamos que a linha sobre o teta-sigma, e que indica assim tratar-se da abreviatura de um *nomen sacrum*, foi traçada com uma tinta diferente da usada no texto em redor. Examinando melhor esta anomalia, percebe-se que se trata de algo que um escriba acrescentou posteriormente, portanto é uma adulteração fraudulenta que desvirtua o texto." Apontou para a primeira letra grega da palavra, Θ, constante na charada. "Estudando com cuidado o teta, percebe-se que a linha horizontal traçada no meio da letra não foi originalmente colocada naquele sítio. Trata-se antes de um ponto de tinta usada no texto do verso da página e que atravessou o pergaminho para ali aparecer acidentalmente."

Os dois polícias seguiam a explicação com um ar muito atento, os olhos a saltitarem entre o historiador e a charada deixada pelo assassino.

"E então? Qual a consequência dessa alteração?"

"As letras originais desse versículo não são teta-sigma, que daria *Deus* abreviado, mas ómicron-sigma, palavra que significa *aquele*." Desenhou numa folha de papel os dois caracteres da charada e a sua tradução, ΘΣ = *Deus*, e por baixo a nova versão, o primeiro símbolo sem o traço no interior e a respectiva tradução, ΟΣ = *Aquele*. Depois voltou à página da Bíblia aberta na Primeira Carta a Timóteo. "Ou seja, o texto original copiado pelo escriba do *Codex Vaticanus* em 3:16 não é 'Deus manifestou-se na carne, foi justificado pelo Espírito', mas 'aquele manifestou-se na carne, foi justificado pelo Espírito'. É uma coisa totalmente diferente, uma vez que Jesus deixa assim de ser Deus." Fechou o livro. "O perturbador é que a mesma alteração feita intencionalmente por escribas foi detectada em quatro outros manuscritos antigos da Primeira Carta a Timóteo, contaminando assim as cópias posteriores, em particular as medievais, que reproduziram e eternizaram a adulteração."

"Nesse caso, o que me está a dizer é que Jesus não é originalmente equiparado a Deus."

"Exacto", confirmou o académico. "Nem ele provavelmente alguma vez declarou ser Deus, nem os apóstolos assim o encaravam. Isso é uma construção posterior. Aliás, e como já lhe expliquei, os próprios apóstolos relataram coisas que inviabilizam que se equipare Jesus a Deus. Por exemplo, o baptismo. Marcos revela em 1:5 que os judeus iam ter com João Baptista 'e eram baptizados por ele no rio Jordão, confessando os seus pecados'. Depois diz que Jesus também foi baptizado, admitindo assim que ele tinha pecados para confessar. Se Jesus fosse Deus, seria credível que pecasse? E Mateus, em 24:36, põe Jesus a predizer o fim dos tempos e a afirmar: 'Quanto àquele dia e àquela hora, ninguém o sabe, nem os anjos do Céu, nem o Filho; só o Pai.' Ou seja, Jesus não era omnisciente. Assim sendo, pergunto eu, poderia ele ser Deus?"

"E então os milagres que Jesus fazia?", insistiu Valentina. "Isso não prova que ele era Deus?"

Tomás riu-se.

"Os milagres não têm nada a ver com a suposta divindade de Jesus", retorquiu. "Tal como acontece hoje nas feiras, naquele tempo também existiam curandeiros e pessoas com poderes especiais, ditos milagrosos. A antiguidade está cheia de gente assim. Apolónio de Tíana, um conhecido filósofo, era também curandeiro e exorcista. O Antigo Testamento mostra-se repleto de milagres levados a cabo por Moisés, Elias e outros. O próprio historiador judeu Josefo afirmava ser capaz de fazer curas milagrosas e exorcismos. Até na Galileia, uma geração depois de Jesus, viveu um famoso curandeiro chamado Hanina ben Dosa, a quem se atribuem milagres. Umas décadas antes de Jesus, apareceu naquela região um homem chamado Honi, célebre por conseguir atrair a chuva. Apolónio, Moisés, Elias, Josefo, Hanina e Honi eram alegadamente capazes de fazer milagres, mas ninguém achava que eram Deus. Dizia-se que estas pessoas tinham 'poderes', e apenas isso."

"Está bem, não digo que Jesus fosse Deus", concedeu a italiana, "mas há-de concordar que, se ele era capaz de fazer milagres, tinha pelo menos algo de divino!..."

"Oiça, o que é isso *algo de divino*? Que eu saiba o cristianismo diz-se uma religião monoteísta. Os cristãos, tal como os judeus, defendem que só há um Deus. Quer isto dizer que ou Jesus é o próprio Deus ou é um ser humano. Não pode é ser um deus mais pequeno, ou um ser humano com qualidades divinas. Percebe? Isso iria contra o monoteísmo proclamado pelos cristãos."

A inspectora da Polizia Giudiziaria baixou os olhos e assentiu, vencida pela argumentação.

"Pois, tem razão."

O historiador apontou para o primeiro dos três símbolos da charada encontrada ao lado do cadáver em Stariot Grad.

"E essa é justamente a questão suscitada por esta flor--de-lis."

"Está a referir-se ao símbolo da pureza da Virgem Maria?"

Tomás abanou a cabeça.

"Neste contexto, o assassino já não se está a referir à questão da Virgem Maria, como na charada que deixou na Biblioteca Vaticana", corrigiu. "Está a referir-se ao outro sentido simbólico da flor-de-lis."

Valentina esboçou um esgar de surpresa.

"A flor-de-lis tem mais de um sentido?"

O seu interlocutor acenou afirmativamente.

"Este é também o símbolo da Santíssima Trindade", esclareceu. "A mais bizarra das invenções do cristianismo."

XXVII

O som de uma batida *rap* acelerada irrompeu na esplanada, interrompendo inopinadamente a conversa. Tomás olhou em redor, quase atarantado, tentando perceber de onde vinha aquela estranha música, e acabou por se fixar no rosto corado do inspector Pichurov. De ar comprometido, o polícia deitou a mão ao bolso das calças enquanto exibia um sorriso embaraçado.

"Peço desculpa", disse. "É o meu telemóvel."

O anfitrião atendeu e desatou a falar em búlgaro. Menos de meio minuto depois desligou o telemóvel, fez sinal ao empregado e largou uma nota sobre a mesa.

"Vamos andando", disse. "A viúva do professor Vartolomeev chegou agora do mar Negro, onde estava a banhos. Temos de ir a Stariot Grad falar com ela."

Tomás e Valentina ergueram-se da mesa.

"Ah, com certeza!"

O inspector Pichurov virou-se para a colega italiana.

"Também me disseram do escritório que a sua gente em Roma e a polícia irlandesa acabaram de nos enviar uns documentos urgentes. São para lhe entregar a si."

"Que documentos?"

"Parece que se trata de reconstituições do que fizeram as vítimas de Roma e de Dublin nos últimos doze meses. Pediu isso?"

"É verdade. Onde estão?"

"Disse-lhes que os levassem para Stariot Grad."

Abandonaram a esplanada e caminharam pela Glavnata em direcção ao lugar onde o inspector Pichurov havia deixado a sua viatura de serviço. O final de manhã revelava-se realmente aprazível, com o sol a banhar a vasta rua de peões e o chilrear melodioso dos pássaros a embalar os transeuntes.

O polícia búlgaro levava o dossiê do caso numa mão e na outra o plástico onde a terceira charada permanecia selada. Valentina fez-lhe sinal a pedir o plástico e, enquanto caminhava ao lado de Tomás, indicou os rabiscos que o assassino fizera no papel.

"Já percebemos que os símbolos do meio e da direita são teta e sigma, do alfabeto grego, e remetem para o problema da divinização de Jesus", recapitulou. "Agora não percebo bem o papel desta flor-de-lis esquematizada à esquerda. Diz você que, neste contexto, ela representa a Santíssima Trindade?"

"Correcto."

"Desculpe, mas qual a relevância da Santíssima Trindade nesta conversa? Porque se referiu o assassino a ela?"

Tomás pegou no plástico com a charada.

"Porque a Santíssima Trindade está directamente relacionada com a atribuição do estatuto de divindade a Jesus", explicou.

"Relacionada como?"

O historiador fixou os olhos pensativos no piso da Glavnata, que percorriam em ritmo de passeio.

"Oiça, a partir do momento em que o Evangelho segundo João começou, no ano 95, a dizer que Jesus era Deus, criou-se um problema teológico sério. Em primeiro lugar, se Deus é Deus e Jesus também é Deus, então quantos deuses temos?"

Pichurov, que seguia à frente, voltou a cabeça para ele.

"Na minha contagem dá dois deuses."

O historiador exibiu o seu exemplar da Bíblia.

"Mas não eram as Escrituras que diziam que só havia um Deus? Como conciliar a atribuição do estatuto de Deus a Jesus com a afirmação do monoteísmo? Em segundo lugar, se Jesus é Deus, isso significa que não era um ser humano?"

"Claro que era um ser humano!", exclamou Valentina. "Morreu na cruz, lembra-se?"

"Então, se era um ser humano, isso significa que não era Deus?"

A italiana olhou-o, atrapalhada com a pergunta.

"Bem... também era Deus."

"Humano ou Deus? Em que ficamos?"

"Metade uma coisa, metade outra."

Tomás torceu os lábios e esboçou uma expressão céptica.

"Hmm... tudo isto parece um pouco dúbio, não acham? A verdade é que foram justamente estes problemas que dividiram os seguidores de Jesus. Havia um grupo, os ebionitas, que defendia que a conversa da divindade era um disparate, Jesus não era deus nenhum, não passava de um ser humano que Deus tinha escolhido por se tratar de uma pessoa particularmente respeitosa da lei, e apenas isso. Mas outros grupos puseram-se a adorar Jesus como se ele fosse Deus. Os docetas entendiam que Jesus era uma entidade exclusivamente divina que apenas parecia ser humana. Não tinha fome, não tinha dor, não sangrava, embora parecesse sofrer de todos esses males do corpo. Defendiam que havia dois deuses, o dos judeus e Jesus, sendo este o maior. E depois havia os gnósticos, que afirmavam existirem muitas divindades e que Jesus era uma delas, pertencente a uma raça de deuses superior à do Deus dos judeus. Achavam que Jesus era um ser humano cujo corpo foi temporariamente ocupado por Deus, designado Cristo. Cristo entrou no corpo de Jesus no momento do baptismo, e terá sido por isso que nesse instante Deus disse 'Tu és o Meu Filho muito amado, em Ti pus toda a Minha complacência', e Cristo abandonou o corpo quando Jesus se encontrava pregado à cruz, tendo sido por isso que Jesus disse 'Meu Deus, meu Deus, porque Me abandonaste?'"

"Que trapalhada!", observou Valentina.

"Os cristãos de Roma, que viriam a tornar-se a ortodoxia, posicionaram-se a meio deste debate. Afirmaram que Jesus era Deus e homem em simultâneo."

"Uma decisão verdadeiramente salomónica", constatou o inspector Pichurov com um sorriso. "Metade Deus, metade homem."

"Não, não!", corrigiu Tomás. "Para se demarcarem da posição gnóstica e estabelecerem que Jesus e Cristo eram a mesma entidade, os cristãos romanos disseram que Jesus era, ao mesmo tempo, Deus e homem. Para se demarcarem dos ebionitas, afirmaram que era cem por cento Deus. E para se demarcarem dos docetas sublinharam que era cem por cento homem. Ou seja, Jesus é ao mesmo tempo cem por cento humano e cem por cento Deus."

O polícia búlgaro sacudiu a cabeça, sem entender.

"Cem por cento as duas coisas? Isso não é possível!"

"Mas foi o que ficou decidido. Além do mais, a ortodoxia considerou que Deus-Pai era uma entidade diferente de Deus-Filho. Mas ambos são Deus."

O inspector Pichurov deteve-se a meio da Glavnata e fez uma careta, como se não tivesse entendido.

"Então temos dois deuses."

"Não. É apenas um. Deus-Pai e Deus-Filho."

Os dois interlocutores esboçaram uma expressão confusa.

"Mas... mas isso dá dois."

"Não segundo a Igreja", sorriu Tomás, fazendo um gesto de impotência como se ele próprio não fosse capaz de entender o que estava a dizer. "Deus-Pai e Deus-Filho são entidades diferentes. Mas os dois dão um único Deus."

"Espere aí", disse Pichurov, tentando dar sentido ao que estava a escutar. "De acordo com a Igreja, Jesus é Deus?"

"É."

"E Deus-Pai é Deus?"

"Claro."

"Jesus é Deus-Pai?"

"Não."

"Então há dois deuses! Deus-Pai e Deus-Filho!"

"Não, segundo a Igreja. Os dois são distintos, Jesus senta-se à direita do Pai e os dois são Deus, mas só há um Deus."

Valentina ergueu o sobrolho.

"Bom, isso não faz realmente muito sentido", admitiu. "Com certeza essa ideia evoluiu depois para qualquer coisa mais lógica..."

"Só evoluiu no sentido em que a Igreja, não contente com toda esta confusão, decidiu acrescentar-lhe ainda uma terceira entidade. Como em 14:16 o Evangelho segundo João põe Jesus a apresentar o Espírito Santo como 'outro consolador, para estar convosco para sempre' quando Jesus voltar para o Céu, a Igreja achou por bem instituir esta nova entidade de contornos difusos, o Espírito Santo, também como Deus." Fez um gesto grandioso. "*Voilà!* A Santíssima Trindade!"

"Porque faz essa expressão sarcástica?", protestou a italiana. "As três entidades são três expressões diferentes de Deus. Qual é o problema?"

"Não!", corrigiu o historiador. "Eu sei que é difícil de entender, mas segundo a doutrina oficial são três entidades totalmente distintas umas das outras. Todas diferentes, mas todas são Deus, embora só exista um Deus. E Jesus é cem por cento Deus e cem por cento homem. Esta foi a tese estabelecida no célebre Concílio de Niceia, convocado em 325 para resolver todas as disputas teológicas e unificar o cristianismo, e que vigora ainda hoje." Fez um gesto enfático. "Ainda hoje!"

A inspectora da Polizia Giudiziaria sacudiu a cabeça, como se tivesse esperança de que assim as peças se encaixassem de alguma forma dentro do seu próprio crânio.

"Há três deuses diferentes e são todos um Deus?", estranhou. "Jesus é cem por cento divino e cem por cento humano? Realmente, essa aritmética não bate certo!..."

"Pois não."

"Como é que a Igreja resolveu o problema?"

Tomás riu-se.

"Disse que era um mistério."

"Um mistério... como?"

"A Igreja percebeu que é um absurdo afirmar que Jesus é cem por cento humano e cem por cento Deus. Não faz sentido! E percebeu que é também incompreensível defender que Deus, Jesus e o Espírito Santo são três entidades divinas totalmente distintas umas das outras e, porém, só existe um Deus. Mas não quis recuar nas suas posições paradoxais. Então o que fez? Fugiu em frente. Incapaz de resolver estas contradições, mas não querendo dar razão aos ebionitas, ou aos gnósticos, ou aos docetas, limitou-se a declarar que isto é tudo um grande mistério." Mudou o tom de voz, como se fizesse um aparte. "No que, aliás, até tem razão: é um mistério porque não faz nenhum sentido." Retomou o tom normal. "E assim, como quem esconde o lixo debaixo do tapete para fingir que ele não existe, lavou as mãos da trapalhada teológica que montou. E aqui está, em todo o seu esplendor, o mistério da Santíssima Trindade."

Chegaram junto da viatura de serviço da polícia búlgara. O anfitrião retirou a chave do bolso, mas não entrou de imediato.

"De certeza que isso faz sentido e nós é que somos burros", observou. "Mas o que eu quero perceber é qual a relação entre esse assunto e a charada deixada pelo autor dos crimes que estamos a investigar."

O olhar dos três descaiu para o objecto na mão de Tomás, o plástico com a folha de papel encontrada junto à vítima de Stariot Grad.

"Por algum motivo que me escapa, o nosso homem quis nesta mensagem chamar a atenção para as ficções criadas em torno da divindade de Jesus e da Santíssima Trindade", disse ele. "Se a segunda parte desta charada incide na adulteração que conduziu ao teta-sigma que transformou Jesus num Deus, talvez o primeiro símbolo se relacione também com adulterações do Novo Testamento relativas à Santíssima Trindade."

"Também aí houve adulterações?"

"Claro que houve. Basta ler o Novo Testamento para perceber que em parte alguma se fala na Santíssima Trindade. Nem mesmo no Evangelho segundo João!" Abriu o seu exemplar da Bíblia. "A excepção, claro, é a Primeira Carta de João, onde, em 5:7-8, está escrito: 'Porque três são os que testificam no céu, o Pai, a Palavra e o Espírito Santo: e estes três são um. E há três que prestam testemunho na Terra, o Espírito, a água e o sangue; e os três estão de acordo.'"

Valentina lançou-lhe um olhar desconfiado.

"Vai dizer-me que isso é falso."

"Duplamente", confirmou Tomás. "Em primeiro lugar, as três Cartas de João que constam do Novo Testamento são fraudes. O apóstolo João, que os Actos dos Apóstolos revelam ser 'analfabeto', não as escreveu. Confrontada com este problema, a Igreja diz que a epístola pode não ter sido escrita por João, mas mesmo assim o seu conteúdo é 'inspirado' por Deus. É uma maneira de ignorar o problema embaraçoso de existirem textos canónicos fraudulentos, embora essa prática na altura não fosse considerada condenável. Mesmo que se aceite essa ficção, o facto é que este versículo nem sequer fazia parte da carta original. Nenhum manuscrito grego o contém desta maneira. O texto foi adulterado para meter à força a referência ao Pai, ao Filho e ao Espírito Santo, num exemplo claro de adaptação dos factos à teologia."

"E diz você que essa era a única referência no Novo Testamento à Santíssima Trindade?"

"A única", insistiu o historiador. "E é duplamente falsa." Soprou, como se assim o versículo se desfizesse em pó. "Já não resta mais nada." Voltou a folhear a Bíblia. "O que fica é a simples constatação de que Marcos põe um escriba a perguntar a Jesus qual o primeiro de todos os mandamentos e Jesus responde desta forma em 12:29: 'O primeiro é: «Ouve, Israel: O Senhor, nosso Deus, é o único Senhor.»' Ou seja, Jesus limita-se a proclamar o Shema, a afirmação judaica de que só há um Deus. Jesus não faz em parte alguma alusão a uma Trindade nem a um Espírito Santo, e muito menos à possibilidade de ele próprio ser Deus. Ao longo de toda a Bíblia, a palavra *Deus* aparece cerca de doze mil vezes. Pois não há uma única vez em que a palavra *três* ou *trindade* surja no mesmo versículo onde está a palavra *Deus*. E em parte alguma, quando Deus ou Jesus falam e se referem a si próprios, dizem ou insinuam 'Eu, os três'."

Fez-se uma pausa e o inspector Pichurov destrancou o automóvel e convidou os seus dois acompanhantes a acomodarem-se no interior. Tomás instalou-se ao lado do condutor, Valentina no banco de trás. O búlgaro meteu a chave na ignição e, antes de ligar o motor, olhou para o lado.

"Onde é que isso tudo nos deixa nesta investigação?", quis saber.

O historiador encolheu os ombros.

"O nosso assassino é evidentemente um erudito em questões teológicas", disse. "Parece apostado em demonstrar que quase tudo o que sabemos sobre Jesus é uma mentira. E cheira-me que só perceberemos o que está verdadeiramente a acontecer se descobrirmos o que une as três vítimas. Será esse ponto em comum entre elas que nos conduzirá ao autor destes crimes."

Os dois polícias assentiram.

"Tem razão", concordou Valentina. "Essa também me parece ser a única maneira de deslindar estes casos."

O consenso estava estabelecido no interior do carro. Percebendo que já se encontravam atrasados, e determinado a não perder mais tempo, Pichurov ligou a ignição, fez pisca à esquerda, verificou pelo espelho retrovisor lateral se tinha a via livre e carregou no acelerador.

XXVIII

O ambiente no interior da Casa de Balabanov era de profunda consternação. Quando subia as escadas de madeira, Tomás ouviu o choro abafado da viúva no primeiro andar e teve vontade de fugir dali; sentia-se um intruso na desgraça alheia, como um abutre que vive dos despojos da morte. Mas os polícias que o encaminhavam nem hesitaram; afinal era uma situação a que estavam habituados. Resignando-se, o historiador remeteu-se ao seu papel.

A escadaria desembocou num grande salão no primeiro andar, bem iluminado pelas múltiplas janelas que o cercavam. O salão fazia ligação a vários compartimentos, como um polvo a espraiar os seus múltiplos tentáculos, e os visitantes aperceberam-se de movimento numa das salinhas de esquina. Era decerto ali que se encontrava a viúva, pelo que se encaminharam para lá.

"*Dober den*", cumprimentou o inspector Pichurov ao penetrar na salinha. "*Kak ste?*"

Uma mulher com o rosto chupado e os olhos congestionados estava sentada numa cadeira ao canto e acolheu os recém-chegados com um olhar interrogador. O polícia pôs-se a dialogar com ela em búlgaro. Instantes depois apontou para a italiana, disse o nome dela e depois indicou o historiador. Tomás escutou o seu nome entre a algaraviada eslava e ainda entendeu a palavra *portugalski*, mas o resto escapou-lhe. A conversa em búlgaro acabou no entanto por se revelar curta e foi interrompida quando a viúva encarou os dois estrangeiros e se dirigiu a eles em inglês.

"Sejam bem-vindos", disse, com uma voz arrastada. "Lamento que tenham vindo nestas circunstâncias penosas. Oferecer-vos-ia chá se me sentisse com forças, mas assim..."

Uma grossa lágrima deslizou pelo rosto enrugado da mulher, deixando o historiador constrangido.

"Oh, não se preocupe", balbuciou. Não sabia o que dizer naquelas circunstâncias. Deveria apresentar condolências, claro, mas, não conhecendo ele a vítima nem a sua interlocutora, pareceu-lhe que os pêsames seriam artificiais. Tudo o que conseguiu dizer foi: "Isto é uma coisa terrível..."

Tomás deixou a frase em suspenso, mas Valentina, experiente naquelas situações, não perdeu tempo.

"Vamos apanhar a pessoa que fez isto", garantiu com a convicção de quem acabara de fazer do caso uma questão pessoal. "A polícia italiana está empenhada em descobrir o criminoso e contamos com ajuda internacional." Indicou Tomás, como se fosse ele a dita *ajuda internacional*. "No entanto, primeiro precisamos da sua cooperação."

A viúva abanou a cabeça com tristeza.

"Não sei se me encontro em condições de vos ajudar", disse ela. "Quando ontem me deram a notícia eu estava a banhos na nossa casa de Verão em Varna." Pousou a palma da mão no peito. "Ah, foi um choque! Ando há quase vinte e quatro horas com sedativos e sinto-me um pouco entorpecida."

"Eu compreendo", afirmou Valentina num tom caloroso, toda ela compaixão profissional. "Queria apenas saber se notou alguma coisa anormal nos últimos tempos. O seu marido andava preocupado? Receberam alguma ameaça? Passou-se qualquer coisa de estranho?"

A mulher abanou a cabeça.

"Não, nada. Estava tudo bem. O Petar andava nas suas coisas, claro. Sempre entusiasmado, como era o seu timbre. Passava a vida metido na faculdade, a dar aulas ou lá nas suas pesquisas. Às vezes tinha de fazer umas viagens ao estrangeiro, mas nada de anormal."

"Ai sim? Ele viajava? E onde foi ele nos últimos tempos?"

"Não tenho bem a certeza", disse ela, os olhos encovados a traírem a fadiga. "Esteve em Nova Iorque, foi a Israel, deu um salto a Helsínquia..." Fez um esforço de memória. "Ah, passou por Itália!..."

A referência ao seu país chamou a atenção da inspectora da Polizia Giudiziaria.

"Onde foi ele, em Itália?"

"Ah, isso já não sei. Andou por lá em conferências e coisas do género." Fez um gesto incomodado. "Talvez seja melhor irem à faculdade. Eles é que tratam das viagens..."

O inspector Pichurov inclinou-se para a sua colega italiana. "Os meus homens já estão na universidade a recolher informação", segredou-lhe. "Se quiser, encaminho-lhe depois os pormenores."

A viúva aproveitou aquela pausa para se erguer da cadeira. Com uma expressão condoída, fez um gesto a indicar aos visitantes que a deixassem passar.

"Estou muito cansada", disse. "Se me dão licença, vou para o meu quarto repousar um pouco."

"Com certeza", assentiu Valentina. "Só tenho mais uma pergunta para lhe fazer, se não se importar."

A mulher continuou a caminhar, embora com passos curtos, como vergados pelo pesar.

"Diga."

"O seu marido era um homem religioso?"

A viúva parou, estranhando a pergunta.

"Nem por isso. O Petar não ligava a essas coisas. Interessava-se mais por ciência, está a ver?"

"Mas não consultava a Bíblia nem nada? Nunca lhe falou de manuscritos antigos e coisas do género?"

A senhora Vartolomeev esboçou uma careta atónita, como se não entendesse a pertinência da pergunta.

"Ó minha senhora", retorquiu com uma ponta de acidez, "pois se lhe estou a dizer que ele não se interessava por esses assuntos!..." Endireitou o corpo, empertigando-se, e retomou a marcha, agora com passos mais convictos. "Se me dão licença, retiro-me para os meus aposentos. Boa tarde!"

A viúva desapareceu para além de uma porta e deixou os polícias a olharem uns para os outros na salinha do canto. Valentina fez a expressão de quem tinha tentado obter alguma coisa de útil, mas os colegas búlgaros responderam-lhe com uma expressão facial fria e distante. Embaraçada pelo fracasso, bateu em retirada e recolheu-se com Tomás ao salão central. O inspector Pichurov ficou para trás a conversar com os subordinados, mas pouco depois juntou-se aos visitantes no salão com algumas folhas de papel entre os dedos.

"Estão aqui os documentos enviados de Dublin e de Roma", anunciou. "Contêm a relação das viagens das outras duas vítimas nos últimos doze meses."

A italiana arrancou-lhe os papéis com um gesto sôfrego e pousou de imediato os olhos neles. Quase se assustou com o que viu.

"Ui, a professora Escalona fartou-se de viajar!", exclamou. Virou o documento na direcção do historiador. "Olhe para isto! São mais de quarenta viagens!" Espreitou o segundo documento. "Que horror! O Schwarz ainda foi pior!" Também exibiu o texto. "Este homem devia ser o holandês voador! *Madonna*, são umas cinquenta viagens!"

Tomás espreitou as duas listas.

"É realmente muita coisa", concordou. "Oiça, veja só quais os sítios onde ambos estiveram na mesma altura."

Valentina pegou numa caneta e assinalou os destinos comuns. Fez dezasseis cruzes. Depois verificou os dias das respectivas viagens, em busca de coincidências de datas, e reduziu o número de cruzes a cinco.

"Hmm, interessante", murmurou. "Estiveram ambos em Roma ao mesmo tempo. A Escalona foi ver manuscritos no Vaticano e o Schwarz andou envolvido em escavações dentro do Coliseu." Fez uma pausa. "Andaram os dois pela Grécia na mesma altura. Ele nas ruínas de Olímpia, ela na biblioteca do Mosteiro de Roussanou." Nova pausa. "Israel é outro ponto em comum. Ele foi lá inspeccionar ossários na Autoridade das Antiguidades de Israel, ela participou numa conferência sobre os manuscritos do Mar Morto."

"Até aqui, tudo muito normal", observou o académico português. "O professor Schwarz sempre envolvido em actividades ligadas à sua especialidade, a arqueologia, e a Patricia no meio de manuscritos, como seria de esperar de uma paleógrafa com a sua reputação. Não há nada de anormal nas outras duas viagens em comum?"

"Paris", disse a italiana. "A professora Escalona foi participar numa peritagem de dois palimpsestos."

"Parece-me normal. E o professor Schwarz?"

"Fez uma simples visita de turismo." Cravou os olhos azuis em Tomás. "O turismo é uma excepção no perfil geral das viagens que ele efectuava. Pode querer dizer alguma coisa."

"Pode ser que sim", concordou o historiador, "mas também pode ser que não. Escolher Paris como destino turístico parece-me uma coisa perfeitamente normal." Desviou a atenção para os documentos. "E a última viagem?"

Valentina verificou a derradeira cruz.

"Estiveram ambos em Nova Iorque ao mesmo tempo. Ela de passagem para Filadélfia para ir ver um qualquer manuscrito antigo que está lá guardado..."

"Deve ser o pergaminho P1, o primeiro fragmento de papiro alguma vez catalogado. Contém versículos do Evangelho segundo Mateus e data do século III. Uma preciosidade." Desviou os olhos para a lista das viagens do professor Schwarz. "E ele?"

"Foi lá tratar de umas questões de financiamento para a Universidade de Amesterdão."

Os dois trocaram um olhar, esperando contra todas as esperanças.

"Se calhar foi aqui que eles se cruzaram", observou Tomás. Fez um gesto a indicar a salinha ao lado. "Não foi em Nova Iorque que a nossa viúva disse que o marido também esteve?"

Os olhos de Valentina brilhavam.

"Nova Iorque", repetiu, como se se tratasse de um nome mágico. "Acha mesmo que é esse o ponto que une os três?"

O português encolheu os ombros.

"Pode ser, não acha? Alguma coisa terão em comum, para serem assassinados da mesma forma."

Estavam ambos a ponderar as diversas hipóteses quando o inspector Pichurov, que se havia afastado para dar instruções aos seus subordinados, voltou a aproximar-se.

"*Haide!*", disse em búlgaro, fazendo com a mão um gesto a chamá-los. "Vamos embora. A viúva está muito afectada pelo que aconteceu e pediu silêncio."

"Ah, compreendo."

Meteram pelas escadas e começaram a descer. Eram de madeira e os degraus rangiam a cada passo, como se protestassem pelo peso que tinham de suportar.

"Coitada!", desabafou Pichurov. "Parece que a senhora Vartolomeev ficou muito perturbada quando lhe contaram que o assassino lançou um berro a lamentar a morte do marido. Perguntou que raio de animal mata uma pessoa e depois se põe a fingir que..."

"O quê?", interrompeu-o Tomás, estacando a meio das escadas como se um raio tivesse acabado de o paralisar. "Repita lá o que disse!"

Os dois polícias ficaram a olhar para o historiador, surpreendidos com a sua reacção.

"Bem, dizia que ela perguntou que raio de animal é que..."

"Não. Antes. O que disse antes?"

"Antes?", admirou-se o búlgaro, sem entender nada. "Antes, como?"

"Disse que o assassino gritou?"

"Ah, sim. Temos uma testemunha, a beldade do quiosque, que diz que o assassino lançou um berro, como se lamentasse ter morto o professor Vartolomeev. Estranho, não é?"

Tomás atirou um olhar a Valentina, que acabara de perceber a reacção do português.

"Lembra-se do que revelou a testemunha de Dublin?"

"Tem razão!", exclamou ela. "O bêbado contou a mesma coisa. O assassino de Dublin também gritou, como se chorasse a morte do professor Schwarz." Hesitou. "O que quererá isso dizer?"

O historiador fez um ar pensativo. Tinha os olhos baixos, colados à madeira da escada, mas no seu cérebro só passavam imagens de páginas e páginas dos milhares de livros de história que ao longo dos anos tivera de ler por causa da sua profissão.

"Os *sicarii!*", exclamou de repente. "São os *sicarii!*"

A italiana esboçou uma expressão inquisitiva.

"Os... quem? Que diabo está para aí a dizer?"

Tomás indicou com a cabeça os documentos que ela tinha nas mãos, com a lista dos destinos de viagem das duas primeiras vítimas.

"Já sei o que têm as nossas três vítimas em comum."

"Ai sim? O quê?"

O português olhou para a porta que dava para a rua, como se não houvesse mais tempo a perder.

"Jerusalém."

XXIX

O sol banhava o topo do muro com intensidade, mas a sombra cortava uma recta pelas enormes pedras e abrigava os fiéis do ardor inclemente. Depois de ajeitar o *tallit* sobre a cabeça e os ombros e de assegurar que o *tefilin shel rosh* estava adequadamente apertado em torno da testa e os *tzitzit* se encontravam devidamente atados nas bordas, como requerido pelas Sagradas Escrituras, Sicarius deitou a mão ao rolo de pergaminho.

Deu um passo para a frente, encostou a cabeça à pedra fria, estendeu o rolo e começou a murmurar as palavras sagradas dos Salmos, nas Escrituras.

"'Para Vós, Senhor, elevo a minha alma!'", entoou, lendo o texto impresso no pergaminho. "'Meu Deus, em Vós confio, não seja eu confundido! Não exultem contra mim os meus inimigos! Na verdade, quantos esperam em Vós...'"

O som do telemóvel irrompeu inesperadamente do bolso, atraindo para Sicarius os olhares incomodados dos fiéis que rezavam em redor. Embaraçado, o crente deitou à pressa a mão ao bolso e, às cegas e de memória, localizou o botão vermelho e premiu-o, desligando o aparelho. A tranquilidade fora restabelecida.

"'Na verdade, quantos esperam em Vós não serão confundidos'", recitou, retomando a leitura sagrada. "'Confundidos serão os traidores sem qualquer motivo.'"

Sicarius permaneceu meia hora a recitar os Salmos em voz baixa diante do grande muro de pedra, o tronco a balouçar para a frente e para trás, os dedos a desenrolarem o pergaminho. Depois voltou a deitar a mão ao bolso, localizou os papéis que trazia preparados com versículos do Cântico dos Cânticos e inseriu-os nas pequenas aberturas entre as pedras gigantescas.

Terminada a tarefa, retirou-se com todo o respeito e foi preparar as suas coisas para abandonar o local. Quando atravessou a enorme praça, voltou a ligar o telemóvel, localizou a chamada que o havia interrompido a meio da oração e ligou para o número.

"Lamento não ter atendido, mestre", desculpou-se. "Estava em oração no HaKotel HaMa'aravi."

"*Ah, peço desculpa. Não sabia que tinhas ido rezar ao Muro das Lamentações. Está aí muita gente?*"

Sicarius olhou em redor.

"O costume." Torceu os lábios. "Foi para saber isso que me ligou?"

"*Sabes bem que não. Queria apenas avisar-te de que me chegaram uns zunzuns aos ouvidos...*"

"Que zunzuns?"

"*Eu cá sei*", disse, enigmático. "*Preciso é de me assegurar que estás pronto para mais uma operação.*"

O coração de Sicarius deu um salto.

"Com certeza, mestre. Para que país quer que eu vá?"

"*Não terás de viajar*", retorquiu a voz ao telemóvel. "*A operação irá decorrer cá em Jerusalém.*"

"Aqui?", admirou-se o operacional. "Quando?"

O mestre fez uma pausa antes de responder.

"*Em breve. Mantém-te preparado.*"

XXX

O bar do American Colony tinha um certo ar de tugúrio lúgubre, como se estivesse encravado nas masmorras de uma fortaleza medieval sombria, o que de resto pareceu a Tomás o ambiente adequado para o encontro com o inspector-chefe da polícia israelita.

"*Shalom!*", cumprimentou o homem mal os dois recém-chegados cruzaram a porta do bar do hotel. "Sou Arnald Grossman, do departamento de homicídios da polícia israelita. Podem chamar-me Arnie. Bem-vindos a Jerusalém!"

O anfitrião era um homem de sessenta anos, alto e bem constituído, olhos claros e cabelo grisalho, a denunciar o louro já perdido da juventude. Ofereceu um *whisky* a Tomás e um *martini* a Valentina, e desatou a tagarelar sobre os infindáveis problemas de segurança do seu país.

Ao fim de alguns minutos de conversa de circunstância, a inspectora da Polizia Giudiziaria achou que estava na altura de entrar no assunto que ali os trouxera.

"Estamos convencidos que está em Israel a solução para uma série de crimes ocorridos há três dias na Europa", disse ela. "No espaço de vinte e quatro horas foram assassinados três académicos em países diferentes. Temos razões para acreditar que a chave dos casos se encontra aqui."

Grossman semicerrou os olhos, como um jogador de póquer a avaliar os adversários.

"Estou familiarizado com o sucedido", declarou. "Li os relatórios da Interpol e o material que acompanhou os pedidos urgentes que nos fizeram chegar. Mas não percebo bem os motivos pelos quais vocês acreditam que esses casos se resolvem aqui."

"Bem... as três vítimas estiveram em simultâneo em Israel", explicou Valentina. "A professora Patricia Escalona era uma paleógrafa muito reputada e veio cá há três meses participar numa conferência sobre os manuscritos do Mar Morto. O professor Alexander Schwarz esteve na mesma altura em Jerusalém a inspeccionar os ossários protocristãos guardados na Autoridade das Antiguidades de Israel para um artigo que estava a escrever para a *Biblical Archaeology Review.* Na mesma data, o professor Petar Vartolomeev proferiu uma palestra no Instituto Weizmann de Ciência."

O polícia israelita estudou os seus dois interlocutores com olhos argutos, como se os dissecasse.

"Tudo isso já eu sei", acabou por dizer, no tom de quem insinua que a ele não o enganavam facilmente. "Mas, meus amigos, não nasci ontem. Vocês não me estão a contar tudo."

"Porque diz isso?"

Arnie Grossman suspirou, como se se enchesse de paciência.

"O facto de as três vítimas terem estado em simultâneo em Israel constitui sem dúvida uma pista interessante", admitiu. "Mas não confere certezas sobre coisa alguma.

É apenas um indício, uma coisa circunstancial." Inclinou-se para a frente, cravando os olhos perscrutadores na italiana. "Decerto que algo mais vos deu a certeza de que a chave dessa série de homicídios se encontra aqui."

Valentina esboçou um esgar todo ele feito de inocência angelical.

"Não sei do que está a falar. Limitamo-nos a seguir uma pista. As três vítimas estiveram ao mesmo tempo aqui em Israel. Trata-se de uma coincidência perturbadora e que requer investigação. Queremos saber se se encontraram e onde. Apenas isso."

O enorme polícia israelita abanou a cabeça.

"Mau, não nos estamos a entender!", declarou em voz baixa, num leve tom ameaçador. "Se querem a nossa ajuda, têm de jogar limpo." Bateu com o indicador na mesinha que os separava. "Ou me contam tudo o que sabem, e contam agora com todas as vírgulas, ou estou-me nas tintas para a vossa investigação." Cruzou os braços, na pose de quem se põe à espera. "Escolham."

Valentina cruzou o olhar com Tomás. O historiador encolheu os ombros, indiferente; não sabia qual a utilidade daqueles joguinhos entre polícias, nem queria saber. Ela é que era a profissional, ela é que sabia o que seria ou não adequado para revelar às outras polícias, ela é que teria de tomar a decisão.

A inspectora da Polizia Giudiziaria percebeu a mensagem. Respirou fundo e encarou o seu homólogo israelita.

"Está bem", cedeu. "Existe de facto um elemento adicional que criou em nós a firme convicção de que a solução para este mistério se encontra aqui em Israel."

Grossman tirou o seu bloco de notas e a caneta e preparou-se para começar a escrever.

"Sou todo ouvidos."

"As nossas três vítimas morreram degoladas."

"Eu reparei. O que quer dizer que estamos perante assassínios rituais."

"Exactamente. Acontece que temos testemunhas oculares do segundo e do terceiro crime. Em ambos os casos, elas disseram-nos que o assassino soltou um grito de angústia, como se lamentasse as mortes, no instante em que terminou as execuções."

A informação levou o polícia a suspender as anotações e a erguer o olhar, intrigado e desconcertado.

"Ele lamentou as mortes?"

"Exacto. Essa observação chamou a atenção do professor Noronha, a quem pedi assistência no caso."

Valentina voltou-se para Tomás, como se o convidasse a retomar a palavra onde ela a deixara.

"De facto, esses dois testemunhos pareceram-me reminiscentes de algo com que me cruzei quando estudei o período entre a morte de Jesus, por volta do ano 30, e a destruição do Templo de Jerusalém pelos Romanos, no ano 70." Apontou para Grossman, que voltara a tomar notas. "Como o senhor observou há pouco, os homicídios por degolação resultam em geral de práticas rituais. A inspectora Ferro já me tinha falado nisso na noite do primeiro homicídio no Vaticano, e até observou que a vítima foi morta como um cordeiro. Mas na altura não prestei grande atenção. Não me pareceu relevante. Quando, porém, me apercebi de que o criminoso soltava lamentos terríveis depois de cada execução, fez-se luz na minha mente."

"*Yehi or!*", murmurou o polícia quase automaticamente, enunciando em hebraico a célebre expressão bíblica. "Faça-se luz!"

"Foi o que me sucedeu. *Yehi or!* Como se tivesse sido atingido por um relâmpago, lembrei-me nesse instante das práticas de uma seita de assassinos judeus que existiu aqui em Israel nas décadas que se seguiram à crucificação de Jesus, e que..."

"Não me vai falar nos zelotas, pois não?", atalhou Grossman, com uma expressão desconfiada.

Tomás fez uma pausa e arregalou os olhos, como uma criança que tivesse sido apanhada em flagrante com a mão afundada no jarro dos rebuçados.

"Por acaso vou", admitiu por fim. "De facto, lembrei-me dos zelotas, que na altura tinham uma facção extremista conhecida por *sicarii*."

O israelita corpulento fez um gesto de enfado.

"Isso foi há dois mil anos! Os zelotas... ou *sicarii*, se prefere, já não existem! Vocês andam a caçar fantasmas, que diabo!"

"Eu sei que os *sicarii* já não existem", reconheceu o historiador. "No entanto, as práticas de assassínios rituais são as mesmas! Os *sicarii* esfaqueavam os romanos em público com as suas *sicae*, as adagas sagradas que escondiam por baixo dos capotes, e logo a seguir às execuções punham-se a bradar aos céus em grandes lamentos, como se estivessem consternados, fingindo assim que nada tinham a ver com o sucedido, e depois desapareciam entre a multidão e ninguém os apanhava."

"Isso são histórias antigas!"

"Pode ser que sim. Todavia, a prática é a mesma. Além disso, duas das nossas vítimas são historiadores que pesquisavam manuscritos do Novo Testamento, que abordam justamente acontecimentos ocorridos na mesma zona do globo e no mesmo período histórico. Agora some as degolações e os lamentos rituais típicos dos *sicarii* ao facto de as três vítimas terem estado há três meses em Israel ao mesmo tempo. São demasiadas coincidências, não lhe parece?"

Arnie Grossman ponderou a questão por momentos, como se avaliasse a pertinência daquele raciocínio.

"Tem razão", acabou por condescender. "Parecem de facto demasiadas coincidências!..."

"Foi o que achámos", disse o historiador, fazendo um gesto largo a indicar o bar do American Colony. "De modo que aqui estamos nós."

Valentina, que se tinha mantido calada para deixar Tomás desenvolver o raciocínio que os conduzira aos *sicarii*, pareceu ganhar vida e encarou o seu homólogo israelita.

"Já lhe expusemos todo o nosso raciocínio", lembrou. "Espero contar agora com a sua colaboração..."

"Com certeza", assegurou Grossman enquanto recuava algumas páginas no seu bloco de notas. "Tenho aqui a informação que vocês me solicitaram no pedido que nos remeteram por escrito. Não sei se vai ajudar, mas espero que sim."

Foi a vez de Valentina pegar na caneta e preparar-se para registar os dados que ia receber.

"Então diga lá."

"As suas três vítimas ficaram alojadas em hotéis diferentes", indicou. "A professora Escalona instalou-se no King David, talvez o hotel mais famoso de Jerusalém."

"Típico dela", observou Tomás com um sorriso. "A Patricia sempre apreciou o grande luxo."

"O professor Schwarz ficou no Mount Zion Hotel, em pleno Monte Sião", acrescentou o polícia israelita, imperturbável, "e o professor Vartolomeev foi para o Ritz." Virou de página e leu as anotações seguintes. "Os três vieram cá fazer coisas diferentes e, tanto quanto nos foi possível perceber, tiveram itinerários separados." Fechou o bloco de notas e esboçou um sorriso conclusivo. "E é tudo."

Os seus dois interlocutores ficaram a olhá-lo, decepcionados.

"É só isso?"

"Receio bem que sim."

"Mas... mas...", titubeou Valentina, "não há nenhuma possibilidade de que se tenham encontrado em algum momento?"

Arnie Grossman respirou fundo.

"Oiça, ninguém pode garantir coisa nenhuma!", disse. "Jerusalém é uma cidade grande, mas não tão grande quanto isso. Será que deram com o nariz uns nos outros na Porta de Damasco, por exemplo? Sei lá! Se isto fosse uma investigação prioritária, eu alocaria grandes recursos e pode crer que, se eles se tivessem encontrado, acabaríamos por sabê-lo. Mas, como deve calcular, este problema é insignificante para a nossa ordem de prioridades. Lidamos todos os dias com coisas bem mais graves. Assim sendo, só pude destacar um homem durante uma manhã para este assunto."

"Mas então como fazemos agora?"

"Agora já temos em campo dois investigadores a tempo inteiro. Com certeza que isso nos permitirá chegar a algum lado."

"Ai sim? É gente experiente do seu departamento?"

O anfitrião abriu o rosto num vasto sorriso e, pegando no seu copo de *whisky*, recostou-se na cadeira e descontraiu-se.

"Isso não sei", riu-se, fazendo um gesto na direcção dos seus interlocutores. "Os novos investigadores estão à minha frente."

Tomás e Valentina entreolharam-se.

"Está a falar de nós?"

O inspector-chefe Grossman engoliu o líquido dourado de uma assentada e pousou pesadamente o copo sobre a mesinha. A seguir cruzou a perna e pôs-se confortável, uma expressão indisfarçável de gozo a bailar-lhe nos olhos.

"Pensaram que vinham a Jerusalém de férias?"

XXXI

A circunspecta fachada de calcário cor-de-rosa abojardado do Hotel King David era de impor respeito, mas Tomás e Valentina estavam de tal modo preocupados com a necessidade de encontrarem indícios que os pusessem na pista certa que nem pararam para contemplar o edifício histórico. Foi só quando cruzaram a porta rotativa de entrada e calcorrearam o lóbi que verdadeiramente sentiram o esplendor daquele lugar.

"Que hotel!", exclamou Tomás enquanto apreciava o átrio. Ao longo do corredor que unia as duas alas, o chão era cortado por uma longa faixa branca com nomes e assinaturas de hóspedes notáveis. Inclinou-se sobre a faixa e leu um dos nomes. "Churchill esteve aqui alojado!"

"Ele e mais uma catrefada de outras celebridades", acrescentou a italiana, estudando também as assinaturas registadas no chão; viam-se os nomes garatujados de Elizabeth Taylor, Marc Chagall, Henry Kissinger, Simone de Beauvoir, do

Dalai Lama, de Kirk Douglas, Yoko Ono e uma infinidade de outros famosos. Depois lançou um olhar apreciador à decoração. "Hmm... *ma che bello!*"

O átrio do hotel era de uma imponência babilónica, com grandes colunas ricamente trabalhadas e vistosas arcadas azuis a sustentarem o tecto, num espaço ornamental cheio de elementos decorativos inspirados nos vários estilos da região, incluindo arte fenícia, egípcia, grega e assíria. Tratava-se sem dúvida de uma entrada imponente.

Um empregado uniformizado aproximou-se dos recém-chegados.

"Em que vos posso ser útil?"

Como se estivesse preparada, Valentina exibiu de imediato o seu crachá da Polizia Giudiziaria e um documento que lhe fora passado pelas autoridades israelitas.

"Sou da polícia italiana e procuro informações sobre uma cliente vossa", explicou. "Gostaria de falar com o gerente do hotel, se faz favor."

O empregado fez uma curta vénia e desapareceu tão depressa quanto tinha surgido, mas voltou dois minutos mais tarde na companhia de um homem baixo e engravatado. O homem estendeu a mão aos visitantes e exibiu um sorriso profissional.

"O meu nome é Aaron Rabin, sou gerente do King David. Posso ajudar-vos?"

Valentina voltou a identificar-se. Depois de o gerente inspeccionar o cartão da Polizia Giudiziaria e o documento israelita e se prontificar a auxiliar no que pudesse, a italiana extraiu da mala uma fotografia a cores com o rosto de uma mulher sorridente.

"Esta senhora chamava-se Patricia Escalona, era espanhola e foi assassinada há alguns dias", disse. "Temos a informação de que esteve há três meses alojada neste hotel e gostaríamos de saber se algum dos seus funcionários se lembra dela."

O gerente pegou na fotografia e contemplou-a por alguns instantes. Era evidente que aquele rosto não lhe parecia familiar. Pediu licença e foi ao balcão da recepção conferenciar com os empregados. Os recepcionistas viram a fotografia e chamaram o *concierge*, que também estudou a imagem. A certa altura havia já um pequeno grupo reunido atrás da recepção. Mais pessoas foram chamadas, incluindo dois *bell-boys*, até que pareceu gerar-se um consenso, com várias cabeças a acenarem afirmativamente.

O gerente regressou enfim para junto dos dois forasteiros, acompanhado por um homem calvo que trazia na mão a fotografia da professora Escalona.

"Apresento-vos Daniel Zonshine, da agência Jerusalem Tours", anunciou o gerente, indicando o seu acompanhante. "Creio que ele vos poderá ajudar."

Valentina e Tomás cumprimentaram-no e Zonshine, ultrapassadas as amabilidades formais, apontou para uma loja na zona comercial do piso térreo do hotel.

"A minha agência tem uma sucursal aqui no King David." Exibiu a fotografia. "Acontece que esta senhora foi de facto nossa cliente. Lembro-me dela porque falava muito mal inglês e precisava de um guia que soubesse espanhol e que, além de a levar aos locais onde precisava de ir, lhe pudesse servir de intérprete sempre que necessário."

O rosto da italiana iluminou-se.

"Ah! E onde está esse guia?"

Zonshine consultou o relógio.

"O Mohammed deve entrar ao serviço daqui a pouco." Indicou uns sofás. "Porque não esperam aí? Quando ele chegar, trago-o cá."

Os dois visitantes instalaram-se na elegante esplanada do restaurante do hotel, rodeada por um pequeno muro coberto de flores e com vista para a piscina e o jardim. Ao longe estendiam-se as muralhas da cidade velha no sector da Porta de Jaffa. Apesar do calor, pediram um chá de hortelã e ficaram a observar o movimento na esplanada, onde jovens casalinhos de judeus ortodoxos namoriscavam com infinito pudor, e a comentar a decoração e o valor histórico do edifício. Tomás contou que foi justamente ali no King David que, após o colapso do Império Otomano, esteve instalada a administração do Mandato Britânico. Por causa disso, o movimento judaico Irgun fez explodir uma bomba naquele hotel em 1946, precipitando a retirada britânica, que conduziria à proclamação do estado de Israel, dois anos mais tarde.

"Como pode ver", observou Tomás, "o King David é um hotel cheio de história, de tal modo que..."

A conversa foi interrompida por Daniel Zonshine, que apareceu na esplanada na companhia de um rapaz magro e de bigode preto, no corpo uma camisa a exibir o logótipo da Jerusalem Tours.

"Este é o Mohammed", apresentou-o. "Foi ele que acompanhou a senhora em causa."

"*Salaam alekum!*"

"*Alekum salema*", devolveu Tomás, exibindo o seu árabe. "Foi você o guia da professora Escalona?"

"Sim, senhor."

"Lembra-se dos sítios que ela visitou enquanto cá esteve?"

"A *señorita* fez um pouco de turismo na cidade velha e deslocou-se a algumas instituições ligadas à investigação histórica, creio eu", revelou. "Mas passou a maior parte do tempo numa conferência na Universidade Hebraica de

Jerusalém. Do que me recordo, tratava-se de umas palestras sobre as descobertas de Qumran."

"Os manuscritos do Mar Morto?"

"Isso."

"Ela andou sozinha?"

"Inicialmente, sim. Depois arranjou uns amigos e dispensou-me."

Tomás e Valentina trocaram um olhar.

"Uns amigos?"

"Sim. Uns ocidentais que a *señorita* conheceu na Fundação Arkan. Ainda os acompanhei no dia seguinte a uma visita à Autoridade de Antiguidades de Israel, mas ela acabou por prescindir dos meus serviços e já não voltei a vê-la."

"Lembra-se do nome dos amigos da professora Escalona?"

O palestiniano abanou a cabeça.

"Não. Isto foi há três meses, não é? Além do mais, tinham nomes esquisitos. Acho que nem na altura os decorei..."

A inspectora da Polizia Giudiziaria retirou umas fotografias da mala e mostrou-as ao guia. Eram imagens com os rostos dos professores Alexander Schwarz e Petar Vartolomeev.

"Eram estes?"

Ao ver as fotografias, Mohammed estreitou os olhos e comparou-as com os arquivos da sua memória.

"Como disse, isto já foi há uns três meses e não estive muito tempo com eles", indicou, hesitante. "No meio de tantos clientes, não é fácil lembrarmo-nos de todas as pessoas que vemos." Concentrou-se de novo nas imagens e acabou por acenar afirmativamente. "Mas, sim. Acho que são eles."

"De certeza?"

O guia lançou um derradeiro olhar sobre as imagens, para se certificar de que não se enganava.

"Tenho quase a certeza. Quanto mais vejo esses rostos, mais eles me parecem familiares."

"Onde disse que a professora Escalona os encontrou?"

"Na Fundação Arkan."

"O que é isso?"

Mohammed hesitou e o seu superior hierárquico, que até ali acompanhara o diálogo em silêncio, respondeu por ele.

"É uma instituição muito prestigiada aqui em Israel", indicou Daniel Zonshine. "Desenvolve actividades em várias áreas e tem a sede no Bairro Judeu da cidade velha."

Valentina e Tomás trocaram uma nova miradela, desta feita com uma expressão triunfante a cintilar-lhes nos olhos. Tinham acabado de dar com a pista que procuravam.

A Fundação Arkan.

XXXII

O ambiente no Bairro Judeu da cidade velha era de absoluta tranquilidade. As ruas estavam quase desertas, à excepção de uma ou outra pessoa que passava a caminho do Muro das Lamentações ou se dirigia para a Praça Hurva. O chilrear dos pássaros parecia ecoar pelos becos como melodia serena e as palavras das raras pessoas que por ali circulavam reduziam-se a murmúrios.

Neste contexto, o ruído seco dos passos de Tomás e Valentina a reverberar no chão empedrado ganhou amplitude, mas os dois visitantes não se incomodaram. Consultando o mapa do bairro, o historiador verificou a posição das sinagogas sefarditas e indicou uma ruela lateral.

"É por ali."

Caminharam ambos na direcção apontada, mas Valentina parecia mover-se com o piloto automático ligado, limitando-se a seguir o vulto do companheiro. Tinha os olhos mergulhados nos documentos que lhe haviam sido enviados essa manhã de Roma e sabia que precisava de acabar de os ler antes de chegar ao destino.

"Esta fundação é curiosa", observou ela num tom ambíguo; talvez estivesse apenas a falar consigo mesma, mas nem isso era certo. "Muito curiosa, mesmo..."

"Em que sentido?"

A italiana levou alguns segundos a responder. Leu mais um pouco e só quando terminou é que baixou os papéis e encarou Tomás.

"Para já, tem interesses muito variados, com apostas em áreas diversificadas do conhecimento", disse. "A fundação investe muito na pesquisa histórica, da arqueologia à paleografia. Naturalmente que a sua área de especialização incide no Médio Oriente, e em particular em toda a região da Terra Santa. Ao que parece, o seu espólio inclui uma colecção de artefactos dos tempos bíblicos. Mas também desenvolveu investigação em vários domínios científicos, tendo criado laboratórios especializados em coisas tão diferentes como a física das partículas e a pesquisa médica, por exemplo." Assobiou, apreciativa. "*Dio mio*, isto é um mundo!"

"Mas qual a filosofia que a orienta? A investigação pura?"

Valentina exibiu o topo de uma página dos documentos que estivera a ler. Tratava-se de um logótipo com uma frase escrita em grossos caracteres góticos.

"'*Über allen Gipfeln*'" leu em voz alta, "'*ist Ruh, in allen Wipfeln spürest du kaum einen Hauch; Die Vögelein schweigen im Walde. Warte nur, balde. Ruhest du auch.*'"

Tomás ficou um longo instante especado a olhá-la a ler.

"O que raio quer isso dizer?"

"'Por todos estes montes reina a paz'", recitou ela, "'em todas estas frondes a custo sentirás sequer a brisa leve; em todo o bosque não ouves nem uma ave. Ora espera, suave. Paz vais ter em breve.'"

O historiador fez uma careta incrédula.

"Você fala alemão?"

A italiana riu-se e exibiu o documento remetido de Roma.

"Este poema tem a tradução em italiano", disse. "Está a ver? É aqui em baixo."

Foi a vez de Tomás sorrir.

"Ah, bom!" Esboçou uma expressão apreciativa. "São uns versos bonitos, sim senhor. Quem os escreveu?"

"Ora, quem haveria de ser?", retorquiu ela. "O maior de todos os escritores alemães. Goethe."

"Além de bonito, é um texto pacifista. Se o *motto* da Fundação Arkan é mesmo esse, penso que estamos perante uma instituição bem-intencionada."

Valentina fez uma careta e ergueu o dedo, como se quisesse interpor alguma cautela.

"*Se!*", sublinhou. "Sabe, desconfio sempre daqueles que passam a vida a pregar a paz. Por vezes são os piores. Por detrás de uma conversa inócua ocultam desígnios bem sinistros..."

O académico português estacou diante de um edifício anónimo a meio da rua e verificou o número da porta. Depois viu uma pequena placa dourada pregada por cima da campainha com o nome *Arkan Foundation* esculpido no metal.

"Então já vamos tirar a prova", anunciou ele. "Chegámos!"

Carregou no botão e um *crrrrrr* eléctrico da campainha soou no interior do edifício. Aguardaram uns instantes até escutarem o som de passos a aproximarem-se e a porta se abrir. Do outro lado viram uma rapariga de cabelo negro e olhos curiosos.

"*Shalom!*"

"*Good afternoon*", cumprimentou-a Tomás, sinalizando assim que não iria falar hebraico. "Temos um encontro marcado com o senhor Arkan, o presidente da fundação. Ele está?"

Depois de se certificar da identidade dos dois visitantes, a rapariga levou-os para uma sala e ofereceu-lhes dois copos de água. Soltou a seguir um cortês "aguardem um minuto, por favor", e deixou-os a sós. Pouco depois reapareceu, pediu-lhes que a seguissem e conduziu-os até ao primeiro andar. Bateu à porta com suavidade, ouviu-se uma voz de homem dar uma ordem em hebraico do outro lado e ela indicou aos seus acompanhantes que entrassem.

"Sejam bem-vindos", cumprimentou-os o homem grande e de sobrancelhas carregadas, à Brejnev, que os veio acolher à porta. "Sou Arpad Arkan, o presidente da fundação. A que devo o prazer da visita da polícia da *bella Italia*?"

"Lamento incomodá-lo", disse Valentina. "Estamos a investigar a morte recente de três académicos europeus em circunstâncias que nos parecem bizarras."

A declaração da inspectora da Polizia Giudiziaria toldou o olhar vivo do anfitrião.

"Ah, já soube!", exclamou Arkan, de repente a falar devagar como se medisse as palavras. "É terrível! Fiquei chocadíssimo quando me deram a notícia!"

"As investigações aos três casos trouxeram-nos aqui a Israel. Acabámos por perceber que as três vítimas se cruzaram neste país." Fez uma pausa, para estudar a reacção do seu interlocutor. "Soubemos agora que o local exacto onde se encontraram foi este mesmo." Apontou para o chão. "A Fundação Arkan."

Calou-se, à espera do que Arkan tinha para dizer a propósito desta revelação. Percebendo que as suas reacções estavam a ser escalpelizadas, o presidente da fundação respirou fundo e, quase com embaraço, desviou o olhar para a janela.

"Não me tinha apercebido disso", afirmou. "Mas é um facto que os conhecia. Convidei-os a virem aqui à fundação." Dedilhou a agenda que tinha aberta sobre a secretária. "Fez anteontem três meses, veja lá. Mal sabíamos nós a tragédia que se iria abater sobre eles!..."

A inspectora italiana ponderava todas as palavras que escutava, em busca de contradições, lacunas ou sentidos ocultos, como um jogador de xadrez a avaliar cada movimento do adversário.

"Pode saber-se o que vieram eles cá fazer?"

Arpad Arkan esboçou um gesto em direcção aos papiros e aos pergaminhos emoldurados que estavam pendurados nas paredes do gabinete. Pareciam antigos, com os caracteres gregos e hebraicos em *scriptio continua*, e apresentavam as bordas rasgadas e buracos no meio.

"A fundação possui um valioso espólio de manuscritos", explicou. "São alguns extractos da Bíblia ou então outros documentos antigos escritos em hebraico, aramaico ou grego. Encomendei à professora Escalona uma peritagem." Apontou para o que parecia um vaso tosco pousado no chão, mesmo ao lado da secretária. "E temos também alguns ossários protocristãos. O professor Schwarz foi-me aconselhado como perito nessa área."

"E o professor Vartolomeev? Ele não era historiador..."

"Ah, o cientista da Bulgária? A fundação criou um centro de pesquisa avançada na área molecular e disseram-me que ele era uma autoridade a nível mundial. Parece que todos os anos o seu nome é soprado para ganhar o Prémio Nobel da Medicina. Convidei-o a colaborar connosco e ele aceitou." Abanou a cabeça, combalido. "O seu desaparecimento, receio bem, constitui uma grande perda para a Fundação Arkan. Depositávamos grandes esperanças no trabalho dele."

"Estiveram os três juntos aqui na fundação?"

"Sim, estiveram juntos. Embora pertencessem a áreas diferentes, falei com eles ao mesmo tempo."

"Foi assim que se conheceram?"

"É provável", admitiu. "De facto, não me deu a impressão de que se conhecessem antes."

Valentina fez um ar pensativo, como se considerasse a maneira de formular a pergunta seguinte.

"Como explica o senhor que três pessoas que se conheceram aqui no seu gabinete tenham sido executadas três meses depois no espaço de menos de vinte e quatro horas?"

O anfitrião pareceu atrapalhado com a pergunta.

"Pois... enfim, não sei como explicar", titubeou. "É realmente... quer dizer, é uma coincidência." A palavra surgiu-lhe como uma bóia de salvação, à qual se agarrou de imediato. "Foi isso e apenas isso. Uma infeliz coincidência."

A italiana trocou um breve olhar com Tomás e voltou a encarar o seu interlocutor, os olhos de um azul glacial. "Para a polícia não há coincidências, senhor Arkan."

O presidente da fundação empertigou-se.

"O que está a insinuar?"

"Não estou a insinuar nada", devolveu ela sem se deixar intimidar. "Estou a dizer-lhe que, em ciência criminal, as coincidências são para ser encaradas com grande desconfiança. O facto é que três académicos que se conheceram aqui no seu gabinete acabaram mortos três meses depois em circunstâncias no mínimo bizarras. Não sei se possa chamar coincidência a isso."

Arpad Arkan ergueu o seu corpo volumoso e, com grande veemência, apontou para a porta.

"Rua!", vociferou. "Ponham-se na rua!"

Valentina e Tomás imobilizaram-se na cadeira, estupefactos com aquela reacção. A insinuação que a italiana havia feito era desagradável, sabiam, mas a reacção do anfitrião parecia-lhes largamente desproporcionada.

"Está a cometer um grave erro."

"Quero lá saber!", rugiu o homem das sobrancelhas peludas, insistindo em apontar para a porta do gabinete. "Quero-vos fora da minha fundação o mais depressa possível! Rua!"

O tom intempestivo do anfitrião irritou Valentina, que se ergueu e colou o nariz ao nariz de Arkan.

"*Madonna!* Mas com quem pensa que está a falar?"

"Saiam imediatamente ou chamo a polícia! Saiam daqui!"

"*Cretino! Stupido! Stronzo!*"

"Fora! Fora daqui!"

Os dois gritavam cara a cara um com o outro, os rostos ruborizados e os perdigotos a voarem em todas as direcções. Percebendo que estava a lidar com duas cabeças quentes e que a situação ameaçava ficar fora de controlo, Tomás agarrou na inspectora da Polizia Giudiziaria e arrastou-a para fora do gabinete.

"Vamos embora", disse num tom calmo. "Não vale a pena."

"Rua!", gritava Arkan, fora de si. "Quero-vos no olho da rua! Quem pensam vocês que são para me virem insultar na minha própria casa? Hã? Saiam daqui!"

"*Imbecile! Scemo!*"

As portas fecharam-se com fragor e, tão depressa como tinha sido interrompida, a tranquilidade voltou ao interior do edifício da fundação. Ainda a arfar, Arkan desapertou a gravata, desabotoou o botão superior da camisa e libertou o colarinho. Depois caiu pesadamente na sua poltrona e respirou fundo, readquirindo o controlo das emoções.

Os seus olhos desviaram-se para o telefone pousado ao canto da secretária. Hesitou um instante, como se combatesse a pulsão que tentava dominar-lhe a vontade. Com um suspiro de rendição, resignou-se ao inevitável e pegou enfim no aparelho.

"Está lá? És tu?"

XXXIII

"Sim, mestre. Sou eu. O que se passa?"

Sentado nos restos da velha muralha, os pés a dançarem sobre o precipício e os restos do Palácio de Herodes, assentes em três degraus escavados na face escarpada do norte do promontório, Sicarius contemplou a extensão árida do deserto da Judeia, cortada pela mancha azul do Mar Morto como se o grande lago salgado fosse um oásis. Sentiu o vento seco e quente soprar pela encosta do maciço rochoso e afagar-lhe a face enquanto lhe sacudia a túnica aos repelões.

"*Hoje estou um pouco enervado*", confessou a voz do outro lado da linha. Respirou fundo. "*Lembras-te da nossa última conversa?*"

"Quando eu estava a rezar no HaKotel HaMa'aravi?"

"*Sim*", confirmou o mestre.

"*Disse-te que estivesses preparado.*" Fez uma curta pausa. "*Estás?*"

"Sempre."

Nova pausa ao telefone.

"*É hora.*"

O vento levantou uma súbita nuvem de poeira e Sicarius ajeitou o *tallit* que lhe cobria a cabeça, posicionando-o de modo a proteger melhor os olhos. Lá em baixo o vale estendia-se numa desconcertante sinfonia de cores e tonalidades ao longo das margens sinuosas do Mar Morto, passando do castanho da terra ao ouro da areia, depois à orla branca do sal, ao verde opalino da água que logo se torna azul-turquesa e a seguir anil profundo, até desmaiar na outra margem, para além da neblina, entre o cinzento-amarelado das montanhas e dos desfiladeiros da Jordânia.

"Quem é o alvo?"

"*São dois investigadores enviados pela polícia italiana. Chegaram agora a Jerusalém e meteram-se no nosso caminho.*" Fez um estalido com a língua. "*Este é o momento de actuar.*"

"Onde estão eles alojados?"

"*No American Colony.*"

"Hmm... o hotel dos espiões. Parece-me apropriado."

"*Muito. Estamos a falar de um casal.*"

"Trato dos dois?"

"*Deixa a mulher em paz. É inspectora da polícia italiana, não queremos meter-nos com essa gente. A pessoa de quem vais tratar é o tipo que a acompanha. É do género calado.*"

"São os mais perigosos..."

"*Este é historiador e parece ter capacidade para interpretar os enigmas que fomos espalhando. Chama-se Tomás Noronha e é português. Vou enviar para o teu* e-mail *um retrato que lhe tirámos esta tarde com toda a discrição. Dar-te-ei também instruções pormenorizadas sobre o que deverás fazer, incluindo a mensagem que vais deixar.*"

"Esse historiador é o meu alvo prioritário?"

A voz do mestre tornou-se cavada, a exemplo do que acontecia sempre que dava ordens importantes.

"*Sim.*"

Fez-se silêncio na linha, como se depois daquela confirmação já não houvesse mais nada a dizer entre eles.

"Mais alguma coisa?"

"*É tudo. Já sabes o que tens a fazer.*" O mestre mudou o tom de voz, que se tornou inquisitivo. "*Quando planeias actuar?*"

Os lábios finos de Sicarius contorceram-se e formaram o que parecia o vestígio de um sorriso.

"Hoje."

Sicarius desligou o telemóvel e lançou um derradeiro olhar para a direita, contemplando o deserto da Judeia, com a mancha azulada do Mar Morto no meio, e depois para a esquerda, onde se alinhava a cadeia de montanhas, desfiladeiros e penhascos que bordejavam o vale. O Sol deitava-se no horizonte, flamejante em tonalidades laranja e roxas, tão baixo que acentuava as sombras recortadas pelas marcas do que restava dos vários campos romanos que um dia cercaram o promontório, as estruturas desenhadas na terra como vestígios de labirintos rectangulares. Era uma vista de atordoar, cenário de uma beleza majestosa, a prova de que Deus abençoara aquela terra agreste. O silêncio era retemperador; apenas se escutava o sopro do vento que batia de norte e o tisitar melancólico dos estorninhos que adejavam sobre a estrutura montanhosa.

Com agilidade inesperada, Sicarius pôs-se em pé de um salto e virou as costas àquele panorama grandioso. Começou a caminhar em direcção à porta do Caminho da Serpente. O sol poente ainda escaldava e a brisa beijava-lhe o rosto ardente, afagando o cabelo e temperando a pele, mas logo o sopro parou e o ar incendiou-se. Sicarius sabia que o vento só soprava na encosta norte; o resto do promontório permanecia estático. As gotas de suor começaram a deslizar--lhe pela face, a túnica depressa ficou encharcada por baixo dos braços, sentiu a pele em brasa e o chão tornou-se tão luminoso que quase o encandeava.

Passou pelos restos dos alojamentos dos zelotas e atirou uma miradela orgulhosa aos vestígios ainda intactos da sinagoga; fora decerto naquele mesmo lugar que Eleazar Ben Yair juntara os *sicarii* para o acto final da tragédia que ali ocorrera dois mil anos antes. As ruínas no topo do maciço rochoso eram os vestígios mais sublimes que os seus antepassados lhe haviam legado. Cabia-lhe agora mostrar-se à altura deles.

Foi ali, em Masada, que os *sicarii* esboçaram o derradeiro e mais heróico acto de resistência contra os invasores romanos. Quando os legionários da Décima Legião conseguiram por fim romper as linhas de defesa, os dois mil *sicarii* preferiram morrer a entregar-se ao inimigo. Queimaram Masada e escolheram dez homens que mataram todos os resistentes e se suicidaram de seguida. Apenas duas mulheres escaparam para contar a história.

Caminhando entre as ruínas, Sicarius sentiu-se voar no tempo. Ouvia nas pedras os urros da discussão, a voz de Eleazar a proclamar "escolhamos a morte e não a escravidão", os gemidos diante da angústia da decisão, as vozes resignadas dos *sicarii* a aprovarem a escolha fatídica do chefe, e depois os gritos da chacina, os homens a matarem os filhos, a seguir as mulheres, por fim uns aos outros até o silêncio se abater sobre o promontório e apenas se escutarem os estorninhos que esvoaçavam na fortaleza caída, tetemunhas mudas do drama que os Romanos encontraram, atónitos, quando na manhã seguinte franquearam a muralha e deambularam entre os cadáveres que se estendiam pelo chão ensopado de sangue.

Pousou a mão na adaga sagrada que trazia à cintura e sentiu-lhe a superfície polida. A *sica*, descoberta nas escavações de Masada, havia sido utilizada nessa grande matança final. Tudo aquilo sucedera há dois mil anos, quando os pagãos destruíram o Templo e expulsaram o povo da Terra Prometida. Dois mil anos.

Chegara a hora da vingança.

XXXIV

A gargalhada ecoou pelo átrio do American Colony e foi tão sonora que atraiu os olhares dos recepcionistas e dos clientes do hotel que por ali deambulavam.

"Dá-lhe vontade de rir?", questionou Valentina com uma ponta de ressentimento na voz. "Pois eu não acho graça nenhuma!"

O inspector-chefe da polícia israelita parecia bem-humorado. Arnie Grossman abriu os braços, quase como se estivesse a espreguiçar-se, e passou as suas grandes manápulas pelo cabelo grisalho e ondulado, penteando-o para trás. "É boa, essa!"

"Não teve piada", insistiu a italiana, sem nenhuma vontade de se rir. "Foi muito desagradável!"

"Peço desculpa, mas mandar a polícia pôr-se na rua requer uma certa *chutzpah!*", observou Grossman, ainda com o semblante divertido. "O nosso Arpad Arkan até pode ser um malandro da quinta casa, mas não há dúvida nenhuma de que é um figuraço! Só de imaginar essa cena quase apanho um ataque de cólicas!...”

O polícia israelita contorcia-se de riso, para exasperação de Valentina. A italiana fervia de irritação no sofá, mas Tomás, que acabara de se sentar depois de ter ido pedir aos recepcionistas a chave do quarto, mostrava-se indiferente e até percebia a reacção de Grossman. Visto de uma certa perspectiva, o que lhes sucedera nessa tarde tinha de facto a sua graça. Podia ser que com o tempo a bela inspectora também o percebesse.

“Isso não interessa nada”, cortou Valentina, desejosa de avançar na conversa para outros pontos que considerava mais relevantes. “A nossa investigação conduziu-nos a este ponto, a partir do qual não tenho qualquer autoridade para intervir. Precisava de saber o que pode agora fazer a polícia de Israel.”

Já recomposto, Arnie Grossman abriu as palmas das duas mãos, como se a quisesse travar.

“Woah! Tenha calma!”, exclamou. “Vamos mais devagar.” Inclinou-se para a frente e desfez o sorriso, como se enfim se tivesse decidido a encarar o assunto a sério. “Vamos por partes. Que conclusão tirou da conversa que teve na fundação?”

“Que tudo aquilo é muito suspeito”, disse ela. “O homem está evidentemente a esconder-nos alguma coisa.”

“Porque diz isso?”

“Primeiro, por causa da explosão intempestiva quando o questionei sobre a coincidência de os três académicos terem sido assassinados três meses depois de se terem encontrado na fundação. A reacção desproporcionada do Arkan mostra que ele está nervoso com isto. Ora quem não deve não teme. Depois, porque a explicação dele não bate certo. Repare nos factos: as três vítimas não se conheciam umas às outras, o Arkan convidou-as para uma conversa em que contratou os dois historiadores para uma peritagem e o cientista para um instituto qualquer e, quase por artes mágicas, as três pessoas até aí desconhecidas tornaram-se inseparáveis. Segundo o guia, as nossas vítimas juntaram-se no dia seguinte e foram visitar a Autoridade das Antiguidades de Israel. Depois a professora Escalona sentiu-se tão à vontade com os seus novos amiguinhos que até dispensou o guia." Fez uma careta de perplexidade. "Os três tornaram-se inseparáveis a propósito de quê? Por causa de um encontro sem importância na Fundação Arkan? Como é que uma mera conversa académica tem esse efeito?"

"Realmente..."

"E por que razão, sendo os três cientistas de especialidades e áreas de investigação tão diferentes, foi o Arkan falar com eles ao mesmo tempo? Não seria mais lógico que tivesse uma reunião com um, depois com outro e finalmente com o terceiro? Porquê os três ao mesmo tempo?"

"A Valentina tem razão", observou Tomás, que até ali permanecera calado. "Nada disso faz sentido."

Mas a italiana ainda não acabara de dizer o que lhe ia na mente.

"Se eles se reuniram todos em simultâneo é porque o presidente da fundação lhes queria falar sobre um assunto de interesse comum. E que assunto seria esse? Por que motivo o Arkan nos está a ocultar as coisas? Que questões inconfessáveis nos anda ele a esconder? Qual a relação dessa misteriosa conversa com as mortes a que temos assistido? Como diabo..."

O inspector-chefe da polícia israelita fez um movimento afirmativo com a cabeça.

"Seja", atalhou, interrompendo o raciocínio da sua homóloga. "Essa história parece realmente mal contada, é evidente. Não me admiraria nada que o Arkan estivesse metido num esquema qualquer de contornos duvidosos. Mas temos de proceder com cautela."

A italiana quase explodiu ao ouvir estas últimas palavras.

"Como, proceder com cautela?" Apontou para a porta como se o presidente da fundação ali estivesse. "Aquele *scemo* anda a esconder-nos coisas! Ele tem responsabilidades nestas mortes! E o que fazemos nós?" Fez uma expressão caricatural, como se imitasse o seu interlocutor. "Procedemos com cautela!..."

"Tenha calma", pediu Grossman. "O Arpad Arkan é um homem poderoso. Dispõe de muitos contactos nos meios políticos e mexe com interesses que nos ultrapassam." Esfregou o indicador no polegar. "Há muito dinheiro envolvido, e não apenas por cá. O tipo movimenta-se com muita facilidade em certos círculos da finança internacional. Além disso, a fundação apresenta-se como uma instituição muito humilde, com toda uma conversa sobre a paz que resulta bem junto da imprensa e da política internacional. O *motto* da fundação é, aliás, revelador, cheio de..."

"Está a referir-se ao poema de Goethe?"

O israelita arregalou os olhos, surpreendido.

"Ah! Já conhecem?"

"Fizemos o trabalho de casa..."

"Pois, esse poema que eles escolheram para *motto* é muito pacifista e tem-se revelado incrivelmente útil à fundação. A conversa da paz proporciona uma fachada perfeita para as suas actividades mais nebulosas. É por isso necessário proceder com o máximo cuidado."

Valentina impacientou-se.

"Inspector Grossman, tudo isso pode ser verdade, mas nós somos polícias, não somos? Então temos de actuar como polícias. Em Itália a máfia também é um assunto sensível, que mexe com a alta finança e a alta política, e não é por isso que deixamos de a enfrentar."

"Está bem, mas mesmo assim...", murmurou o israelita, deixando a frase morrer. "Investigar a Fundação Arkan pode ser um bico-de-obra. Há já algum tempo, aliás, que a tenho debaixo de olho e sei bem do que estou a falar."

"Tem-na debaixo de olho?", estranhou a italiana. "Porquê?"

O inspector-chefe da polícia israelita calou-se por um instante, como se ponderasse o que podia ou não revelar.

"Digamos que tenho motivos para desconfiar das suas actividades", indicou. "Nunca agarrámos nada de concreto, mas por vezes correm uns boatos que me deixam inquieto."

"Boatos? Que boatos?"

Nova pausa hesitante de Arnie Grossman.

"Boatos", repetiu. "Fiquemo-nos por aqui."

Os três entreolharam-se, como jogadores de póquer a esconder os respectivos jogos e a tentar adivinhar a mão dos adversários. Valentina era a mais impaciente e nervosa dos três, pelo que não constituiu surpresa que tenha sido ela quem quebrou o silêncio desconfortável que por alguns instantes se instalara entre eles.

"Então o que sugere que façamos?"

O polícia israelita desenhou no ar um gesto vago com a mão.

"Não façam nada", recomendou. "Vou dormir sobre o assunto e amanhã digo-lhe alguma coisa, está bem?"

"Parece-me justo."

Grossman voltou-se para Tomás.

"No entretanto, professor Noronha, talvez o senhor me possa ajudar a ligar aqui algumas pontas soltas deste caso."

O pedido surpreendeu o historiador.

"O que deseja saber?"

O inspector-chefe tiquetaqueou com os dedos sobre o braço do sofá, como se considerasse a forma adequada de apresentar o problema. Fez um sinal com o polegar a indicar o caminho para o bar.

"Lembra-se de, na nossa primeira conversa, me ter dito que suspeitava que os *sicarii* estivessem envolvidos nesta história?"

"Claro. As execuções rituais das nossas três vítimas apresentam características semelhantes às perpetradas pelos *sicarii* há dois mil anos. Em especial aquele pormenor do grito de lamento logo que matavam o seu alvo. Porquê?"

Arnie Grossman fez um esgar, passou os dedos pelo queixo e desviou os olhos para o lado, numa expressão ainda pensativa.

"Os relatórios que vocês me enviaram quando pediram a nossa ajuda deixaram-me intrigado", disse. "Estive a ler aquela parte dos três enigmas largados pelo assassino junto das três vítimas e a sua interpretação. Se entendi bem, o senhor acha que essas charadas apontam para fraudes no Novo Testamento."

"É verdade", aquiesceu o historiador. "Mas onde quer chegar?"

"A questão é esta: que interesse poderiam ter os *sicarii*, uma organização judaica, por fraudes na Bíblia dos cristãos?"

"Quer mesmo saber?"

"Sou todo ouvidos."

Tomás inclinou-se para a frente, como se fosse soprar um grande segredo.

"O problema é que Jesus já tinha religião."

"Perdão?"

O português voltou a recostar-se, cruzou a perna e sorriu, os olhos divertidos a dançarem entre os rostos expectantes de Arnie Grossman e Valentina Ferro.

"Era judeu."

XXXV

O American Colony tinha fama de ser o hotel dos espiões. Acomodado no sofá e envolvido pelo ambiente intimista que o cercava, Tomás percebia porquê; o local era perfeito para conversas discretas. Não que ele tivesse algo a esconder, mas a investigação em que estava envolvido requeria de facto uma certa dose de discrição, considerando a natureza dos crimes que haviam sido cometidos.

O problema, claro, é que ele acabara de fazer uma afirmação explosiva para os ouvidos teologicamente sensíveis de Valentina, e intuía que a italiana seria tudo menos discreta na reacção às suas palavras. Nem foi preciso esperar um segundo para perceber que essa intuição estava certa.

"O que quer você dizer com isso de que Jesus era judeu?", admirou-se Valentina, quase ofendida. "*Dio mio*, não foi ele o fundador do cristianismo?"

Tomás abanou a cabeça.

"Lamento ter de o dizer", murmurou. "Mas não, Jesus não fundou o cristianismo."

"*Madonna!*", protestou ela, o corpo agitado num frémito de justa indignação. "Mas que disparate! Claro que fundou! A palavra *cristianismo* vem de *Cristo!* Jesus *Cristo!* São as palavras e os ensinamentos de Cristo que servem de fundamento à religião! Como se atreve a dizer uma coisa dessas? Como pode afirmar que Cristo não fundou o cristianismo? Que absurdo vem a ser esse?"

"Jesus era judeu", repetiu o académico português. "Sem interiorizar essa verdade fundamental, nada perceberemos sobre ele. Jesus era judeu. Os pais eram judeus e tiveram um filho judeu a quem circuncidaram e com quem viviam em Nazaré, uma povoação judaica situada na Galileia dos judeus. Jesus falava aramaico, uma língua relacionada com o hebraico e que era falada pelos judeus naquela época. Teve uma educação judaica, rezava a um deus judaico, acreditava em Moisés e nos profetas judaicos, respeitava as leis judaicas e era de tal modo versado nas Escrituras judaicas e na lei de Moisés que até as ensinava e discutia. As pessoas chamavam-lhe *rabino*. A expressão é, por exemplo, usada por Marcos em 14:45: 'Rabbi.' A palavra *rabino* significava, há dois mil anos, *professor*. Diz Marcos em 1:21: 'Chegado o sábado, Jesus entrou na sinagoga e começou a ensinar.' Ou seja, Jesus frequentava a sinagoga aos sábados, prática naturalmente judaica, e usava uma técnica típica dos rabinos para ensinar as Escrituras: as parábolas. Além disso, tinha costumes judaicos e até se vestia como um judeu."

"Como sabe isso? Acaso alguma vez viu fotografias dele?"

"Basta ler os Evangelhos. Mateus refere em 9:20 que uma mulher 'tocou-Lhe na orla do manto', e Marcos, em 6:56, diz que os enfermos 'rogavam-Lhe que os deixasse tocar pelo menos a franja da Sua capa'. Orla do manto? Franja da capa? Do que estavam eles a falar? Obviamente era do *tallit*, o manto de oração usado pelos judeus com as suas franjas, ou *tzitzit*, atadas conforme as ordens constantes em Números, um dos livros do Antigo Testamento. Isto é, Jesus vestia-se como um judeu."

"Você está a falar-me de costumes", argumentou Valentina. "Admito que eles fossem totalmente judaicos. No fim de contas, ele vivia entre judeus, é verdade. Mas o que distinguiu Jesus dos judeus foram os seus ensinamentos!..."

Tomás indicou a Bíblia que tinha nas mãos.

"Ao contrário do que pensa, os costumes judaicos constituem uma parte central dos ensinamentos de Jesus", respondeu. "Os Evangelhos põem-no com frequência a discutir ao pormenor questões relacionadas com costumes. As roupas são apenas um exemplo. Em Mateus 23:5, Jesus critica os fariseus porque 'alargam as filactérias e alongam as bordas dos seus mantos', dando a entender que as suas próprias filactérias, ou *tefilin*, eram estreitas e as suas bordas do manto, ou *tzitzit*, curtas."

"Ah! Então Jesus estava em desacordo com os judeus!..."

"Valentina, isto é uma discussão normal entre judeus! Os judeus discutiam, e discutem ainda, com grande paixão este tipo de coisas! Uns acham que os *tzitzit* devem ser longos, outros acham que devem ser curtos. Uns entendem que as tiras de pergaminho onde se escrevem extractos das Escrituras, ou filactérias, devem ser largas, por uma questão de devoção, e outros defendem que essas tiras devem ser estreitas, por uma questão de modéstia. Não passava pela cabeça de um romano ou de qualquer outra pessoa que não fosse judia questionar os *tzitzit* ou as filactérias de um judeu ou qualquer outra dessas minudências bizantinas. Isso é algo que só um judeu fazia. Percebe? O facto de Jesus debater este tipo de questão serve justamente de prova de que ele era judeu da ponta das unhas à ponta dos cabelos!"

A italiana ergueu o dedo, como se tivesse acabado de lhe ocorrer uma ideia.

"Espere aí! Havia costumes judaicos que ele não respeitava! A comida, por exemplo. Tenho ideia de que Jesus negou as Escrituras quando declarou que não havia comidas impuras..."

Tomás procurou na sua Bíblia.

"Isso está em Marcos", disse, localizando o extracto. "Diz Jesus, citado em 7:18: '«Não percebeis que tudo quanto de fora entra no homem pode torná-lo impuro, porque não penetra no seu coração mas no ventre, e depois é expelido em lugar próprio?» Assim, declarava puros todos os alimentos.'"

"É isso mesmo. Jesus está ou não a contrariar as Escrituras?"

"Talvez, mas não necessariamente", retorquiu o historiador. "É importante salientar que há boas razões para duvidar que Jesus tenha realmente declarado a pureza de toda a comida, assim invalidando o Antigo Testamento."

"Ora essa! Porque diz isso?"

"Porque a declaração de pureza não está numa citação de Jesus, mas num comentário de Marcos. Além disso, esse comentário sofre contradição noutros textos do Novo Testamento." Localizou um extracto. "Mateus, por exemplo, cita Jesus em 15:17 como tendo perguntado: 'Não compreendeis que tudo aquilo que entra pela boca passa para o ventre e é expelido em lugar próprio, ao passo que tudo quanto sai da boca provém do coração, e é isso que torna o homem impuro?' Como pode ver, Mateus não conclui que Jesus declarou toda a comida pura." Avançou umas páginas. "O mais importante é o que Lucas diz nos Actos dos Apóstolos, em 10:14, quando, já depois da morte de Jesus, uma voz ordena a Pedro que coma comida impura e o apóstolo responde: 'De modo algum, Senhor! Nunca comi nada de profano, nem de impuro!' Ou seja, Pedro respeitava a comida *kosher*. Se Jesus alguma vez tivesse decretado toda a comida pura, Pedro também a comeria sem problemas. Mas o facto é que não comia. Logo, Jesus também não a devia comer."

"Então como explica que Marcos ponha Jesus a anular as leis dos alimentos previstas no Antigo Testamento?"

"É uma retroacção."

"Uma retro... quê?"

"O debate sobre o que se podia ou não comer era típico do tempo em que o autor de Marcos escreveu o Evangelho. A mensagem cristã não atraiu os restantes judeus, para quem era ridículo dizer que um rabino pobre da Galileia que fora crucificado como um reles bandido era o poderoso Messias previsto nas Escrituras, mas seduziu muitos gentios. Isso levantou um problema novo. Seriam esses gentios obrigados a respeitar todas as regras do judaísmo? As três questões dominantes na comunidade de cristãos passaram a ser a proibição de consumir alimentos impuros e de trabalhar ao sábado, e a obrigatoriedade da circuncisão. Havia grupos de cristãos judeus que insistiam que as regras judaicas eram para manter, enquanto outros admitiam que não. É evidente que muitos gentios gostavam de comer porco, pretendiam trabalhar ao sábado, e sobretudo não queriam de modo nenhum que lhes tocassem com lâminas no pénis, pelo que a insistência no respeito dessas três regras só servia para os desencorajar de aderir ao movimento. A questão é que sem os gentios não havia modo de o movimento florescer, uma vez que os judeus não aderiam. Tornou-se então fundamental eliminar essas regras que desagradavam aos gentios. Daí que a obrigatoriedade da circuncisão ou a proibição de consumir alimentos impuros e trabalhar ao sábado tivesse acabado por ser anulada. Mas como legitimar teologicamente essa anulação? A melhor maneira, claro, era atribuir a ordem ao próprio Jesus. Foi o que Marcos fez."

Valentina soergueu o sobrolho.

"Os evangelistas podiam fazer isso?"

Tomás riu-se.

"As retroacções são muito normais nos Evangelhos", confirmou. "Por exemplo, Lucas põe Jesus a dizer em 21:20: 'Mas quando virdes Jerusalém sitiada por exércitos, ficai sabendo que a sua ruína está próxima.' Ora os Romanos sitiaram e destruíram Jerusalém no ano 70, acontecimento que já tinha ocorrido quando Lucas escreveu o seu texto. Sabendo desse evento traumático, o evangelista pôs Jesus a profetizá-lo. Isso foi uma retroacção. Quando as profecias são escritas após o acontecimento, a profecia e o acontecimento têm uma natural tendência a coincidir, não é verdade? Acontecia, por isso, vermos Jesus a dar respostas nos Evangelhos a problemas que não eram do seu tempo, mas do tempo dos próprios evangelistas."

"É o caso do debate sobre a comida pura?"

"Precisamente. Este debate não é do tempo de Jesus, mas do tempo dos autores dos Evangelhos. Na Carta aos Gálatas, Paulo descreve até um desacordo que teve com Pedro justamente por causa da comida *kosher*. Escreve Paulo em 2:12: 'Antes de terem chegado alguns homens da parte de Tiago, ele comia juntamente com os gentios; mas, quando eles chegaram, retraiu-se e separou-se deles, com receio dos da circuncisão.' Pedro justificou-se em 2:15: 'Nós somos judeus por nascimento, e não pecadores dentre os gentios.'

Isto significa que Pedro, que privou com Jesus, insistia em respeitar as leis judaicas da alimentação. Isto faz pressupor que Jesus também as respeitava."

A italiana franziu o sobrolho, uma objecção a formar--se-lhe na mente.

"Está bem, Pedro respeitava as leis da comida *kosher*", admitiu. "Mas Paulo não. E Paulo também era um apóstolo. Portanto, se Paulo não respeitava a regra da pureza alimentar, porque não admitir que era ele quem seguia o exemplo de Jesus?"

O historiador sorriu e abanou a cabeça.

"Porque Paulo nunca conheceu Jesus."

"Oh, lá vem você com as suas histórias!", exclamou ela. "Pois se ele era um apóstolo!..."

"Pois é, mas Paulo é o único dos apóstolos que nunca conheceu Jesus pessoalmente", explicou. "Paulo só se converteu quando teve uma visão de Jesus já depois da crucificação. Esse foi o seu único suposto contacto com Jesus e o que lhe permitiu reivindicar o estatuto de apóstolo. Mais tarde partiu para Jerusalém e conheceu Pedro e o irmão de Jesus, Tiago. O que ele sabia do Jesus de carne e osso era portanto pela boca de Pedro e Tiago, não por experiência pessoal. Isto significa que, quando Paulo entra em desacordo com Pedro, é a posição de Pedro que mais provavelmente representa a posição de Jesus. Se Pedro tinha pudor em comer com os gentios e Paulo não tinha, então provavelmente Jesus também teria pudor. Aliás, é interessante notar que, neste confronto com Pedro, Paulo não deu o exemplo de Jesus. Se Paulo soubesse que Jesus não respeitava as leis da pureza da comida, teria decerto invocado esse argumento para derrotar Pedro. Contudo, não o fez, indício seguro de que ou desconhecia a posição de Jesus sobre esta questão ou tinha consciência de que ela lhe era desfavorável."

Arnie Grossman, que até ali se havia mantido calado a assistir à conversa, remexeu-se no sofá.

"Pois, já percebemos que Jesus respeitava as leis dos alimentos *kosher*", disse, desejoso de que a conversa avançasse. "Mas o que está a tentar provar?"

"Estou a dizer-vos que as principais disputas descritas nos Evangelhos entre Jesus e os fariseus se centram nas proibições de consumir comida impura e de trabalhar ao sábado, que curiosamente são duas das três principais questões em debate na comunidade de cristãos na altura em que os Evangelhos foram escritos."

"Acha que isso não é coincidência?"

"Claro que não! A preeminência destas polémicas nos Evangelhos não reflecte necessariamente os debates do tempo de Jesus, mas os debates posteriores, de quando os gentios aderiram ao movimento. O que os evangelistas estavam a tentar fazer era tranquilizar os gentios, pondo na boca de Jesus afirmações que permitiam que eles trabalhassem ao sábado e comessem alimentos impuros, como estavam habituados a fazer. Se essas interdições judaicas se mantivessem, era provável que a grande maioria abandonasse o movimento."

"Estou a entender."

"Os evangelistas encheram os seus textos com todas as histórias que encontraram que pudessem pôr Jesus a desautorizar as Escrituras nestas duas questões. O problema é que não detectaram muita coisa nas tradições que consultaram. Em parte alguma, com excepção daquela retroacção de Marcos sobre a comida *kosher*, vemos Jesus a pôr em causa a lei. Ele limita-se a fazer como todos os judeus, os do seu tempo e os actuais, isto é, apenas discute interpretações na aplicação da lei, não a própria lei. Os evangelistas tentam a todo o custo polemizar minudências, num esforço desesperado para se agarrarem a tudo o que podiam. Fizeram isso com a comida impura, mas também com o sábado."

"Sim, o sábado!", exclamou Grossman. "Diz o senhor que Jesus não questionou o trabalho ao sábado?"

"Claro que não. Repare, o Êxodo proíbe o trabalho ao sábado, mas o que é isso de *trabalho*? É aqui que começam as divergências. Como sabe, alguns judeus dizem que apanhar espigas para comer não é trabalho, outros acham que é. Tal como os restantes judeus, Jesus tinha as suas opiniões sobre o assunto. Marcos descreve os discípulos de Jesus a colherem espigas ao sábado, questão que suscitou dúvidas dos fariseus. Jesus respondeu em 2:25 com uma excepção fornecida pelas Escrituras: 'Nunca lestes o que fez David, quando teve necessidade e sentiu fome, ele e os que estavam com ele?' Era uma referência a um episódio em que David e os seus homens trabalharam ao sábado porque tinham fome. Ou seja, Jesus jamais pôs em dúvida que o sábado fosse um dia sagrado. Apenas questionou o que se podia ou não fazer ao sábado. Mas é importante sublinhar que entre os judeus era aceitável debater estas pequenas regras. Até os fariseus discordavam entre si sobre o trabalho ao sábado e discordavam dos saduceus sobre essa e outras regras. Há textos de autores judaicos, como Filo, a discutir o que se pode ou não fazer ao sábado. Embora a nós, hoje, nos pareçam bizantinos e irrelevantes, eram debates normais entre os judeus."

"E o divórcio?", atalhou Valentina, regressando à conversa. "As Escrituras aceitam-no, mas Jesus proíbe-o. Ou nega isso?"

"Não, não nego nada", replicou Tomás, voltando a folhear a sua Bíblia. "É verdade que Jesus interditou o divórcio, mas fê-lo exclusivamente no quadro das próprias Escrituras. Basta ver como Marcos põe o problema quando Jesus é questionado em 10:2-9: 'Aproximaram-se uns fariseus e perguntaram-Lhe se era lícito ao marido repudiar a mulher. Esta pergunta foi feita para O experimentarem. Respondeu-lhes Ele: «Que vos preceituou Moisés?» «Moisés permitiu passar carta de divórcio e repudiá-la», responderam-lhe. Jesus retorquiu-lhes: «Devido à dureza do vosso coração é que Ele vos deixou esse mandamento. Mas, ao princípio da criação, Deus fê-los homem e mulher. Por causa disso, deixará o homem seu pai e sua mãe e passarão os dois a ser uma só carne. Portanto, já não são dois, mas uma só carne. Aquilo, pois, que Deus uniu não separe o homem.»' Ou seja, Jesus diz que Moisés apenas permitiu o divórcio 'devido à dureza do vosso coração', não por o divórcio ser algo intrinsecamente sagrado. Considerando que a questão punha a vontade de Deus em conflito, Jesus estabeleceu que a união abençoada por Deus é que era sagrada, não o direito ao divórcio. Isto é, mais uma vez, uma interpretação perfeitamente judaica. Os manuscritos do Mar Morto mostram que os essénios, outro grupo de judeus, tinham pontos de vista semelhantes sobre o casamento e o divórcio. Havia judeus que apresentavam interpretações liberais e outros que se inclinavam para interpretações conservadoras. Neste caso, Jesus flectiu para o lado conservador."

De novo, Valentina descruzou e cruzou as pernas com um movimento rápido e impaciente.

"*Va bene, va bene*", aceitou entre dentes, a voz atada de relutância. "Jesus era judeu nos costumes. Aceito isso. Mas a mensagem que ele nos trouxe não se limita a essas questões da comida e do trabalho ao sábado, pois não?"

"Claro que não", admitiu o historiador. "É verdade que esses assuntos dominaram os debates que manteve com os fariseus ao longo dos Evangelhos. Mas é evidente que Jesus abordou igualmente outras questões. Algumas delas revelaram-se da maior relevância em termos éticos e teológicos."

"Ah!", exclamou ela, triunfante. "É o que eu digo! Jesus abordou questões de fundo. E foi justamente com essas questões que ele rompeu com os judeus e fundou o cristianismo!"

Tomás respirou fundo e olhou para Grossman, que se remetera novamente ao silêncio. Depois voltou a encarar a italiana e considerou como poderia articular a réplica à afirmação que ela acabara de proferir. Poderia ser meigo e diplomático, mas isso requeria muito trabalho de imaginação e àquela hora já não se sentia com forças para tanto. O melhor era manter-se curto e directo, mesmo correndo o risco de se revelar brutal.

"Minha cara", disse. "Ainda não percebeu qual é a consequência última de Jesus ser judeu?"

"Um judeu que fundou o cristianismo."

"Não", insistiu Tomás com um toque de impaciência. "Cristo não era cristão."

XXXVI

A noite já havia caído sobre Jerusalém. Aproveitando a cobertura da treva densa, Sicarius aproximou-se com cuidado da janela e, sempre com mil cautelas para não ser avistado, espreitou para o interior. Viu três pessoas sentadas em sofás a conversar e perscrutou-lhes as faces. Uma era de uma mulher. Outra correspondia à fotografia que o mestre lhe havia enviado por *e-mail*.

"Tomás Noronha", murmurou.

O seu alvo.

Tendo-se assegurado de que o historiador não estava em condições de interferir na sua acção, Sicarius voltou a mergulhar na sombra. Atravessou a rua, passou ao lado da escadaria estreita que conduzia à livraria, àquela hora encerrada, e penetrou na zona residencial do American Colony.

"Quinze", murmurou, falando para si mesmo. "Quarto quinze."

Caminhou na noite à procura da porta do quarto de Tomás. Obter o número havia sido a coisa mais simples do mundo. Bastara ter-se instalado na recepção durante a tarde, sentado numa posição privilegiada, e ter visto o seu alvo chegar e pedir a chave do quarto. Os recepcionistas entregaram-lhe a chave número quinze.

Movendo-se na obscuridade, Sicarius identificou a porta treze, depois a catorze e chegou finalmente à quinze. Olhou em redor para se certificar de que ninguém o estava a observar. Com um movimento rápido, extraiu do bolso a chave mestra, que havia furtado da sala das empregadas de limpeza depois de sair da recepção, e inseriu-a na fechadura. Acto contínuo, a porta abriu-se.

Sem perder tempo, Sicarius entrou no quarto, fechou a porta e ligou a lanterna. O foco dançou de um lado para o outro, perscrutando a área. Era a primeira vez que via um quarto do American Colony e ficou surpreendido; não imaginara que fosse tão espaçoso.

Esquadrinhou metodicamente o espaço, revistando todos os cantos. Inspeccionou o quarto de banho, o armário, a varanda e até o pequeno frigorífico. Tinha de escolher o local adequado para se ocultar. Qual o melhor? O foco da lanterna saltitava de lugar em lugar, como se fosse a luz, e não o intruso, quem permanecia indeciso.

"Maldição!", resmungou. "Já me esquecia!"

Aproximou-se da cama, larga e com o cobertor dobrado aos pés, e inspeccionou-a. Tinha várias almofadas bem gordas, o que lhe conferia volume. Meteu a mão no bolso das calças e extraiu a folha de papel que trazia dobrada. Desdobrou-a e fez incidir o foco da lanterna sobre o seu conteúdo, para se certificar de que tinha trazido o papel correcto.

Era este mesmo.

Deu um passo para a cama e pousou a folha de papel sobre a mesinha-de-cabeceira, mesmo ao lado do pequeno candeeiro. Recuou e contemplou a posição da folha. Achou que estava tudo muito bem. Era realmente melhor tratar de tudo com calma; depois de fazer o que tinha a fazer, a confusão poderia ser demasiado grande. Parecia-lhe importante deixar já resolvido o problema da mensagem.

Voltou a luz da lanterna para a mão e consultou o papel que havia imprimido com as instruções enviadas pelo mestre para o seu *e-mail*. Não queria cometer erros e considerava importante memorizar tudo sem falhas.

A seguir regressou ao centro do quarto e recomeçou a girar o foco da lanterna em todas as direcções. Onde diabo se haveria de esconder? Aqui? Ali? Acolá? E se?...

"Já sei!"

Tinha acabado de descobrir o sítio adequado. Por Deus, muito mais do que adequado! Que rica surpresa teria aquele Tomás Noronha quando entrasse no quarto! Ah, como estava ansioso por que o momento chegasse! Não havia dúvidas, aquele esconderijo era... era...

Perfeito.

XXXVII

O dedo furioso de Valentina estava apontado na direcção de Tomás e tremia com indignação, como o de uma vítima em tribunal a denunciar ao juiz o seu algoz.

"Sabe o que você é?", rugiu ela. "O Anticristo!"

O historiador riu-se.

"Eu?"

"Sim. O Anticristo!" Ergueu os olhos azuis, como se quisesse comunicar directamente com o Altíssimo. "*Dio mio*, porque me enviaste esta maldita criatura? É uma provação? Um teste à minha fé? Este homem... este herege... este demónio parece apostado em demolir tudo o que me ensinaram! Agora diz que Cristo não era cristão!" Ainda a olhar para o alto, fez um gesto teatral na direcção do seu interlocutor. "Pai, afasta de mim este cálice!"

Apesar do tom exageradamente dramático, ela parecia falar a sério. Na dúvida sobre como reagir, Tomás voltou a soltar uma gargalhada; pareceu-lhe mais seguro encarar aquele protesto com humor.

"Se quiser eu calo-me."

"Aleluia!", exultou ela, erguendo os braços como se agradecesse aos Céus. "Aleluia!" Pousou o olhar nele. "Parece-me de facto melhor que se cale! Ufa, já não o consigo ouvir!"

Arnie Grossman agitou-se no seu assento.

"Eh lá!", exclamou, como um advogado a recorrer da decisão. "Não é bem assim! Eu preciso de saber qual o interesse que os *sicarii* têm em apontar as fraudes no Novo Testamento. Essa explicação pode ser crucial para identificar quem está por detrás destes homicídios..."

O olhar indeciso de Tomás bailou entre o israelita e a italiana.

"Então, como é?", quis saber. "Continuo ou calo-me? Decidam-se!"

Valentina suspirou, vencida, com um gesto de rendição.

"Prossiga."

O historiador fez uma pausa para reestruturar os seus pensamentos e avaliar o melhor caminho para prosseguir.

"Bem, para dar essa explicação é fundamental que vocês percebam que Jesus era judeu a cem por cento."

"Só nos costumes", interpôs Valentina. "Na ética e na teologia introduziu inovações que, quer você queira quer não, fundaram o cristianismo."

Tomás cravou o olhar nela.

"Quais inovações? Sabe qual era a crença central de Jesus?"

"Amai o próximo."

O historiador voltou-se para Arnie Grossman.

"Qual é a crença fundamental dos judeus, a oração na base da vossa religião?"

"Sem dúvida que é o Shema", retorquiu ele de imediato. Para exemplificar, o polícia israelita tapou os olhos com a mão direita e entoou a prece, como fazia todos os sábados na sua sinagoga ou diante do Muro das Lamentações. "'Escuta, ó Israel! O Senhor, nosso Deus, é o único Senhor! Amarás ao Senhor, teu Deus, com todo o teu coração, com toda a tua alma e com todas as tuas forças!'"

Enquanto Grossman entoava o Shema, Tomás folheava a sua Bíblia para localizar um trecho.

"O Shema está enunciado em Deuteronómio, 6:4", identificou. "Agora vou ler o que está escrito no Evangelho segundo Marcos, 12:28-30: 'Aproximou-se d'Ele um escriba que os tinha ouvido discutir, e, vendo que Jesus lhes tinha respondido bem, perguntou-Lhe: «Qual é o primeiro de todos os mandamentos?» Jesus respondeu: «O primeiro é: Ouve, Israel: O Senhor, nosso Deus, é o único Senhor; amarás o Senhor, teu Deus, com todo o teu coração, com toda a tua alma, com todo o teu entendimento e com todas as tuas forças.»'" Bateu com o dedo no versículo. "Ou seja, quando questionado sobre qual a sua crença central, Jesus não fala no amor ao próximo. A sua crença central é o Shema judaico, o amor a Deus e a crença no monoteísmo. É esta a crença basilar de Jesus. É a crença de um judeu a cem por cento."

Valentina pegou no exemplar da Bíblia que estava aberto nas mãos do português e verificou o texto.

"Está bem, Jesus diz aqui que acima de tudo está o Shema", admitiu. "Mas você não leu tudo! Veja o que Jesus afirma a seguir: 'O segundo é este: «Amarás o teu próximo como a ti mesmo.» Não há outro mandamento maior que estes.'" Fez um ar triunfante. "Está a ver? Está a ver? É verdade que Jesus pôs o amor a Deus acima de tudo, como os restantes judeus. Mas logo a seguir introduziu uma inovação teológica. Estabeleceu o amor ao próximo como o segundo maior mandamento! Isto é uma inovação! É esta ideia que funda o cristianismo!"

O historiador mantém o olhar pousado nela.

"Tem a certeza?"

"Então não tenho? Jesus ensinou o amor ao próximo. É este ensinamento que separa o cristianismo do judaísmo! O Deus dos judeus é cruel e vingativo, mas o Deus de Jesus é benigno e cheio de compaixão. O Antigo Testamento fala na justiça de Deus, o Novo Testamento traz-nos o amor de Deus! É esta a grande revolução de Jesus! O amor de Deus, o amor ao próximo." Fez um gesto largo, a indicar as pessoas em redor. "Toda a gente sabe!"

Tomás recomeçou a folhear a sua Bíblia.

"Ai sim?" perguntou com uma ponta de ironia. "Então vejamos o que está escrito no Antigo Testamento dos judeus." Identificou o trecho. "Diz Deus a Moisés em Levítico, 19:18: 'Não te vingarás nem guardarás rancor aos filhos do teu povo, mas amarás o teu próximo como a ti mesmo. Eu sou o Senhor.'" Ergueu a cabeça. "Então?"

Valentina observava as páginas da Bíblia com um olhar atrapalhado.

"Bem... quer dizer, enfim..."

"Você disse-me que a inovação de Jesus era o amor. Mas afinal as Escrituras dos judeus já falam no amor. Como é? Jesus inovou ou limitou-se a repetir um mandamento da lei de Moisés?"

"Pois... está bem", gaguejou ela. "Mas... mas as Escrituras dos judeus não dão ao amor a ênfase que Jesus lhe dá. É essa a inovação."

O historiador fechou a Bíblia e deixou-a pousada no regaço.

"Qual ênfase?", questionou. "Sabe quantas vezes aparece a palavra *amor* no Evangelho segundo Marcos? Apenas essa vez! A frase narrada em Marcos 12:31 é o *único* momento desse evangelho em que Jesus fala no amor ao próximo!"

"Mas... mas não foi essa a inovação de Jesus?"

"Qual inovação?", insistiu. "Você tem de perceber que Jesus se limitou a fazer o que qualquer judeu fazia e ainda faz." Indicou o livro. "Sabe, o Antigo Testamento inclui textos para todos os gostos. Uns judeus privilegiam umas leituras, outros privilegiam outras. Jesus fez as suas escolhas. Mas é importante que perceba que ele não inovou coisa nenhuma. Tudo o que ele disse foi no quadro exclusivo do judaísmo. Jesus privilegiava o amor? À luz do que está escrito no Evangelho segundo Marcos, o mais antigo dos Evangelhos, essa afirmação é muito questionável. Mesmo que a aceitemos, é importante sublinhar que outros judeus também privilegiavam o amor. O célebre rabino Hillel reduziu as Escrituras a esta observação: 'Não faças aos outros o que não queres que te façam a ti; tudo o resto é comentário, leiam e aprendam.' Jesus era um judeu que vivia segundo os costumes judaicos, acreditava no Deus judaico e ensinava a lei judaica. Não se desviou do judaísmo nem um milímetro!"

A italiana abanou a cabeça, recusando-se a aceitar a ideia.

"Isso não é verdade!", exclamou. "O que Jesus pregava entrou em ruptura com o judaísmo! Tenho a certeza absoluta! Ele revogou certos aspectos da lei judaica!"

Percebendo que tinha de recorrer à artilharia pesada, Tomás voltou a abrir a sua Bíblia.

"Acha que sim?", perguntou. "Então veja o que diz Jesus no Evangelho segundo Lucas, 16:17: 'É mais fácil que o céu e a terra passem do que cair um só til da lei.' Ou seja, Jesus defendeu a aplicação da lei judaica até ao último til! Diz Jesus no Evangelho segundo João, em 10:35: 'A Escritura não pode ser anulada.' Isto é, o Antigo Testamento não é revogável nem ab-rogável! E diz Jesus no Evangelho segundo Mateus, em 5:17-18: 'Não penseis que vim revogar a Lei ou os Profetas: Não vim revogá-la, mas completá-la. Porque, em verdade, vos digo: Até que passem o Céu e a Terra, não passará um só jota ou um só ápice da Lei, sem que tudo se cumpra.' Quer dizer, Jesus não só disse que não veio revogar a lei judaica como insistiu que ela será respeitada até ao derradeiro jota!" Cravou os olhos em Valentina. "Pergunto-lhe eu: acha que estas palavras são de alguém que quer mudar a lei judaica?"

A inspectora da Polizia Giudiziaria deixou-se cair sobre as costas do sofá, numa postura de total rendição.

"Pois, realmente...", murmurou. Abanou a cabeça, não em negação, mas como se tentasse encaixar todas as peças soltas na sua mente. "Mas, se assim é, o cristianismo funda-se em quê? Não percebo..."

"A estranha verdade é que o cristianismo não se funda na vida de Jesus, nem nos seus ensinamentos", disse. "Ele era um judeu que respeitava e pregava a lei judaica. Havia pontos inquestionáveis nessa lei, mas outros permaneciam abertos a interpretações. Uns judeus mais liberais interpretavam-na de uma maneira, outros mais conservadores interpretavam-na de outra. Os fariseus, por exemplo, eram conservadores."

"E Jesus?"

"Também o era. Foi por isso que entrou em competição com os fariseus. Jesus e eles disputavam quem interpretava a lei de forma mais estrita. Os fariseus privilegiavam a letra da lei, Jesus dava também atenção ao seu espírito. Isso é muito visível no Sermão da Montanha, onde Jesus cita a lei e depois enuncia o que considera ser o seu espírito. Por exemplo, não só as pessoas não devem matar como nem devem ficar zangadas; não só devem evitar o adultério como também devem evitar o simples desejo; não só devem amar o seu próximo como também devem amar o inimigo. É como se Jesus estivesse em competição com os outros judeus. Não lhe interessava apenas a letra da lei. Levava a lei judaica tão a sério que chegava ao ponto de querer respeitar o que achava ser a intenção por detrás dessa letra."

Valentina fez um ar pensativo.

"Daí que ele nunca se zangasse e vivesse com grande austeridade."

Tomás olhou-a durante dois segundos, na dúvida sobre se deveria ou não contradizê-la. Acabou por decidir levar a verdade até ao fim.

"Lamento decepcioná-la, mas Jesus era tudo menos austero", disse. "Há um extracto em Mateus e em Lucas onde Jesus contrasta a austeridade de João Baptista com a sua própria flexibilidade. Diz Jesus em Mateus 11:18: 'Veio, efectivamente João, que não come nem bebe, e dizem dele: «Está possesso»! Veio o Filho do Homem, que come e bebe, e dizem: «Aí está um glutão e bebedor, amigo de publicanos e pecadores!»' Ou seja, Jesus admite que gostava da pingoleta e que era um valente garfo!"

A italiana riu-se.

"Chamem-lhe parvo!"

"E há indícios de que, apesar de pregar que ninguém se deveria zangar, ele próprio se zangava."

O sorriso de Valentina desfez-se.

"O quê? Nunca ouvi falar nisso!..."

Tomás localizou o extracto pertinente na sua Bíblia.

"É um versículo no Evangelho segundo Marcos", disse. "Está em 1:40-41: 'Um leproso veio ter com Ele, caiu de joelhos e suplicou-Lhe: «Se quiseres, podes limpar-me.» Compadecido, Jesus estendeu a mão, tocou-lhe e disse: «Quero, fica limpo.»'"

"Não vejo nada que indicie que Jesus ficou zangado", observou a italiana. "Pelo contrário, ficou compadecido."

"Esta tradução usa uma palavra grega que aparece na maior parte dos manuscritos, *splangnistheis*, ou *compadecido*. O problema é que há outros manuscritos que usam a palavra *orgistheis*, ou *zangado*."

"Mas, veja bem, dizer que Jesus ficou zangado quando lhe apareceu um leproso não faz sentido", argumentou ela. "Mas dizer que ele ficou compadecido já faz."

"É verdade", admitiu Tomás. "E também é verdade que o *compadecido* surge na maior parte dos textos. O problema é que a palavra *zangado* aparece num dos mais antigos manuscritos existentes, o *Codex Bezae*, do século v. Mais importante que isso é que a mesma palavra surge também em três manuscritos em latim traduzidos a partir de cópias do século II, enquanto *compadecido* surge pela primeira vez nos manuscritos do final do século IV. Perante este impasse, qual a leitura mais embaraçosa para os cristãos?"

"Bem... *zangado* é a palavra mais embaraçosa."

"*Proclivi scriptioni praestat ardua*", recitou. "A leitura mais difícil é melhor do que a mais fácil. Trata-se de um princípio elementar da análise histórica de documentos. É mais natural que um copista cristão transforme *zangado* em *compadecido* do que o inverso. Se o copista manteve a palavra *zangado*, apesar de ser embaraçosa, é porque provavelmente essa é que foi a palavra originalmente escrita pelo autor de Marcos. É impossível ter a certeza, claro, mas esta interpretação é reforçada pelo facto de Mateus e Lucas terem copiado este trecho de Marcos palavra a palavra, tendo apenas suprimido a reacção de Jesus. Mateus e Lucas não dizem que Jesus ficou compadecido ou zangado. Omitem a reacção. Isso é um indício de que não terão gostado da palavra originalmente usada por Marcos para descrever a reacção de Jesus ao leproso. Se a palavra fosse *compadecido*, não se vêem motivos para Lucas e Mateus ficarem embaraçados e a eliminarem. Mas se a palavra fosse *zangado*, já se compreende porque a suprimiram." Fechou a Bíblia. "De resto, este não é o único ponto onde Jesus se zanga. Basta lembrar a fúria que ele teve em Jerusalém quando visitou o Templo, por exemplo, episódio bem documentado nos Evangelhos."

Arnie Grossman consultou o seu relógio e, apercebendo-se do adiantado da hora, deu uma sonora palmada nas coxas e inclinou o tronco para a frente, fazendo tenções de se levantar.

"Bem, meus amigos, já se faz tarde!", exclamou, pondo-se devagar de pé. "Acham que poderemos continuar a conversa durante o jantar?" Apontou para Tomás. "É que o senhor ainda não respondeu à minha pergunta: o que estavam os *sicarii* a fazer quando deixaram aqueles enigmas junto aos cadáveres?"

Valentina e Tomás puseram-se também de pé. O historiador encolheu os ombros e indicou a italiana.

"Por mim, já tinha respondido directamente à sua pergunta", devolveu. "O problema é que ela não vai compreender a resposta se não perceber um conjunto de questões."

"Eu?", admirou-se a inspectora da Polizia Giudiziaria. "Agora a culpa é minha?"

Tomás ignorou-a e olhou para o israelita.

"Vá andando para o restaurante", indicou. "Eu vou só ali ao quarto mudar de roupa e já volto."

"Eu também vou", apressou-se a adiantar Valentina, pegando na sua mala de senhora. Apontou para Tomás. "De caminho, espero que responda à minha pergunta."

"Qual delas?"

"Se o cristianismo não se funda na vida de Jesus nem em novos ensinamentos sobre as Escrituras", recordou, "funda-se em quê, afinal?"

Tomás indicou o pequeno crucifixo de prata que ela mantinha no pescoço.

"Funda-se na morte de Jesus."

Quase numa reacção reflexa, a italiana levou a mão ao pescoço e acariciou o pequeno crucifixo.

"Na morte? Desculpe, mas isso é apenas um aspecto do cristianismo."

Antes de se voltar para a porta do átrio e de se dirigir para o quarto, o historiador respondeu-lhe.

"A morte de Jesus, minha cara, é tudo."

XXXVIII

A noite de Jerusalém era quente e seca, sem uma brisa a temperar o ar. Tomás e Valentina saíram do átrio do American Colony para a rua, uma estreita faixa de caminho privado, e procuraram as luzes amareladas da zona residencial do hotel. Os quartos ficavam do outro lado da rua, entre a verdura.

"Não estou a perceber o que acabou de me dizer", observou ela. "A morte de Jesus é tudo? Que significa isso?"

Tomás ergueu os olhos para o firmamento e apreciou a miríade de estrelas que enxameavam a treva profunda, como pó de diamantes espalhado sobre um manto de veludo negro.

"Decerto já ouviu na missa os padres dizerem que Jesus morreu para nos salvar."

"Ah, sim. Com certeza. Quem não ouviu?"

O historiador estreitou os olhos, enfatizando a importância da pergunta seguinte.

"Mas salvar-nos de quê?"

"Bem... salvar-nos de... de... de tudo."

"Tudo, o quê?"

"O mal, o pecado... sei lá."

"Nesse caso, Jesus morreu na cruz e nós ficámos salvos do mal e do pecado?"

Os olhos de Valentina saltitaram com embaraço pelo espaço em redor, como se buscassem a resposta em qualquer canto da rua que a noite turvara.

"Quer dizer... sim, acho eu."

"Então já não há mal no mundo? Nem pecado?"

"Enfim... claro que há. Ainda há."

"Mas não foi Jesus que morreu para nos salvar do mal e do pecado? Então por que razão ainda existe mal e pecado?"

A italiana bufou e encolheu-se, como um balão que de repente se esvazia.

"Oh, sei lá", rendeu-se. "Isso é uma trapalhada!..."

Satisfeito por ter feito a demonstração que tinha em mente, Tomás começou a andar e atravessou a pequena rua.

"A história de que Jesus morreu para nos salvar sempre me fez confusão", admitiu. "De cada vez que ouvia essa frase numa igreja, interrogava-me: morreu para me salvar? Mas salvar-me de quê? De *quê?* Essa ideia não fazia nenhum sentido na minha cabeça, era apenas uma daquelas expressões enigmáticas que eu me limitava a papaguear na catequese sem entender." Desceu o olhar para a Bíblia que tinha na mão. "Foi só quando estudei o judaísmo que percebi enfim o que queria isso dizer."

"Ai sim?", admirou-se Valentina. "A resposta está no judaísmo?"

"Minha cara, tudo o que envolve a vida e a morte de Jesus tem a ver exclusivamente com o judaísmo", sentenciou ele. "Tudo."

"Mas em que sentido?"

Passaram ao pé das escadinhas que conduziam à livraria do hotel. Numa pequena vitrina encontrava-se um guia turístico com a capa ilustrada por uma pintura a reconstituir o Templo de Jerusalém.

"Está a ver aqui o Templo?", perguntou, apontando para a imagem. "Os judeus acreditavam que o lugar onde a presença física de Deus mais se sentia era no Templo." Indicou um compartimento no centro do complexo religioso. "Mais exactamente nesta câmara. Achavam que esta sala era o mais sagrado de todos os lugares e chamavam-lhe o santo dos santos. A sala continha a arca da aliança, com as tábuas da lei que Deus havia entregue a Moisés. Estava fechada por uma cortina e ninguém podia lá entrar. Com uma excepção. Todos os anos, por ocasião do Yom Kippur, o sumo sacerdote do Templo penetrava no santo dos santos e fazia um sacrifício. Sabe porquê?"

Valentina encolheu os ombros.

"Ignoro."

"O Yom Kippur é o dia da expiação. Os judeus acreditam que Deus regista o destino de cada pessoa num livro, o livro da vida, e espera pelo Yom Kippur para ditar o veredicto. Durante um determinado período, cada judeu confessa os pecados que cometeu ao longo do ano, tenta obter perdão por eles e assim reconciliar-se com Deus. A reconciliação faz-se no Yom Kippur através do sacrifício de um animal. No dia da expiação, o sumo sacerdote entrava no santo dos santos e matava um cordeiro, expiando primeiro os seus próprios pecados e depois os pecados do povo. De resto, todos os judeus convergiam para Jerusalém no Yom Kippur para fazer o mesmo. Como muitos vinham de longe e era incómodo trazerem animais durante toda a viagem para fazerem o sacrifício em Jerusalém, preferiam comprá-los em tendas de vendedores às portas do Templo. Era mais prático. Mas com que moedas o faziam? As moedas romanas eram inaceitáveis, porque tinham gravada a imagem de César e isso era considerado uma afronta à soberania de Deus. Foi por isso criada uma moeda do Templo. Os peregrinos traziam moedas romanas, trocavam-nas por moedas do Templo e com elas compravam os animais."

"Costumes curiosos", observou a italiana, sem perceber a relevância daquela explicação. "E então?"

"Agora recuemos dois mil anos", propôs o historiador. "Jesus e os seus seguidores, todos eles judeus, deslocaram-se a Jerusalém por alturas do Yom Kippur. O que vieram cá fazer? Participar nas cerimónias do dia da expiação, claro. Mas Jesus era, e digo isto sem ofensa, um parolo da província."

Valentina revirou os olhos, agastada.

"Oh, lá está você!"

"A sério! Ele veio das berças! Se ler com atenção os Evangelhos, vai reparar que Jesus passou a vida inteira na Galileia. As povoações que frequentava eram terriolas da província, como Cafarnaum, Corozaim, Betsaida e outras do género, onde só havia pacóvios. Não frequentava as grandes urbes. As duas maiores cidades da Galileia, Séforis e Tiberíades, nem sequer são mencionadas no Novo Testamento!"

"Já percebi. Adiante."

"De modo que, quando viu instituído às portas do Templo o sistema de troca de moedas e de venda de animais para sacrifício, Jesus ficou ofendido. Achou que se estava a fazer um negócio à custa de Deus." A sua voz mudou de tom, como se ele fizesse um aparte. "O que, aliás, era verdade, embora se tratasse de um sistema bem mais prático do que obrigar as pessoas a andarem centenas de quilómetros com os animais atrás. Mas muitos judeus não gostavam deste negócio. Os manuscritos do Mar Morto revelam que os essénios, outro grupo judeu, achava que o Templo estava corrompido. Isso mostra que criticar aquele sistema era uma prática normal entre os judeus." Retomou o tom normal. "Ao ver o negócio ali montado, o que fez Jesus? Protestou, derrubou umas bancadas de moedas e umas caixas com pombos, também vendidos para sacrifícios, e proferiu umas ameaças. Se calhar um dos seus seguidores disse que ele era o rei dos judeus, de modo a credibilizar o protesto. É possível que o próprio Jesus tivesse profetizado que aquelas práticas um dia levariam Deus a destruir o Templo. Não foi nada de muito sério, claro, mas bastou para atrair as atenções das autoridades. Jerusalém estava cheia de gente e qualquer altercação poderia degenerar num tumulto generalizado, o que o sumo sacerdote e os Romanos queriam a todo o custo evitar, como é compreensível."

"Daí que o tivessem mandado prender."

"Devem ter feito umas perguntas e concluído que estavam perante uma daquelas figuras meio alucinadas que poderiam trazer problemas. Mais valia anularem preventivamente aquele foco potencial de distúrbios numa quadra tão sensível como o Yom Kippur. Prenderam-no e sujeitaram-no a um julgamento sumário, como mandava a lei."

"E foi aí que a coisa correu mal", observou a italiana. "Jesus disse que era o Filho de Deus e isso era uma blasfémia punível com a morte. Foi por isso que o executaram."

O historiador fez uma careta.

"Não foi bem assim", corrigiu. "É verdade que essa é a versão dos Evangelhos. Marcos descreve este diálogo crucial entre o sumo sacerdote e Jesus durante o julgamento, em 14:61-64: 'O Sumo Sacerdote voltou a interrogá-Lo: «És Tu o Messias, Filho do Deus Bendito?» «Sou, respondeu Jesus, e vereis o Filho do Homem sentado à direita do Poder e vir sobre as nuvens do céu.» O Sumo Sacerdote rasgou, então, as suas túnicas e disse: «Que necessidade temos ainda de testemunhas? Ouvistes a blasfémia! Que vos parece?» E todos sentenciaram que Ele era réu de morte.'"

"Exactamente", insistiu Valentina. "Foi a blasfémia que o condenou à morte."

Tomás abanou a cabeça.

"Não é possível", disse. "Em primeiro lugar, nenhum dos apóstolos presenciou este julgamento. Tudo o que souberam foi de ouvir dizer. Em segundo lugar, uma pessoa afirmar que ela própria era o Messias não constituía blasfémia punível com a morte. Em terceiro lugar, o que é bem mais importante, a punição por blasfémia era executada por lapidação. Mas Jesus não foi lapidado, pois não?"

A inspectora indicou o crucifixo que trazia ao pescoço.

"Foi crucificado, sabe-o bem."

"Aí é que está o busílis da questão: Jesus foi crucificado. Acontece que a crucificação era uma forma romana de execução, não uma forma judaica. E era reservada aos inimigos dos Romanos." Indicou o crucifixo da sua interlocutora. "Se Jesus foi crucificado, isso significa que não foi morto por blasfémia, mas porque os Romanos o consideraram uma ameaça. Em 15:25-26, Marcos dá-nos uma pista: 'Era a hora terceira quando O crucificaram. Na inscrição, que indicava o motivo da condenação, lia-se «O Rei dos judeus». Ou seja, acharam que o título *rei dos judeus* constituía um desafio à autoridade de César, o único que tinha o poder de designar o monarca da Judeia. Foi por isso que Jesus foi executado! Por os Romanos terem entendido que estava a afrontar César!"

"Ah, estou a perceber..."

Recomeçaram a caminhar, dirigindo-se para os corredores da zona residencial do hotel. Tomás folheou a sua Bíblia e posicionou-se debaixo de um candeeiro para poder ler o texto.

"Agora repare como Marcos descreve a morte de Jesus, em 15:37-38", disse, localizando o trecho. "'Soltando um grande brado, Jesus expirou. E o véu do templo rasgou-se em duas partes, de alto a baixo.'" Ergueu os olhos para a sua interlocutora. "O véu do templo rasgou-se? A que véu está Marcos a referir-se?"

"À cortina que isolava o santo dos santos, presumo eu."

"E presume bem. Agora vem a pergunta mais importante: por que razão Marcos relacionou a morte de Jesus com o momento em que essa cortina se rasgou?"

Valentina curvou os lábios, esboçando uma expressão de absoluta ignorância.

"Sei lá."

"A resposta a essa pergunta é-nos dada no Evangelho segundo João. Em 1:29, o evangelista descreve deste modo o encontro entre João Baptista e Jesus: 'No dia seguinte, João viu Jesus, que vinha ter com ele, e disse: «Aí está o Cordeiro de Deus que vai tirar o pecado do mundo.»'" O historiador levantou os olhos e fitou a italiana. "Percebeu?"

"Hmm... não."

Tomás respirou fundo, quase desanimado. Perante tudo o que tinha acabado de explicar, era só uma questão de unir os pontos.

"O sumo sacerdote sacrificava um cordeiro no Yom Kippur para expiar os seus pecados e os de todos os judeus para que todos se salvassem. Jesus morreu no Yom Kippur. João chama a Jesus 'o Cordeiro de Deus que vai tirar o pecado do mundo'."

A inspectora da Polizia Giudiziaria arregalou os olhos e abriu a boca.

"Ah, estou a entender!"

"O que os evangelistas nos estão a dizer é que Jesus era o cordeiro da humanidade! Ao morrer, expiou os pecados de toda a gente, da mesma maneira que o sacrifício dos cordeiros expiava os pecados dos judeus. É nesse sentido, e só nesse sentido, que a sua morte significa a salvação de todos nós. A interpretação dessa morte só se compreende no quadro de referências da religião judaica. Se sairmos do judaísmo, como saímos, a morte dele enquanto acto de salvação deixa de fazer qualquer sentido. É preciso perceber o Yom Kippur e a religião judaica para entender por que motivo os seus seguidores, todos eles judeus, interpretaram a morte de Jesus como um acto de salvação."

"Sim, tudo agora é claro!", exclamou ela. Hesitou. "E a cortina do santo dos santos? Como é que ela aparece nesta história?"

"É outra referência teológica de grande importância que só se entende no quadro do judaísmo", esclareceu o historiador. "A cortina separava o santo dos santos do resto do templo. Ou seja, separava Deus dos Seus filhos. E só se obtinha o perdão de Deus quando no Yom Kippur o sumo sacerdote cruzava a cortina e entrava na câmara para sacrificar um cordeiro. Mas ao morrer Jesus tornou-se o cordeiro de Deus. Quando Marcos diz que a cortina se rasgou logo que Jesus morreu, está a afirmar que nesse instante deixou de haver separação entre Deus e os Seus filhos. A destruição da cortina significa que Deus se tornou directamente acessível, e não apenas através dos sacrifícios no Templo. A morte de Jesus trouxe a expiação a toda a humanidade."

As portas dos quartos estavam a dez metros e os dois dirigiram-se a elas. Valentina caminhava, mas ainda não fechara a boca.

"A cortina do santo dos santos rasgou-se mesmo?"

Tomás riu-se.

"Claro que não", respondeu. "Não há registo histórico de tal coisa. Isto é pura teologia, são os evangelistas a tentarem extrair um significado judaico da morte inesperada da pessoa que acreditavam ser o Messias. O importante é que a morte de Jesus só se compreende num contexto judaico. E é a interpretação que dessa morte vai ser feita pelos seus seguidores que traz a primeira ruptura entre o judaísmo e o cristianismo. Daí que eu tenha dito que a vida e os ensinamentos de Jesus não fundaram o cristianismo. Provavelmente nunca lhe passou pela cabeça criar uma nova religião. Ele era um judeu até ao mais profundo do seu ser."

"Nesse caso", recapitulou ela, "o que concluo é que o cristianismo não se funda na vida e nos ensinamentos de Jesus."

"Pois não. Funda-se na sua morte."

Chegaram diante da porta do quarto de Valentina. A italiana retirou da mala o cartão de plástico que servia de chave e inseriu-o na fechadura. A porta abriu-se e, antes de entrar, ela olhou para trás.

"Tudo isso é realmente muito interessante", disse. "Mas agora vou arranjar-me. Encontramo-nos daqui a quinze minutos no restaurante?"

"Sim", confirmou o historiador. "O nosso amigo da polícia israelita está à espera no The Arabesque."

"Então até já."

Tomás pôs o braço sobre a aduela da porta e o seu rosto esboçou uma expressão maliciosa.

"Não me convida a entrar?"

A italiana ia a fechar a porta, mas travou o movimento e reprimiu um sorriso.

"Está a ver o meu quarto?", perguntou, indicando com o polegar o interior do compartimento atrás dela. "É o santo dos santos." Acariciou a porta. "Isto é a cortina." Apontou-lhe o indicador para o meio do peito. "Que eu saiba, você não é o sumo sacerdote, pois não? Portanto, tenha juízo!"

O português fez uma expressão de cachorro abandonado e voltou-se para se ir embora, mas ainda lhe lançou um derradeiro olhar por cima do ombro.

"Vista qualquer coisa bonita", sugeriu com um sorriso conformado. "E *sexy*."

Valentina fingiu-se ofendida.

"Oh! Que parvo!"

E bateu com a porta.

XXXIX

O quarto estava escuro e Tomás, logo que fechou a porta, tacteou a parede até localizar e carregar no interruptor da iluminação. Houve um clique, mas a luz não se acendeu.

"Porra!"

Foi um murmúrio de frustração. Tinha-se esquecido de inserir a chave do quarto no interruptor; enquanto não o fizesse, permaneceria às escuras. Às apalpadelas na treva, o historiador identificou de novo o interruptor e lá inseriu a chave. Como no Génesis bíblico, fez-se luz.

Um homem.

A primeira coisa que Tomás viu foi um homem parado diante dele. Deu um salto de susto e recuou um passo, encostando-se à porta. Só então viu o rosto do homem. Era ele próprio. Ou melhor, a imagem dele reflectida no espelho pregado diante da entrada.

"Ufa!", desabafou. O coração batia-lhe no peito com a força do rufar de um tambor. "Que cagaço!" Olhou de novo para o espelho e riu-se da sua figura, o corpo espremido contra a porta de entrada como um animal encurralado. "Caraças, ando nervoso!..."

Endireitou-se e entrou no quarto de banho para urinar, mas, confiando que a iluminação do quarto servia perfeitamente, não acendeu a luz. Arrependeu-se, porque a iluminação era insuficiente e o pequeno compartimento estava mergulhado na sombra mais completa. Teve preguiça de voltar atrás, até porque se sentia aflito, e preferiu procurar a sanita às apalpadelas.

Fez pontaria para o sítio onde presumia que fosse o centro da retrete; o som gorgolejante do líquido a cair no líquido indicou-lhe que estava a acertar em cheio no alvo. Quando terminou puxou o autoclismo e, ainda às escuras, foi lavar-se. Abriu a torneira e mergulhou as mãos na água fresca.

Nesse instante sentiu uma presença atrás dele.

"O que é isto?", perguntou, voltando-se para trás com um movimento brusco. "Quem está aí?"

Ninguém respondeu.

Alarmado e com o coração aos pulos, Tomás deu um salto para a porta e carregou por fim no interruptor. Acto contínuo a luz acendeu-se e revelou o quarto de banho. Estava deserto.

O historiador respirou fundo.

"Olhem-me para isto!", murmurou, entre o irritado e o aliviado. "Pareço um puto, que diabo!" Abanou a cabeça. "Este caso está a dar-me cabo dos nervos!..."

Saiu para o quarto e foi escolher a roupa que ia vestir para o jantar. Dirigiu-se ao roupeiro e abriu-o com um movimento rápido. A maior parte do móvel permanecia mergulhada na escuridão, mas nem fez caso. Havia três peças de roupa penduradas nos cabides e escolheu um blazer azul-escuro.

Queria impressionar Valentina e achou que, para a noite, o blazer lhe acentuaria o charme mediterrânico. Além do mais, usaria uma gravata verde que condizia bem com os seus olhos. A italiana não lhe resistiria. Claro que tinha de se moderar na forma cruel como dissecava o Novo Testamento. Católica como ela era, aquilo não lhe caía nada bem. Mas, em boa verdade, que podia ele fazer? Mentir? Dourar a pílula? Não tinha nascido para diplomata e acreditava que a verdade era para abraçar como uma mulher que se entrega. Nua. E quanto mais crua mais verdadeira.

Tirou o blazer e a gravata do roupeiro e depois virou-se para a camisa. Escolheu uma branca de seda, mas constatou que as mangas não tinham botões. Depositou as peças de roupa nas costas do sofá, tendo o cuidado de não as amarrotar, e dirigiu-se à mesinha-de-cabeceira. Tinha ideia de ter ali guardado os botões de punho que o senhor Castro, velho amigo da loja que frequentava na Avenida da Liberdade, lhe havia oferecido pelo Natal. Pôs a mão na gaveta para a abrir, mas a sua atenção foi desviada para um papel pousado ao pé do candeeiro da mesinha.

"Que é isto?"

Não se lembrava de ter ali deixado qualquer papel. Seria um recado dos funcionários da limpeza? Ou talvez se tratasse de uma mensagem que a recepção lhe fizera chegar ao quarto na sua ausência. Pegou no papel e contemplou o seu conteúdo.

O que viu deixou-o de olhos arregalados.

Veritaten dies aperit

"*Veritatem dies aperit?*", interrogou-se. "Mas o que raio vem a ser isto?"

Lançou um longo olhar perscrutador à mensagem, tentando apreender o seu significado. Percebeu que havia algo de estranhamente familiar e perturbador naquele papel. Mas o quê? O mecanismo de raciocínio foi lento e rápido, lento porque durou dois longos segundos, rápido porque em apenas dois segundos caiu em si e compreendeu enfim o que segurava nas mãos. Era um enigma semelhante a outros que havia interpretado nos últimos tempos para a polícia e que tinham sido encontrados junto a cadáveres.

Os enigmas dos *sicarii*.

Foi nesse instante que a cama pareceu levantar-se. Uma figura de negro ergueu-se repentinamente dos lençóis, como uma mola gigante a soltar-se do colchão, e saltou de braços abertos para cima de Tomás.

"Ímpio!"

O historiador sentiu primeiro o embate do desconhecido. Perdeu o equilíbrio e bateu com as costas na parede, estatelando-se no chão e derrubando um móvel. Uma jarra tombou, estilhaçando-se com fragor no empedrado do quarto.

A segunda coisa que sentiu, já estendido sobre o solo frio e duro, foi o peso e a agilidade do assaltante. O desconhecido enrodilhou-se na sua vítima como uma rede elástica. Tomás tentou libertar-se, mas o homem era de uma maleabilidade espantosa e conseguiu prender-lhe os movimentos. Como se estivesse envolvido numa camisa-de-forças, o historiador apercebeu-se de que já nem se conseguia mexer.

"Oiça", disse, tentando naquelas circunstâncias parecer o mais razoável possível. "Vamos conversar."

O assaltante tinha-o bem preso, as costas para baixo e a face voltada para o chão de pedra gelada. Tomás não o conseguia ver, mas sentiu-lhe o calor da respiração sobre a nuca.

"Já alguma vez sonhaste com o riso da morte?", perguntou o homem que o dominava, com uma voz baixa e rouca. "Ou preferes conversar na antecâmara do Inferno?"

O tom era intenso, quase fanático, mas o facto de o desconhecido falar, mesmo que apenas para dizer coisas estranhas, pareceu-lhe vagamente encorajador. Quem sabe se o conseguiria convencer a largá-lo? Não que isso lhe parecesse provável, sobretudo à luz dos três cadáveres que aquele assassino deixara no seu rasto, mas valia a pena tentar. No fim de contas, que tinha a perder?

A vida?

"Não há necessidade de violência", murmurou, num registo tão sereno que ele próprio ficou surpreendido. "Diga-me o que pretende e estou certo de que poderemos chegar a um entendimento."

Ouviu uma gargalhada baixa atrás dele.

"Diz-me", soprou-lhe o desconhecido ao ouvido. "Que tentações me embriagam a transcendência da alma?"

"Não sei." Forçou-se a si próprio a rir, de modo a esconder o medo que lhe ateava o sangue e estrangulava a voz. "Dinheiro não deve ser..."

Uma nova gargalhada sussurrada chegou-lhe aos ouvidos.

"Quero um cordeiro."

Tomás sentiu o coração apertar-se-lhe. Considerando as circunstâncias, não era o que mais gostaria de ouvir.

"Um... um cordeiro?"

"Sim, um cordeiro", confirmou a voz baixa e rouca. "Pequei e tenho de expiar os meus pecados. O sacrifício de um cordeiro reconciliar-me-á com o Senhor." O desconhecido voltou a aproximar os lábios da orelha direita da sua vítima. "Disseram-me que tens carne tenra de bom cordeiro..."

A situação estava a agravar-se.

"Oiça, tenha calma", implorou o historiador, sentindo o tempo fugir-lhe. "Isso dos cordeiros são histórias antigas que já não..."

"Histórias antigas?", rugiu o agressor, a fúria a irromper-lhe de repente na voz. "Como te atreves?"

"Tenha calma!"

O historiador sentiu um movimento rápido do homem por cima dele e logo a seguir viu uma adaga de lâmina curva diante dos olhos. Era o desconhecido que a exibia.

"E isto? Achas que é uma história antiga?"

A lâmina era enorme e reluzia como cristal, reflectindo com mil brilhos a iluminação do quarto.

"Afaste isso", pediu. "Alguém ainda se pode magoar!..."

O agressor soltou uma gargalhada, desta feita sonora e aberta, e aproximou-lhe a lâmina dos olhos.

"Estás a ver esta adaga?"

"Demasiado bem. Não a pode afastar um bocadinho? Só um bocadinho..."

"Tem dois mil anos", sussurrou, ameaçador. "Foi usada pelos meus antepassados para os sacrifícios do Yom Kippur. Depois foi usada para enfrentar os legionários pagãos." Fez uma pausa. "Estou agora a usá-la para resgatar de novo o meu povo. E tu, pobre criatura tresmalhada, não passas de um cordeiro. O cordeiro que Deus me entregou para expiar os pecados do meu povo."

Logo que acabou de proferir a frase, o assaltante pegou na adaga de outra forma, passando a segurá-la de uma maneira muito agressiva. Tomás percebeu nesse instante que o homem se preparava para a usar e que só dispunha de alguns segundos para reagir.

"Socorro!", gritou.

Ao mesmo tempo, sacudiu o corpo com violência. O desconhecido desequilibrou-se por um momento e Tomás sentiu de repente alguma liberdade de movimentos. Tentou explorá-la para se libertar totalmente, mas o agressor recompôs-se e voltou a prendê-lo com firmeza.

"Morre, cordeiro!"

Assentou a faca no pescoço da sua vítima e fez força. Tomás sentiu a lâmina picar-lhe a pele pela parte lateral do pescoço, junto às veias, e entrou em pânico. Como um animal encurralado, fez um esforço titânico e conseguiu libertar a mão direita. A adaga já lhe rasgava a pele do pescoço e a dor aguda cegava-o, pelo que deitou a mão à lâmina e agarrou-a com força, travando a sua progressão.

"Larga-me!"

O assaltante pareceu ter sido apanhado de surpresa por aquele movimento. Tomás conseguiu afastar a adaga do pescoço, mas registou uma desagradável sensação de frio na palma da mão. Pelo canto do olho viu sangue a escorrer-lhe pelo braço e percebeu que a lâmina lhe rasgava a mão direita. Teve uma vontade quase irresistível de largar a adaga e proteger a mão ferida, mas o instinto combateu essa vontade. Era melhor ter a mão rasgada do que o pescoço.

O agressor reagiu mais uma vez. Conseguiu arrancar-lhe a adaga e, com um jeito do corpo, imobilizou-lhe de novo o braço direito. Com a vítima enfim dominada, voltou a colar a ponta da lâmina à parte lateral do pescoço e fez força. Não demasiada, para não efectuar um corte rápido, mas o suficiente para a lâmina romper a pele e Tomás perceber que estava perdido.

A vítima contorceu-se num último esforço, rodopiando e dando uma cotovelada com o braço esquerdo no agressor. O desconhecido gemeu, mas manteve o colete-de-forças bem apertado.

"Dá um abraço a Belzebu!"

E fez força.

XL

O primeiro encontrão abanou a porta, mas ela não cedeu. Logo a seguir veio o segundo, acompanhado por um estrondo ainda maior. A porta manteve-se, porém, trancada, resistindo à violência dos embates.

"Abram!", gritou uma voz do outro lado. "Polícia!"

Sicarius mantinha a vítima presa entre os seus braços, mas interrompeu os movimentos cirúrgicos da adaga. A lâmina estava ensanguentada e da sua ponta pingavam espessas gotas de um vermelho-vivo. Sem hesitar, como se tivesse ensaiado já mil vezes aquele gesto, limpou-a rapidamente às calças de Tomás, manchando-as de sangue. Percebendo que a todo o momento a porta iria rebentar, deu um salto e pôs-se de pé.

Soou um tiro.

O assaltante correu pelo quarto em direcção à varanda. Escutou um segundo tiro atrás dele, ouviu um estrondo surdo e percebeu que a porta havia sido derrubada, mas nem olhou para trás; não valia a pena, sabia muito bem que passara a ser um alvo.

"Alto!", gritou a voz feminina atrás dele. "Não se mexa!"

Por esta altura Sicarius estava na varanda e atirava-se para os arbustos que decoravam o jardim nas traseiras do quarto. Ouviu um novo disparo de pistola e o zumbido da bala cortou o ar por cima dele, mas havia já mergulhado na sombra do jardim e sabia-se em segurança.

De pistola em riste, Valentina viu o corpo de Tomás tombado no chão, à esquerda, e hesitou um segundo. Deveria dar caça ao assaltante ou socorrer o historiador?

"Tomás?", chamou. "Tomás?!"

O português não respondeu e a inspectora da Polizia Giudiziaria sentiu-se desfalecer. Teria chegado demasiado tarde? Com a angústia a secar-lhe a boca, correu para o corpo e inclinou-se sobre ele. Havia sangue por todo o lado, parecia que estava num talho.

"*Ah, Dio mio!*", exclamou, aflita, quase sem saber o que fazer. "Tomás?" Viu-lhe a ferida no pescoço e sentiu um aperto no coração. "Oh, não!" Sacudiu-o, tentando reanimá-lo. "Tomás?! Por amor de Deus, responda!"

Pegou-lhe na mão direita para sentir a pulsação, mas apercebeu-se que a palma ensanguentada se encontrava rasgada com cortes sucessivos e vacilou. Estava habituada a deparar-se com cenas daquelas no decurso do seu trabalho de polícia, mas jamais envolvendo uma pessoa que conhecia, e sobretudo de quem gostava.

"Tomás!"

A cabeça do historiador mexeu-se e ouviu-se um gemido.

"Ai..."

A italiana caiu-lhe em cima e abraçou-o, o alívio a enchê-la como um banho retemperador, as lágrimas a escorrerem-lhe pela face pálida e delicada.

"Ah, Tomás!...", murmurou, apertando-se a ele e sentindo-lhe o corpo de homem a estremecer. "Graças a Deus! Graças a Deus! Tive tanto, tanto medo!"

O português voltou-se a custo, com cuidado para não se magoar nem afastar a mulher que o abraçava, e encarou-a por fim.

"Sempre imaginei que você acabaria por me cair nos braços", disse, esforçando-se por sorrir. "Mas não calculava que fosse tão depressa."

Desta vez ela riu-se.

"Que parvo!", exclamou. "Ia morrendo de susto. Pensei que tinha chegado tarde de mais..."

O ferido afastou ligeiramente a cabeça, de modo a ganhar ângulo de visão, e contemplou a mulher debruçada sobre ele. Valentina estava seminua, apenas de calcinhas e *soutien*. Tudo o resto era pele branca e desnudada, com formas esculturais que os vestidos normalmente só deixavam adivinhar.

"Ena!", admirou-se Tomás. "Eu sei que lhe pedi que vestisse uma coisa *sexy*, mas você levou a coisa mesmo a sério, hem?"

A italiana, que lhe afagava os cabelos com ternura, corou e apartou-se dele, pondo as mãos diante do *soutien* para melhor esconder os seios.

"Oh, não goze!", pediu. "Você está bem?"

O português fez um esgar de dor.

"Tenho a mão a arder e esta ferida no pescoço também não ajuda, mas acho que o tipo não conseguiu degolar-me." Passeou os olhos pelo corpo dela. "Explique-me lá esses seus preparos!..."

Ela pôs-se em pé e, sentindo-se desconfortável com a sua quase nudez, recuou até desaparecer no quarto de banho. "Estava a mudar de roupa quando recebi a chamada do Grossman", explicou. "Parece que alguém telefonou à polícia israelita a avisar que você corria perigo de vida." Ouvia-se apenas a voz dela a falar do quarto de banho. "Ele ligou-me e... enfim, não tive tempo de me vestir."

"Alguém telefonou à polícia? Quem?"

A italiana reapareceu envolta numa toalha do hotel e com uma outra na mão, que acabara de molhar na torneira do lavatório.

"Sei lá", disse ela, aproximando-se. "Como deve calcular, no meio daquela confusão não tive tempo de fazer perguntas." Ajoelhou-se ao pé dele e começou a limpar-lhe a ferida no pescoço com a toalha molhada. "Vim para aqui a correr."

"Sozinha?"

Ela indicou uma pistola pousada sobre a cama.

"Trouxe a minha Beretta."

Tomás esticou o pescoço para facilitar a limpeza.

"Que pena não ter recebido esse telefonema a meio do banho", observou. "Assim apareceria aqui ainda mais bonita!..."

Valentina lavou a ferida do pescoço e voltou-se de seguida para a mão direita, onde, apesar do sangue, eram visíveis vários cortes.

"Que tonto me saiu!", repreendeu-o com doçura. "Estou aqui mortalmente preocupada consigo e você só pensa em... enfim, só pensa nisso."

Ouviram-se sirenes a soar no exterior e nesse instante o enorme perfil de Arnie Grossman surgiu recortado à entrada do quarto. Trazia uma pistola na mão e atrás dele vinha um polícia fardado com uma Uzi em riste, preparada para disparar.

"Então?", perguntou o polícia israelita, dardejando o olhar atento em todas as direcções, como se buscasse ameaças escondidas. "Está tudo bem?"

Valentina nem olhou para trás, preferindo manter-se ajoelhada junto a Tomás a limpar-lhe as feridas que lhe rasgavam a palma da mão direita.

"Porque levou tanto tempo?", quis ela saber.

Grossman aproximou-se dos dois enquanto o seu subordinado inspeccionava o quarto.

"Chamei reforços e enquanto eles não vinham fui para as traseiras tentar interceptar o suspeito", respondeu. "Mas acho que cheguei tarde de mais. Ele já tinha fugido." Inclinou-se diante de Tomás e observou-lhe o pescoço ferido. "Ui, isso está feio. Dói-lhe?"

O português esboçou um esgar de sofrimento.

"Não, é muito agradável", ironizou. "Claro que dói! Já experimentou espetar uma faca no pescoço? Olhe que é coisa para estragar a tarde a uma pessoa!..."

O polícia manteve os olhos presos na ferida do pescoço.

"Pelos vistos o alerta foi dado mesmo a tempo, hem? Um minuto mais tarde e..."

"Quem deu o alerta?"

"Foi uma chamada anónima recebida na central. Avisaram o meu departamento, que me avisou a mim."

"E porque não veio de imediato?"

Grossman corou e desviou o olhar, esboçando a expressão de alguém comprometido.

"É que eu nessa altura estava... enfim, estava na retrete do quarto de banho do The Arabesque", disse em voz baixa, quase num sussurro. Passada a revelação embaraçosa, encarou o ferido. "Não tinha modo de sair dali a correr naqueles preparos, não é verdade? Já viu o espectáculo que seria?" Fez um gesto a indicar Valentina. "Como sabia que a senhora Ferro se encontrava alojada no quarto mesmo ao lado do seu, liguei-lhe de imediato."

A italiana alçou o olhar para o colega israelita plantado atrás dela.

"Também me apanhou nuns lindos preparos, sim senhor", disse, fazendo um gesto para si mesma. "Só que eu, ao contrário de si, não me preocupei com isso. Vim como estava."

"Ah, mas os seus preparos são muito melhores que os meus", retorquiu Grossman, quase empertigado. "No meu caso era mesmo muito embaraçoso!"

Valentina não respondeu. Em vez disso, ajudou o português a levantar-se, o que ele fez com visível dificuldade. Ainda envolta na toalha que lhe escondia as formas, a italiana certificou-se de que o ferido se encontrava bem e depois pegou na pistola que deixara pousada sobre a cama e deu meia volta, dirigindo-se com passo decidido para a saída.

"Vou ao meu quarto", anunciou, acenando já de costas. "Tenho de me pôr apresentável."

Desapareceu para lá da porta escancarada e Tomás ficou a sós com os dois polícias israelitas, Grossman e o homem fardado que vigiava a varanda.

"Que estão vocês a fazer para apanhar o tipo?"

O inspector-chefe esboçou um gesto na direcção da janela e do que estava para lá dela.

"Isolámos o quarteirão e estamos a passar tudo a pente fino", explicou. "Mas, se quer que seja sincero, não me parece que ele se deixe apanhar. O nosso homem teve tempo mais do que suficiente para se pôr a salvo. A esta hora já está do outro lado da cidade ou fugiu para Ramallah, Belém ou Telavive."

"Também me parece."

Grossman apontou-lhe para a ferida na parte lateral do pescoço.

"Você é que esteve bem pertinho dele. Como é o sujeito?"

Tomás indicou com a mão uma altura quatro dedos mais baixa que a sua.

"Tem para aí esta estatura", indicou. "É ágil e magro, mas forte. Deve ter treino militar. Imobilizou-me de uma maneira incrível, parecia que me tinham metido numa jaula. Os braços dele eram de ferro."

"E a cara?"

"Mal a vi. O gajo apanhou-me de surpresa e pôs-me de cabeça para baixo, de maneira que não consegui vê-lo. Apercebi-me apenas de que estava todo vestido de negro e tinha o cabelo cortado à escovinha, como um soldado." Estremeceu. "Um tipo sinistro."

"Disse-lhe alguma coisa?"

O português assentiu.

"Chamou-me cordeiro e informou-me que eu lhe tinha sido indicado para sacrifício de expiação." Reviu mentalmente as imagens gravadas na sua memória. "Houve um pormenor curioso. Ele tinha uma adaga ritual. Afirmou que foi usada pelos seus antepassados nos sacrifícios do Yom Kippur e para matar legionários pagãos."

"Legionários?", admirou-se o polícia israelita. "Isso é uma referência evidente à grande revolta de há dois mil anos, que conduziu à destruição de Jerusalém e à expulsão dos judeus da Terra Santa."

"É evidente. E sabe qual foi um dos grupos de judeus mais activos nessa revolta, não sabe?"

Grossman estreitou as pálpebras.

"Os *sicarii.*"

Fez-se um silêncio súbito no quarto enquanto ambos digeriam o significado daquela conclusão. A pausa foi interrompida nesse instante por dois homens de bata branca que entraram no quarto com uma maca e o ar apressado de quem tinha uma missão a cumprir.

"O morto?", quiseram saber.

Grossman sorriu e indicou Tomás.

"Está aqui", disse. "Mas como ele é cristão e estamos em Jerusalém, o cadáver pelos vistos já ressuscitou."

Os recém-chegados pareceram ficar momentaneamente decepcionados perante a visão da vítima a olhar para eles, mas logo animaram quando se aperceberam das feridas no pescoço e na mão direita do português. A deslocação não tinha sido em vão.

"Isso tem de ser visto", disse de imediato o paramédico que parecia liderar o duo. "Vamos levá-lo para o hospital para tratar essas feridas. Venha daí!"

O homem da bata branca puxou Tomás pelo braço, mas o ferido libertou-se com um gesto seco e brusco.

"É só um momento."

"Onde vai?", admirou-se o paramédico. "A ambulância está lá fora à espera..."

O historiador foi até à mesinha-de-cabeceira e pegou no papel pousado junto à base do pequeno candeeiro. Verificou que se tratava do que procurava e voltou para junto de Arnie Grossman.

"O nosso homem deixou-nos mais uma mensagem."

O polícia israelita pegou no papel e leu a charada rabiscada a tinta negra.

"*Veritatem dies aperit?*", admirou-se, levantando os olhos para o seu interlocutor. "O que raio vem a ser isto?"

"É latim."

"Que é latim já eu percebi! Mas o que significa?"

Os paramédicos voltaram a puxar Tomás pelo braço e desta vez ele não resistiu. Deixou-se arrastar até à porta, mas antes de desaparecer no exterior lançou um último olhar a Grossman, que ainda aguardava a resposta à sua pergunta.

"O tempo revela a verdade."

XLI

Da boca dos actores que interagiam no ecrã do televisor jorrava um dramalhão com sotaque carioca; era uma novela brasileira transmitida pela televisão israelita. Tomás estava estendido na cama do Hospital Bikur Holim com um grande penso colado ao pescoço e a mão engessada, mas seguia com curiosidade divertida o diálogo legendado em hebraico entre duas beldades tropicais na praia de Ipanema.

Foi nessa postura descontraída que Valentina e Grossman o surpreenderam.

"Então como vai o nosso cordeiro?", gracejou a italiana ao entrar no quarto. "Preparado para a matança?"

Não perdeu pela demora.

"Eu posso ser o cordeiro", retorquiu ele com ar malicioso, "mas quem me apareceu toda tosquiadinha no quarto foi você!..."

Valentina fez beicinho.

"Oh, já não se pode brincar!"

O inspector-chefe da polícia israelita fez *hmm-hmm*, como se lhes pedisse que se contivessem na sua presença.

"Como eu calculava, não apanhámos o homem", anunciou. "Revistámos o quarteirão inteiro, mas não lhe demos com o rasto." Consultou um bloco de notas. "Identificámos, porém, a origem do telefonema anónimo que recebemos na central. Era de uma cabina pública." Vasculhou no bolso e extraiu o papel encontrado na mesinha-de-cabeceira do quarto. "A única coisa que nos resta é o enigma que o tipo deixou."

Estendeu o papel para Tomás, que pegou nele com a mão boa.

"Quer que o decifre?"

Grossman forçou um sorriso.

"É a sua especialidade, creio eu."

O historiador respirou fundo e pousou os olhos na charada, estudando-a demoradamente.

Veritaten dies aperit

"A primeira coisa a notar é que este enigma é algo diferente daqueles que encontrámos no Vaticano, em Dublin e em Plovdiv."

"Diferente?", admirou-se Valentina, que por esta altura conhecia já as outras charadas de cor. "Diferente como?"

Tomás apontou para a frase em latim.

"Isto é uma citação de Séneca", disse. "Remete-nos para a verdade."

"E então?"

"Os outros enigmas, se bem se lembra, não apontavam para a verdade", explicou. "Apontavam para falsificações e fraudes introduzidas ao longo do tempo no Novo Testamento."

"Ah, sim!", exclamou Grossman. "O que nos leva àquela pergunta que lhe fiz e a que você ainda não me respondeu: porque quereriam os *sicarii* chamar a atenção para essas fraudes?"

"Não fiz outra coisa senão explicar isso", retorquiu o historiador. "Os *sicarii* são, como sabe, um movimento judaico zelota. Com os anteriores enigmas queriam evidentemente mostrar que o Novo Testamento, longe de revelar o verdadeiro Jesus, o esconde. É preciso cortarmos as fraudes e as falsificações e a retórica dos evangelistas para podermos perceber quem era o verdadeiro Jesus. O Messias dos cristãos não passava de um judeu conservador." Ergueu um dedo, para acentuar a ideia que ia expor. "Um judeu tão judeu como os *sicarii*."

"Era esse o objectivo dos três primeiros enigmas?"

Tomás aquiesceu com a cabeça.

"Na minha opinião, sim."

Valentina apontou para a nova charada que ele tinha na mão.

"E este?"

"Este é diferente", sentenciou o historiador. "Os *sicarii* já não estão preocupados com expor as falsidades que constam no Novo Testamento." Agitou a pequena folha de papel. "O que está aqui em questão não é a mentira, mas a verdade."

"A verdade? Qual verdade?"

"A verdade de quem realmente era Jesus." Baixou os olhos para o novo enigma. "Isso está aliás implícito nesta frase de Séneca. *Veritatem dies aperit*. Ou *o tempo revela a verdade*. É pois da verdade que esta charada trata."

O inspector-chefe da polícia israelita apontou para o desenho.

"E este leão? O que significa isto?"

"Não é um leão qualquer", observou Tomás. "Já reparou que tem asas?"

Grossman riu-se.

"É então um leão-anjo."

O historiador abanou negativamente a cabeça, os olhos ainda presos ao desenho.

"Não, é Marcos."

"Perdão?"

Tomás estendeu o braço para a mesa ao lado da cama e abriu a gaveta. Inseriu os dedos no interior e retirou uma Bíblia pequena e grossa impressa em hebraico e inglês.

"O Evangelho segundo Marcos começa em 1:3 a falar numa 'Voz do que brada no deserto'. Esta voz, que é a de João Baptista, foi comparada ao longo do tempo com o rugido de um leão. Por isso ficou instituído que o leão alado é o símbolo de Marcos."

Os olhos dos dois polícias mantiveram-se presos à figura desenhada na charada.

"Este leão simboliza Marcos?"

"Exacto." Indicou os caracteres garatujados a seguir ao leão. "E este I:XV é, evidentemente, numeração romana. Indica um determinado versículo que se encontra no Evangelho segundo Marcos. Um versículo que perdura no tempo." Arqueou as sobrancelhas. "O mesmo tempo que revela a verdade."

Valentina e Grossman contemplavam, fascinados, o enigma nas mãos do português.

"Ou seja", disse a italiana, a excitação a apossar-se-lhe da voz, "o que o assassino nos está a dizer é que a verdade sobre Jesus se encontra inscrita nesse versículo?"

"Bingo!", soltou Tomás. "O versículo I:XV. Ou 1:15, na numeração moderna."

Os três pares de olhos descaíram quase em simultâneo para a Bíblia que o historiador tinha na mão.

"Ó homem", ordenou o israelita, "leia lá esse versículo!"

Tomás tinha o livro aberto na primeira página do Evangelho segundo Marcos, onde acabara de ler a referência à 'Voz do que brada no deserto', em 1:3, pelo que só teve de descer umas linhas e localizar o versículo 1:15, um pouco mais abaixo.

"Isto é uma frase de Jesus", disse, preparando-se para a ler. "'Completou-se o tempo e o reino de Deus está perto: Arrependei-vos, e acreditai na Boa Nova.'"

Os dois polícias ficaram um instante à espera da continuação, mas o português levantou a cabeça e encarou-os como se não houvesse mais nada para ler.

"E o resto?", quis saber a italiana. "Onde está o resto?"

Tomás sorriu, com ar de sonso.

"Não há resto", disse. "O versículo 1:15 é este."

De sobrolho carregado e com uma expressão interrogadora, Valentina atirou um olhar desconfiado para a Bíblia.

"Isso?", admirou-se. "É essa a grande verdade sobre Jesus?"

O historiador fez que sim com a cabeça.

"A verdade todinha."

"Mas o que tem isso de especial? Que grande verdade é que essa frase tão banal e inócua revela?"

Tomás pegou na Bíblia e mostrou a página aos dois polícias, como um advogado a apresentar em tribunal uma prova crucial.

"Este, meus amigos, é um versículo que muitos teólogos cristãos gostariam de ver apagado para sempre do Novo Testamento!"

Valentina esboçou uma careta de incredulidade.

"Está a brincar..."

"Minha cara", disse ele com solenidade. "É esse curto versículo que encerra a estranha verdade sobre Jesus Cristo."

"Não me diga? E qual é?"

O académico português pousou o livro na cama e cruzou os braços, o olhar a saltar entre Valentina e Grossman, como um toureiro a escolher qual das bestas iria provocar.

"O último segredo da Bíblia."

XLII

O sangue já estava seco na lâmina quando Sicarius mergulhou a adaga na água e começou a lavá-la. Procedeu com cuidado, esmero até, ensaboando o metal com movimentos delicados mas metódicos. A água que escoava pelo ralo tornou-se avermelhada e o seu rosto não conteve um leve sorriso; era como se ele fosse Moisés e tivesse acabado de se purificar com uma das dez pragas lançadas sobre o Egipto.

"'Eis o que diz o Senhor: para ficares a saber que Eu sou o Senhor, vou ferir as águas do rio com a vara que tenho na mão e transformar-se-ão em sangue'", murmurou, recitando de cor as Sagradas Escrituras numa litania ininterrupta. "'Sob os olhos do Faraó e sob os olhos dos seus seguidores, Aarão levantando a vara, feriu as águas do rio, e todas as águas do rio se transformaram em sangue. Os peixes do rio morreram, as águas do rio ficaram infectadas e os egípcios não as podiam beber. E, em vez de água, só havia sangue por todo o Egipto. Mas tendo...'"

A água que se escoava pelo ralo deixou de ser vermelha e Sicarius calou-se. A adaga sagrada fora purificada. Tirou--a de baixo da torneira e secou-a no *tallit*, o manto das orações, de modo a garantir a sua pureza ritual. Depois foi depositar a *sica* com todo o cuidado na mala de couro negro e guardou-a no cofre.

Terminado o ritual da purificação da adaga, Sicarius pegou no telemóvel. Digitou o número e aguardou. Uma voz de mulher encheu a linha num tom melífluo, embora monocórdico.

"*O número para o qual ligou não está disponível*", disse a voz. "*Por favor, deixe uma mensagem após o sinal.*"

Sicarius olhou para o aparelho com irritação.

"Maldição!", vociferou. "Onde anda ele?"

Ainda esteve à beira de desligar, a exemplo do que tinha feito nas três tentativas anteriores, mas reconsiderou a tempo. O mestre tinha destas coisas, sabia, contendo o ímpeto. Por vezes desaparecia de circulação por tempo indeterminado e não deixava rasto. O melhor, decidiu, era mesmo gravar uma mensagem.

O sinal soou ao telefone e começou a gravação.

"Mestre", disse, hesitante. Oh, como odiava falar para uma máquina! "A operação foi concluída com sucesso." Mais uma pausa, à procura das palavras certas; era difícil apresentar um discurso fluido quando não tinha ninguém do outro lado com quem interagir com perguntas e respostas. "Conforme as ordens que me enviou por *e-mail,* não o matei. Apenas o feri." Vacilou. Deveria repreender o mestre pelo seu atraso? Sim, no fim de contas a única coisa que não correra a cem por cento fora por responsabilidade dele. Porque não deixar--lhe um remoque sobre o assunto? "A intervenção da polícia foi um pouco tardia e tive de fazer tempo." Suspirou. "Mas enfim, já está." Uma última pausa. "Aguardo instruções."

Desligou.

XLIII

Embora Tomás permanecesse deitado na cama do hospital, a sua atenção deambulou pelo quarto até recair nos olhos pálidos de Arnie Grossman. Os polícias queriam perceber a mensagem que o agressor lhe deixara no quarto do hotel? Pois ele não os iria decepcionar.

"Diga-me uma coisa", perguntou de chofre. "Qual a natureza da aliança estabelecida entre Deus e o povo judaico?"

Apanhado de surpresa pela interpelação, o inspector-chefe da polícia israelita pestanejou.

"Bem... Deus deu-nos as tábuas da lei", titubeou. "Escolheu-nos como o Seu povo e concedeu-nos a Sua protecção, em troca do nosso respeito pela Sua lei."

"Se assim é, como explica a destruição do Templo em 70 e as sucessivas perseguições dos judeus, como a escravidão na Babilónia, a expulsão da Terra Santa e o Holocausto? Não é afinal Deus que vos garante a Sua protecção? Como é possível que tanta coisa má vos tenha sucedido ao longo da história se contam com o favor divino?"

Confrontado com o paradoxo, Grossman coçou a cabeça enquanto arquitectava uma resposta.

"Os nossos antigos profetas dizem que o mal sofrido por Israel resulta da desobediência dos judeus ao Senhor", retorquiu por fim. "São os nossos pecados que levam Deus a punir-nos. Segundo os profetas, se nos tornarmos devotos, se cumprirmos fielmente a lei e regressarmos ao caminho do Senhor, Israel renascerá em todo o seu esplendor."

"Ou seja, o sofrimento é um castigo divino pelos pecados cometidos pelos judeus."

"É o que dizem os nossos profetas."

Tomás lançou um olhar pela janela aos candeeiros públicos que iluminavam a rua e os edifícios fronteiros ao hospital, mas foi apenas por um momento, porque logo a seguir voltou a encarar os dois polícias que o tinham ido visitar.

"Essa é a explicação tradicional do sofrimento do povo judaico", confirmou. "Acontece que, na altura da revolta dos Macabeus, a repressão intensificou-se e os judeus foram até proibidos pelos seus opressores de respeitar a lei. Quem desobedecesse era morto. Essa proibição criou a convicção entre muitos judeus de que o seu sofrimento não podia ser explicado como um castigo de Deus pelos seus pecados. Pois se nem sequer lhes permitiam respeitar a lei! Por outro lado, e por mais pias e zelosas no respeito da lei que as pessoas fossem, continuava a haver sofrimento. A que se devia isso? Apareceu então uma nova explicação: não era Deus quem estava a fazer sofrer as pessoas; era o Diabo. O exílio na Babilónia tinha introduzido na cultura hebraica a figura de Baalzevuv, ou Belzebu, a quem, com o tempo, foi atribuído todo o mal do mundo. O Diabo tomara conta da Terra e era ele o responsável por todo o sofrimento."

"Então e Deus?"

"Estava no Céu", explicou o historiador, apontando para cima. "Por qualquer razão não muito bem compreendida, o Senhor permitia que Belzebu reinasse no mundo e fizesse todo o mal que qualquer ser humano experimentava na pele ou via em redor. Muitos judeus, embora não todos, adoptaram assim uma visão maniqueísta da vida, fundada neste dualismo entre o bem e o mal. Deus liderava as forças do bem, tinha do seu lado a virtude e a vida, o bem-estar e a verdade, a luz e os anjos. Belzebu encabeçava as forças do mal, tinha do seu lado o pecado e a morte, o sofrimento e a mentira, a treva e os demónios. Estas duas grandes forças cósmicas submetiam os seres humanos à sua vontade e as pessoas tinham de escolher um lado. Ou estavam com Deus ou estavam com o Diabo. Não havia terra-de-ninguém." Tomás fez uma pausa e arregalou os olhos. "Mas, atenção, isso não ia durar para sempre. O dia chegaria em que Deus desceria à Terra, destruiria as forças do mal e imporia o seu reino. Que reino é esse?"

Os olhos de Arnie Grossman estreitaram-se ao reconhecer a expressão.

"O reino de Deus."

"Nem mais", confirmou Tomás. "Algumas seitas judaicas começaram a acreditar que este dualismo entre o bem e o mal se estendia também no tempo. O dualismo tornou-se assim apocalíptico. Nos dias que se viviam imperava o reino de Belzebu e era isso que explicava a existência de tanto mal e de tanto sofrimento na Terra. O mundo vivia mergulhado no reino do Diabo, onde quem mandava eram os pecadores e os corruptos, aliados de Belzebu. Os justos e os virtuosos eram reprimidos. Porém, no final desta idade do mal ocorreria um grande acontecimento cataclísmico. Uns achavam que Deus enviaria um Messias para chefiar a batalha contra o mal, outros pensavam que o enviado seria uma outra figura, a quem as Escrituras chamavam o Filho do homem. Daniel descreveu em 7:13-14 esta visão profética: 'Vi aproximar-se, sobre as nuvens do céu, um ser semelhante a um Filho do homem. Avançou até ao ancião, diante do qual o conduziram. Foram-lhe dadas soberanias, glória e realeza. Todos os povos, todas as nações e as gentes de todas as línguas o serviram. O Seu império é um império eterno que não passará jamais, e o Seu reino nunca será destruído.' Ou seja, na profecia de Daniel o agente de Deus que viria estabelecer o Seu reino eterno é este Filho do homem. Mas, fosse através do Messias fosse do Filho do homem, o facto é que Deus interviria no mundo, aniquilaria as forças do mal e instalar-se-ia na Terra. Os mortos seriam ressuscitados e todos os seres humanos seriam julgados."

O polícia israelita reconheceu aqui uma das mais importantes profecias das Escrituras.

"O dia do juízo final."

"Isso. Depois desse grande julgamento começaria uma nova era, em que não haveria dor nem sofrimento, não haveria fome nem guerra, não haveria ódio nem desespero, e o Senhor reinaria. O reino de Deus."

Valentina escutou tudo em silêncio, mas já começava a sentir-se impaciente. Tinha na mão a folha com o enigma e, aproveitando a pausa, mostrou-a ao historiador.

"Tudo isso é muito bonito", disse. "Mas qual a relevância do que está a contar para entender esta charada?"

Veritaten dies aperit

1:XV

Tomás abriu a Bíblia que tinha pousada na cama.

"Não é evidente?", perguntou. "Esse enigma remete-nos para o Evangelho segundo Marcos, versículo 1:15. Vou só reler a frase de Jesus que está citada nesse versículo." Afinou a voz. "'Completou-se o tempo e o reino de Deus está perto: Arrependei-vos, e acreditai na boa nova.'"

Fez-se um súbito silêncio no quarto do hospital. A frase de Jesus era digerida em todas as suas implicações e ramificações.

"'Completou-se o tempo e o reino de Deus está perto'?", repetiu Valentina, tentando extrair um sentido do que acabara de escutar. "Está a insinuar que Jesus disse que se completou o tempo de Belzebu e que Deus iria instituir o seu reino?"

Tomás apontou para o versículo.

"É o que está escrito nesta frase, não é?"

"Mas... mas o que quer isso dizer?"

O historiador cravou os olhos na italiana.

"Não é evidente?", perguntou em tom retórico. "Jesus era um pregador apocalíptico!" Fez um sinal para a janela. "Nunca viu lá fora, na rua, aqueles maluquinhos com grandes barbas e cartazes a dizer *Arrependam-se! O fim está próximo!* e outras baboseiras do género? Nunca viu?" Indicou o pequeno crucifixo de prata ao pescoço dela. "Pois Jesus era um desses pregadores!"

"*Mamma mia!*", escandalizou-se ela. "Como pode afirmar uma coisa dessas?"

"Mas é verdade!", insistiu Tomás. "Aliás, a própria família de Jesus achava que ele não batia bem da cabeça!"

Foi como se tivesse espetado mais uma faca no belo corpo de Valentina.

"Oh!", gemeu ela. "Como se atreve? A Virgem... a *Madonna*... a santíssima Maria nunca pensou tal coisa do seu filho! Ela sabia que ele era... especial. Santa Maria sempre lhe foi muito devota!"

O historiador pôs-se a folhear freneticamente a Bíblia.

"Ai sim?", devolveu. "Então veja o que está aqui escrito no Evangelho segundo Marcos." Identificou o trecho. "Versículo 3:21: 'E, quando os seus familiares ouviram isto, saíram a ter mão n'Ele, pois se dizia: «Está fora de Si.»' Levantou os olhos. "Jesus 'Está fora de Si'? Era isto o que dele pensavam os seus próprios familiares, que correram para 'ter mão n'Ele'? A família de Jesus achava que ele enlouquecera? Mas o que vem a ser isto?"

Valentina debruçou-se sobre o livro e leu o versículo com os seus próprios olhos.

"Bem... quer dizer... nunca tinha reparado neste trecho."

"E não era apenas a sua família que o achava 'fora de Si'. Os próprios habitantes de Nazaré pensavam o mesmo." Adiantou umas páginas. "Ora veja o que Marcos escreveu em 6:5 quando Jesus voltou a Nazaré e enfrentou os seus conterrâneos na sinagoga: 'Jesus disse-lhes: «Um profeta só é desprezado na sua pátria, entre os seus parentes e em sua casa.»' Ou seja, Jesus admite aqui abertamente que os parentes o desprezavam! E os seus conterrâneos também! E não era apenas em Nazaré. Em toda a parte por onde passava na Galileia, as pessoas riam-se do que ele dizia! De tal modo que Jesus se pôs a ameaçá-las. Citado por Mateus em 11:21, disse Jesus com grande fúria: 'Ai de ti, Corozaim! Ai de ti, Betsaida! Porque, se os milagres realizados entre vós tivessem sido realizados em Tiro e em Sidónia, de há muito teriam feito penitência no saco e na cinza. Aliás, digo-vos Eu, haverá mais tolerância, no dia do juízo, para Tiro e Sidónia do que para vós. E tu, Cafarnaum, julgas que serás exaltada até ao Céu? Serás precipitada no inferno.'" Observou os seus interlocutores. "Poderá haver coisa mais clara?"

A italiana leu também o trecho do Evangelho, para se certificar de que era mesmo assim.

"*Dio mio!*", exclamou com a mão sobre a boca ao confirmar a leitura. "Mas porque diabo isto nunca me foi explicado?"

A pergunta era evidentemente retórica e Tomás nem se deu ao trabalho de tentar responder. Em vez disso, folheou de novo o Evangelho segundo Marcos.

"A chegada do reino de Deus constitui, em boa verdade, o essencial da mensagem de Jesus", disse. "Não é, aliás, por acaso que Marcos começa justamente por ela. O Evangelho segundo Marcos inicia-se com o encontro de Jesus com João Baptista e o episódio do baptismo no rio Jordão. É importante lembrar que João andava a gritar aos sete ventos que vinha aí o reino de Deus e que as pessoas tinham de se arrepender e lavar os pecados na água para se purificarem e poderem entrar nesse reino. Se Jesus foi ter com João Baptista é porque acreditava nessa mensagem. Segundo Marcos, logo que Jesus é baptizado, purificando-se dos seus pecados como João recomendava, dos céus vem uma voz a reconhecê-lo como 'o Meu Filho muito amado' e a seguir ele vai para o deserto passar quarenta dias. Depois regressa à Galileia e Marcos põe-lhe na boca a frase fatídica do versículo 1:15, na verdade um mero eco da mensagem apocalíptica de João Baptista: 'Completou-se o tempo e o reino de Deus está perto: Arrependei-vos, e acreditai na boa nova.'" Indicou com o dedo esta derradeira expressão. "Pergunto-vos eu: como se diz *boa nova* em grego?"

Os dois polícias encolheram os ombros.

"O meu grego anda enferrujado", gracejou Grossman.

"*Evan gelion*", revelou Tomás. "*Boa nova* diz-se *evan gelion* em grego." Indicou o texto da Bíblia. "O que significa que é esse o significado profundo e oculto dos Evangelhos: a boa nova do apocalipse e da consequente chegada do reino de Deus!" Ergueu as mãos para o ar e fez um ar alucinado, imitando um pregador apocalíptico. "Arrependam-se! Arrependam-se e acreditem na boa nova! O mundo vai acabar e Deus vai impor o Seu reino!" Readquiriu a fisionomia normal e fitou os seus interlocutores. "É essa, acreditem ou não, a mensagem central dos Evangelhos."

Valentina abanou a cabeça, recusando-se a acreditar.

"Não pode ser!", murmurou. "Não pode ser!"

"Acha que não? Então diga-me: qual é a oração principal dos cristãos?"

"É o pai-nosso, claro."

"Pode recitar-mo?"

"O pai-nosso?", admirou-se a italiana. Afinou a voz e começou a entoar a oração como fazia quando ia à missa aos domingos. "Pai nosso que estais no Céu, santificado seja o Vosso Nome, venha a nós o Vosso reino, seja feita a Vossa vontade, assim na Terra como no Céu."

"Já reparou no que acabou de dizer?"

"Ora! Estou simplesmente a recitar o pai-nosso..."

"Sim, mas já viu o que disse? 'Pai nosso que estais no Céu'? Ele não está na Terra? Então quem está na Terra? O Diabo, claro. 'Venha a nós o Vosso reino'? Que reino é esse? O reino de Deus, é evidente. A oração pede que esse reino venha a nós. 'Seja feita a Vossa vontade, assim na Terra como no Céu'? Seja feita a vontade de Deus na Terra? Isso significa que ela ainda não está a ser feita na Terra? Por enquanto só está no Céu?"

Valentina pareceu ficar confusa.

"É curioso, nunca tinha reparado nisto."

"O pai-nosso, oração central do cristianismo, é na verdade uma oração apocalíptica! São os judeus a implorar a Deus que desça à Terra para impor 'a Vossa vontade'! Vontade que ainda não reina na Terra, uma vez que o mundo está, lembro-o, nas mãos de Belzebu."

"*Mamma mia!* Da próxima vez que rezar vou prestar mais atenção ao que digo!..."

"Jesus até descreve em pormenor como será o dia em que se desencadeará o acontecimento apocalíptico que prenuncia a chegada da nova era, que Marcos e Lucas chamam o reino de Deus e Mateus reino dos Céus", acrescentou. "Vejam o que diz Jesus, citado por Marcos em 13:24-27: 'Mas nesses dias, depois daquela aflição, o Sol escurecer-se-á e a Lua não dará a sua claridade, as estrelas cairão do céu e as forças que estão nos céus serão abaladas. Então verão vir o Filho do Homem sobre as nuvens, com grande poder e glória. Ele enviará os Seus anjos e reunirá os Seus eleitos, dos quatro ventos, da extremidade da Terra à extremidade do céu.'" Encarou os seus interlocutores. "O que Jesus está aqui a fazer é a elaborar a visão profética de Daniel nas Escrituras."

Arnie Grossman, que por ser judeu estava familiarizado com o Antigo Testamento, anuiu.

"Evidentemente."

"Deus instalará então o Seu reino na Terra. Quais as consequências sociais desse grande acontecimento?"

"Acabam-se as desigualdades", sentenciou Valentina. "Deixa de haver ricos e pobres, poderosos e oprimidos, fortes e fracos."

Tomás abanou a cabeça.

"Não."

A negativa surpreendeu a italiana.

"Não?"

O historiador fez uma pausa, para obter efeito dramático. "Ocorre a inversão de papéis!"

"A inversão como? O que quer dizer com isso?"

"Quem manda agora no mundo é Belzebu, não é verdade? Quem são os agentes de Belzebu? Os que têm vantagem neste mundo: os poderosos, os ricos, os corruptos. Como o Diabo manda na Terra, obrigatoriamente qualquer pessoa que agora tenha poder é, por definição, um seu agente. E onde estão os agentes de Deus? Estão sob a bota dos agentes de Belzebu. Quem são eles? Os pobres, os oprimidos, os indefesos. Então o que vai acontecer quando o Reino de Deus se estabelecer na Terra? Invertem-se os papéis!"

"O que entende por inversão dos papéis?", questionou Valentina. "Os fracos tornam-se fortes?"

"E os fortes tornam-se fracos e são submetidos e humilhados."

"Mas a mensagem cristã é uma mensagem igualitária!", protestou ela. "Ninguém se submete a ninguém!..."

Tomás voltou-se para o seu exemplar da Bíblia.

"Quem vai responder a essa sua observação não sou eu, mas o próprio Jesus", retorquiu. "Citado por Marcos em 10:31, disse Jesus: 'Muitos dos primeiros serão os últimos, e os últimos, primeiros.' Citado por Lucas em 6:24-25, disse Jesus: 'Mas ai de vós, os ricos, porque recebestes a vossa consolação. Ai de vós, os que estais agora fartos, porque haveis de ter fome.' Citado por Marcos em 9:35, disse Jesus: 'Se alguém quiser ser o primeiro, há-de ser o último de todos e o servo de todos.' Escreveu Mateus em 19:23-24: 'Jesus disse então, aos discípulos: «Em verdade vos digo que dificilmente entrará um rico no reino dos céus.» Replico-vos: «É mais fácil passar um camelo pelo fundo de uma agulha do que um rico entrar no reino dos céus.» E sobre o dia do juízo, quando o Filho do Homem descer do Céu e se sentar no seu trono para julgar a humanidade e mandar os poderosos para a esquerda, escreveu Mateus em 25:41-43: 'Em seguida dirá aos da esquerda: «Afastai-vos de Mim, malditos, para o fogo eterno que está preparado para o diabo e para os seus anjos. Porque tive fome e não Me destes de comer; tive sede e não Me destes de beber; era peregrino e não Me recolhestes; estava nu, e não Me vestistes, enfermo e na prisão, e não fostes visitar-Me.' Escreveu ainda Mateus em 13:40-43, citando Jesus: 'Assim, pois, como o joio é colhido e queimado no fogo, assim será no fim do mundo: O Filho do Homem enviará os Seus anjos que hão-de tirar do Seu reino todos os escandalosos e todos quantos praticam a iniquidade, e lançá-los-ão na fornalha ardente; ali haverá choro e ranger de dentes.'"

"C'os diabos!"

O historiador encarou a italiana.

"Está a perceber a verdadeira mensagem de Jesus? Aos poderosos disse: 'Haveis de ter fome'! Acrescentou que 'É mais fácil passar um camelo pelo fundo de uma agulha do que um rico entrar no reino dos céus'! Explicou que serão 'servos de todos'! Chamou-lhes 'malditos' e anunciou-lhes que iriam 'para o fogo eterno que está preparado para o diabo'! Não contente com isso, insistiu que seriam lançados 'na fornalha ardente', onde haveria 'choro e ranger de dentes'!" Estreitou as pálpebras. "Não me parece uma mensagem muito cristã, compassiva e igualitária, pois não?"

Apanhada completamente de surpresa por estes versículos, Valentina estava de boca aberta.

"Mas... mas...", gaguejou, desconcertada. "Jesus disse que déssemos a outra face! Disse que amássemos os inimigos! Disse ou não disse? Isso não é uma mensagem igualitária?"

"Não, minha cara", respondeu Tomás. "Quando ele diz que demos a outra face e amemos os inimigos não está a transmitir uma mensagem igualitária mas uma mensagem de inversão de papéis. Não se esqueça que 'Muitos dos primeiros serão os últimos, e os últimos, primeiros'. Quem são os últimos? São os que estão cá em baixo. Os pobres, os oprimidos. Citado por Mateus em 5:3-10, disse Jesus no Sermão da Montanha: 'Bem-aventurados os pobres em espírito, porque deles é o reino dos céus. Bem-aventurados os que choram porque serão consolados. Bem-aventurados os mansos, porque possuirão a terra. Bem-aventurados os que têm fome e sede de justiça, porque serão saciados. Bem-aventurados os misericordiosos, porque alcançarão misericórdia. Bem-aventurados os puros de coração, porque verão a Deus. Bem-aventurados os pacificadores, porque serão chamados filhos de Deus. Bem-aventurados os que sofrem perseguição por causa da justiça, porque deles é o reino dos Céus.'"

"Então os poderosos não podem fazer nada para se manterem poderosos no reino de Deus..."

"Claro que podem. Podem fazer muito, até."

"Podem fazer o quê?"

"Para começar, têm de se arrepender dos seus pecados. Essa era a mensagem de João Baptista que Jesus abraçou, confirmando o arrependimento como o procedimento principal. Citado por Lucas em 15:7, Jesus disse: 'Digo-vos Eu: Haverá mais alegria no Céu por um só pecador que se arrepende do que por noventa e nove justos que não necessitam de arrependimento.' Ele põe os pecadores arrependidos à frente das pessoas que não pecam! Isto faz sentido na lógica da inversão de papéis, em que os primeiros passam para últimos e os últimos para primeiros."

"Quer dizer que o arrependimento é a melhor forma de alcançar o reino de Deus?"

"Para Jesus, sim. Mas os poderosos também podem despojar-se e tornar-se fracos e ajudar os fracos. Não se esqueça, repito, que haverá inversão de papéis. Citado por Lucas em 18:14, disse Jesus: 'Aquele que se exalta será humilhado, e quem se humilha será exaltado.' Assim sendo, os fracos tornar-se-ão fortes. Como pode uma pessoa ficar poderosa no reino de Deus? Despojando-se e tornando-se fraca e humilhando-se no reino de Belzebu. Citado por Marcos em 8:35, disse Jesus: 'Porque quem quiser salvar a sua vida perdê-la-á, e quem perder a sua vida por Mim e pelo Evangelho salvá-la-á.' É por isso que Jesus insiste na necessidade de os seus seguidores se despojarem, se tornarem escravos dos outros e dedicarem a vida aos fracos. A humilhação vai ao ponto de o humilhado ter de amar o seu inimigo."

"Mas isso é humildade!..."

O historiador apontou para a Bíblia.

"Não", exclamou. "O que está aqui escrito parece-nos, hoje, a apologia da humildade. No entanto, no sentido e no contexto em que Jesus proferiu estas palavras, não estava a recomendar a humildade pelo simples desejo de fazer o bem. Ao contrário do que agora possa parecer, não se tratava de um acto puramente altruísta, generoso, desinteressado e inocente. Pelo contrário, havia aqui um projecto de poder muito claro. A humildade praticada hoje era uma forma de as pessoas se tornarem poderosas mais tarde e subjugarem as que agora eram poderosas e mais tarde iriam ficar fracas.

Mais tarde quando? No momento em que se estabelecesse o reino de Deus, claro."

"Desculpe, mas não é bem assim", argumentou Valentina, que se recusava a aceitar aquela leitura. "O projecto era altruísta e generoso e desinteressado porque se tratava de algo a longo prazo. As pessoas iam ajudar as outras durante muito e muito tempo, até porque o reino de Deus não surge de um momento para o outro, não é verdade? Vai levar imenso tempo a..."

"Amanhã."

A italiana pestanejou.

"Perdão?"

Tomás fitou-a com intensidade, para sublinhar o significado das suas palavras.

"O reino de Deus irá ser instituído já amanhã."

XLIV

Acesa em mil pontos luminosos como uma grandiosa árvore de Natal, Jerusalém à noite era quase uma cidade como outra qualquer. Quase. A cúpula dourada do rochedo, erguida pelos muçulmanos no topo do monte Moriah e brilhante como um enorme farol entre a miríade de luzinhas laranja e brancas que cintilavam tremulamente na escuridão, servia para recordar a quem a olhasse que aquela cidade não era como as outras.

Sicarius sabia-o melhor do que ninguém. Sentado diante da janela enquanto aguardava notícias do mestre, ia ruminando o significado profundo da maldita cúpula que refulgia diante dos seus olhos. Ah, não havia dúvida: aquilo era um insulto à memória dos seus antepassados!

Como ignorar a afronta? Fora justamente ali, no alto do Moriah e por baixo daquela cúpula usurpadora, que Abraão oferecera o seu filho ao sacrifício; fora também no cimo daquele monte que Salomão erigira o seu Templo e

Herodes o reconstruíra; e fora ainda ali que se levantara o santo dos santos, precisamente no local da cúpula, o sítio do sacrifício de Abraão, a câmara onde Deus bendito, Ele próprio, deambulava na Terra. Mas o destino tinha destas coisas. Os Romanos destruíram o Templo e os muçulmanos ergueram ali a sua cúpula. Dois escarros na face dos judeus.

Mas a hora aproximava-se. Olho por olho, dente por dente. A justiça de Deus era inexorável. Ah, o mundo iria enfim perceber a verdade! E ele, Sicarius, tinha a suprema honra de ser o punho de Deus, o instrumento da vontade divina, a *sica* que os filhos devolveram à mão do Pai.

Ergueu-se de repente e virou as costas à janela, irritado com a imagem provocatória da cúpula dourada. Vê-la era mais do que podia suportar. Ardendo de impaciência, pegou novamente no telemóvel e voltou a digitar o número do mestre. Tocou duas vezes e entrou em gravação.

"*O número para o qual ligou não está disponível*", disse a voz feminina. "*Por favor, deixe uma mensa...*"

Desligou antes que a gravação terminasse e, em frustração, atirou o telemóvel para o tapete.

"Por onde anda ele?", rugiu. "Recolheu-se para o seu retiro logo numa altura destas? Enlouqueceu?"

Nada daquilo fazia sentido. Respirou fundo e, já mais controlado, foi apanhar o telemóvel e verificou se tinha ficado avariado. Estava a funcionar. Deu duas voltas diante da janela, mas desta feita evitou fitar a irritante cúpula dourada no topo do monte Moriah, que parecia ter sido ali plantada de propósito para enxovalhar os filhos de Deus.

De repente teve uma ideia.

E a Internet? Deu uma palmada na testa. Como diabo não se tinha ainda lembrado da Internet? Foi buscar o seu computador portátil e ligou-o. Aguardou pacientemente que as configurações se estabelecessem e as ligações ficassem concluídas. Levou uns três minutos, mas acabou por entrar no seu endereço electrónico e foi directo à *inbox*. A mensagem estava lá.

Clicou na linha e o conteúdo encheu-lhe o ecrã.

Sicarius,

Correu tudo bem.

Houve apenas um atraso a passar o alerta, porque a operadora da polícia levou algum tempo a convencer.

Vou permanecer incomunicável durante algum tempo, mas quero-te a vigiar a fundação. Quando vires o alvo em movimento, segue-o discretamente até onde ele te levar.

A hora está a chegar.

Quero-te a vigiar a fundação? Quando vires o alvo em movimento, segue-o discretamente?

Sicarius desligou o computador e foi ao cofre buscar a mala de couro negro onde havia guardado a *sica*.

Tinha uma nova missão.

XLV

"Amanhã?", interrogou-se Valentina, verificando no relógio o dia em que estavam. "Que quer dizer com amanhã?"

Tomás riu-se.

"Quando digo que o reino de Deus vai ser instituído amanhã, não é na perspectiva de hoje", esclareceu. "É na perspectiva do tempo de Jesus. Ele achava que o reino de Deus estava mesmo à beira de ser estabelecido, o que devia acontecer ainda no seu tempo de vida."

"Oh, que disparate! Ele nunca disse tal coisa!"

O historiador abriu de novo a Bíblia na primeira página do Evangelho segundo Marcos.

"Ai não? Leia de novo o versículo 1:15 de Marcos, que o meu agressor indicou na charada que deixou no meu quarto", sugeriu, descendo os olhos até ao texto. "'Completou-se o tempo e o reino de Deus está perto: Arrependei-vos, e acreditai na boa nova.'" Fitou a sua interlocutora. "Jesus está aqui a dizer que o tempo se completou! Está a dizer que o reino de Deus está perto! É essa a boa nova! Percebe?”

A italiana fez com a mão um gesto no ar.

“Perto, perto... o que é isso? *Perto* é uma palavra muito vaga! Tudo depende da perspectiva, não é? Na perspectiva humana, um milhão de anos é muito, mas na perspectiva do universo não é nada!...”

“*Perto* quer dizer *iminente*”, esclareceu Tomás. “Jesus achava que o estabelecimento do reino iria acontecer a todo o instante. Amanhã, no próximo mês, daqui a um ou dois anos. Citado por Marcos em 9:1, disse Jesus aos seus discípulos: ‘Em verdade vos digo que alguns dos que estão aqui presentes não experimentarão a morte sem ter visto chegar o reino de Deus com todo o Seu poder.’” Encarou os seus interlocutores. “Isto significa que Jesus disse aos discípulos que alguns deles estariam vivos quando o reino de Deus fosse instituído!” Virou três folhas. “Essa mensagem é reforçada mais à frente por Jesus, citado por Marcos em 13:30: ‘Em boa verdade vos digo: Não passará esta geração sem que todas estas coisas aconteçam.’ Ou seja, a chegada do reino de Deus estava iminente. Jesus sugeriu mesmo que a Terra é a casa de Deus, o dono ausente que estava prestes a regressar. Citado por Marcos em 13:35-37, disse Jesus: ‘Vigiai, pois, porque não sabeis quando virá o dono da casa, se à tarde, se à meia-noite, se ao cantar o galo, se pela manhã; não seja que, vindo inesperadamente, vos encontre a dormir. O que vos digo a vós, digo-o a todos: Vigiai!’”

Valentina parecia desconcertada.

“Isso é mesmo assim?”

O académico português indicou a sua Bíblia.

“É o que está aqui escrito!”, exclamou. “Leia você mesma, se duvida! Quando Jesus foi julgado pelo sinédrio que supostamente o condenou à morte, por exemplo, Marcos cita-o em 14:62 a profetizar o seguinte ao sumo sacerdote: 'Vereis o Filho do Homem sentado à direita do Poder.'" Fez uma careta. "'Vereis'? Jesus considerava que a chegada do Reino de Deus estava de tal modo iminente que profetizou que o próprio sumo sacerdote, que já devia ter alguma idade, ainda estaria vivo quando isso acontecesse!"

"Mas o que levava Jesus a pensar que o reino de Deus estava prestes a chegar?"

"Achava que havia sinais nesse sentido. Citado por Marcos em 4:11, disse Jesus aos discípulos: 'A vós é dado conhecer o mistério do reino de Deus, mas aos que estão de fora, tudo se lhes propõe em parábolas, para que ao olhar, olhem e não vejam, ao ouvir, oiçam e não compreendam, não vão eles converter-se e ser-lhes perdoado.'" Estreitou as pálpebras e baixou a voz, quase num aparte. "Interessante, não é? Jesus, o profeta do perdão, a mostrar receio de que as pessoas 'de fora' percebessem a sua mensagem e se convertessem a ela, sendo assim perdoadas. Para o evitar, escolheu explicar as coisas por parábolas. Numa delas compara Deus com um camponês que espalha sementes pela terra. Algumas dessas sementes já estavam a produzir frutos. Esses frutos eram os primeiros sinais da chegada do Seu reino."

"Já havia sinais? Quais?"

"Olhe, as curas milagrosas. Os judeus apocalípticos acreditavam que as doenças eram obra de Belzebu. Mas como Jesus era um curandeiro e exorcista com capacidade de curar as pessoas, acreditava que esses seus poderes constituíam um primeiro sinal da intervenção de Deus, em cujo reino não havia doenças. Daí a importância deste episódio relatado por Mateus em 11:2 a propósito de João Baptista: 'Ora, João, no cárcere, ouvira falar das obras de Cristo. Enviou-lhe os seus discípulos com esta pergunta: «És Tu aquele que há-de vir ou devemos esperar outro?» Jesus respondeu-lhes: «Ide contar a João o que vedes e ouvis: Os cegos vêem e os coxos andam, os leprosos ficam limpos e os surdos ouvem, os mortos ressuscitam e a Boa Nova é anunciada aos pobres.»' Ou seja, Jesus interpreta essas curas milagrosas como um sinal da chegada do reino de Deus. Belzebu era o responsável pelas doenças existentes no mundo, mas os cegos já viam e os coxos já andavam. Não era isto a prova de que Deus estava a começar a intervir na Terra?"

Valentina abanou a cabeça.

"E esta?", exclamou. "Sempre pensei que Jesus era, para além do Messias e de Deus Filho, um grande professor de ética, que nos ensinava a viver de uma forma justa e pacífica. O que me está a dizer é totalmente novo."

"Jesus ensinava uma ética", admitiu Tomás. "Mas não era uma ética a longo prazo. Não haveria longo prazo, porque ele achava que o mundo estava prestes a mudar radicalmente. A ética que ele ensinava era para as pessoas melhor se adaptarem ao mundo novo que surgiria a todo o instante, o paradisíaco reino de Deus, onde as injustiças, a fome, a doença e o sofrimento dos fracos acabariam, e onde os fortes que não se arrependessem seriam punidos. Uma vez que haveria inversão de papéis, pediu às pessoas que se despojassem dos bens materiais que possuíam e se empenhassem em ajudar os outros, para depois serem recompensadas no novo reino. Marcos conta que um homem rico foi ter com Jesus e lhe disse que respeitava todos os mandamentos, não tendo morto ninguém, nem roubado, nem cometido adultério nem feito qualquer outra coisa ofensiva. Como deveria proceder então?" O historiador folheou a Bíblia. "A resposta de Jesus vem em 10:21: 'Falta-te apenas uma coisa: Vai, vende tudo o que tens, dá o dinheiro aos pobres e terás um tesouro no Céu; depois, vem e segue-Me.' Quando o rico se recusou a desfazer-se da sua fortuna, Jesus observou: 'Quão dificilmente entrarão no reino de Deus os que têm riquezas!'" Encarou os dois polícias. "Ou seja, o que está no centro da ética de Jesus é a preparação para o reino de Deus. Esta ética implicava o arrependimento e o despojamento. Mais ainda, a insistência no despojamento era tal que ele até queria que as pessoas abandonassem as suas famílias!"

"Ah, isso não!", protestou a italiana. "Isso nunca! Jesus defendia a família!"

"Acha que sim?"

"Toda a gente sabe!"

Tomás voltou a atenção de novo para a sua Bíblia.

"Então veja o que está aqui escrito", sugeriu. "Citado por Lucas em 12:51, disse Jesus: 'Julgais que Eu vim estabelecer a paz na Terra? Não, digo-vo-lo Eu, foi antes a divisão. Porque daqui por diante estarão cinco divididos numa só casa: Três contra dois e dois contra três; dividir-se-ão o pai contra o filho e o filho contra o pai, a mãe contra a filha e a filha contra a mãe, a sogra contra a nora e a nora contra a sogra.'" Fitou Valentina. "Poderia Jesus ser mais claro do que isto? Na verdade, incita as pessoas a abandonarem as suas famílias! Citado por Mateus em 10:34-37, disse Jesus: 'Não penseis que vim trazer a paz à terra; não vim trazer a paz, mas a espada. Porque vim separar o filho do pai, a filha da sua mãe e a nora da sogra; de tal modo que os inimigos do homem serão os seus familiares. Quem amar o pai ou a mãe mais do que a Mim, não é digno de Mim. Quem amar o filho ou a filha mais do que a Mim, não é digno de Mim.' Citado por Marcos em 10:29, disse Jesus: 'Em verdade vos digo: Quem tiver deixado a casa, irmãos, irmãs, mãe, pai, os filhos ou campos por Minha causa e por causa da Boa Nova, receberá cem vezes mais agora, no tempo presente, em casas, irmãos, irmãs, mães, filhos e campos, juntamente com perseguições, e no tempo futuro a vida eterna. Muitos dos primeiros serão os últimos. E os últimos, primeiros.'"

Sendo judeu, Arnie Grossman permaneceu calado até aí. Neste ponto não conseguiu reprimir um sorriso.

"Parece um político em campanha eleitoral", gracejou. Abriu as mãos como se falasse diante de uma multidão de eleitores durante um comício. "Sigam-me! Votem em mim! Prometo-vos o Paraíso!"

O chiste pareceu adequado a Tomás, mas o português preferiu não o comentar para não ferir as susceptibilidades de Valentina.

"Para Jesus, a família e a actual ordem social não interessavam para nada", sentenciou o historiador. "O fim do reino de Belzebu estava a chegar e em breve tudo seria posto em causa. O que interessava era as pessoas prepararem-se para o novo mundo, o reino de Deus que aí vinha. Havia que subverter tudo. Citado por Marcos em 2:22, disse Jesus: 'Ninguém deita vinho novo em odres velhos; se o fizer, o vinho acabará por romper os odres e perder-se-á o vinho juntamente com os odres. Mas o vinho novo deita-se em odres novos!'"

A italiana levantou a mão, como se o quisesse travar.

"Espere aí! Espere aí!", ordenou. "Parece-me que você está a misturar alhos com bugalhos! Quando Jesus falava no reino de Deus, era tudo metafórico e simbólico!"

"Está enganada!", respondeu Tomás. "Isso é a conversa que surgiu mais tarde para tentar explicar o facto de o reino previsto por Jesus nunca ter aparecido. Mas o reino de que ele falava não era simbólico nem metafórico. Era um sítio real. Era a Terra transformada no Paraíso porque o seu dono, Deus, regressara enfim e pusera termo às iniquidades de Belzebu. O reino de Deus era um reino físico, com leis e pessoas de carne e osso a governá-lo."

"O quê?", admirou-se Valentina. "Onde está tal coisa escrita?"

Sem surpresa, a atenção do historiador regressou ao exemplar da Bíblia que tinha nas mãos.

"Quantos apóstolos havia?", perguntou.

"Essa é fácil. Doze, toda a gente sabe."

"Vamos enumerá-los", sugeriu Tomás, sinalizando cada nome com um dedo. "Simão Pedro, André, Tiago e João, filhos de Zebedeu, Filipe, Bartolomeu, Tomé, Mateus, Tiago filho de Alfeu, Tadeu, Simão, Natanael, Judas irmão de Tiago, Judas filho de Tiago e Judas Iscariotes. Dá quinze nomes."

"Quinze? Mas eles eram chamados os doze..."

"Pois eram. No entanto, somando todos os nomes dados pelos diversos evangelistas, temos quinze. E Lucas escreve em 10:1: 'Depois disto, o Senhor designou outros setenta e dois discípulos e enviou-os dois a dois, à Sua frente, a todas as cidades e lugares aonde ele havia de ir.' Quer dizer, aqui ainda aparecem mais setenta e dois! O que suscita uma pergunta: se os apóstolos não eram doze, por que razão eram chamados os doze?"

A italiana fez um olhar opaco.

"Não sei."

O historiador voltou-se para o silencioso Arnie Grossman.

"Que significado tem o número doze para os judeus?"

"São as doze tribos de Israel", disse o inspector-chefe da polícia israelita sem hesitar. "Quando a Assíria conquistou o reino do Norte, Israel perdeu dez dessas tribos. Só ficaram duas. O nosso sonho é reconstituir Israel, juntando as dez tribos perdidas às duas que ficaram."

"Estão a perceber agora a relevância de serem doze apóstolos? Sendo judeu, Jesus queria reconstituir Israel. Ele acreditava que o velho sonho judaico se realizaria no reino de Deus!"

Valentina torceu o nariz.

"Ora, isso é especulação sua! Em parte alguma está tal tolice escrita!"

Tomás folheou mais uma vez a sua Bíblia.

"Está enganada", disse. "O Evangelho segundo Mateus narra um episódio curioso. Trata-se de uma conversa entre Jesus e os seus discípulos, descrita em 19:27-28: 'Tomando a palavra, Pedro disse-Lhe: «Nós deixámos tudo e seguimos-Te, qual será a nossa recompensa?» Jesus respondeu-lhes: «Em verdade vos digo: No dia da renovação, quando o Filho do Homem Se sentar no Seu trono de glória, vós, que me seguistes, sentar-vos-eis em doze tronos para julgardes as doze tribos de Israel.»' Ou seja, cada discípulo iria governar uma das tribos de Israel. Eram doze apóstolos para doze tribos. Ao falar nas doze tribos, Jesus acreditava claramente que os novos tempos que se aproximavam permitiriam recuperar as dez tribos perdidas e recriar Israel na sua íntegra. Isso é confirmado nos Actos dos Apóstolos, em 1:6, quando, depois de um trecho sobre o reino de Deus, os discípulos perguntaram a Jesus: 'Senhor, é agora que vais restaurar o reino de Israel?' Isto confirma que a restauração de Israel fazia parte da visão de Jesus. O reino de Deus não era, pois, um conceito meramente metafórico, mas uma realidade política palpável!"

Os ombros de Valentina descaíram, como se o pilar que os sustinha tivesse desabado, e ela respirou fundo.

"Pronto, está bem", murmurou, vencida. "Já percebi."

Grossman ergueu no ar o papel com o enigma deixado pelo agressor do português e acenou com ele.

"Esperem aí! Onde é que isso nos deixa? O que queria o tipo dizer-nos com esta chachada?"

"Ao chamar a nossa atenção para o versículo 1:15 do Evangelho segundo Marcos", disse Tomás, "o assassino enviado pelos *sicarii* quis sublinhar quem era o verdadeiro Jesus: um rabino com artes de curandeiro e exorcista que acreditava que o mundo ia mudar a qualquer momento e que Deus iria instituir o Seu reino na Terra e repor a soberania de Israel."

"E é tudo?"

O português mordeu o lábio inferior, como se considerasse se deveria ou não dizer tudo.

"Pode ser que haja mais."

"Mais, o quê?"

Tomás olhou para a sua mão engessada, como se se quisesse assegurar de que o tratamento havia sido adequadamente administrado. Tinha ainda os dedos sujos; era sangue seco que ficara encravado nas unhas que espreitavam do gesso.

"Jesus não fundou o cristianismo." Acariciou a capa da Bíblia e evitou olhar para a italiana. "A sua mensagem nem sequer era destinada a toda a humanidade."

Valentina encarou-o com um olhar incrédulo.

"O quê?!"

Só nesse instante ganhou coragem para a fitar nos olhos.

"Jesus discriminava as pessoas."

XLVI

O rugido ressoou pelas pedras do Bairro Judeu antes de um poderoso farol dar entrada na pequena rua, como um unicórnio ameaçador. Tratava-se de uma moto japonesa de grande potência, larga e de um negro luzidio, com tubos de escape cromados que pareciam verdadeiros canos de canhões. O homem que a pilotava vinha também vestido de preto, um vulto fantasmagórico a cavalgar a máquina de aço.

A moto abrandou a marcha e percorreu devagar a rua sombria, como uma pantera a ronronar enquanto espreitava as ameaças dissimuladas na treva, ela própria uma ameaça à espera do menor pretexto para o ataque. Mas não houve ataque. Em vez disso, a máquina imobilizou-se a uma esquina e o piloto desligou o motor e apeou-se. A tranquilidade regressou à ruela, mergulhada no sono solto da noite.

O recém-chegado abriu um pequeno saco que trazia às costas e retirou do interior uma longa túnica, velha e esburacada, de textura áspera, como a da serapilheira. O piloto vestiu a túnica e, já transformado num monge, o rosto escondido na penumbra da capa, caminhou dez metros e afastou-se da moto, agora um monstro silencioso e adormecido.

O vulto esquivo escolheu uma casa antiga, num canto obscurecido, ao qual a luz dos candeeiros públicos não chegava, e verificou se dali tinha a visão desimpedida para a entrada do edifício no outro lado da rua. O edifício era ornado por uma placa dourada que anunciava a instituição instalada no seu interior.

A Fundação Arkan.

Pareceu-lhe perfeito. O homem envolvido na túnica recuou dois passos e sentou-se num degrau diante da porta da casa antiga mesmo em frente da fundação, a sua presença encoberta pelo manto inescrutável da noite.

O desconhecido percorreu a rua longamente com o olhar, detendo-se nos pormenores, mesmo nos mais insignificantes. Queria ter a certeza de que nada lhe escapava. Os detalhes eram o mais importante, sabia. Havia até quem dissesse que Deus se escondia neles, embora o recém-chegado achasse que era antes Belzebu. Mas a rua permanecia calma, as casas mergulhadas no sono, os passeios desertos.

Ao fim de alguns minutos de inspecção cuidadosa, o homem descontraiu pela primeira vez. Inseriu a mão no saco e retirou o seu velho exemplar das Sagradas Escrituras. Tinha talvez muito tempo diante dele. Mais valia ocupá-lo com Deus. Abriu o livro e folheou-o com desvelo até se deter nos Salmos.

"Senhor, ouvi a minha prece, e chegue até Vós o meu clamor", entoou num sussurro quase inaudível. "Não me oculteis o Vosso rosto no dia da minha angústia; inclinai para mim o Vosso ouvido, no dia em que Vos invocar apressai-Vos a responder-me. Porque os meus dias esvanecem-se como o fumo, e os meus ossos ardem como um braseiro."

Calou-se e ergueu os olhos, verificando a entrada da fundação. Tudo parecia tranquilo. Inspeccionou de novo a rua. Nada se passava. Respirou fundo, enchendo-se de paciência. Um soldado de Deus tinha de estar preparado para tudo, mas a hora ainda não chegara. Baixou de novo o olhar para o texto e, os lábios movendo-se como se soprassem, retomou a leitura dos versículos sagrados.

Sicarius sabia que teria ainda de esperar.

Mas não muito.

XLVII

"Jesus discriminava as pessoas?"

Arnie Grossman tinha ido à janela do quarto do hospital e espreitava Jerusalém à noite. Era tarde, mas a descodificação do último enigma ainda não estava concluída.

"Claro", respondeu Tomás, deitado ainda na sua cama. "Lembre-se que ele nasceu judeu, viveu judeu, morreu judeu. Achava que pertencia ao povo eleito."

O inspector-chefe da polícia israelita voltou-se e encarou-o.

"Isso já nos explicou", disse. "Mas sejamos razoáveis. O cristianismo espalhou-se pelo mundo. Que história é essa de que Jesus discriminava as pessoas? Não é o cristianismo uma religião universalista?"

Tomás indicou com a cabeça o enigma rabiscado no papel que se encontrava nas mãos de Grossman.

"Sabe, as consequências últimas da charada que o meu agressor nos deixou remetem-nos directamente para a fundação do cristianismo."

"Em que sentido? Não percebo."

O historiador suspirou, como se ganhasse fôlego para a sua derradeira explicação.

"Proponho que façamos uma viagem no tempo", disse, indicando a cidade para além da janela. "Recuemos dois mil anos. Estamos em Jerusalém algures entre o ano 30 e o ano 33. É a semana do Yom Kippur, o dia da expiação, no mês de Tishri. A cidade enche-se de judeus que vieram de toda a parte para oferecer um sacrifício no Templo em expiação pelos seus pecados, como requerido pelas Escrituras. Os Romanos reforçam a guarnição, porque sabem que o potencial para tumultos é elevado. Também os sacerdotes do Templo se mostram vigilantes, conscientes de que o clima com tanta gente junta é sempre volátil. Entre os peregrinos aparece um grupo acabado de chegar da Galileia."

"Jesus e os seus apóstolos."

"Ou seja, um bando de provincianos. Acreditam, como acreditavam outros judeus na altura, que o fim do mundo está próximo e Deus em breve intervirá para impor a Sua lei e acabar com o sofrimento dos mais fracos. Até ali, este grupo apenas teve palco nas terriolas da Galileia e foi rejeitado pelos pacóvios que ali viviam. Como eram cegos aqueles labregos! Jerusalém no Yom Kippur, porém, é a sua grande oportunidade. A cidade fervilha de gente. São mais de dois milhões de judeus oriundos de toda a Judeia. Que melhor palco poderia haver para alertar as pessoas para a necessidade de se arrependerem dos seus pecados e de se prepararem para a nova idade de ouro?"

Valentina, que se remetera ao silêncio depois de ouvir as últimas revelações, animou-se neste ponto. A história da última semana de Jesus era uma das suas favoritas.

"Ele entrou em Jerusalém sentado num jumento, não foi?"

"É o que contam os Evangelhos", confirmou Tomás. "O profeta Zacarias escreveu no Antigo Testamento, em 9:9: 'Exulta de alegria, filha de Sião! Solta gritos de júbilo, filha de Jerusalém! Eis que o teu rei vem a ti: ele é justo e vitorioso, humilde, montado num jumento.' Assim, ou Jesus entrou em Jerusalém montado num jumento para insinuar que era o rei profetizado nas Escrituras, ou os evangelistas inventaram este pormenor para convencer os seus contemporâneos de que Jesus preenchia os requisitos da profecia. Nunca saberemos com exactidão qual a verdade, embora tenhamos a certeza de que este pormenor está relacionado com o texto de Zacarias."

"Estou a entender", assentiu a italiana. "Mas depois vem a história do Templo."

"Sim, Jesus cria um incidente no Templo e põe-se a profetizar a sua destruição, atraindo os olhares das autoridades. A seguir é preso, julgado, condenado à morte e crucificado. Toda essa história é por demais conhecida."

"E então?"

"O que é importante já não é o que sucede a Jesus, mas a forma como os seus apóstolos interpretam esses acontecimentos."

Valentina sacudiu a cabeça.

"Não estou a perceber..."

"Ponha-se no lugar dos apóstolos. Estamos a falar de pescadores e artesãos analfabetos da Galileia, que largaram tudo e decidiram seguir este rabino que os assustava com o anúncio do fim do mundo e lhes prometia a salvação se o seguissem e fizessem o que ele lhes dizia. O rabino prometia-lhes mesmo que cada um deles iria chefiar uma das doze tribos de Israel quando o reino de Deus fosse instaurado e os últimos, isto é, eles próprios, se tornassem primeiros. Era gente pobre, inculta e crédula. Acreditavam que o rabino, que viram fazer curas milagrosas, gozava da protecção divina e dizia a verdade. Podia mesmo ser o enviado de Deus! E por isso seguiram-no. Andaram a penar pela Galileia e foram enfim a Jerusalém anunciar a boa nova a todos os judeus. Esta viagem seria a consagração. Israel render-se-ia ao rabino Jesus e reconhecê-lo-ia como rei. Deus desceria então à Terra e instauraria o Seu reino! Ou seja, as expectativas dos apóstolos eram muito elevadas. Mas, em vez dessa consagração apoteótica, o que acontece na verdade?"

"Jesus foi preso e executado."

"Isso não estava no programa! Em vez de ser coroado, o rabino é preso, humilhado e morto. Que fazem os apóstolos? Fogem! Receiam pela sua vida e escondem-se entre os mais de dois milhões de judeus que enchem Jerusalém para o Yom Kippur. Isto mostra que Jesus nunca lhes falou deste desfecho e que as palavras postas na boca dele nos Evangelhos a profetizar a própria morte são antes retroacções inseridas pelos evangelistas. O que vai então na cabeça dos apóstolos quando Jesus é crucificado? Além do medo, a desilusão. Afinal o rabino não era o *mashia!* Tinham-se enganado! Seguiram um falso profeta! A decepção é total. Contudo, três dias depois da morte do rabino, aparecem umas mulheres aos gritos histéricos. Ele ressuscitou!, gritam elas. Ele ressuscitou! Os apóstolos animam-se. O quê? Será verdade? Vão ao sepulcro e confirmam que o local está vazio." Ergueu os braços no ar, num gesto teatral. "Aleluia! Afinal ele não é um falso profeta! É o *mashia!* É o *mashia!* A excitação é enorme. O rabino ressuscitou!" Fez uma pausa e encarou a italiana. "Percebe o significado profundo da ressurreição numa mente judaica, não percebe?"

Valentina hesitou.

"Numa mente judaica?"

"Tem de se lembrar sempre que estamos a falar de judeus", insistiu o historiador. "Eles acreditavam que o mundo iria acabar e que haveria um grande julgamento. Pouco antes do julgamento, porém, iria suceder uma coisa: os mortos ressuscitariam. Isso era fundamental para poderem ser julgados. Ora o que tinha acabado de acontecer? Jesus ressuscitara! Fora o primeiro morto a regressar à vida! O que significava isso? Que em breve os outros mortos também iriam ressuscitar e que o dia do juízo final se encontrava próximo! Afinal Jesus tinha razão! O fim do mundo estava prestes a chegar! Os mortos começavam a voltar à vida e em breve haveria o grande julgamento! Separados os ímpios dos puros, Deus instituiria o seu reino na Terra! Havia pois que espalhar a boa nova! O reino de Deus estava mesmo à beira de se tornar realidade!"

Os dois polícias seguiam a explicação com os lábios entreabertos, absorvendo a exposição do contexto judaico em que a morte de Jesus foi interpretada pelos seus seguidores.

"Mas, espere aí", disse Valentina. "Jesus apareceu aos apóstolos depois de morto."

Tomás curvou o lábio antes de responder.

"Oiça, isso é teologia", disse. "Como historiador, só lido com acontecimentos históricos. O sobrenatural não tem a ver com história, mas com crença. Como historiador não posso afirmar, nem desmentir, um acontecimento sobrenatural. Isso pertence ao domínio da fé. Não tenho meios de determinar se Jesus apareceu aos apóstolos depois de morto. O que posso determinar é que os apóstolos afirmaram que o viram." Fez uma pausa. "Lembre-se de que estamos a falar de gente crédula e inculta, já predisposta a acreditar no sobrenatural. Sobre isso, mais não direi."

"Nesse caso, acha que os apóstolos começaram a alucinar..."

"Não acho nem deixo de achar. O que sei é que os apóstolos garantiram ter visto Jesus ressuscitado. Seria verdade? Teriam alucinado? Estariam a aldrabar as pessoas? Mateus chega a registar no seu evangelho, em 28:13, um rumor que corria: 'Os Seus discípulos vieram de noite e roubaram-n'O.' Não sabemos qual a verdade, nem nunca saberemos. O que sabemos é que os apóstolos se puseram a espalhar a boa nova: os mortos começaram a ressuscitar, vem aí o juízo final e será enfim instituído na Terra o reino de Deus. Alguns judeus aderiram a esta mensagem."

"Como Paulo..."

"Curiosamente, Paulo não foi um deles. Começou até por perseguir os seguidores de Jesus. Mas depois teve uma visão e passou a acreditar."

"Portanto, tornou-se cristão."

"Ainda não havia cristãos", corrigiu Tomás. "Eram todos judeus. O que se passava é que existiam várias seitas entre os judeus, como os fariseus, os essénios, os saduceus e outros. Os que acreditavam que era Jesus o *mashia* previsto nas Escrituras representavam uma dessas muitas seitas, a dos nazarenos. Repare, estes nazarenos continuavam a respeitar as leis judaicas e o Templo. O que os diferenciava era a crença na boa nova de que o reino de Deus estava prestes a chegar, de que a morte de Jesus era o sacrifício ritual para expiar os pecados da humanidade e de que a sua ressurreição constituía o primeiro acontecimento do processo que desencadearia o juízo final. Na Primeira Carta aos Coríntios, escreveu Paulo, em 15:20: 'Cristo ressuscitou dos mortos como primícias dos que morreram.'"

"Primícias? O que é isso?"

"O dicionário dá várias opções: primeiros frutos, prelúdio, primeiros efeitos. Ou seja, Paulo diz aqui explicitamente que a ressurreição de Jesus foi o prelúdio da ressurreição dos mortos. Quer isto dizer que ele acreditava piamente que o mundo estava prestes a acabar e vinha aí o julgamento final. Na Primeira Carta aos Tessalonicenses, Paulo descreveu em 4:16-17 como seria esse dia: 'Quando for dado o sinal, à voz do Arcanjo e ao som da trombeta de Deus, o próprio Senhor descerá do Céu e os que morreram em Cristo ressurgirão primeiro. Depois, nós, os vivos, os que ficarmos, seremos arrebatados juntamente com eles sobre nuvens; iremos ao encontro do Senhor nos ares, e assim estaremos para sempre com o Senhor.' Ou seja, primeiro ressuscitam os mortos e depois vão os vivos. Esta mensagem é reforçada por Paulo na Primeira Carta aos Coríntios, em 15:51: 'Vou revelar-vos um mistério: nem todos morreremos, mas todos seremos transformados. Num momento, num abrir e fechar de olhos, ao som da última trompeta, pois ela há-de soar, os mortos ressuscitarão incorruptíveis, e nós seremos transformados.' Foi esta boa nova que Paulo se pôs a espalhar. Só que se deparou com um grande problema."

Tomás calou-se, para conseguir um efeito dramático.

"O que aconteceu?", quis saber a italiana.

"Os judeus riram-se. Acharam ridícula a ideia de que aquele pobre coitado vindo das berças e que os Romanos humilharam e crucificaram era o *mashia*. Por exemplo, nos Actos dos Apóstolos conta-se, em 17:2-5, que Paulo foi falar com os judeus à sinagoga de Tessalónica 'e, durante três sábados, discutiu com eles a partir das Escrituras, explicando-as e provando que o Messias tinha de sofrer e de ressuscitar dos mortos. «E o Cristo, dizia ele, é este Jesus que vos anuncio.» Alguns deles ficaram convencidos', mas a maioria não 'e espalharam a agitação pela cidade'. Perante esta rejeição dos judeus, o que fez Paulo? Levou a mensagem aos gentios. Disse-lhes que vinha aí o juízo final e que quem abraçasse Jesus se poderia salvar. Muitos gentios, receando o fim do mundo, quiseram aderir. Claro que, nesse instante, se gerou um problema absolutamente novo: os gentios teriam de praticar todos os costumes judaicos? Eles recusavam-se a ser circuncidados e queriam comer carne de porco e trabalhar livremente ao sábado. Se esses costumes judaicos se mantivessem, não adeririam. O que fazer? Os discípulos de Jesus, como Simão Pedro, Tiago e outros, torceram o nariz ao abandono destas obrigações. Elas eram impostas pela lei e teriam de ser respeitadas. Citado por Mateus, o próprio Jesus disse em 5:17: 'Não penseis que vim revogar a Lei e os Profetas: Não vim revogá-la, mas completá-la'; e acrescentou, em 5:19: 'Se alguém violar um destes mais pequenos preceitos, e ensinar assim aos homens, será o menor no reino dos Céus.'"

A alma judaica de Arnie Grossman não se conteve.

"Isso quer dizer que Jesus respeitava de facto a lei."

"'Não passará um só jota ou um só ápice da Lei sem que tudo se cumpra', como o próprio Jesus chegou a afirmar, em Mateus, 5:18. No entanto, Paulo não conheceu Jesus pessoalmente e, como era muito mais culto do que os discípulos, decidiu alterar os parâmetros teológicos de modo a encaixar as objecções dos gentios. A salvação, decidiu ele, já não se alcançava pelo respeito da lei e pelo sacrifício no Templo. Escreveu Paulo na Carta aos Gálatas, em 2:16: 'O homem não é justificado pelas obras da Lei, mas pela fé em Jesus Cristo.' Esta mensagem é reforçada em 5:4: 'Vós os que procurais a justificação pela Lei; decaístes da graça!' Ou seja, e ao contrário do que defendia o próprio Jesus, a lei judaica já não salvava ninguém. Bastava agora acreditar na morte de Jesus como sacrifício de expiação e na sua ressuscitação como 'primícias', ou prelúdio, do regresso à vida de todos os mortos para o julgamento final. Nestas novas condições, como acham que os gentios reagiram?"

"Ficaram encantados, claro", exclamou o inspector-chefe da polícia israelita, com uma gargalhada. "Já não tinham de se circuncidar e podiam comer carne de porco à vontade."

"É evidente. De modo que os gentios aderiram à mensagem em grande número. Os discípulos de Jesus, todos eles judeus, protestaram. O que vinha a ser aquilo de se desrespeitarem os requisitos da lei? Paulo foi a Jerusalém falar com eles e disse-lhes que aquele é que era o caminho. Os judeus não estavam a aderir à mensagem, mas os gentios sim. Tinham portanto de apostar na conversão dos gentios. Embora com manifesta relutância, os discípulos lá aceitaram a ideia. Mas Simão Pedro, conforme Paulo admitiu, continuou a evitar comer à mesa com os gentios, prova de que não se afeiçoou bem à ideia. E outros nazarenos insistiram que Jesus não tinha ensinado nada daquilo e que a lei era para se cumprir. Dentro da seita dos nazarenos começaram a aparecer subseitas, umas pró-judaicas, outras formadas por gentios. Quando os três primeiros evangelhos foram escritos, os de Marcos, Mateus e Lucas, este debate estava ao rubro e estendera-se já para fora da Judeia. Daí que os evangelistas se esforcem por narrar episódios da vida de Jesus a renegar o sábado e as leis da pureza dos alimentos: eles não estavam na verdade a contar o que Jesus fizera, mas a invocar a sua autoridade para resolver os problemas dos novos tempos."

Valentina ergueu a mão.

"Alto!", exclamou. "É importante esclarecer uma coisa primeiro. Os apóstolos podiam ter reservas em relação aos gentios, aceito isso. Mas Jesus não! Apesar da sua conversa de que ele não era cristão, a verdade é que Jesus se abriu ao mundo e não discriminava ninguém. Nesse ponto em concreto, Paulo tinha razão."

O historiador fitou-a com intensidade e tocou com a ponta do indicador na boca.

"Leia os meus lábios", pediu. "Jesus era judeu até à raiz dos cabelos!" Apontou para a janela. "Está a ver aqueles judeus ultra-ortodoxos que andam por aí nas ruas de Jerusalém, de barbas e vestidos de negro? Se fosse vivo, Jesus seria um deles! Era um ultra-ortodoxo que defendia que se respeitasse a lei ainda com mais zelo do que os outros judeus. Citado por Mateus, disse Jesus em 5:20: 'Eu vos digo: Se a vossa virtude não superar a dos escribas e fariseus, não entrareis no reino dos Céus.' Ele era um judeu zeloso! Ora os judeus consideravam que os gentios eram imundos. Por isso, Jesus nem se misturava com eles! Na verdade, discriminava-os."

A italiana arregalou os olhos, horrorizada.

"*Mamma mia!* Como pode afirmar uma coisa dessas? Jesus descriminava os gentios? Que horror! Ele jamais faria uma coisa dessas!"

Tomás voltou a sua atenção para a Bíblia.

"Se ler com cuidado o Novo Testamento, vai reparar que Jesus quase não interagiu com gentios. A pedido de alguns judeus, teve um breve contacto com um centurião romano e chegou a sentir-se na obrigação de explicar à multidão porque o fez." Folheou o livro. "Jesus ordenou mesmo aos apóstolos que evitassem os gentios quando estivessem a propagar a boa nova. Citado por Mateus, disse-lhes Jesus em 10:5-7: 'Não sigais pelo caminho dos gentios, nem entreis em cidade de samaritanos. Ide, primeiramente, às ovelhas perdidas da casa de Israel. Pelo caminho, proclamai que o reino dos Céus está perto.' Ou seja, e como qualquer judeu pio, Jesus fazia questão de reduzir o contacto com os gentios ao mínimo." Virou para a página seguinte. "Uma gentia foi ter com Jesus e pediu-lhe que exorcizasse a filha, possuída por um demónio. Sabe qual foi a primeira reacção de Jesus? Segundo Mateus, em 15:23: 'Ele não lhe respondeu palavra.' Os apóstolos intercederam então pela gentia. Sabe o que retorquiu Jesus? Segundo Mateus, em 15:24, Jesus disse-lhes: 'Não fui enviado senão às ovelhas perdidas da casa de Israel.' Poderia ele ser mais claro do que isto? Só à terceira Jesus lá se dignou atendê-la!" Adiantou um punhado de páginas. "O próprio Paulo, apóstolo para os gentios, escreveu na Carta aos Romanos, em 15:8, que 'Cristo Se fez servidor dos circuncisos', reconhecendo assim que Jesus apenas pregava aos judeus." Virou a Bíblia para a sua interlocutora. "A sua mensagem não era pois para toda a humanidade; destinava-se apenas aos judeus. Mesmo quando Marcos o põe a dizer em Jerusalém que 'a minha casa será chamada casa de oração para todos os povos', uma mensagem aparentemente universalista, Jesus esclarece, em 11:17, que está apenas a citar o que 'está escrito', numa referência às profecias de Isaías, que, em 56:7, usam justamente a expressão 'casa de oração para todos os povos'."

Recusando-se a acreditar, Valentina leu com os próprios olhos os versículos de Mateus e de Marcos e a linha de Paulo na Carta aos Romanos.

"É incrível!", murmurou, abismada. "Isto nunca me foi contado! Nunca, nunca!"

"No entretanto, ocorreu um acontecimento cataclísmico", disse o português, retomando a narrativa. "A revolta judaica e a destruição de Jerusalém pelos Romanos, no ano 70."

Arnie Grossman acenou afirmativamente com a cabeça.

"Isso foi um trauma para o nosso povo, não há dúvida."

"E um acontecimento de grande importância também para os nazarenos", sublinhou Tomás. "Os judeus tinham caído em desgraça junto dos Romanos e a associação com a religião judaica tornou-se menos recomendável. Além disso, a generalidade dos judeus não aceitava que Jesus fosse o *mashia* e os nazarenos acusavam-nos de terem assassinado o Filho de Deus. Por outro lado, o tal reino de Deus não havia meio de aparecer! Jesus tinha prometido aos apóstolos que eles ainda estariam vivos quando Deus estabelecesse o Seu reino na Terra, mas isso não acontecera. Os apóstolos começaram a morrer e não ocorrera ainda nenhum julgamento final. As perguntas incómodas multiplicavam-se na comunidade. Então quando é que ressuscita toda a gente? Para quando o juízo final? O reino de Deus vem ou não vem?"

"O que fizeram os líderes da comunidade?"

"Tiveram de começar a reinterpretar tudo. Afinal, decidiram eles, o reino de Deus não era para já."

"Mas como sustentaram teologicamente essa ideia?", quis saber Grossman. "Pelos vistos Jesus tinha sido muito claro quando disse que a chegada do reino de Deus estava iminente."

"Pois tinha", reconheceu o historiador, "mas, confrontados com a realidade de que o reino não aparecia, os líderes dos nazarenos puseram-se a fazer ginástica com as palavras. O autor da Segunda Carta de Pedro viu-se forçado a lidar com o problema, em 3:8-9: 'Um dia diante do Senhor é como mil anos, e mil anos como um só dia. O Senhor não retarda a Sua promessa, como alguns pensam, mas usa da paciência para convosco.' Isto é inspirado nos Salmos, onde se estabelece, em 90:4: 'Mil anos, diante de Vós, são como o dia de ontem que já passou.' Ou seja, eles andaram a vasculhar nas Escrituras até encontrarem algo que lhes permitisse dizer que Deus tinha afinal uma concepção diferente do tempo. A mensagem apocalíptica, muito forte nos primeiros textos dos nazarenos, como as epístolas de Paulo, o Evangelho segundo Marcos e as fontes de Lucas e Mateus, designadas Q, L e M, foi gradualmente enfraquecendo até desaparecer por completo no quarto evangelho, o de João, escrito por volta do ano 95. Para quê insistir na chegada do reino de Deus se ele não havia meio de aparecer?"

"Mas essa mensagem apocalíptica manteve-se nos primeiros textos", observou o polícia israelita. "E esses textos permaneciam disponíveis. Como se lidou com isso?"

"O grande problema é que a parte mais importante da mensagem de Jesus, o anúncio do fim dos tempos e da chegada do reino de Deus, estava errada. Mas ninguém podia admitir que Jesus errara, pois não? Seria uma gravíssima blasfémia. Então o que fazer? Os líderes da comunidade puseram-se a afirmar que afinal era tudo metafórico e coisa e tal. O reino de Deus deixou de ser um regime físico e tornou-se uma metáfora espiritual. Já não era questão de haver duas idades, a de Belzebu e a de Deus, mas duas esferas, o Inferno e o Céu. E a noção da ressurreição do corpo transformou-se no dogma da imortalidade da alma. Enfim, arranjaram-se maneiras criativas de contornar o desconfortável problema."

"Quer dizer, o discurso foi-se adaptando à realidade."

"Isso mesmo. E ao mesmo tempo que se foi tornando menos apocalíptica a mensagem dos nazarenos foi divinizando Jesus. Enquanto o primeiro evangelho canónico, o de Marcos, o apresenta como um homem de carne e osso, que por vezes até se zangava, o quarto evangelho, o de João, já o mostra como Deus. 'O Verbo fez-se homem e habitou entre nós', escreveu João em 1:14. Além disso, o que é igualmente importante, a seita dos nazarenos foi-se separando dos judeus até formar uma religião distinta, a dos cristãos."

"Ou seja, o cristianismo nasce da negação do judaísmo."

"Exacto. Para os cristãos, a questão era muito simples: se os judeus rejeitavam Jesus, Deus rejeitava os judeus. Ou seja, aos olhos dos cristãos os judeus já não eram o povo eleito. É interessante notar que a culpa dos judeus na morte de Jesus aumenta à medida que os Evangelhos vão sendo escritos, ao mesmo tempo que o romano Pôncio Pilatos é ilibado de responsabilidades. No primeiro evangelho, o de Marcos, Pilatos nunca declara Jesus inocente. Nos dois evangelhos seguintes, a coisa começa a mudar. Em Mateus, Pilatos afirma, em 27:24: 'Estou inocente do sangue deste justo.' E em Lucas declara três vezes a inocência de Jesus. João, o último evangelho, põe Pilatos novamente a declarar três vezes a inocência de Jesus e entrega-o para execução, não aos legionários, mas aos judeus. Num trecho, em 8:44, chega mesmo a pôr na boca de Jesus a afirmação de que os judeus são 'filhos de um pai que é o Diabo'. O corte com o judaísmo estava consumado. Os judeus cristãos denunciaram os restantes cristãos como heréticos, mas a denúncia acabou por ter um efeito *boomerang*. Os gentios cristãos tornaram-se dominantes e acabaram por suprimir os judeus cristãos. Os ebionitas, uma seita que insistia ser Jesus um judeu de carne e osso, foram declarados heréticos e silenciados, e os judeus tornaram-se alvo do ódio dos cristãos. Autores cristãos do século II, como Martyr, escreveram que a circuncisão existia para sinalizar quem teria de ser perseguido. Quando Constantino se converteu ao cristianismo, no século IV, os cristãos adquiriram enfim o poder de que necessitavam para punir os judeus. O resto é história."

Arnie Grossman cruzou os braços.

"E foi assim que desembocámos nos pogrons e no Holocausto", observou. "Mas, pelo que entendi das suas palavras, a religião cristã que hoje existe não é a religião original de Jesus."

Tomás indicou o papel que o polícia israelita mantinha preso entre os dedos.

"É isso, em última instância, o que o assassino quis dizer com todos os enigmas que nos deixou", concluiu. "Jesus Cristo não era cristão."

Fez-se um silêncio brusco no quarto do hospital. O português guardou a Bíblia na gaveta da mesinha-de-cabeceira e recostou-se na vasta almofada da sua cama.

"Tudo isso é muito bonito", observou Valentina com ar contrariado, obviamente a pensar o contrário do que acabara de dizer. "Mas o que fazemos agora? Para onde vai a nossa investigação?"

O inspector-chefe da polícia israelita cravou os olhos nela.

"Diga-me uma coisa, cara colega. Como é que o assassino dos *sicarii* descobriu o vosso paradeiro aqui em Jerusalém?"

A italiana encolheu os ombros.

"Não faço a mínima ideia."

"Quem é que sabia da vossa presença na cidade?"

"Vocês, claro." Arregalou os olhos, como se tivesse acabado de ser atingida por um relâmpago. "E... e... a Fundação Arkan!"

Grossman sorriu.

"Curioso, não é? Horas depois de vocês visitarem essa fundação e de se envolverem numa discussão acalorada com o presidente, um assassino entra no quarto do professor Noronha. Interessante coincidência, não acha?"

Valentina manteve a atenção presa no seu colega israelita, como se estivesse hipnotizada.

"*Dio mio!* Como é que não pensei nisso?", exclamou, quase a recriminar-se. "Mais do que coincidência, isso é um forte indício!"

O israelita levou a mão ao bolso do casaco.

"Talvez", admitiu. "Mas mais fortes ainda são estes documentos que recebi há pouco e de que não vos falei ainda."

Mostrou-lhes um quadrado branco de folhas dobradas. O polícia começou a desdobrá-las, revelando duas páginas com o logótipo de uma árvore e repletas de nomes, datas e valores.

"O que é isso?"

"Fomos investigar a folha de papel onde o assassino dos *sicarii* escrevinhou o enigma e tivemos sorte", revelou enquanto endireitava as páginas. "Descobrimos que se trata de um tipo raro de papel produzido por uma empresa em Telavive." Acenou com as duas folhas. "Aqui está a lista de clientes para onde a empresa enviou remessas deste papel específico. São apenas quinze clientes. E vejam quem aparece na décima segunda posição..."

Arnie Grossman pousou o dedo grosso na linha respectiva, situada a meio da segunda página, para onde convergiram os olhares de Valentina e Tomás. O que estava ali escrito não deixava margem para dúvidas.

Fundação Arkan.

XLVIII

A noite havia sido fria e desagradável, mas uma minudência dessas não tinha o poder de afastar Sicarius da sua missão. Não havia ele já suportado inúmeras noites ao relento, no topo do promontório de Masada, exposto ao gelo nocturno do deserto e das alturas? Diante disso, o que era passar a noite no Bairro Judeu da cidade velha, mesmo a dois passos do Muro das Lamentações e do sagrado monte Moriah, onde outrora se erguera o Templo com o santo dos santos, a câmara por onde Deus deambulava? Seria isso um sacrifício? Não, sentia-o nas entranhas. Não se tratava de sacrifício; nunca uma coisa dessas poderia ser penosa para ele.

Era uma honra.

Havia passado parte da noite a recitar os Salmos, os poemas sagrados das Escrituras, enquanto vigiava os acontecimentos na rua. Mas fora uma noite calma. Agora que o dia nascera, porém, o Bairro Judeu acordava e ouviam-se portas a bater e passos de transeuntes a soar pelos passeios e o ocasional tilintar da campainha de uma bicicleta que deslizava pela rua. A cidade velha de Jerusalém agitava-se com a luz da manhã, preparando-se para mais um dia. O Sol banhava os telhados dos edifícios milenares, mas permanecia ainda demasiado baixo e os seus raios não chegavam ao solo.

Um zumbido distante, que se misturava inicialmente com o rumor longínquo do trânsito para lá das muralhas, transformou-se num ronco crescente que se distinguiu do resto. Sicarius desceu o olhar até ao fundo da rua e, ao fim de alguns segundos, viu três motos e dois automóveis aparecerem com grande aparato. Eram viaturas da polícia.

O cortejo imobilizou-se mesmo diante dos degraus onde Sicarius passou a noite, obrigando-o a ajeitar o capuz para melhor ocultar o rosto vigilante. Os polícias das motos mantiveram-se montados nos seus veículos, lançando olhares desconfiados em todas as direcções, incluindo ao monge que parecia dormitar num degrau ali ao lado. No entanto, os homens que vinham nos carros apearam-se com movimentos enérgicos e juntaram-se num grupo informal, trocando palavras e desviando as atenções do monge.

A seguir, o grupo dirigiu-se para a porta da fundação e tocou à campainha. Eram seis pessoas e Sicarius reconheceu--as todas. O inspector-chefe da polícia, Arnie Grossman, três agentes à paisana e os dois estrangeiros, a inspectora italiana e o historiador português. Com o rosto abrigado pela sombra do capuz, Sicarius esboçou um sorriso ao ver a mão engessada e o curativo no pescoço do homem que tinha atacado na véspera.

Havia feito bem o seu trabalho.

O grupo permaneceu longos instantes à porta. O inspector-chefe Grossman tocava insistentemente à campainha e os seus três homens começaram a inspeccionar as janelas da fundação, como se quisessem verificar se havia alguém lá dentro. O historiador olhava para o relógio e trocava umas palavras com a italiana. Sicarius avaliou-a. Linda mulher, concluiu; parecia uma daquelas beldades que por vezes aparecem no cinema francês, de cabelos escuros e olhos de gata.

A porta abriu-se.

XLIX

"Polícia!"

O crachá estendido para a recepcionista confirmava a identificação. A rapariga de cabelo preto pestanejou, intimidada por todo aquele aparato de agentes de autoridade e carros com sirenes às portas da fundação, e recuou um passo.

"Em que posso ajudar-vos?"

Arnie Grossman cruzou a porta com a postura de quem dominava a situação.

"Queremos falar com Arpad Arkan", anunciou. "Ele está?"

"Um momento, por favor."

A recepcionista foi ao telefone e digitou um número. Alguém deve ter atendido do outro lado porque ela começou a falar muito depressa, quase com urgência. Depois fez uma pausa, anuiu e desligou. Voltou ao átrio e fez sinal aos visitantes.

"Queiram acompanhar-me."

Subiram ao primeiro andar e depararam-se com a figura imponente do presidente da fundação a aguardá-los de mãos nas ilhargas no topo das escadas, as grossas sobrancelhas carregadas de desconfiança, a pose de um soldado diante do inimigo. Cumprimentaram-se com frieza. Arkan apenas apertou a mão a Grossman, preferindo fazer um sinal com a cabeça aos restantes. Quando viu Valentina, emitiu um grunhido hostil. Manifestamente, a italiana não era bem-vinda, mas ela não pareceu incomodada com isso.

O anfitrião levou os visitantes para o seu gabinete. Como só havia duas cadeiras e eles eram seis, a recepcionista foi buscar mais quatro. No meio do burburinho de determinar quem se sentava onde, Tomás ficou a admirar os papiros e os pergaminhos emoldurados nas paredes, tentando adivinhar a respectiva idade; leu linhas em hebraico e grego e pareceram-lhe extractos do Antigo e do Novo Testamento. O rigor e o cuidado postos no texto de um pergaminho pareceram-lhe reflectir o profissionalismo da escola alexandrina, o que significava que se tratava de um espécime valioso, mas outro manuscrito deu-lhe a impressão de ser bizantino, mais tardio e de menor interesse.

Todos os visitantes se acomodaram entretanto e o português viu-se obrigado a seguir-lhes o exemplo, instalando-se na única cadeira que ficara vazia.

"Então a que devo o prazer desta nova visita?", perguntou Arkan, já sentado na sua poltrona, por detrás da secretária. "Presumo que tenha alguma coisa a ver com os três académicos assassinados..."

Grossman pigarreou.

"Presume bem", anuiu. Fez um sinal na direcção de Valentina. "Recebemos recentemente um pedido das polícias italiana, irlandesa e búlgara para dar assistência à investigação internacional que está a ser conduzida pela inspectora Ferro, da Polizia Giudiziaria de Itália, com a colaboração do professor Noronha, historiador da Universidade Nova de Lisboa."

"Já os conheci", murmurou o presidente da fundação em tom agastado. "Estiveram cá noutro dia."

"Assim fui informado", disse o polícia israelita. "Mais fui informado de que se deu a coincidência de as três vítimas se terem conhecido justamente aqui neste edifício, no decurso de uma reunião que tiveram consigo."

Grossman calou-se e deixou o olhar inquisitivo demorar-se no seu interlocutor, como se buscasse confirmação.

"Assim é, de facto."

"Três meses depois, os três académicos foram assassinados", acrescentou o inspector-chefe com secura. Estreitou as pálpebras. "Estranha coincidência..."

Arkan remexeu-se na poltrona, claramente incomodado com esta última observação.

"Lá estão vocês com as vossas insinuações torpes", grunhiu, fazendo porém um esforço para controlar o tom de voz. "Não tenho culpa nenhuma do sucedido. Lamento estas mortes e, se pudesse voltar atrás no tempo, nem sequer os tinha convidado."

"Pode ser que sim", disse Grossman. "O problema é que as coincidências não se ficam por aqui." Indicou Valentina e Tomás. "Horas depois de os nossos colegas terem estado aqui a conversar consigo e terem sido postos na rua por si, o professor Noronha foi atacado por um desconhecido no seu quarto de hotel."

O anfitrião arregalou os olhos e fitou Tomás; se não se sentia surpreendido, fingia bem.

"O quê?!"

O português ergueu a mão direita engessada, esticou o pescoço para expor o penso e forçou um sorriso.

"Estão aqui as provas."

O inspector-chefe israelita não descolou o olhar do interlocutor, como se estudasse as suas reacções.

"Outra coincidência, não lhe parece?", perguntou, num registo sibilino. "O senhor enfureceu-se com eles, expulsou-os da fundação e algumas horas depois alguém os atacou."

Arkan deu um salto e pôs-se de pé, as faces rubras, as sobrancelhas felpudas a tremerem de indignação.

"Como se atreve?!", vociferou, fora de si. "Está a insinuar que eu... que eu tive alguma coisa a ver com aquilo?" Apontou para Tomás, como se o historiador fosse *aquilo*. "Mas o que vem a ser isto?! Está tudo louco? Como podem pensar uma coisa dessas? Com que direito? Agora sou o culpado de tudo o que de errado se passa no mundo?"

O presidente da fundação bufava e tremia, mas Grossman não se mostrou intimidado. Deixou-se ficar tranquilamente na sua cadeira, de perna cruzada, e esperou que o vendaval passasse.

"Tenha calma", aconselhou por fim. "Ninguém o está a acusar de nada." Descruzou as pernas e dobrou o corpo na direcção do seu interlocutor. "Ainda." Recostou-se novamente, muito satisfeito consigo próprio, e voltou a cruzar as pernas. "O problema é que ocorreu uma nova coincidência." Fez um sinal ao polícia sentado ao seu lado e o homem entregou-lhe um manuscrito. O inspector-chefe abriu-o e retirou do interior uma folha de papel. "Reconhece isto?"

Tratava-se do enigma que Tomás havia decifrado na noite anterior, no quarto do hospital.

Arkan inclinou-se sobre a secretária para melhor observar os rabiscos e esboçou uma expressão de ignorância.

"Não faço ideia do que seja."

"É uma charada que o agressor do professor Noronha deixou no local do ataque", explicou. "Uma mensagem, de resto, muito parecida com as que foram encontradas ao pé das vítimas de Roma, Dublin e Plovdiv."

"E então?"

"E então, mandei analisar este papel. Localizámos o fornecedor em Telavive e fomos informados de que se tratava de um tipo de papel muito raro, só fornecido a quinze clientes. A sua fundação é um deles."

A boca de Arkan entreabriu-se de estupefacção.

"O quê?!"

Grossman acenou com a folha onde o enigma se encontrava escrevinhado.

"Este papel veio provavelmente da sua fundação", disse devagar, quase a soletrar as palavras. "Tem alguma explicação para isso?"

Os olhos do anfitrião dançavam entre a folha de papel e o rosto do inspector-chefe, como se aí pudesse encontrar a resposta à pergunta.

"Eu... eu não sei...", titubeou. "Isso é... é impossível." Abanou a cabeça, ganhando convicção. "Não pode ser!"

"No entanto, é o que diz a empresa." Manteve os olhos cravados no seu interlocutor. "Agora repare na sequência de acontecimentos. O senhor teve uma altercação com a inspectora Ferro e o professor Noronha. Horas depois, o professor Noronha foi atacado. O agressor deixou uma charada rabiscada num papel adquirido pela sua fundação. Explique-me, por favor!"

Arkan parecia atarantado, quase incapaz de formular um discurso coerente.

"Deve haver engano!", exclamou. "Uma coisa dessas implica que... que..." Voltou a abanar a cabeça. "Não, não pode ser! Tem de haver uma explicação qualquer!"

"Claro que sim", concordou Grossman, sempre muito calmo. "E a primeira explicação relaciona-se com os três académicos que o senhor recebeu aqui na sua fundação e que acabaram assassinados. Ainda ninguém percebeu bem a natureza da investigação que os ligava."

"Contratei-os para consultoria", afirmou o anfitrião. "Não há nada para explicar!"

O inspector-chefe fez um novo sinal para o homem ao seu lado. O polícia entregou-lhe um segundo envelope, que Grossman encetou. Retirou uma carta do interior, encabeçada pelos símbolos oficiais de Israel.

"Se insiste em manter o silêncio, receio ter de o convidar a acompanhar-nos para esclarecimentos", disse, estendendo-lhe a carta. "Verifique se está tudo em conformidade."

Arkan pegou hesitantemente na carta, uma expressão interrogativa no olhar.

"O que é isto?"

"Um mandado de detenção", esclareceu o polícia israelita. "Em seu nome."

"Como?!"

"Perante as sucessivas coincidências a envolverem a sua instituição neste estranho caso, o juiz acedeu a autorizar-nos a dar-lhe ordem de prisão enquanto o inquérito prossegue." Exibiu um sorriso. "O que dá dois anos, no mínimo, enquanto isto não se esclarece em todos os seus contornos."

O presidente da fundação estava de tal maneira atónito que nem conseguiu ler o texto do mandado.

"Dois anos?!"

Grossman fez que sim com a cabeça.

"No mínimo. O prazo pode ser prolongado um ano."

Arkan deixou-se cair para trás, recostando-se na poltrona numa postura de derrota. O anfitrião mantinha o mandado preso entre os dedos, mas claramente nem o sentia.

"Meu Deus!"

O inspector-chefe examinou as próprias unhas, como se naquele momento se preocupasse sobretudo com a sua higiene pessoal.

"A menos que o senhor decida poupar-se a estes sarilhos e nos explique o verdadeiro motivo pelo qual convocou os professores Escalona, Schwarz e Vartolomeev para uma reunião." Levantou os olhos e cravou-os no seu interlocutor. "Quero o verdadeiro motivo."

O rosto de Arpad Arkan exibia uma lividez cadavérica. Gotas de transpiração escorriam-lhe pela face, enquanto avaliava as opções diante dele e o dilema o paralisava. Passou os olhos pelos cinco polícias à sua frente e só encontrou alguma simpatia no rosto do historiador português, evidentemente menos à vontade nestas situações constrangedoras, em que um homem é posto perante a terrível perspectiva de perder a liberdade. O que fazer?

Ouviu um tilintar de metais e notou que um dos polícias preparava já as algemas. O tempo escasseava, percebeu. Quase em transe, o presidente da fundação forçou-se a tomar uma decisão e chegou à conclusão de que, no ponto a que as coisas haviam chegado, tinha de pôr os seus interesses pessoais à frente do resto.

"Isto já foi longe de mais", concluiu. "Vou contar-vos tudo. Mas não aqui."

"Onde, então?"

"No local onde se desenvolvem os trabalhos."

"Que trabalhos? Está a falar de quê?"

Arkan respirou fundo, como um atleta que se prepara para entrar em competição, e levantou-se do seu lugar.

"Do mais extraordinário projecto da humanidade."

L

A porta da fundação abriu-se e a partir desse instante foi tudo muito rápido. Sicarius viu Arpad Arkan abandonar o edifício na companhia dos polícias israelitas, da inspectora italiana e do historiador português e instalarem-se todos nos automóveis. Num despertar súbito, as motos dos batedores desataram a roncar e logo a seguir foi a vez dos carros, embora estes mais suavemente.

O homem encapuzado que estava sentado num degrau do outro lado da rua ergueu-se com gestos langorosos, para evitar despertar as atenções. Lançou um olhar enfastiado às viaturas e espreguiçou-se. Depois pôs-se a caminhar com aparente despreocupação para a moto negra parqueada a alguns metros de distância.

As viaturas iniciaram a marcha. À frente seguiam as duas motos dos batedores, depois vinham os dois automóveis, atrás encontrava-se a última moto da polícia. Sicarius viu-os passar e só então tirou o manto que o cobria. Guardou-o na sacola, que apertou às costas, montou a sua moto e ligou o motor. A máquina rugiu.

Ao fundo da rua, o cortejo da polícia dobrava já a curva.

"Pensam que estão em segurança?", murmurou Sicarius, os olhos presos às traseiras dos veículos. "Enganam-se."

A moto arrancou com estrépito e acelerou pela rua como uma bala de canhão, chegando a empinar-se durante alguns metros. Instantes depois Sicarius retomou o contacto visual com a coluna da polícia e abrandou; convinha-lhe manter a discrição.

O cortejo ziguezagueou pela cidade velha e saiu pela Porta do Lixo, junto ao monte Moriah, em pleno Bairro Judeu, mergulhando no bulício nervoso da Jerusalém moderna. O tráfego era intenso, pelo que, apesar dos batedores que abriam caminho, o cortejo avançou com relativa lentidão. Como ia de moto, Sicarius conseguiu progredir através do trânsito e colou-se à coluna.

"Isto não anda!", resmungou.

Ia depressa de mais, percebeu. A continuar àquele ritmo, em breve ultrapassaria o cortejo. Viu-se assim forçado a abrandar, mas, como a progressão das viaturas da polícia continuava a ser muito lenta, optou por parar durante trinta segundos, de modo a deixar a coluna ganhar alguma distância.

O tráfego melhorou consideravelmente depois de saírem da cidade. A coluna seguiu para oeste, como se fosse para Telavive, e o perseguidor continuou no seu encalço, embora procurando sempre respeitar uma distância prudente e manter várias viaturas civis no espaço que o separava do cortejo policial.

A viagem prosseguiu por mais de duas horas, sem muita história. Antes de chegarem a Telavive, viraram para norte e meteram pela rodovia Trans-Israel. Sicarius ficou alerta quando se aproximaram da saída para Netanya, mas o seu alvo ignorou as indicações para a cidade da costa e manteve-se na estrada principal, rumo a norte.

"Mas para onde vai esta gente?", interrogou-se o perseguidor, admirado com a viagem prolongada. "Para Haifa? Para Acre?"

A resposta veio pouco depois, quando o cortejo abandonou a estrada principal na saída da mais famosa povoação da região da Galileia. No momento em que viu a tabuleta à entrada da cidade, Sicarius percebeu que, se tivesse raciocinado um pouco, facilmente teria adivinhado o destino. Como não pensara nisso mais cedo?

A tabuleta anunciava *Nazaré*.

LI

Antes de o cortejo de viaturas da polícia subir o monte e entrar no perímetro urbano de Nazaré, o automóvel da frente, onde seguia Arpad Arkan, virou à direita e meteu por um caminho secundário. As motos e o segundo carro, onde se encontravam Tomás e Valentina, viraram também à direita e acompanharam a viatura da frente; era evidente que o presidente da fundação estava a dar instruções sobre o itinerário.

Diversos edifícios de traça moderna, com estruturas metálicas e vidros, apareceram à esquerda, os vultos a agigantarem-se entre o arvoredo. O cortejo cruzou os portões do complexo e dirigiu-se para a entrada principal do primeiro edifício, adornada por dois arcos de aço entrecruzados como colunas dobradas por uma força colossal.

Os automóveis e as motos imobilizaram-se à frente da porta e a atenção do historiador desviou-se para uma grande placa que identificava o complexo em inglês.

Advanced Molecular Research Center.

As portas das viaturas abriram-se e os ocupantes apearam-se. Do carro da frente saíram primeiro os polícias e depois Arkan, que se voltou para todos os que o acompanhavam.

"Bem-vindos à jóia da coroa da minha fundação!", disse ele com evidente orgulho. "Este edifício chama-se Templo." Apontou para os dois enormes arcos que decoravam a entrada e desviou o olhar para Tomás. "Professor, sabe o que isto é, não sabe?"

O historiador aquiesceu.

"As portas do Templo de Jerusalém eram guardadas por duas grandes colunas", disse. "Se este edifício se chama o Templo, presumo que estes arcos representem essas colunas."

"Isso mesmo." Indicou a entrada. "Quando cruzarem esta porta, lembrem-se que vão entrar num novo mundo." Fez um gesto grandiloquente com os braços. "O mundo do Templo."

Arnie Grossman fez um gesto para os seus homens.

"Vamos!"

Os polícias dirigiram-se para a entrada do edifício, mas Arkan deu três passos rápidos e cortou-lhe o caminho.

"Senhor inspector", disse, "tenho muito gosto em convidar a polícia a visitar as nossas instalações, mas... sem armas. Lamento, são as regras em vigor no Templo."

O inspector-chefe da polícia israelita estacou, surpreendido com a objecção.

"Que disparate vem a ser este?"

Arkan pousou nele os olhos.

"O senhor tem algum mandado judicial para entrar neste edifício?"

"Tenho um mandado para o deter se achar necessário."

"Para me deter, onde?"

"Bem... na fundação ou na via pública."

O presidente da fundação girou a cabeça em redor, fingindo que se certificava do local onde se encontravam.

"Olha, olha", disse. "Não estamos na fundação nem na via pública, pois não?"

Os olhos do polícia chisparam e a voz tornou-se gelada, repleta de ameaças veladas.

"Quer que eu vá ao juiz obter o mandado? Olhe que isso..."

Arkan abanou negativamente a cabeça.

"Os senhores são bem-vindos ao Templo", apressou-se a esclarecer. "A única coisa que gostaria de evitar é a entrada de armas neste edifício. As nossas regras proíbem-no explicitamente."

Grossman olhou para os seus homens com uma expressão pensativa e avaliou o pedido. Depois voltou-se para o seu interlocutor, a decisão já tomada.

"Ninguém desarma a polícia israelita", sentenciou. "Mas, num gesto de boa-fé, estou disposto a chegar a um compromisso que me parece razoável. Os meus homens ficam cá fora e só entro eu." Abriu a aba do casaco e revelou uma pistola atada ao peito. "Armado."

O anfitrião olhou para a pistola e durante uns momentos ponderou a proposta.

"Não pode deixar a arma com os seus homens?"

"Isto é inegociável", murmurou Grossman. "E se calhar já estou a contemporizar em demasia..."

Arkan massajou o queixo, pensativo. Porque não? A alternativa àquela proposta de compromisso era os polícias arranjarem um novo mandado e prenderem-no. A regra que impusera no seu Templo determinava que não haveria armas no interior, mas certas situações requeriam flexibilidade. Aquela parecia-lhe uma delas.

"Está bem", acedeu, com um gesto de rendição. "O senhor entra armado. Os seus homens ficam cá fora."

O inspector-chefe da polícia deu instruções aos seus subordinados e, tudo já esclarecido, fez sinal a Arkan. O presidente da fundação entrou enfim no edifício, seguido por Grossman, Tomás e Valentina. Depois de se identificarem na recepção, os visitantes passaram por um detector de metais. Os dois seguranças que controlavam a entrada não gostaram de ver a arma do polícia penetrar no perímetro, mas o chefe fez-lhes sinal de que estava tudo bem e eles consentiram.

O interior do edifício era, depois da entrada, iluminado pela luz natural de um grande pátio. Havia longos corredores em duas direcções opostas, contornando o pátio como tentáculos a abraçá-lo. Cada corredor exibia uma fileira de portas na parede oposta ao pátio.

"Onde estamos?", quis saber Grossman.

Com os olhos pequenos quase escondidos por baixo das sobrancelhas grossas, Arkan fez uma expressão de sonso. "No Templo, já lhe disse."

"Não era isso o que dizia lá fora", atalhou Tomás, indicando a entrada com o polegar. "A tabuleta anunciava um Advanced Molecular Research Center. O nome não me parece ter grandes conotações religiosas..."

O anfitrião soltou uma gargalhada; a irritação com que os acolhera na fundação parecia substituída por uma vasta bonomia.

"Tem razão, professor!", exclamou Arkan. "Templo é o nome deste edifício onde nos encontramos. Mas o complexo tem de facto uma designação mais científica, que revela os seus verdadeiros propósitos. Na verdade, estamos no Centro de Pesquisa Molecular Avançada, o mais ambicioso e sofisticado projecto da minha fundação."

"Sim, mas o que se faz aqui?"

"É segredo."

O inspector-chefe exibiu o seu mandado judicial e, confiante de que a visão do documento era suficientemente eloquente, sorriu.

"Se assim é, receio que tenha de nos contar tudo. Que segredo vem a ser esse?"

Arkan respirou fundo, preparando-se mentalmente para começar a revelar o que sempre escondera do mundo, e arqueou as sobrancelhas peludas no momento em que fez a declaração.

"É a última esperança da humanidade."

LII

O bafo quente da humidade artificial acolheu os visitantes quando penetraram no grande salão situado no complexo científico da Fundação Arkan em Nazaré. Por toda a parte cresciam plantas, com caminhos abertos entre elas, como uma selva ordenada. O tecto do salão era coberto por vidro fosco, deixando a luz do Sol banhar a verdura que enchia todo o perímetro.

Uma estufa, percebeu Tomás. Tinham entrado numa estufa gigante.

"Éden", anunciou Arpad Arkan com um vasto sorriso. "Este sector do complexo chama-se Éden." Fez um gesto para as plantas em redor. "É fácil entender porquê, não é verdade?"

"O que isto é já eu percebi", disse Grossman. "Mas para que serve uma estufa em instalações científicas como estas?"

O anfitrião não respondeu de imediato. Dirigiu-se a um homem de bata branca, pequeno e magro, que estava acocorado a analisar as folhas de uma planta, e cumprimentou-o efusivamente. Trocaram algumas palavras, impossíveis de captar à distância, mas era evidente que Arkan lhe explicava a situação, uma vez que o homem da bata branca desviou o olhar para os três visitantes enquanto escutava o chefe. Por fim acenou afirmativamente e acompanhou o presidente da fundação até junto dos dois polícias e do historiador.

"Este é o professor Peter Hammans", apresentou-o Arkan. "É o director do Departamento de Biotecnologia do nosso centro." Deu-lhe uma palmada nas costas que quase o atirou ao chão. "Roubámo-lo à Universidade de Frankfurt."

O professor Hammans, um homem com o rosto magro cortado por rugas e uma barba grisalha rala que afunilava no queixo, reequilibrou-se e, com um sorriso encabulado, estendeu a mão aos desconhecidos.

"Muito prazer."

Trocaram cumprimentos e apertos de mão, com cada visitante a apresentar-se com nome e funções. Terminadas as cortesias introdutórias, que envolveram uma rápida explicação do inquérito que estava a decorrer aos três homicídios na Europa, o director do Departamento de Biotecnologia levou-os para um canto da estufa e mandou-os sentar-se a uma mesa.

"Gostaria de vos oferecer uma coisa para comerem", disse com um sorriso malicioso. "Querem provar uma couve geneticamente alterada ou uma couve absolutamente natural?"

"Uma couve geneticamente alterada?", interrogou-se Grossman. "Nem pensar! Isso faz mal à saúde!"

O professor Hammans foi ao frigorífico e distribuiu pratos com uma folha de couve por cada um dos três visitantes.

"Então experimentem a couve no seu estado natural."

Valentina fez uma careta.

"Não tenho fome..."

O cientista apontou para a couve.

"Coma!", insistiu. "É importante para a demonstração que vos quero fazer."

Os três lançaram um olhar desconfiado à folha de couve que cada um tinha no seu prato. Estava cozida, mas apresentava um aspecto que não era familiar. Tomás espetou o garfo na sua e levou-a à boca. Deu duas mastigadelas e, acto contínuo, cuspiu os pedaços que saboreara.

"Bah! Que porcaria!"

O professor Hammans simulou um ar admirado.

"Então? Que se passa?"

O historiador fez uma careta.

"Esta couve é intragável", disse. "Sabe a... sei lá, tem um sabor amargo!"

Os dois polícias provaram um pequeno pedaço, que trincaram quase a medo, e confirmaram o veredicto.

"Isto não presta para nada!", sentenciou Grossman. "Que raio de couve é esta?"

O director do Departamento de Biotecnologia voltou ao frigorífico e trouxe uma outra couve cozida, que cortou em três pedaços pequenos e distribuiu pelos pratos.

"Experimentem agora esta couve e digam-me o que vos parece..."

Desta vez Tomás hesitou. À luz do que acabara de suceder, interrogava-se sobre se deveria sujeitar-se àquela experiência. Analisou a nova folha. Parecia-lhe perfeitamente normal, como as que se encontram no supermercado. Uma couve lombarda. Com mil cuidados, espetou o garfo na folha e levou-a à boca. Deu uma primeira trincadela e parou, à espera que algo de muito estranho lhe acontecesse na boca. Tudo parecia normal. Deu uma segunda trincadela e voltou a aguardar algo de explosivo. Nada. Retomou a mastigação e comeu a couve.

"Então?", quis saber o professor Hammans, o olhar expectante. "Estava boa?"

"Hmm-hmm", confirmou o historiador, ainda a mastigar. "Fria, mas normal."

Os dois polícias, que preferiram prudentemente aguardar a reacção de Tomás, meteram esta segunda folha à boca e mastigaram-na, confirmando o veredicto.

"Sabem como é que isto ficava mesmo bom?", perguntou Valentina enquanto saboreava a couve. "Com *spaghetti*, azeite e alho."

O director do Departamento de Biotecnologia trocou um olhar rápido com Arpad Arkan e sorriu para os três visitantes.

"Estão a ver esta primeira couve?", perguntou. "É absolutamente natural e vocês não a conseguiram comer." Indicou a boca dos seus interlocutores. "A segunda couve é geneticamente modificada e acharam-na uma delícia!"

Grossman suspendeu a mastigação.

"O quê?", indignou-se. "O senhor deu-me a comer uma couve geneticamente modificada?"

"E vocês adoraram!"

O inspector-chefe virou a cara para o lado e cuspiu a comida mastigada para o chão.

"Que horror!", exclamou. "Eu não como estas porcarias!"

O professor Hammans simulou surpresa.

"O quê? O senhor nunca comeu couve na vida?"

"Claro que comi! Mas nunca comi couve geneticamente modificada! Isso, recuso-me!"

O cientista cruzou os braços e fitou-o fixamente, como um professor à espera que o aluno corrija a resposta errada. A seguir desviou a atenção para a folha de couve que ninguém havia conseguido engolir.

"A única couve existente no mundo que nunca foi geneticamente alterada é essa aí", disse. "E vocês não a quiseram comer. Todas as outras couves, e em especial aquelas couves deliciosas que se encontram à venda nos supermercados, como a couve lombarda, a couve roxa e todas as outras, foram geneticamente manipuladas."

"O quê?"

"É como lhe digo", insistiu o professor Hammans. "As couves naturais são demasiado amargas para consumo humano. O seu sabor desagradável é, obviamente, um mecanismo de defesa que desenvolveram para impedir que os animais as comessem. Para as tornar saborosas, o que fizeram os seres humanos? Começaram a manipulá-las geneticamente, claro."

"A manipulá-las geneticamente como?", questionou Grossman. "Está a insinuar que as couves à venda nos supermercados foram concebidas em laboratório?"

"Não num laboratório convencional, com bactérias e ampolas e tubos de ensaio e placas de Petri e coisas assim. Mas sim, as couves que consumimos são de certo modo produtos de laboratório. Ou pelo menos de manipulação genética. Desde que o homem inventou a agricultura, há mais de dez mil anos, que não tem feito outra coisa que não seja manipulação genética. Os agricultores andam há milhares de anos a cruzar plantas de modo a produzir verduras novas, mais saborosas e fáceis de plantar."

"Oh, isso é uma coisa diferente!..."

"Não é não! O cruzamento de plantas é uma forma elementar de manipulação genética. As couves que comemos não existiam assim no estado natural. Foram desenvolvidas ao longo de muito tempo em cruzamentos sucessivos de plantas. Os agricultores faziam experiências e, através do sistema de tentativa e erro no cruzamento de verduras diferentes, criaram produtos que não existiam na natureza. Muitos desses produtos estão à venda nos supermercados e comemo-los diariamente na sopa, na salada ou em forma de fruta."

Arnie Grossman olhou para Valentina e Tomás em busca de apoio, mas não o obteve. Quem se atreveria a desmentir um especialista em biotecnologia num assunto daqueles? Vendo-se sem argumentos, o polícia israelita fez um gesto rápido com a mão, como se afastasse uma mosca.

"Está bem, e depois?", perguntou, com alguma irritação na voz. "O que quis provar com isso?"

O professor Hammans sorriu.

"Quis simplesmente demonstrar que a biotecnologia é usada pelos seres humanos há milhares de anos e não tem nada de mal. Os agricultores estão habituados a cruzar diferentes variedades de plantas para obter espécies novas." Ergueu o dedo. "Aliás, é até interessante notar que a própria natureza pratica a biotecnologia. E até a clonagem! Os morangueiros, por exemplo, libertam vergônteas que depois se transformam em morangueiros. Esses novos morangueiros são clones do original. As sementes de batata usadas para plantar batatas não são, na verdade, sementes, mas clones da batata de onde a semente foi cortada. E quando arrancamos uma folha e a plantamos, e ela se transforma numa nova planta, essa nova planta é um clone da planta original."

"Ah, bom!..."

"A questão que se põe é perceber como funciona este cruzamento. Se cruzarmos uma planta comprida com uma planta curta, que tipo de planta resultará da experiência?"

"Ora, essa é fácil!", exclamou Grossman. "Sai uma planta média, claro!"

"Isso foi o que sempre se pensou. Mas decerto já ouviu falar em Mendel, que fez a experiência com plantas que produzem ervilhas. Sabe o que aconteceu? Todas as plantas que resultaram deste cruzamento eram altas! Mendel ficou surpreendido. Então decidiu cruzar uma vagem verde com uma amarela. Todas as plantas resultantes deste cruzamento nasceram verdes. Mendel concluiu que havia características dominantes e características recessivas. A planta comprida era dominante, a curta era recessiva. A vagem verde era dominante, a amarela era recessiva. Sempre que se cruzavam, a recessiva desaparecia." Tirou a língua de fora e afunilou-a. "É como afunilar a língua. Quem consegue fazer como eu?"

Preocupado com salvaguardar a sua dignidade de polícia, Grossman recusou-se a participar na experiência, mas Valentina e Tomás colaboraram. O português afunilou a língua, a italiana não.

"Não consigo!", queixou-se ela. "Como é que vocês fazem isso?"

"É uma habilidade inata", explicou o professor Hammans. Indicou os dois. "No entanto, se a senhora engravidar deste cavalheiro, os vossos filhos terão todos a capacidade de afunilar a língua. Ou seja, essa característica é dominante."

Tomás e Valentina trocaram um olhar embaraçado.

"Pois..."

"O mesmo se passa com os olhos. Os olhos castanhos são dominantes, os azuis são recessivos. A visão a cores é dominante, a visão sem cores é recessiva." Passou a mão pela barba. "Tendo feito esta descoberta, Mendel não se ficou por aqui. Pegou nas plantas altas resultantes dos cruzamentos e cruzou-as entre elas. O que acham que aconteceu?"

Foi a vez de a italiana responder, esforçando-se por se libertar do embaraço que lhe transparecia no rosto.

"As altas não são as dominantes?", perguntou. "Então resultaram novas plantas altas."

O cientista abanou a cabeça.

"Um quarto das plantas nasceram curtas. Ou seja, na primeira geração as altas dominaram e as curtas desapareceram por completo. Contudo, na segunda geração as curtas reapareceram. Tinham-se mantido escondidas na primeira geração para depois reaparecerem. Mendel concluiu que havia algo de especial nas plantas que determinava o seu tamanho, e deu um nome a isso. Chamou-lhe *gene*."

"Gene, de *genética*?"

O rosto chupado do professor Hammans, com os malares salientes e a barba grisalha a formarem uma extremidade pontiaguda no queixo, voltou a abrir-se num sorriso.

"E de *génesis*", disse. "O texto da criação."

LIII

Havia já algum tempo que Sicarius estudava os edifícios à distância. Vira o cortejo entrar pelo portão que dava acesso ao complexo, mas não se atrevera a aproximar-se. E se algum dos polícias o tinha visto de moto no percurso de Jerusalém? Se o avistasse de novo, e ali, decerto chegaria a conclusões. Era por isso fundamental desfazer-se da moto.

Sicarius desmontou e deixou a sua máquina negra estacionada na berma da estrada, à sombra de uma oliveira. Escondeu o capacete na sacola e meteu-a na caixa de viagem por cima da roda traseira. Depois voltou-se e começou a caminhar descontraidamente ao longo do muro, em direcção ao portão.

Chegou junto das grades do portão e espreitou para o interior do complexo. Viam-se as três motos da polícia e os dois carros estacionados junto à entrada do edifício da frente. Vários homens conversavam por ali e o intruso contou-os. Três fardados e três à paisana. Os seis polícias tinham ficado cá fora.

"O mestre é brilhante", murmurou Sicarius, sem ocultar o sorriso. "Um verdadeiro génio!"

O seu mentor arranjara maneira de deixar os polícias à porta do complexo, concluiu. Isso era extraordinário, porque facilitaria enormemente a operação.

"Deseja alguma coisa?"

Uma voz interpelou Sicarius de surpresa. O intruso olhou na direcção de onde ela soara e descobriu, embasbacado, que estava ali um segurança do complexo. Não havia reparado nele! Com a atenção voltada para os polícias, negligenciara aquele pormenor. Como podia ter sido tão descuidado?

"Sou um turista cristão", desculpou-se. "É aqui que está a gruta onde o anjo Gabriel anunciou a Maria que iria gerar Jesus?"

O guarda riu-se.

"A Gruta da Anunciação encontra-se na basílica", explicou, apontando em direcção ao casario de Nazaré, lá ao fundo. "Tem de ir para a cidade velha."

Sicarius acenou em despedida.

"Ah, obrigado." Desenhou uma cruz no ar. "Deus o abençoe!"

O intruso afastou-se com ar descontraído, mas, pelo canto do olho, inspeccionou o muro que protegia o recinto. Era alto, embora não em demasia. O maior problema parecia ser o arame farpado enrodilhado no topo. Além disso, é claro, teria de escolher o ponto ideal para passar para o outro lado. O melhor seria dar uma volta a todo o perímetro e escolher o sítio mais discreto. Já percebera que o complexo era protegido por um dispositivo de segurança, mas não se tratava de nada de extraordinário. No fim de contas, não tinha de penetrar num banco nem numa cadeia de alta segurança. As medidas de protecção pareciam-lhe apenas ligeiramente mais fortes do que as de um edifício normal. Nada que não se ultrapassasse. Afinal não tinha já lidado com coisas bem piores?

Atirou um novo olhar ao muro. O que fazer com o arame farpado ali no topo? Não ia ser agradável, mas tinha na caixa da bagagem da moto um alicate que iria resolver esse problema. Dispunha também das cordas necessárias para escalar até lá acima. Como é evidente, era também na caixa da moto que se encontrava o instrumento mais importante para aquela missão.

A adaga sagrada.

LIV

O edifício era seguramente o maior do complexo. Logo que o grupo saiu de Éden, a estufa, Arkan e Hammans conduziram os visitantes na direcção de uma estrutura gigantesca com um formato curvo, como o de uma bacia colossal. Vista de longe, entre as árvores, não parecia tão grande. Mas ali, já de perto, a verdadeira dimensão do edifício tornou-se perceptível em toda a sua plenitude.

"O que é isto?", quis saber Arnie Grossman, abismado com o tamanho da construção. "Parece um barco."

"Chamamos-lhe a Arca."

"Como a de Noé?"

"Isso", assentiu o presidente da fundação. "É o principal edifício do nosso centro de pesquisas. Uma catedral da ciência, se quiser."

Os dois anfitriões conduziram o grupo para o interior da Arca. Pairava no ar um vago odor asséptico a álcool e a formol que tudo parecia permear. Os visitantes cruzaram o átrio e meteram por um grande corredor com paredes de vidro para lá das quais se espraiavam vários laboratórios. Uma legião de técnicos de bata branca afadigava-se em torno de microscópios, de tubos de ensaio, de pipetas e de diverso material, evidentemente a proceder a experiências.

As paredes de vidro foram, ao fim de uma centena de metros, substituídas por paredes de alvenaria. O grupo dobrou a esquina do corredor e o professor Hammans abriu uma porta e convidou os visitantes a passarem à frente. Primeiro entrou Valentina e depois Tomás e Grossman. Os três detiveram-se, quase assustados, logo que se aperceberam do que estava para lá da porta.

Uma câmara de horrores.

A sala para onde os conduziram era um armazém de jarros de todas as dimensões arrumados em prateleiras. O cheiro a álcool e formol revelava-se aqui muito forte, denunciando o horror que se encerrava no interior dos jarros. Cadáveres. Eram centenas e centenas de corpos confinados aos jarros e a boiar numa solução líquida. Viam-se coelhos, pássaros, ratos, cães, cabritos e macacos. Todos a flutuarem nos líquidos dos jarros, de olhos vidrados e membros em posições bizarras, parecia que tinham a vida suspensa.

"Que horror!", exclamou a italiana. "O que é isto?"

Arpad Arkan contemplou as fileiras de jarros como um artista a apreciar a sua obra.

"São as nossas experiências", disse. "Não se esqueça de que estamos no Centro de Pesquisa Molecular Avançada."

"Vocês matam animais e metem-nos em jarros?", admirou-se ela. "Que raio de trabalho é esse?"

Os dois anfitriões soltaram uma gargalhada.

"O nosso trabalho não é matar bicharada", corrigiu o professor Hammans. "É criar animais. E quando digo *criar* não é no sentido de produção alimentar, mas no sentido bíblico da palavra."

"Bíblico? O que quer dizer com isso?"

O director do Departamento de Biotecnologia abriu os braços e indicou toda a estrutura em redor.

"Este edifício chama-se Arca, lembram-se? Isso acontece porque ele está envolvido no acto da criação." Apontou para os jarros arrumados nas prateleiras. "Esses animais são experiências falhadas. Mas estamos a afinar a técnica e temos um número crescente de casos de sucesso."

Tomás esboçou um esgar de incompreensão; nada daquilo lhe parecia fazer sentido.

"Experiências de quê? Sucesso em relação a quê?"

Voltando-se para os convidados, Arkan arregalou as suas sobrancelhas peludas e exibiu um grande sorriso.

"Clonagem."

"Como?"

"É disso que o nosso centro se ocupa", esclareceu o presidente da fundação. "De clonagem."

O historiador e os dois polícias entreolharam-se.

"Mas... mas... para quê?"

Arpad Arkan manteve o sorriso, como uma criança que exibe os brinquedos aos filhos dos vizinhos, e voltou-se para o seu subordinado.

"Explica-lhes, Peter."

"Tudo?"

"Quase tudo. A parte final fica para mim."

Foi a vez de o professor Hammans sorrir.

"Então é melhor começarmos pelo princípio." Encarou os três visitantes. "O que sabem vocês sobre a forma como os genes funcionam?"

O historiador e os polícias vacilaram. Quem se atreveria a explicar um assunto daqueles a um especialista?

"Bem", titubeou Tomás, "são os genes que determinam cada uma das nossas características. Os olhos, o cabelo, a altura... até o nosso feitio, se somos pacientes ou irritáveis, se temos propensão para esta ou aquela doença. Enfim, tudo."

"Correcto", disse o director do Departamento de Biotecnologia do centro. "Mas como é que eles funcionam?"

O português fez uma expressão vazia.

"Sabe, a minha especialidade é a história..."

Os dois polícias mantiveram-se calados e desviaram os olhares, como se de repente achassem grande interesse ao conteúdo macabro dos jarros que se alinhavam pelas estantes da sala. Aquela área de conhecimento não era manifestamente a deles.

O professor Hammans já esperava a reacção, pelo que se dirigiu a uma secretária no canto da sala. Atrás dela havia um quadro branco, como o das escolas. O cientista pegou numa caneta de feltro azul-escura e desenhou no quadro o que parecia um ovo estrelado.

"As células que constituem as plantas e os animais, incluindo os seres humanos, têm a estrutura de um ovo", explicou. "Uma membrana exterior rodeia toda a célula e mantém-na unida e protegida. O interior é formado pela clara, ou citoplasma, um fluido que exerce várias funções, e pela gema, ou núcleo." Bateu com a ponta da caneta na "gema" do ovo estrelado e olhou para os convidados. "Para que serve o núcleo?"

"O núcleo é o centro de controlo", respondeu Tomás. Isso sabia. "É ele que comanda a célula."

"O núcleo não comanda apenas a célula." Fez um gesto largo, como se quisesse englobar o universo. "É ele que controla tudo. *Tudo*. A célula, o tecido, o órgão, o corpo... até a espécie! O núcleo da célula controla a própria vida no nosso planeta!"

Arnie Grossman ergueu uma sobrancelha céptica.

"Não estará a exagerar um pouco?"

Como em resposta, o professor Hammans voltou-se para o quadro e, partindo da estrutura esquemática da célula, fez novos desenhos, cada um uma ampliação de uma secção do desenho anterior. Depois escrevinhou palavras a identificar os pontos-chave do esquema.

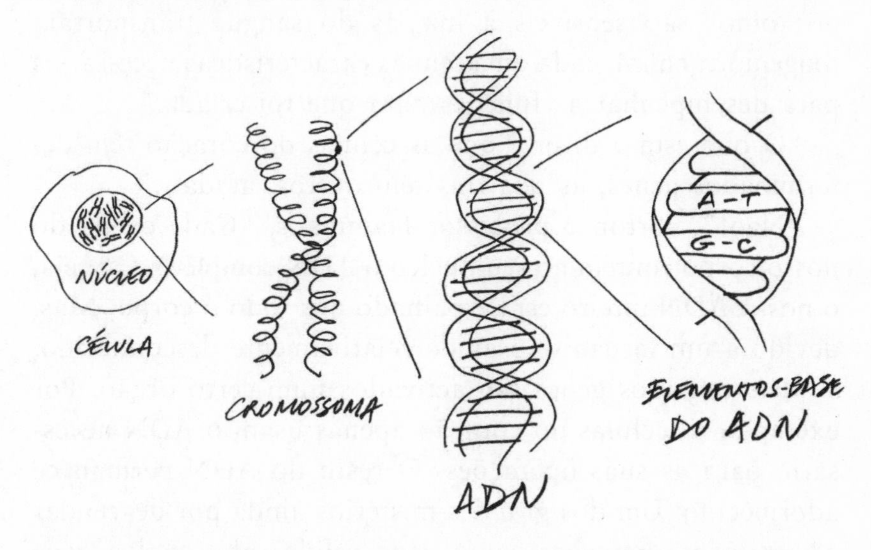

"Vejamos o que se passa no núcleo de uma célula", propôs. "Se ampliarmos uma secção, descobrimos que o núcleo é formado por filamentos enrodilhados, chamados cromossomas. Se ampliarmos novamente uma secção, verificamos que o cromossoma é constituído por dois fios enrolados um no outro numa longa espiral. Chamamos a estes dois fios ácido desoxirribonucleico, ou ADN. Ampliando uma secção do ADN, percebemos que os dois fios estão ligados um ao outro por quatro elementos-base: adenina, timina, guanina e citosina, ou A, T, G e C." Redigiu as quatro letras no quadro. "São estas as letras com que se escreve o livro da vida."

"É isso um gene?"

"Um gene é uma secção do ADN. Uma determinada combinação de pares A-T e G-C constitui um gene. E o que faz o gene quando é activado? Produz proteínas que transmitem as ordens dos genes, pondo as células a trabalhar de um modo ou de outro. As proteínas produzidas pelas células dos olhos são sensíveis à luz, as do sangue transportam oxigénio... enfim, cada uma tem as características necessárias para desempenhar as funções para que foi criada."

"O que está a dizer é que as células do coração têm determinados genes, as dos rins têm outros, as da..."

"Não!", cortou o professor Hammans. "Cada célula do nosso corpo contém no seu núcleo o ADN completo. Ou seja, o nosso ADN inteiro está espalhado por todo o corpo. Mas, devido a um mecanismo ainda relativamente desconhecido, só determinados genes são activados num certo órgão. Por exemplo, as células do coração apenas usam o ADN necessário para as suas operações. O resto do ADN permanece adormecido. Um dos grandes mistérios ainda por desvendar é justamente perceber como cada célula sabe qual o gene que tem de activar. Mas o facto é que a célula *sabe*. E, facto igualmente relevante, descobrimos que um determinado gene produz uma enzima específica independentemente do animal ou planta onde se encontra inserido. Se eu colocar num animal o gene humano que produz a insulina, esse animal começará a gerar grandes quantidades de insulina no seu leite." Arqueou as sobrancelhas com movimentos rápidos. "Estão a ver as vantagens, não estão?"

"*Mamma mia!*", exclamou Valentina, percebendo as perspectivas que se abriam com esta inovação. "Pode-se pôr os animais a produzir insulina para os diabéticos!"

"Isso, e muito mais! Lembram-se daquelas plantas que viram no Edifício Éden? Temos lá umas plantas de arroz onde inserimos um gene que produz vitaminas. As pessoas dos países subdesenvolvidos que comam esse arroz terão assim uma refeição mais rica. Estamos também a inserir um gene no milho que reduz a necessidade de água. Esse milho é assim perfeito para as zonas desérticas e, tal como o arroz rico em vitaminas, ajudará a combater a má nutrição no terceiro mundo."

"Incrível!"

Sentindo-se impaciente, Arnie Grossman espreitou ostensivamente o relógio.

"Tudo isso é muito bonito", disse. "No entanto, como sabem, estamos a investigar três homicídios e uma tentativa de homicídio. Por que razão considera estes pormenores relevantes para o nosso inquérito?"

Arpad Arkan interveio.

"Devido à falta de sexo."

"Perdão?"

O professor Hammans percebeu de imediato a necessidade de manter a conversa longe dos detalhes demasiado técnicos, fascinantes para ele mas susceptíveis de enfastiar um leigo.

"O nosso presidente está a falar de uma segunda função dos genes: a reprodução", disse o cientista. "Além de produzirem enzimas, os genes reproduzem-se. Isso não acontece com sexo, mas sempre que uma célula se divide. Ao criar-se uma nova célula, o que sucede no nosso corpo cerca de cem mil vezes por segundo, os cromossomas da célula original duplicam-se. Isto é muito importante, porque significa que, quando criamos um ser vivo a partir do material genético de outro, o ADN do novo ser é exactamente igual ao do que forneceu os genes."

"Como os gémeos?"

"Bom exemplo! Os gémeos verdadeiros partilham o mesmo ADN." Abriu as mãos, como um ilusionista a mostrar o seu último truque. "Ou seja, são clones um do outro."

Valentina mordeu o lábio.

"E assim chegamos à clonagem."

"Nem mais!", assentiu o professor Hammans. "Sempre que clonamos uma planta ou um animal, estamos a fazer uma cópia com recurso ao mesmo ADN."

"Mas como se faz isso?"

"O processo é simples numa planta, como qualquer agricultor sabe. Já nos animais é mais complexo." Voltou ao desenho do ovo estrelado no quadro. "Pegamos na célula de um ovo acabado de ovular e, com uma pipeta, retiramos-lhe o núcleo. Depois pegamos numa célula do indivíduo que queremos clonar e colocamo-la ao lado da célula do ovo sem núcleo. Retiram-se-lhes os nutrientes, de modo a colocá-las numa espécie de estado suspenso, e aplica-se uma dose de electricidade. As duas células fundem-se numa única. Depois faz-se uma nova descarga de electricidade, imitando o fluxo de energia que acompanha a fertilização de um ovo pelo esperma. Lembrem-se que um ovo, independentemente do seu tamanho, é uma célula. Julgando que foi fertilizada pelo esperma, a célula começa a dividir-se, produzindo um novo núcleo para cada nova célula. E *voilà!* O animal clonado começa a crescer!"

"É assim que clonam animais?"

"Exactamente assim", confirmou o cientista alemão. "A primeira experiência foi realizada em 1902 por um conterrâneo meu, Hans Spemann, que conseguiu clonar uma salamandra. Em 1952 foi clonado um sapo e, em 1996, foi a vez de se produzir o primeiro mamífero: a ovelha *Dolly*. Isso abriu um novo mundo, como deve calcular. Se era possível clonar mamíferos, imagine só as perspectivas que se abriram! Desde então clonaram-se ratos, porcos, gatos... eu sei lá!"

Os visitantes passaram de novo os olhos pelos animais encerrados nos jarros alinhados nas estantes da grande sala, e observaram-nos já não com horror, mas com estupefacção.

"Se é possível clonar mamíferos", murmurou Tomás, quase com medo de formular a pergunta, "porque não seres humanos?"

O professor Hammans trocou um olhar com Arpad Arkan, como se lhe perguntasse o que devia responder. O presidente da fundação fez um sinal afirmativo com a cabeça, dando luz verde ao seu subordinado para fazer a revelação. O cientista indicou com a mão os jarros macabros que enchiam a sala e fitou o historiador português.

"O que pensa o senhor que estamos aqui a fazer?"

LV

O tronco do pinheiro inclinava-se naturalmente para o muro, decerto empurrado ao longo dos anos pela força do vento, e alguns ramos chegavam a enredar-se no arame farpado que se enrodilhava no topo. De mãos nas ancas, a avaliar a árvore e a sua posição privilegiada, Sicarius não conteve um sorriso.

"Uns incompetentes!", murmurou com satisfação. "Erguem um muro e esquecem-se de cortar as árvores que permitem saltá-lo!..."

O giro ao longo do muro havia produzido resultados. Bastou percorrer quatrocentos metros em torno do perímetro do Centro de Pesquisa Molecular Avançada para identificar aquela vulnerabilidade no dispositivo de segurança do complexo. Sicarius não tinha dúvidas de que, se continuasse a inspeccionar o muro, facilmente localizaria outros pontos fracos. Mas o tempo urgia. Para quê continuar à procura se já encontrara aquilo de que precisava?

Pegou na corda e lançou-a sobre a árvore. A primeira tentativa não resultou, mas à segunda conseguiu enlaçar um braço sólido do tronco. A corda subia, dobrava o tronco lá em cima e regressava cá a baixo, formando assim uma espécie de baloiço. O operacional amarrou uma das pontas à cintura e olhou em redor, para se certificar de que ninguém o observava. O local era abrigado por vários arbustos, dando-lhe condições adequadas para actuar à luz do dia.

Agarrou a outra ponta da corda com firmeza e começou a içar o corpo. Sicarius era um homem ágil, fruto do treino rigoroso a que se submetia diariamente, e em alguns segundos chegou à copa da árvore. Acomodou-se no braço mais forte do tronco e vistoriou o complexo. Como suspeitava, não havia guardas por ali; eles limitavam-se a vigiar a entrada. Era possível que fizessem rondas e o assaltante precisava de tempo para lhes estudar as rotinas, mas o tempo constituía um luxo de que não dispunha naquelas circunstâncias. De qualquer modo, concluiu, seria preciso algum azar para penetrar no perímetro justamente na altura em que estivesse a decorrer uma ronda.

Procurou também sinais de câmaras de vigilância. Não havia avistado nenhuma quando espreitara pelo portão, uns vinte minutos antes, e nesse momento também não vislumbrou quaisquer sinais delas. Era provável, porém, que se encontrassem no interior dos edifícios.

Depois de uma derradeira espreitadela para o perímetro, testou a resistência do tronco, para se assegurar de que aguentava o seu peso, e respirou fundo.

"Vamos a isto!"

Deslizou devagar pelo braço do tronco. Aquela parte da árvore descaiu um pouco, vergada pelo peso do homem nela encavalitado, mas aguentou. Sicarius avançou com mil cautelas até se colar ao muro. O tronco tinha-se inclinado ligeiramente, mas a borda superior do muro estava ainda ao seu alcance. Tirou o alicate que trazia guardado no bolso e encaixou-lhe os dentes numa secção do arame farpado.

Apertou com força.

Claque.

Cortou o arame farpado num ponto e depois prosseguiu para a secção seguinte. Os claques secos do alicate a decepar o arame sucederam-se, como se um jardineiro aparasse uma sebe, e em dois minutos abriu-se uma clareira no enrodilhado que protegia o topo do muro. Uma vez a operação completada, olhou de novo para o interior do complexo, assegurando-se de que não havia sido avistado. Tudo permanecia calmo.

Satisfeito, Sicarius pendurou-se no muro e içou o corpo até ao topo. Empoleirado lá em cima, não perdeu tempo. Recuperou a corda e atirou-a ao solo. Depois lançou-se para o interior do perímetro. Foi um salto de três metros, amortecido pela relva macia e pela destreza com que deu a cambalhota no instante em que tocou no chão. Rolou pelo relvado e de imediato pôs-se de pé. Pegou na corda, de que provavelmente precisaria para mais tarde sair dali, e correu para o arbusto mais próximo.

Já estava dentro.

LVI

A revelação deixou os três visitantes boquiabertos. Tomás, em particular, mal acreditava no que acabara de escutar.

"Vocês estão a clonar seres humanos?"

Apercebendo-se do choque que haviam causado com a revelação, os dois anfitriões soltaram uma gargalhada nervosa.

"Ainda não", respondeu Arpad Arkan. "Não chegámos aí." O sorriso desapareceu e o rosto tornou-se sério. "Mas, em última instância, é esse de facto o objectivo final das nossas pesquisas. Queremos ser capazes de clonar seres humanos."

"O que quer dizer com isso, *queremos?*", questionou Arnie Grossman. "Se já se clonam ovelhas e ratos e sei lá mais o quê, o que vos impede de clonar seres humanos?"

O professor Hammans, que se calara momentaneamente, fez um gesto na direcção do conteúdo macabro dos jarros alinhados nas prateleiras da sala onde se encontravam.

"Aquilo", disse. "Está a ver todos esses animais que aí guardamos? São o resultado de sucessivas experiências falhadas. A grande verdade é que a técnica de clonagem requer ainda uma importante afinação."

"Que afinação?", insistiu o polícia israelita. "Se já se clonaram animais, as afinações estão feitas!..."

O director do Departamento de Biotecnologia do centro abanou negativamente a cabeça.

"Para se produzir a ovelha *Dolly*, houve mais de duzentas experiências que falharam", revelou. Pegou na caneta de feltro e redigiu o número 277 no quadro. "A clonagem de *Dolly* só resultou à ducentésima septuagésima sétima vez. As experiências mostram que apenas cerca de um por cento dos embriões clonados chegam a nascer. Claro que andamos a desenvolver novas técnicas e estamos convencidos que, num futuro mais ou menos próximo, a percentagem de sucesso será muito mais elevada."

"Suficientemente elevada para clonarem seres humanos?"

O professor Hammans caminhou na direcção de uma estante e acocorou-se junto a um jarro. No interior via-se o que parecia o corpo de um macaco em miniatura a flutuar no formol.

"Há ainda diversos problemas a resolver", indicou. "Antes de chegarmos ao homem, temos tentado clonar outros primatas e... não conseguimos. Só aqui no nosso Centro de Pesquisa Molecular Avançada efectuámos mais de mil tentativas nos últimos três meses." Fez um gesto de desânimo. "Nem uma única funcionou. Dessas mil experiências, apenas umas cinquenta resultaram num ovo clonado que se começou a dividir, mas nenhum atingiu a fase madura, que permite o nascimento." Indicou o macaco minúsculo no interior do jarro. "Este embrião foi o que chegou mais longe."

"Mas porquê?", quis saber Tomás. "Qual é o problema?"

O cientista reergueu-se, esboçou um esgar de dor ao endireitar-se e encarou o grupo.

"As análises que fizemos aos embriões abortados mostram que pouquíssimas células destes clones falhados continham os núcleos com os cromossomas. Em vez de se localizarem na gema do ovo, esses cromossomas clonados estavam espalhados pela clara. Em muitos casos as células nem sequer tinham o número adequado de cromossomas e era por isso que não conseguiam funcionar. Curiosamente, e apesar desses problemas todos, algumas dessas células defeituosas continuaram a dividir-se."

"O problema de os cromossomas não estarem no núcleo... isso também acontecia com os outros animais?"

O professor Hammans apontou para o jarro com o macaco minúsculo.

"Só com os primatas", sublinhou. "Como devem calcular, temos andado à volta desta dificuldade e já conseguimos perceber por que razão ela existe." Voltou para junto do quadro e indicou o ovo estrelado que havia desenhado. "Sabem, quando uma célula se divide em duas normalmente os seus cromossomas também se dividem em dois. Um grupo vai ordeiramente para uma célula e o outro grupo é puxado para a outra célula, de modo a compor dois núcleos iguais. No caso dos primatas, no entanto, as coisas não se processam assim. Quando chega a hora de os dois grupos de cromossomas irem cada um para a sua célula, eles não se conseguem alinhar ordeiramente. Em vez disso, posicionam-se de forma caótica e por isso vão parar aos sítios errados das células."

"Porquê?"

"As nossas análises mostram que faltam duas proteínas ao embrião clonado. São essas proteínas que organizam os cromossomas. Nos animais em geral essas proteínas encontram-se espalhadas pela clara do ovo, mas, no caso dos primatas, percebemos que estão concentradas junto aos cromossomas dos ovos por fertilizar. Ora quando se leva a cabo uma clonagem a primeira coisa que se faz é justamente retirar esses cromossomas. O que se passa é que, quando se procede a essa operação na célula dos primatas, acaba-se também por se retirar acidentalmente as proteínas, uma vez que elas estão demasiado perto dos cromossomas. Como elas desaparecem, os cromossomas não se conseguem alinhar ordeiramente no momento da divisão das células." Bateu com a ponta da caneta no ovo estrelado garatujado no quadro. "É justamente esse problema que estamos a tentar resolver nos nossos laboratórios."

A explicação técnica extraiu um bocejo enfadado de Arnie Grossman. O inspector-chefe da polícia israelita apoiou-se numa perna, impaciente por avançar na conversa e chegar ao que realmente lhe interessava.

"Por favor, esclareçam-me!", pediu. "O que tem isso a ver com os homicídios que estamos a investigar?"

A pergunta deixou o professor Hammans sem resposta; aquele assunto não era da sua competência. Teve de ser o seu superior hierárquico a responder.

"Calma, já lá chegamos!", disse Arkan. "O nosso director do Departamento de Biotecnologia esteve apenas a expor o maior problema relacionado com a clonagem de primatas e que estamos a tentar solucionar aqui no Centro de Pesquisa Molecular Avançada. Para poder responder a essa pergunta, é importante que percebam que existe um segundo problema técnico que tem ainda de ser resolvido. Como estamos muito concentrados na resolução do primeiro problema e precisamos de apressar a investigação, resolvemos recorrer ao *outsourcing* para lidar com esse segundo problema. Estudámos o mercado para procurar um parceiro que nos ajudasse a lidar com essa outra dificuldade e descobrimos que existia uma instituição que nos poderia auxiliar. Trata-se da Universidade de Plovdiv, na Bulgária, que está muito avançada na pesquisa de...”

“O professor Vartolomeev!”, exclamou Valentina, interrompendo-o num sobressalto. “Foi por isso que o senhor falou com o professor Vartolomeev!”

Arpad Arkan anuiu.

“De facto, essa foi a verdadeira razão pela qual contactei o professor Vartolomeev. Ele chefiava a área de Biotecnologia da Universidade de Plovdiv e tinha pesquisas tão inovadoras nesta área que até se dizia que acabaria por ganhar o Prémio Nobel da Medicina. Através dos meus contactos, arranjei maneira de a Universidade Hebraica de Jerusalém o convidar para uma palestra. Quando o professor chegou a Israel, chamei-o discretamente à fundação e, depois de lhe explicar o projecto em pormenor, ele aceitou articular as pesquisas do seu departamento na Universidade de Plovdiv com o nosso trabalho no Centro de Pesquisa Molecular Avançada.” Sorriu. “Isto, claro, também a troco de uma generosa doação para a sua universidade.”

A explicação foi seguida por Tomás com atenção. Havia, porém, um ponto que o historiador percebeu não estar esclarecido.

“O senhor falou num segundo problema, cuja resolução foi entregue ao professor Vartolomeev. Que problema é esse?”

O presidente da fundação desviou o olhar para o professor Hammans, endossando-lhe a resposta a essa questão técnica.

“Há uma dificuldade grave com os animais clonados”, revelou o cientista alemão. “Eles são, em geral, doentes e têm uma esperança de vida mais curta do que o normal. A ovelha *Dolly,* por exemplo, só viveu seis anos. Apesar de ser jovem para a sua espécie, sofria de artrite e de obesidade e teve de ser abatida devido a uma infecção pulmonar progressiva. O principal problema é que envelheceu prematuramente. Essa é, de resto, uma das características dos animais clonados. Enquanto essa questão não for resolvida, receio que não possamos clonar seres humanos."

"Foi essa tarefa que entregámos ao professor Vartolomeev", atalhou Arkan. "Podíamos ter-nos dedicado à questão, claro. O problema é que os nossos recursos estavam todos direccionados para resolver a dificuldade das proteínas coladas aos cromossomas e que impedem a clonagem de primatas. Como a Universidade de Plovdiv estava já muito avançada na pesquisa sobre o envelhecimento prematuro dos clones, achei melhor entregar-lhes essa investigação. Mera gestão de recursos."

"Espere aí", insistiu Tomás, habituado a esclarecer os assuntos até ao mais ínfimo pormenor. "Por que razão os animais clonados envelhecem tão prematuramente?"

O professor Hammans voltou-se para o quadro e escreveu uma palavra. *Telómeros.*

"Já ouviu falar nisto?"

O historiador cravou os olhos na palavra. Tentou dividi-la, procurando-lhe a raiz etimológica de modo a descobrir o seu significado, mas não foi capaz.

"Telómeros?", interrogou-se. Abanou a cabeça. "Não faço a mínima ideia do que seja..."

O cientista indicou a extremidade do cromossoma que, no início da sua explicação, havia desenhado no quadro.

"Está a ver aqui as pontas dos cromossomas? Estas pontas são protegidas por estruturas de ADN chamadas telómeros. Sempre que os cromossomas se dividem, os telómeros ficam um pouco mais pequenos. Ora eu há pouco disse-vos que ocorrem no nosso corpo cerca de cem mil divisões de células por segundo, lembram-se? Isto é muita divisão. Se a cada divisão de uma célula, e consequentemente de um cromossoma, os telómeros ficam mais pequenos, imaginem o que isso representa ao fim de algum tempo! Os telómeros tornam-se de tal modo minúsculos que deixam de conseguir proteger os cromossomas. É nessa altura que a célula morre."

"O que está a dizer", resumiu o português, "é que esses telómeros funcionam como uma espécie de relógio biológico para a morte..."

"Exactamente!", exclamou o professor Hammans, satisfeito por ter sido entendido à primeira. "Mas não pense num relógio. Pense antes numa ampulheta que vai perdendo os seus grãos de areia. Quando o último grão cai, a célula morre."

Tomás assentiu.

"Estou a ver."

O director do Departamento de Biotecnologia apontou para os jarros com os restos das experiências falhadas.

"Qual é o problema dos animais clonados?", perguntou em tom retórico. "É que os cromossomas que usamos para a clonagem vêm de uma célula que já se dividiu milhentas vezes. Por isso os seus telómeros já nascem muito reduzidos. Com telómeros mais curtos, os animais clonados começam a sua vida mais envelhecidos do que os outros animais. É justamente essa a razão pela qual vivem menos tempo."

"E é também por isso que vocês não arriscam a clonagem de um ser humano."

"Claro! Temos o problema técnico de manter na célula clonada as duas proteínas que garantem a separação ordenada dos cromossomas e temos o problema ético de criar um ser humano que vai viver doente e durante pouco tempo. São estes os dois problemas que impedem a clonagem de pessoas. Temos, pois, de os resolver para poder passar à fase seguinte do processo."

Arnie Grossman, todo ele desassossego impaciente, aproveitou esta resposta para tentar progredir na investigação.

"Isso explica a contratação do professor Vartolomeev pela fundação", observou o polícia israelita. "E as outras duas vítimas? Qual o papel delas em todo este esquema?"

Estas questões relacionadas com os homicídios eram invariavelmente respondidas pelo presidente da fundação.

"Comecemos pelo professor Alexander Schwarz", propôs Arkan. "Como sabem, era professor de Arqueologia da Universidade de Amesterdão. Acontece que uma das áreas que estamos a pesquisar de uma forma bastante agressiva é justamente a do ADN fóssil."

"ADN fóssil?", admirou-se Tomás. "Isso não pertence à ficção científica?!"

O professor Hammans caminhou de novo em direcção às estantes e imobilizou-se junto a um jarro. No interior flutuava o que parecia um pedaço minúsculo de carne.

"Está a ver este feto?", perguntou. "Sabe o que isto é?"

O português curvou o lábio inferior.

"Um músculo?"

O cientista abanou a cabeça.

"É o resultado de um novo tipo de pesquisa genética que estamos a desenvolver e para a qual precisámos da colaboração do professor Schwarz, e em especial dos seus talentos na área da arqueologia", disse. "O ADN antigo."

"Antigo como?"

"Antigo como o de espécies já extintas, por exemplo."

De testa franzida, o historiador português olhou de novo para o jarro indicado pelo director do Departamento de Biotecnologia do centro.

"Isso é um feto de uma espécie já extinta?"

"Correcto."

Tomás aproximou-se do jarro e fitou com atenção o minúsculo pedaço de carne que flutuava no interior. Tentou adivinhar-lhe as formas, mas percebeu que isso era impossível com um espécime tão prematuro.

"Que raio de espécie é esta?"

O professor Hammans sorriu, um brilho de satisfação a cintilar-lhe no olhar macilento.

"Um Neandertal."

LVII

Os movimentos do intruso eram precisos e furtivos, como os de um felino no encalço da presa. Ocultado pelas folhas do arbusto onde se abrigara, Sicarius extraiu do bolso o pequeno *pager* especialmente preparado para a operação e consultou o ecrã. O sinal indicava um ponto a piscar a norte-nordeste. Olhou naquela direcção e identificou o maior edifício do complexo, com estruturas curvas e abertas, como as de um navio gigante.

"Então é ali que está o mestre...", sussurrou.

Daí a pouco estudaria melhor o edifício. De momento tinha outras prioridades. Varreu o horizonte com os olhos, procurando assegurar-se de que o caminho estava livre.

Assim era.

A seguir avaliou a distância que precisava de percorrer. Tinha pela frente uns bons trezentos metros. Isso dava uma corrida de uns quarenta segundos; parecia-lhe demasiado tempo e achou que seria imprudente fazer tudo de uma vez só. Procurou por isso pontos intermédios e escolheu uma árvore e uma sebe que se lhe afiguraram adequadas. Cobriria a distância em três etapas, cada uma de aproximadamente cem metros. Isso significava que só estaria exposto durante uns doze segundos de cada vez. Achou que se tratava de um risco razoável.

Como um *sprinter* a largar do bloco de partida, Sicarius deixou o arbusto onde se havia escondido e correu com toda a velocidade de que era capaz em direcção à árvore. Chegou à oliveira e imediatamente desapareceu nela, espalmando-se contra o tronco contorcido como se também ele fosse uma parte da árvore. Esperou uns segundos e depois olhou em redor, primeiro para se certificar de que não havia sido avistado, depois para garantir que o caminho continuava livre.

Repetiu o processo até chegar à sebe para trás da qual se atirou. A linha de vegetação aparada era baixa e apenas fornecia uma protecção horizontal, pelo que teria de se deitar. Permaneceu alguns instantes estendido no relvado a recuperar o fôlego. Depois ergueu a cabeça e voltou a examinar o terreno em volta para determinar se poderia ou não concluir de imediato a terceira etapa. Avistou nesse instante dois homens de bata a passarem à conversa pelo jardim, a uns meros quarenta metros de distância, e encolheu a cabeça.

Depois de as vozes se afastarem, voltou a inspeccionar o perímetro. O caminho tinha ficado livre. Levantou-se de repente e completou a última etapa, que terminou encostado a uma parede. Chegara ao edifício. Abrigou-se num canto discreto e consultou de novo o *pager*. O sinal parecia vir do outro lado.

"Está quase."

Contornou a grande estrutura, desta vez evitando os movimentos rápidos. Esforçou-se por caminhar devagar e manter-se na sombra, os olhos a espreitarem a relva como se procurasse ervas daninhas. Quem o avistasse de longe não acharia nada suspeito; limitar-se-ia a pensar que era um jardineiro e deixá-lo-ia em paz.

Avançou assim com grande discrição, movendo-se casualmente de forma a dar a impressão de que estava à vontade e se integrava com naturalidade naquele cenário. Aqui e ali ia lançando olhares disfarçados ao *pager*, orientando assim a sua progressão. O sinal foi crescendo de intensidade até um ponto em que a sua força começou a diminuir. Sicarius parou e voltou para trás, procurando identificar a posição onde o sinal era mais enérgico.

"É aqui."

Tratava-se de um ponto do exterior do edifício onde não havia janelas, apenas uma grande parede de cimento. Calculou a distância em função da intensidade do sinal e concluiu que, em linha recta, o mestre estaria a uns meros dez metros de distância.

Dez metros.

Olhou em redor e reconheceu o ponto mais próximo de entrada no edifício. Tratava-se de uma porta de serviço situada a uns setenta metros de distância. Era por ali que entraria se o mestre se mantivesse no local onde se encontrava nesse momento e enviasse os dois bips combinados.

"Ei! Tu!"

Sicarius estacou, quase horrorizado, os movimentos congelados, o coração a disparar.

Havia sido avistado.

LVIII

"Quem viu o filme *Parque Jurássico?*"

Quando o professor Hammans fez a pergunta foi com a perfeita consciência de que ela enquadraria a pesquisa em termos compreensíveis a leigos e adequados para descrever as investigações sob a sua responsabilidade no Centro de Pesquisa Molecular Avançada.

Os dois polícias ergueram de imediato as mãos em resposta à pergunta, mas Tomás não alinhou no jogo.

"Não estamos a falar de ficção científica", disse o português, quase irritado com o que lhe parecia uma forma demasiado leviana de tratar um problema daquela natureza. "Estamos a lidar com ciência e com a realidade."

"Mas, meu caro professor", argumentou o anfitrião, "o *Parque Jurássico* aborda uma questão científica real."

O historiador cruzou os braços e esboçou uma expressão céptica, a cabeça inclinada de lado, como um adulto a mostrar a uma criança que não estava a engolir as patranhas que ela lhe contava.

"Clonar dinossauros?", questionou. "Chama a isso uma questão científica real?"

O alemão hesitou.

"Bem, não diria clonar dinossauros", admitiu. "Mas sabia que desde a década de 1990 os cientistas andam a tentar extrair ADN de dinossauro?"

"Isso é possível?"

"Há quem ache que sim", considerou o cientista. "Embora primeiro seja necessário contornar o problema da fossilização. A pesquisa tem incidido no ADN que se encontra nos ossos dos dinossauros, mas, como sabe, a fossilização implica que os componentes orgânicos naturais dos ossos sejam substituídos por materiais inorgânicos, como cálcio e silício. Isso significa que quimicamente já não estamos a lidar com a mesma coisa, não é verdade? Como a maior parte dos ossos dos dinossauros está fossilizada até ao núcleo, o ADN original já foi dissolvido. A nossa esperança é identificar ossos cujo núcleo não esteja fossilizado. Uma equipa de uma universidade do Utah chegou a anunciar, em 1994, ter encontrado ADN nos ossos de um dinossauro com oitenta milhões de anos, e no ano seguinte surgiram outros dois estudos a revelar ter sido detectado ADN extraído de um ovo do cretácico. Infelizmente acabou por se concluir que o ADN descoberto não era de dinossauro, mas ADN moderno que contaminara as amostras." Esboçou uma expressão resignada. "Talvez um dia tenhamos sorte."

Tomás lançou-lhe um olhar corrosivo, como quem diz que aquela resposta não o surpreendia.

"Ou seja, não é possível clonar dinossauros."

Embora a contragosto, o professor Hammans acabou por balançar afirmativamente a cabeça.

"Assim é, de facto", admitiu.

"Já lidei com esse problema durante umas peritagens que acompanhei para a Fundação Gulbenkian", revelou o historiador. "Disseram-me que o ADN vai perdendo qualidade com a passagem do tempo."

"Não é só isso", explicou o cientista. "O problema da conservação do ADN está igualmente relacionado com a temperatura e a humidade existentes no local onde se conserva o espécime de onde é extraída a amostra. O material genético apresenta frequentemente rupturas e tem hiatos, com pedaços de ADN a desaparecerem da sequência. A própria estrutura química do ADN pode sofrer alterações."

"Então qual é o ambiente mais adequado para encontrar material genético de qualidade?"

"O ambiente dos seres vivos, claro. As células vivas estão forçosamente intactas, não é verdade? Tratando-se de tecido já morto, a situação é diferente. Nesse caso podemos estabelecer como regra que, quanto mais frio e seco é o ambiente em redor da amostra com que trabalhamos, melhor a qualidade de conservação do ADN. Já os ambientes quentes e húmidos são, receio bem, muito destrutivos."

"Tem alguma ideia de quais os parâmetros de conservação do ADN nos tecidos mortos?"

"Eu diria que, sendo realista, podemos contar com mais de cem mil anos em situação de *permafrost* e oitenta mil anos nos espécimes preservados em condições de frio no interior de cavernas e no alto das montanhas. Quando as amostras estão guardadas em locais quentes... enfim, a situação é muito diferente. A esperança de conservação no calor reduz-se a quinze mil anos e, com muito calor, a uns meros cinco mil anos."

Tomás ergueu a mão esquerda e acenou, como a despedir-se.

"Ou seja, adeus dinossauros!"

O cientista não se deu todavia por vencido e indicou o jarro com o embrião conservado em formol.

"De qualquer modo não estamos exactamente a falar de dinossauros, pois não? O que tenho ali é um embrião de Neandertal."

"E então?"

"Meu caro, temos estado a trabalhar com ossos de Neandertal com trinta mil anos e preservados em ambientes frios. Essas condições estão perfeitamente dentro dos nossos parâmetros de conservação adequada de material genético."

"Mas basta encontrar umas partes de ADN para clonar um homem de Neandertal?"

"Claro que apenas algumas partes não chegam", reconheceu o professor Hammans. "Precisamos do genoma inteiro da espécie. Mas não se esqueça de que cada célula no corpo de um ser vivo, planta ou animal, contém todo o seu código genético, incluindo o genoma. Portanto, o que precisamos é de encontrar um núcleo completo ou, não estando completo, que tenha um genoma que seja reconstituível. Para lá dos ossos, as buscas incidem também em dentes. Além de ter a vantagem de estar selada, a polpa dentária degrada-se lentamente, preservando o ADN. E há ainda que considerar, claro, o material genético nos cabelos."

O historiador acocorou-se diante do jarro com o embrião e estudou-o de perto; parecia uma amálgama de carne.

"E no caso do Neandertal?"

"Como vê, estamos a trabalhar nele. Não tivemos ainda sucesso, como mostra o facto de esse embrião não ter sobrevivido, mas estou convencido de que é uma questão de tempo." O cientista aproximou-se também e inclinou-se para o jarro, pousando a mão no vidro como se o quisesse acariciar. "Este embrião vem de um espécime de Neandertal descoberto em Mezmaiskaya, no Cáucaso russo. O ADN deste espécime foi parcialmente sequenciado, mas a experiência não resultou. Os nossos novos esforços estão agora centrados em espécimes encontrados na gruta Vindija, na Croácia, recorrendo às sequências do Projecto Genoma Neandertal."

Tomás reergueu-se.

"Mas o Neandertal não era um primata? Se bem me lembro, o professor disse há pouco que existem problemas técnicos relacionados com a clonagem de primatas que não foram resolvidos..."

O alemão ergueu o dedo.

"Ainda", sublinhou. "Não foram resolvidos *ainda*. Como já lhe expliquei, estamos a trabalhar nesses problemas. A nossa ideia é desenvolver pesquisas paralelas sobre a clonagem de primatas para preparar o trabalho seguinte, que é a clonagem de seres humanos. Mas é evidente que só passaremos a essa fase quando estiverem solucionados os problemas técnicos relacionados com as proteínas que ordenam os cromossomas no momento da separação dos núcleos e os problemas com os telómeros que afectam a esperança e a qualidade de vida dos animais clonados."

Tomás cruzou os braços e lançou um olhar perscrutador na direcção do cientista.

"Ou seja, o objectivo final do trabalho neste Centro de Pesquisa Molecular Avançada é clonar seres humanos."

O professor Hammans quase respondeu, mas hesitou e, inseguro quanto ao que dizer, desviou o olhar para o seu superior hierárquico, como se solicitasse instruções.

"Também", disse Arpad Arkan, encarregando-se da resposta a esta questão. "Também."

"Também, como?", admirou-se o historiador. "Não é isso o que vocês estão a tentar fazer aqui?"

"Sem dúvida!", confirmou o presidente da fundação. "Clonar seres humanos é um objectivo da nossa instituição."

"*Um* objectivo? Que quer dizer exactamente com isso? Há outros objectivos?"

"Claro que há!" Abriu os braços, exibindo todo o espaço em redor. "A nossa instituição é muito grande e temos vários projectos em curso ao mesmo tempo. O maior é mais importante do que a simples clonagem de seres humanos."

Tomás ficou embasbacado.

"Que projecto pode ser maior do que esse?"

Arkan sorriu e começou a caminhar em direcção à porta da sala, fazendo um gesto ao grupo para o acompanhar.

"Venham daí", convidou-os. "Vou levar-vos ao coração do Centro de Pesquisa Molecular Avançada."

Os três visitantes entreolharam-se, mas a um novo sinal acabaram por seguir o anfitrião. O professor Hammans despediu-se deles, alegando ter trabalho a fazer num laboratório, e o grupo internou-se no edifício.

Percorreram longos corredores, passando por mais laboratórios. Em dois deles havia pessoas a trabalhar com máscaras e em escafandros brancos, como se estivessem a operar no espaço sideral ou na Lua.

"É para evitar a contaminação", explicou Arkan perante o olhar inquisitivo dos seus acompanhantes. "Estes laboratórios lidam com espécimes antigos num ambiente totalmente esterilizado."

Ao longo do percurso apenas viram a luz do dia quando circundaram um pátio interior onde estavam instaladas mesinhas ao ar livre. Viam-se alguns técnicos de bata branca a beber café ou refrigerantes e a comer saladas ou sanduíches e a conversar em tom ameno. Mas depressa o caminho os conduziu de volta à luz artificial e ao labirinto de corredores que caracterizava o interior do edifício.

Desembocaram num pequeno átrio voltado para uma parede cilíndrica de betão. Havia uma porta blindada ao centro, com uma grande janela circular no meio, como a de uma nave espacial, e um guarda armado com uma Uzi a proteger a entrada.

"Chegámos ao coração da Arca", anunciou Arkan com orgulho. "Na verdade, é mais do que o coração do edifício." Pousou a mão na porta blindada. "O que está para lá desta porta é o coração de todo este complexo. Trata-se, se quiserem, da *raison d'être* do projecto que alimenta o Centro de Pesquisa Molecular Avançada."

"Está a falar de quê?"

O anfitrião arqueou as suas grossas sobrancelhas e estreitou os olhos com ar sigiloso, misterioso até.

"Do nosso segredo mais bem guardado."

LIX

Sicarius rodou lentamente o corpo e olhou para trás, consciente de que tinha sido avistado. Viu um homem de bata branca junto à entrada de serviço a olhar na sua direcção; fora decerto ele que o interpelara.

"Chamou-me?"

"Sim. Preciso que me ajudes a transportar um saco de fertilizantes para o Éden."

O intruso ficou momentaneamente sem saber o que fazer. Precisava de acompanhar o posicionamento do mestre no marcador, para não lhe perder a pista, mas não podia dar nas vistas. Se recusasse a ajuda que lhe era solicitada, como reagiria o homem que o interpelara? Por outro lado, se lhe fosse dar o auxílio que lhe era pedido, a coisa poderia correr mal. Quem lhe garantia que o desconhecido não começaria a fazer perguntas incómodas que acabassem por desmascará-lo? Sentiu-se dividido por alguns instantes, sem saber como proceder, mas o seu treino para lidar com imprevistos levou a melhor e ele acabou por se decidir.

"Onde está o saco?"

"No armazém de jardinagem."

"Dê-me um quarto de hora e eu já lá apareço, está bem? Estou só a procurar um rato que anda aqui a dar cabo dos canteiros!..."

O homem ficou um momento paralisado, como se avaliasse a resposta. Sicarius sentiu o coração bater com força e quase conteve a respiração. Será que ele ia engolir a desculpa? O desconhecido acabou por assentir e abrir a porta de serviço para se afastar.

"Está bem", disse ele. "Mas não demores muito. O Ehud está furioso porque alguém se esqueceu de lhe levar os fertilizantes!"

O homem desapareceu no interior do edifício e Sicarius respirou fundo. Olhou para o *pager* e viu o sinal que piscava no visor a movimentar-se.

"Que raio!..."

O intruso hesitou, sem saber para onde dirigir-se. Para a esquerda? Para a direita? Esforçando-se por pensar com clareza, pousou os olhos no ecrã e aguardou que a nova situação se definisse. O indicador de potência mostrou-lhe que o sinal começara a enfraquecer, indício seguro de que o seu marcador secreto se deslocava e começara a afastar-se.

"Para onde vais, mestre?", murmurou com ansiedade, os olhos cravados no *pager*. "Para onde?"

Deu uns passos para a esquerda e verificou que o sinal se tornou ainda mais fraco. Inverteu a direcção e voltou para a direita em passo acelerado. A intensidade do sinal aumentou de imediato, o que o tranquilizou. O marcador estava a caminhar para a direita. O intruso prosseguiu assim o percurso na mesma direcção, progredindo paralelamente à parede exterior do edifício, a atenção sempre fixa na força do sinal que piscava no ecrã do *pager*.

O sinal foi ganhando intensidade até que atingiu um valor máximo e depois começou a diminuir. O intruso deu meia volta e procurou o ponto onde ele era mais forte. Quando o encontrou, fez novo cálculo. O marcador situava-se nesse instante a quinze metros de distância em linha recta para o interior do edifício.

Sicarius olhou em redor, buscando o acesso mais próximo para entrar quando recebesse a ordem. Viu uma abertura no relvado, a uns meros dez metros de distância, e foi inspeccionar o local. Havia ali umas escadas a descer para a base do edifício e que desembocavam numa saída de emergência.

Perfeito.

O intruso acocorou-se, fingindo que era um jardineiro a apanhar ervas daninhas, e pousou o *pager* sobre a relva, consciente de que a qualquer momento teria de passar à acção.

O bip do mestre é que lhe daria a ordem.

LX

A porta blindada que barrava o acesso à grande câmara metálica tinha aspecto de ser incrivelmente compacta. O grupo aproximou-se dela e Tomás apercebeu-se de que, debaixo da janela circular, semelhante às escotilhas dos navios, a porta ostentava uma placa prateada com caracteres hebraicos.

קֹדֶשׁ הַקֳּדָשִׁים

Impelido pela curiosidade, o historiador leu a expressão gravada na placa e arregalou os olhos. Como um autómato, pronunciou as duas palavras quase sílaba a sílaba.

"*Kodesh Hakodashim.*"

Valentina notou o olhar siderado do português e voltou-se para Arnie Grossman. O polícia israelita parecia igualmente surpreendido pela informação que lia na placa da porta.

"O que é?", quis saber, subitamente inquieta. "O que quer isso dizer?"

Os dois estavam demasiado surpreendidos para responderem de imediato, pelo que foi Arkan quem, com o orgulho desenhado no rosto, lhe traduziu a expressão hebraica.

"Santo dos santos", disse com pompa. "O coração do Templo."

"Qual templo? O de Jerusalém?"

"Claro. Haverá outro?"

A italiana sacudiu a cabeça.

"Não percebo", confessou. "O Templo não é em Jerusalém? Em que sentido é isto o santo dos santos?"

Foi Tomás, que entretanto recuperara da surpresa de ver ali aquela designação, quem lhe respondeu.

"O Kodesh Hakodashim, ou santo dos santos, era uma câmara situada na parte oeste do Templo de Salomão, perto do actual Muro das Lamentações", explicou o historiador. "Daí a importância desse muro para os judeus. O santo dos santos estava protegido por um véu e guardava a arca da aliança, sendo este o local onde a presença de Deus se sentia com mais força na Terra. O Templo de Salomão foi mais tarde destruído e a arca da aliança desapareceu. Quando o segundo Templo foi construído por Herodes, após o exílio dos judeus na Babilónia, colocou-se no santo dos santos uma pequena elevação no lugar que a arca tinha ocupado, para simbolizar a sua presença. No entanto, os judeus sustentavam que Deus continuava fortemente presente na câmara, pelo que ela se manteve sagrada."

Valentina seguia a explicação com os olhos presos à porta blindada.

"Estou a entender", disse. "Essa expressão está aí num sentido metafórico. Quer dizer que a coisa mais importante deste complexo é guardada ali dentro."

"Também", anuiu Arkan, "mas não só."

"Que quer dizer com isso?"

O presidente da fundação assentou as mãos nas ancas e contemplou a janela redonda a meio da porta.

"Esta porta é o véu", disse, com uma expressão subitamente solene. "Para lá dela está o Kodesh Hakodashim." Fez uma curta pausa, para obter efeito dramático. "No sentido literal da palavra."

A declaração fez Tomás arrebitar o sobrolho e, logo a seguir, revirar os olhos, como se não tivesse paciência para ouvir disparates.

"Não brinque com ela", observou. "No sentido literal, isso quereria dizer que Deus está a deambular para lá dessa porta. Ora uma coisa dessas não é verdade, como é evidente."

"Estou a dizer-lhe que a câmara diante de nós é o Kodesh Hakodashim", repetiu Arkan, sempre com ar grandiloquente. "No sentido literal. Não tenha dúvidas."

O historiador riu-se e apontou para a janelinha circular.

"Deus está ali dentro?" O tom da pergunta era jocoso. "E o Pai Natal? Também?"

O anfitrião não respondeu. Fez sinal ao guarda e de imediato o homem tirou uma chave do bolso e destrancou uma porta. O grupo olhou para lá dela e viu um balneário com chuveiros.

"Toda a gente para o banho!"

A ordem colheu os visitantes de surpresa.

"Para quê? O que se passa?"

O presidente da fundação apontou para a porta blindada.

"Faz parte do protocolo para poder aceder ao santo dos santos", justificou. "Qualquer pessoa que entre lá tem de estar totalmente esterilizada, de modo a não contaminar a câmara."

A primeira a tomar banho foi Valentina, seguindo-se os três homens. Tomás teve de ir para baixo de um chuveiro e foi ensaboado da cabeça aos pés com uma solução especial. No final tinha o guarda a esperá-lo com uma toalha branca, com que se cobriu.

Quando regressou à antecâmara, viu Arkan abrir um armário corrido ao longo da parede. O interior estava repleto de grandes peças de roupa branca pendurada em cabides, com capuzes cobertos por visores e selados no interior de um grande plástico transparente. O anfitrião retirou quatro dessas peças, rompeu o plástico protector e entregou três aos seus acompanhantes.

"Vistam isso!"

Tomás desdobrou a peça que lhe coube e analisou-a de uma ponta à outra. Tratava-se de um escafandro como os que tinha visto serem usados em alguns laboratórios do edifício.

"O que se passa?", gracejou. "Estamos no Carnaval ou quê?"

"Vista!", insistiu o anfitrião, indicando a porta blindada com um movimento da cabeça. "Também faz parte do protocolo para entrar lá dentro."

O grupo obedeceu e cada um foi para um vestiário individual. O historiador sentiu maiores dificuldades em meter-se no escafandro devido à mão direita engessada, que não assentou correctamente na luva, tendo acabado por ficar como um chumaço na extremidade do braço.

Terminaram de se vestir e voltaram para a antecâmara, onde o guarda os ajudou a selar os visores. Experimentando uma leve sensação de claustrofobia, Tomás sentia-se como um astronauta; respirava por um circuito alimentado por duas botijas fixas nas costas, semelhantes às dos mergulhadores.

Depois de se certificar de que estavam todos preparados, Arkan aproximou-se da entrada e abriu uma tampa, revelando uma cavidade no interior da porta metálica. Mesmo atrás dele, o português espreitou-lhe sobre o ombro e percebeu que havia um teclado pregado à base da cavidade, cada tecla com uma letra ou um número.

"O que é isso?"

"É para inserir o segredo que destranca a porta", retorquiu o presidente da fundação. "Não se esqueça de que vamos entrar no santo dos santos. Isso significa que estaremos na presença de Deus. Um sítio destes tem de ser adequadamente protegido, não lhe parece?"

A forma como Arkan falava deixava transparecer a convicção de que acreditava literalmente em tudo aquilo que dizia, o que baralhou Tomás. O historiador começou a perguntar a si mesmo se haveria algum fundamento real para tanta certeza. Seria aquela câmara realmente o santo dos santos? Sentir-se-ia ali fisicamente a presença de Deus? Como era tal coisa possível? A hipótese mais provável parecia-lhe ser que o seu anfitrião tinha enlouquecido. Estava decerto delirante e sofria de ilusões de grandeza. Porém, se era esse o caso, tratava-se de uma alucinação cara e que envolvia grandes recursos.

O historiador olhou em redor, quase como se fosse um inspector das Finanças. Aquelas instalações, mais o equipamento, os cientistas e todo o pessoal que nelas trabalhava, tinham ar de ser realmente muito dispendiosas. Com certeza que, se tudo aquilo não passasse de um devaneio louco de um alucinado, ninguém teria seguido Arkan. No entanto, ali estava aquele enorme centro de investigação a operar. Tinha, pois, de ser coisa genuína. Ora se não se tratava de uma loucura, de que se tratava afinal? Poderia Arkan estar mesmo a falar a sério?

Com a curiosidade a ferver-lhe nas veias, o português espreitou pela janela redonda para tentar perceber o que se encontrava no interior da câmara. Notou nesse instante que havia uma frase colada ao vidro em caracteres medievais góticos de difícil leitura.

Über allen Gipfeln ist Ruh,
in allen Wipfeln spürest du kaum einen Hauch;
Die Vögelein schweigen im Walde.
Warte nur, balde. Ruhest du auch.

Esforçou-se por decifrar aquelas letras difíceis e entender o que estava ali escrito; apercebeu-se de que se tratava de um verso em alemão e, após destrinçar as primeiras palavras, tomou consciência de que aquele texto lhe era familiar.

"'Por todos estes montes reina a paz'", recitou ele com súbito deleite, "'em todas estas frondes a custo sentirás sequer a brisa leve; em todo o bosque não ouves nem uma ave. Ora espera, suave. Paz vais ter em breve.'"

Arkan voltou a cabeça para trás e sorriu.

"Bonito, não acha?", perguntou. "É o *motto* da minha fundação."

Inebriado com a musicalidade das palavras recitadas em alemão, Tomás balançou afirmativamente a cabeça.

"É realmente um belo poema", concordou. "Mas o que está ele aqui a fazer?"

O seu anfitrião voltou-se para a frente e inseriu a mão enluvada na cavidade onde se encontrava o teclado.

"Tem uma relação com o segredo que destranca esta porta", confessou. "Mandei escrever o poema nesse vidro para nunca o esquecer."

Girou sobre si mesmo, de modo a ocultar o teclado da vista dos visitantes, e pôs-se a digitar o segredo. A visão estava tapada pelas costas de Arkan, mas Tomás escutou o som da palavra de código a ser introduzida; é que, ao ser premida, cada tecla emitia um tique electrónico.

Tique-tique-tique-tique-tique-tique.

O historiador contou seis tiques consecutivos e, a mente de criptanalista instintivamente a funcionar, de imediato percebeu o segredo. Arkan dissera que a palavra de código estava relacionada com o *motto* da fundação? E os seis tiques emitidos pelo teclado mostravam tratar-se de uma palavra com seis letras? A resposta era de uma simplicidade infantil.

Goethe.

O segredo que permitia destrancar a porta blindada era o nome do autor do poema que servia de inspiração ao trabalho da Fundação Arkan. G-o-e-t-h-e. Seis letras.

O mecanismo da fechadura levou um breve instante a processar a palavra de código inserida por Arkan. Em menos de um segundo, a porta emitiu um som metálico final e destrancou-se com um zumbido suave.

Bip.

LXI

Bip.

Embora suave, a mensagem no *pager* soou na cabeça de Sicarius com a força explosiva de um gongo. Como se um programa silencioso tivesse sido activado nesse instante no seu cérebro, o assaltante pegou no dispositivo e verificou a posição e a força do sinal emitido pelo marcador. Permanecia imóvel a quinze metros de distância em linha recta para o interior do edifício. E, no entanto, acabara de lhe enviar a mensagem de activação da fase final da operação.

"Dois minutos, mestre", sussurrou Sicarius. "Estarei aí em dois minutos!"

Com o coração aos saltos e o corpo vitalizado pela injecção de adrenalina que aquele bip lhe despejara no sangue, dirigiu-se em passos rápidos à abertura cavada no relvado e desceu as escadas até à porta de emergência. Cruzou a entrada discreta e entrou no edifício por um corredor estreito. A passagem apresentava-se iluminada por luzes brancas e difusas, como as dos hospitais, e ouvia-se no ar um zumbido indefinido. A pontuar aquela zoada de fundo estavam pancadas violentas e ritmadas, que ao fim de alguns instantes o intruso percebeu serem as batidas do seu próprio coração.

Entrara na fase crucial da missão. Havia trabalhado muito para chegar até ali e correra demasiados riscos para agora deitar tudo a perder. Não podia permitir que a noção da importância do momento e a adrenalina que lhe circulava no sangue o levassem a deixar escapar o domínio das emoções. Deitou a mão à cintura para sentir a presença da *sica*. O toque na superfície fria da adaga sagrada lembrou-lhe a protecção divina que a lâmina lhe conferia e, como um sedativo, serenou-o.

"Deus o quer!"

O treino tomou nesse instante controlo do corpo. Tal como no Vaticano, em Dublin, em Plovdiv e no quarto do American Colony, Sicarius deixou a partir desse momento de ser um homem e tornou-se um autómato, uma máquina programada para cumprir a sua missão, fosse qual fosse o preço. Deslizou com agilidade ao longo do corredor, os sentidos despertos, a atenção centrada nos pormenores, os olhos vidrados pela obsessão de concluir a operação.

Chegou a um corredor largo e deteve-se. Detectou uma câmara de vigilância no alto da parede, mesmo junto ao tecto, e hesitou. Verificou a posição do sinal no ecrã do *pager*. O seu marcador estava à direita. Espreitou naquela direcção e viu o novo corredor prolongar-se. Examinou o espaço em detalhe e vislumbrou um diagrama do edifício pregado à parede.

Respirou fundo, já em absoluto domínio das emoções, e começou a caminhar com descontracção. Entrou no corredor em passo normal, como se fizesse parte da equipa que operava no complexo e se movesse por ali perfeitamente à vontade, e dirigiu-se ao quadro para o consultar. Totalmente exposto ao olhar frio e silencioso da câmara de vigilância, aproximou-se da parede onde se encontrava afixado o quadro. A planta assinalava o nome do edifício, Arca, e indicava os diversos percursos, laboratórios, compartimentos, armazéns e câmaras existentes dentro da estrutura, e ainda a posição onde ele se situava.

Estudou o *pager* e viu que o sinal começara a enfraquecer, indício de que o seu marcador reentrara em movimento. Calculou a distância do marcador em linha recta e comparou-a com as posições desenhadas no diagrama do quadro, para perceber para onde devia dirigir-se e qual o trajecto a tomar. Identificou a posição do marcador na planta do edifício e leu o nome do compartimento onde ele se encontrava. "Kodesh Hakodashim", murmurou. "O santo dos santos." Vacilou, surpreendido com a designação, e olhou em redor com uma expressão interrogadora. "O que é isto? O Templo?"

Mas não havia tempo a perder com charadas; para mais, não era de certeza nessa altura que obteria respostas. Voltou a concentrar-se na missão. Comparou a posição do santo dos santos com o ponto onde se encontrava nesse momento e percebeu, com a ponta do dedo a deslizar pelo itinerário estabelecido no diagrama, que lhe bastaria percorrer o corredor e virar na segunda porta à direita.

Era lá que estava o alvo.

Uma vez o percurso delineado, partiu de imediato. Percorreu o corredor em passos largos e quando chegou à segunda porta à direita parou. Consultou mais uma vez o *pager* para se certificar de que se posicionara no sítio certo. O sinal mostrou-se mais forte do que nunca e Sicarius calculou que o marcador se encontrava a três ou quatro metros de distância em linha recta. Era ali o destino. Respirou fundo e avançou.

Abriu a porta com cuidado e ouviu vozes. Hesitou. Deveria entrar ou seria melhor aguardar? A verdade é que o mestre o instruíra para só passar ao ataque depois de receber a segunda mensagem. A primeira, o bip que acabara de receber no *pager*, não passara de uma ordem para se pôr em posição, coisa que nesse momento fazia. Porém, para poder cumprir adequadamente esta primeira ordem precisava de perceber o que o esperava do outro lado. Deveria arriscar?

Com mil precauções, meteu a cabeça e espreitou para o interior. Do lado de lá estava uma antecâmara com uma parede cilíndrica de betão à frente e uma porta de aço maciço aberta no meio. Avistou algumas pessoas de costas para ele e vestidas com escafandros brancos a franquearem a passagem e, embora não lhe visse o rosto bendito, percebeu que uma delas era o mestre.

A porta blindada fechou-se atrás do grupo com um zumbido ténue, voltando para o exterior uma placa prateada que assinalava Kodesh Hakodashim em caracteres hebraicos. Se alguma dúvida lhe restasse, ela dissipara-se nesse preciso momento.

Era ali.

LXII

A porta blindada fechara-se e os três visitantes olhavam em redor, num misto de curiosidade e cautela, manifestando um enorme respeito pelo lugar onde se encontravam. Tinham entrado numa vasta câmara sem janelas e com vários corredores, formados por equipamento sofisticado e mesas de trabalho. As paredes estavam cobertas por uma sequência de portas de um branco liso, como as dos frigoríficos. O ar tinha uma pressão ligeiramente superior à normal, para impedir a invasão de microrganismos ou de qualquer pó indesejável, e um termómetro digital na parede registava um grau Celsius. Pelos vistos fazia frio, mas o escafandro mantinha toda a gente aquecida.

"É isto o Kodesh Hakodashim?", quis saber Tomás, estudando a câmara com atenção. "É mesmo o santo dos santos?"

Arpad Arkan acenou afirmativamente.

"Já vos disse que sim."

O grupo manteve-se silencioso durante alguns segundos, na expectativa, os olhares projectados em todas as direcções. Mas nada acontecia e Arnie Grossman, o mais impaciente dos três visitantes, não se conteve.

"Se isto é o Kodesh Hakodashim, onde está Deus? Não deveria Ele deambular fisicamente neste lugar?"

"Ele está aqui", confirmou o anfitrião. "Encontra-se nesta câmara. Em pessoa."

Os olhos dos visitantes voltaram a procurar vestígios da presença divina, como se ela fosse um corpo material. Porém, nada viam de extraordinário para além de todo o equipamento que quase transformava a câmara num labirinto. Talvez se explorassem todos os seus caminhos encontrassem alguma coisa.

"Onde?"

Arkan meteu por um dos corredores e fez sinal aos três de que o seguissem. Colunas de armários e equipamento faziam de parede do corredor, que ao fim de uma centena de metros foi dar a um pequeno largo. A meio desse espaço aberto estava uma mesa com um microscópio, ampolas, seringas e tubos de ensaio, mas o mais importante era o que se apresentava em frente.

Tratava-se da porta de um enorme congelador. O que o distinguia do resto era o emaranhado de luzes vermelhas cruzadas em todas as direcções, como uma rede de linhas rectas. Para requerer um dispositivo de segurança assim tão sofisticado, o que quer que ali estivesse guardado era decerto precioso.

Antes de começar a falar, o presidente da fundação esperou que todos se pusessem à vontade naquele espaço.

"Algum de vós já ouviu falar de Armon Hanatziv?"

"Claro", retorquiu de imediato Grossman, puxando dos seus galões de polícia. "É um bairro uns cinco quilómetros a sul da cidade velha de Jerusalém, mesmo ao pé do monte Moriah. O que tem ele?"

"Sabe como se chamava antigamente?"

O inspector-chefe da polícia israelita curvou os lábios numa expressão de ignorância.

"Não sabia que Armon Hanatziv já teve outro nome..."

O olhar de Arkan desviou-se para Tomás; queria observar a expressão do historiador quando pronunciasse o nome antigo do bairro.

"Talpiot."

O académico português esboçou uma careta indefinida, como se o nome lhe parecesse vagamente familiar.

"Talpiot... Talpiot...", murmurou, fazendo um esforço de memória. "Isso de facto lembra-me alguma coisa..."

O anfitrião sorriu.

"Vou dar-lhe uma ajuda", disse. "Numa manhã da Primavera de 1980, um *bulldozer* estava a operar no bairro de Armon Hanatziv para abrir espaço destinado à construção de um novo projecto imobiliário. No decurso dos trabalhos, o *bulldozer* embateu inadvertidamente numa estrutura enterrada no solo. Os operários foram ver o que era e depararam-se com o que parecia uma fachada de pedra pertencente a uma construção antiga debaixo da terra. Havia uma abertura e um estranho sinal esculpido no topo da fachada, por cima da abertura. Era um 'V' invertido por cima de um pequeno círculo." Pegou numa caneta e fez um desenho num papel. "Assim."

Tomás contemplou o desenho com um olhar entendido.

"Parece o símbolo pregado na fachada da Porta de Nicanor, uma das entradas no Templo", observou. "Conhecemo-lo graças a imagens que aparecem nas moedas do período."

"E o que significa?"

O historiador fez um ar pensativo.

"A Porta de Nicanor assinalava o ponto final da peregrinação a Jerusalém", indicou. "Esse símbolo representava o olho da pureza, também designado olho da ascensão. Sabe, o círculo dentro de um triângulo é um símbolo paleo-hebraico. Em termos literais, é um olho a espreitar por uma porta."

"Diria que se trata de uma descoberta interessante?"

Tomás fez um sim enfático com a cabeça.

"Muito!"

"Pois os trabalhadores também acharam curioso", disse Arkan. "Mas havia trabalho para fazer e eles depressa esqueceram a descoberta. Os *bulldozers* recomeçaram a remover terras e a dinamite voltou a ser usada para quebrar rochas."

"Espere aí!", interrompeu-o Grossman. "Por lei, quando se faz um achado destes, todo o trabalho tem de ser interrompido. Só pode ser retomado depois de os arqueólogos autorizarem."

"A lei é muito bonita, sim senhor", registou o anfitrião com ironia. "Mas, como tenho a certeza de que sabe, todos os meses são feitas dezenas de descobertas semelhantes em Jerusalém e a última coisa que os construtores desejam é parar os trabalhos sempre que umas velharias lhes aparecem quando estão a aplanar terreno para erguer mais uns prédios. No fim de contas, quem lhes paga os prejuízos que sofrem por terem os trabalhos suspensos durante dias a fio, se não mesmo meses?"

O polícia israelita assentiu. O problema era por demais conhecido em Israel.

"Pois é, ninguém respeita a lei."

"Acontece que, depois de os trabalhos serem retomados, uns miúdos da vizinhança esgueiraram-se pela abertura da fachada e encontraram alguns crânios no interior da estrutura enterrada no solo. Puseram-se até a jogar à bola com eles. A ver tudo isto estava o filho de uma arqueóloga, que, devido à profissão da mãe, sabia que todo o sector em torno do monte Moriah era rico em achados arqueológicos de grande importância."

"Não admira!", observou Tomás. "O monte Moriah é o monte onde estava construído o Templo. Tudo o que ele contém há-de ser de importância."

"Assim é, de facto. De modo que o miúdo foi alertar a mãe. A arqueóloga pediu ajuda ao marido e seguiram os dois para o local. Deram com as crianças a brincar com os restos mortais e puseram-se aos berros, afugentando-as. Com as crianças fora do caminho, inspeccionaram os ossos que elas deixaram no chão. Eram restos de pelo menos dois crânios, já feitos em cacos pelos pontapés. A arqueóloga e o marido recolheram esses vestígios e guardaram-nos em sacos de plástico. Quando o casal regressou a casa, ela ligou para a Autoridade das Antiguidades de Israel, que enviou de imediato técnicos para analisar o achado. Uma equipa de três arqueólogos esgueirou-se pela estreita entrada da estrutura soterrada e inspeccionou o interior. Rastejaram uns metros e o espaço abriu-se, permitindo que se pusessem de pé. Tinham chegado a uma câmara inferior, onde o ar estava estagnado e cheirava a giz húmido e a terra bolorenta. Apontaram as lanternas para o chão e perceberam que a terra ali era vermelha. Tratava-se da famosa *terra rossa*."

"Sei muito bem", indicou Grossman com um semblante conhecedor. "É típica de Jerusalém."

"Os arqueólogos viraram então as lanternas para as paredes e ficaram embasbacados com o que viram. Quando percebeu o que estava lá dentro, o chefe da equipa saiu imediatamente da estrutura subterrânea e mandou parar todos os trabalhos." Fez uma pausa na narrativa e passeou o olhar pelas três pessoas que o escutavam. "Fazem ideia do que tinha acabado de ser descoberto?"

"A arca da aliança?", gracejou o polícia israelita. "Ou terão sido antes as tábuas da lei que Deus deu a Moisés?"

Arkan disparou um olhar fulminante para Grossman, tornando claro que dispensava aquelas larachas.

"Um importante mausoléu funerário", revelou, levemente irritado por o inspector-chefe lhe ter estragado o efeito. "Havia seis receptáculos cavados em três das quatro paredes da câmara inferior, e cada receptáculo, designado *kokhim* em hebraico e *loculi* em latim, continha um ou mais ossários. Ao todo, a equipa contabilizou dez ossários cobertos de *terra rossa*. Os ossários foram retirados um a um e remetidos para o armazém da Autoridade das Antiguidades de Israel, embora aparentemente um deles tenha acabado por desaparecer algures pelo caminho, decerto vendido a um antiquário qualquer. Seja como for, os arqueólogos voltaram ao interior do mausoléu e inspeccionaram a câmara baixa ao pormenor. Descobriram três crânios dispostos no chão em triângulo, disposição que dava a impressão de resultar de um qualquer tipo de cerimonial."

Arnie Grossman consultou o relógio. A impaciência era um vulcão que lhe regurgitava nas entranhas e ameaçava explodir a todo o instante.

"Oiça, o que interessa isso?", perguntou, à beira da erupção. "Estamos a conduzir uma investigação criminal e essa história de arqueólogos não interessa para nada! Porque não nos diz imediatamente, e sem rodeios, o que queremos saber?"

"Estou a dizer-vos o que vocês querem saber!", retorquiu Arkan com acidez. "Mas para perceberem o que tenho para vos revelar, e mostrar, precisam primeiro de conhecer estes pormenores. Sem eles, o resto não faz sentido."

O inspector-chefe da polícia israelita esboçou um gesto largo, a indicar tudo em redor.

"O senhor começou por nos dizer que isto aqui era o santo dos santos e coisa e tal", exclamou. "Chegou até a afirmar, blasfémia das blasfémias, que Deus está fisicamente nesta câmara! E agora vem-nos com essa conversa de ossários e mais não sei quê!"

"Calma", aconselhou Valentina, pondo-lhe a mão no ombro para o conter. "Vamos primeiro ouvir tudo até ao fim e depois decidiremos o que fazer. Se isto for uma manobra dilatória, é só uma questão de fazer uso do mandado que o juiz passou."

Travado pelos argumentos da colega italiana, Arnie Grossman respirou fundo e, quase com fumo a exalar-lhe pelas narinas, dominou o desassossego.

"Prossiga."

Arpad Arkan não parecia minimamente preocupado, o que intrigou Tomás. Ou estava muito seguro de que tinha de facto uma grande revelação a fazer, ou então guardara uma carta na manga para se escapar no derradeiro momento.

"Uma vez no armazém da Autoridade das Antiguidades de Israel, os nove ossários de Talpiot foram medidos, fotografados e catalogados com a referência IAA 80/500-509", disse o presidente da fundação, retomando o relato num tom imperturbável. "IAA refere-se às iniciais do nome inglês da instituição, Israel Antiquities Authority, o 80 ao ano da descoberta, 1980, e o 500-509 ao número de entrada dos ossários na lista dos artefactos catalogados nesse ano."

"Tudo isso são minudências técnicas", interrompeu Tomás. "O que tinham esses ossários de especial?"

"Respondo-lhe com outra pergunta", devolveu Arkan. "Tem ideia se é comum os ossários judaicos conterem nomes?"

O historiador abanou a cabeça.

"Que eu saiba, apenas uns vinte por cento dos ossários descobertos em Jerusalém dispõem de referências inscritas."

O anfitrião confirmou.

"Assim é. Acontece que, no caso de Talpiot, seis dos nove ossários tinham de facto nomes grafados na pedra. Já isso os tornava raros. Mas o que fez deles uma descoberta verdadeiramente singular foram os nomes que registavam." Nova pausa para interpelar o historiador. "Consegue imaginar que nomes eram esses?"

Tomás encolheu os ombros.

"Não."

"O ossário IAA 80/500 era o maior, apresentava-se ornado por rosetas com pétalas e estava coberto de terra seca. Os arqueólogos limparam a terra e detectaram uma inscrição em grego a dizer *Mariamn-u eta Mara*. O ossário 80/501 era igualmente decorado com rosetas e tinha uma inscrição em hebraico a dizer *Yehuda bar Yehoshua*. O 800/502 registava, também em hebraico, o nome *Matya*. O 800/504 dizia *Yose* e o 800/505 registava *Marya*, sempre em hebraico."

"O senhor disse que seis ossários tinham inscrições", observou Tomás, atento aos pormenores. "Mas só mencionou cinco."

Arkan sorriu.

"Já vi que é bom observador", constatou. "De facto, saltei o 80/503 de propósito. Esse não estava inscrito em grego nem em hebraico. Encontrava-se em aramaico. As letras apresentavam-se obscurecidas por camadas grossas de pátina, não sei se sabe o que é."

"Trata-se de verdete", esclareceu o historiador. "Um processo de mineralização com o qual os arqueólogos lidam frequentemente."

O anfitrião inclinou a cabeça.

"Não me diga que ainda não chegou ao nome que está nesse sexto ossário de Talpiot..."

De olhos semicerrados, Tomás ia relacionando a informação com os registos na sua memória. De repente arregalou os olhos, atingido em cheio pelo impacto da descoberta.

"Espere aí!", exclamou num tom alterado. "Agora me lembro onde ouvi falar de Talpiot! Isso não é o local onde descobriram o ossário com o nome de... de..."

O presidente da fundação cruzou os braços e cravou os olhos em Tomás, consciente de que ele era o único dos seus interlocutores naquela câmara que entenderia o verdadeiro alcance do que significava o nome inscrito no ossário IAA 80/503.

"*Yehoshua bar Yehosef.*"

O académico português abriu a boca, estarrecido.

"Não pode ser!"

"Garanto-lhe."

"Está a falar a sério?"

Os dois polícias registaram a estupefacção estampada no olhar de Tomás e perceberam que algo lhes escapava naquela conversa.

"O que é?", perguntou Valentina. "O que significa isso?"

O historiador levou alguns segundos a recuperar do choque. Ainda atordoado, virou-se devagar para a italiana e olhou-a como se tivesse a mente em ebulição.

"Hã?"

"O nome inscrito nesse ossário", insistiu ela. "O que tem ele de especial?"

Tomás sacudiu a cabeça e, como se regressasse ao presente, focou os olhos nela.

"*Yehoshua bar Yehosef?*", perguntou. "Não sabe o que isso quer dizer?"

"Claro que não! Esclareça-me, se fizer o favor."

"Joshua, filho de José."

Valentina esboçou uma expressão vazia; era evidente que aquele nome nada lhe dizia.

"Joshua? E então?"

"*Yehoshua* é uma antiga forma de *Joshua*. Esse é o nome formal, claro, mas os hebraicos tendiam a usar diminutivos. Em vez de dizerem *Yehoshua*, diziam *Yeshu*."

A italiana manteve o mesmo olhar oco. Nada daquilo lhe parecia minimamente notável.

"E depois?"

O português olhou de relance para Arkan, como se quisesse certificar-se de que entendera bem. A expressão levemente orgulhosa do presidente da fundação deu-lhe a confirmação. Voltou a encarar Valentina e deu-lhe enfim a resposta.

"*Yeshu* significa *Jesus*", esclareceu. "Entende?"

Valentina esbugalhou os olhos.

"Perdão?"

"Jesus, filho de José."

LXIII

Logo que a porta blindada se fechou, o homem armado que guardava a antecâmara do Kodesh Hakodashim viu o intruso espreitar pela entrada e interpelou-o.

"Precisa de ajuda?"

Não se pode dizer que Sicarius tivesse sido apanhado de surpresa; afinal estava treinado para lidar com imprevistos e ser detectado naquele local era uma eventualidade que previra atempadamente. Tinha por isso resposta já preparada.

"Chamaram-me dos serviços de manutenção", disse, entrando na antecâmara com confiança. "Parece que há por aqui problemas técnicos."

Olhou com atenção para tudo em redor. Dava a impressão de procurar a origem de uma avaria, quando na verdade estava a inspeccionar o local para recolher informação que lhe permitisse actuar com eficácia. Havia uma câmara de vigilância no tecto, apontada para a porta blindada com a janela circular no meio.

"Problemas?", admirou-se o guarda. "Que problemas? A central de segurança não me avisou de nada."

"São questões de natureza eléctrica", alegou Sicarius, os olhos ainda a dispararem em todas as direcções para identificar potenciais ameaças à operação. "Um curto-circuito, ou coisa do género. Não há por aqui nada fundido?"

O guarda pegou no intercomunicador que trazia colado ao peito.

"Vou verificar com a central", disse, estranhando a situação. "Eu devia ter sido informado."

Aquele intercomunicador era outra ameaça, percebeu o intruso. Mais ainda nesse preciso instante, em que o guarda iria pedir informações à central de segurança. Isso era algo que convinha evitar; do outro lado poderiam vir questões difíceis de responder.

"Isto não é o Éden?", quis saber Sicarius, papagueando o nome proferido pelo homem que o interpelara no jardim. "Não notou nenhuma avaria?"

O guarda ergueu o sobrolho.

"Estamos na Arca!", anunciou. "A avaria é no Éden?"

"Foi o que me disseram."

"Pois está no sítio errado."

O intruso esboçou um ar contrariado.

"Oh, que chatice!", exclamou. "Tenho uma loja de artigos eléctricos em Nazaré e fui chamado de urgência para vos ajudar." Fez um gesto vago no ar, simulando frustração. "Acho que me perdi! Nunca aqui tinha entrado e isto é enorme!"

O homem armado sorriu e, já tranquilizado, devolveu o intercomunicador ao seu lugar. A explicação parecia-lhe verosímil; o complexo era realmente enorme e ele próprio quase se tinha perdido da primeira vez que ali entrara.

"Estou a perceber a confusão", disse enquanto tirava do bolso uma folha. Desdobrou-a e mostrou uma planta do complexo que pousou no chão para a poderem ver melhor. "Está a ver este edifício aqui?" Indicou um ponto assinalado na planta. "É a Arca, onde nos encontramos agora." Deslizou o indicador para o ponto que se encontrava ao lado. "O Edifício Éden é este aqui."

Sicarius pousou a mão sobre o coração, num gesto de profundo agradecimento.

"Ah, muito obrigado!"

O guarda acompanhou-o à saída e despediu-se dele. Ficou a vê-lo afastar-se e regressou ao seu posto de vigilância junto à porta blindada que dava acesso ao Kodesh Hakodashim. O que ele não podia saber é que, lá fora, o "electricista" não se tinha ido embora. Em vez disso, fizera meia volta e estava nesse instante encostado à porta de passagem à antecâmara.

Sicarius preparava-se para lançar o ataque.

LXIV

Os três visitantes fitavam Arpad Arkan com uma expressão pasmada, como se tivessem ouvido e não acreditassem. O anfitrião sorria-lhes de volta, satisfeito com o impacto da revelação que acabara de fazer.

"Os nossos arqueólogos encontraram o túmulo de Jesus?", questionou-o Arnie Grossman. Sacudiu a cabeça, como se quisesse acordar. "Estamos a falar de *Jesus Cristo?*"

Arkan mantinha o seu sorriso largo.

"Conhece mais algum Jesus, filho de José?"

O polícia israelita trocou um olhar com a colega italiana, a pedir-lhe ajuda.

"Desculpe, mas não sei se entendi bem", disse Valentina, igualmente perturbada com o que havia escutado. "Se esse ossário fosse de Jesus, do *nosso* Jesus, não deveria estar escrito *Jesus Cristo?*"

Foi a vez de o anfitrião desviar o olhar para Tomás, como se lhe endossasse aquela resposta.

"Antigamente as pessoas não tinham nome de família", explicou o historiador. "Dispunham de um nome próprio e em geral eram conhecidas pelo nome do pai ou pelo nome da sua terra ou da profissão que desempenhavam. Dizia-se, por exemplo, *João, filho de Pedro*. Ou *João Alfaiate*. No caso de Jesus, podia ser conhecido pelo nome da terra de onde era oriundo, *Jesus de Nazaré*, ou então pelo nome do pai, *Jesus, filho de José*. Neste contexto, *Cristo* não era um nome. O pai dele não se chamava *José Cristo* e a mãe *Maria Cristo*. *Cristo* era uma designação. A palavra *Messias* dizia-se *mashia* em hebraico e aramaico e *christus* em grego. Como a seita dos nazarenos se expandiu rapidamente entre os gentios, graças a Paulo, e como a maior parte dos gentios falava grego, passou a dizer-se *Jesus, o Messias*, ou *Jesus, o Cristo*, expressão que o próprio Paulo cedo contraiu para *Jesus Cristo*. Mas o próprio Jesus nunca deve ter escutado a palavra *cristo* na vida."

"Ou seja", concluiu Valentina, "estranho seria se o nome *Jesus Cristo* aparecesse num ossário judaico."

"Nem mais."

"E acredita mesmo que esse ossário seja do nosso Jesus Cristo?"

Tomás considerou por momentos a pergunta. A inspectora da Polizia Giudiziaria acabara de lhe solicitar um parecer técnico e parecia-lhe aconselhado ser prudente.

"Isso já é outra questão", disse. "Seria necessário investigar melhor o assunto para lhe poder dar respostas definitivas."

A observação do historiador suscitou uma reacção imediata por parte do presidente da fundação.

"Ora essa!", indignou-se Arkan, levantando a voz. "Como pode duvidar do que acabei de lhe dizer? Acha que estou a mentir? Pensa que ando a aldrabar as pessoas?"

Na sede da fundação em Jerusalém, dias antes, Tomás tivera já um breve e conturbado contacto com o temperamento volátil do seu anfitrião, quando o vira a discutir em tons desabridos com Valentina. A última coisa que pretendia agora era envolver-se numa discussão emocional em registo semelhante.

"Não penso que queira aldrabar ninguém", apressou-se a tornar claro, num esforço para apaziguar Arkan. "Mas pode ter-se enganado."

O presidente da fundação, no entanto, por esta altura já tinha o rosto enrubescido, a fúria a crescer-lhe no corpo como uma locomotiva que ganhava velocidade, e a hipótese suscitada pelo historiador serviu apenas para lhe incendiar ainda mais a ira.

"Como se atreve?", protestou, lançando inadvertidamente alguns perdigotos na direcção dos interlocutores. "Julga que sou um diletante que anda para aqui a brincar? Pensa que não estou a fazer ciência rigorosa? Acha porventura que não passo de um amador? Eu?"

O apaziguamento não era afinal o caminho, percebeu Tomás tarde de mais. Mas o confronto também não, como havia verificado dias antes, quando Arkan e Valentina discutiam violentamente em Jerusalém. Talvez o caminho do meio fosse o mais adequado para lidar com o seu exaltado interlocutor.

"Penso que preciso de provas", disse num tom neutro, como se estivesse a participar numa amena cavaqueira. "Uma coisa dessas é tão grande que requer verificação cuidadosa, não é verdade?"

"Provas? Quer provas?"

"Se as tiver."

O anfitrião vacilou e, tão depressa como se exaltara, serenou.

"O que precisa de saber exactamente?"

O registo da discussão tornara-se de novo surpreendentemente normal. Não que Tomás se queixasse. Na verdade, parecia-lhe o tom adequado para prosseguir a conversa, até porque tinha uma mão-cheia de questões a esclarecer.

"Tudo", indicou o historiador. "Para começar, parece-me importante perceber como pode ter tanta certeza de que a descoberta de Talpiot se refere mesmo a Jesus de Nazaré."

Arkan cravou nele um olhar meditativo, como se ponderasse coisas mais importantes do que aquela que o seu interlocutor lhe tinha pedido.

"Vamos fazer assim", acabou por dizer. "Vou-lhe apresentar um conjunto de perguntas-chave e será você mesmo, com os seus conhecimentos nesta área, que chegará às conclusões certas. Parece-lhe bem?"

A sugestão surpreendeu o português. Considerou a ideia e não viu inconvenientes em alinhar no jogo.

"Tudo bem", aceitou. "Dispare a primeira."

O anfitrião manteve a expressão pensativa, avaliando qual a melhor questão para abrir o questionário. Delineou a estratégia e, firmando a ideia na mente, ergueu o indicador no ar.

"Então aqui vai", disse. "Apesar das inscrições, os ossários não estão datados. Assim sendo, como podemos nós saber que correspondem ao período de Jesus?"

"Essa é fácil", retorquiu Tomás. "A lei judaica determina que os mortos devem ser enterrados antes do pôr do Sol. Por volta de 430 a. C., a deposição dos corpos numa cave, numa gruta ou num túnel escavado na pedra começou a ser considerada em Jerusalém equivalente a um enterro. No entanto, a prática de usar ossários só se iniciou pouco antes do nascimento de Jesus e terminou no ano 70, quando os Romanos destruíram a cidade e o segundo Templo. Assim sendo, por definição, qualquer ossário que se encontrar em Jerusalém foi obrigatoriamente construído pouco antes, durante ou pouco depois do período de vida de Jesus. Foi nessa estreita faixa de tempo que os corpos começaram a ser envolvidos em mortalhas de linho ou de lã e inseridos em caves no enterro primário. Mais tarde, depois da completa decomposição dos corpos, iam-se buscar os ossos e eles eram depositados em ossários de família entretanto construídos. Esse era o enterro secundário e definitivo."

Arkan assentiu, satisfeito com a resposta.

"Mas quantos judeus usavam os ossários como prática funerária?", perguntou, sabendo perfeitamente a resposta. "Todos?"

"Oh, não. Só uma minoria. A maior parte dos judeus continuou a enterrar os seus mortos na terra, como requeria a lei." Agora que pensava nisso, o historiador pôs-se a ligar pontos que até esse momento apenas considerara em separado. "Sabem, o recurso aos ossários era uma prática sobretudo dos judeus apocalípticos, que achavam que o mundo estava prestes a acabar. Acreditavam que em breve Deus desceria à Terra para impor o Seu reino e que, quando isso acontecesse, todos ressuscitariam para o dia do juízo final. Ao depositarem os seus mortos em ossários, os judeus apocalípticos pensavam que assim era facilitado o processo de ressurreição. É, aliás, curioso que estes ossários tivessem sido construídos junto ao monte Moriah, o monte onde se encontrava o Templo. É que eles achavam que Deus reinaria justamente a partir do Templo, pelo que depunham os mortos naquele sítio de modo a ficarem mais perto do local onde tudo iria acontecer."

"Diria que Jesus e os seus seguidores eram judeus apocalípticos?"

A pergunta foi certeira.

"Claro que sim", reconheceu Tomás, percebendo perfeitamente para onde o seu anfitrião o estava a conduzir. "É muito provável que recorressem a este tipo de enterro." Hesitou. "Aliás, há até fortes indicações de que o fizeram justamente com o cadáver de Jesus." Olhou em redor, como se procurasse alguma coisa. "Tem aí alguma Bíblia?"

O presidente da fundação abriu uma gaveta e tirou de lá um livro volumoso, que depositou sobre a mesa.

"Meu caro, estamos no santo dos santos", gracejou. "Claro que aqui temos sempre uma Bíblia."

O historiador folheou o volume.

"Ora repare o que escreveu Marcos em 15:43, referindo-se ao enterro de Jesus", disse, pondo-se a ler o trecho. "'José de Arimateia, respeitável membro do Conselho, que também esperava o Reino de Deus, foi corajosamente procurar Pilatos e pediu-lhe o corpo de Jesus.'" Levantou a cabeça. "Ou seja, ao indicar que este José 'esperava o Reino de Deus', Marcos está a dizer que ele era igualmente um judeu apocalíptico. Como é natural, José de Arimateia decidiu enterrar Jesus à maneira dos judeus apocalípticos, processo que Marcos relata em 15:46." Retomou a leitura. "'Depois de comprar um lençol, desceu o corpo da cruz e envolveu-o nele. Em seguida, depositou-O num sepulcro cavado na rocha e rolou uma pedra contra a porta do sepulcro.'" Bateu com a ponta do dedo no texto. "O que Marcos está a descrever aqui é o enterro primário. Jesus não foi propriamente enterrado, mas colocado numa câmara cavada na rocha. Isto só se fazia quando se planeava ir mais tarde buscar os ossos e transferi-los para a sua morada definitiva, o ossário, onde ficariam até a pessoa ressuscitar para o dia do juízo final."

"No caso de Jesus, terá havido enterro secundário? Os seus ossos terão depois sido transferidos para um ossário?"

Tomás fez uma careta.

"Bem... a acreditar nos Evangelhos, não. Ele ressuscitou antes de isso poder ser feito."

Arkan manteve os olhos presos fixamente no seu interlocutor.

"De certeza?", perguntou. "Ora leia aí o que escreveu Mateus em 28:13."

O historiador procurou a passagem no exemplar da Bíblia.

"'Os Seus discípulos vieram de noite e roubaram-n'O enquanto dormíamos'", leu. Fitou o anfitrião. "Mateus diz que isto era um boato que os judeus puseram a circular para explicar o desaparecimento do cadáver de Jesus."

"É interessante que houvesse esse boato, não lhe parece?", questionou Arkan. "Tão interessante que Mateus se viu forçado a dizer que os Romanos puseram um guarda a noite inteira a vigiar o sepulcro, pormenor que Marcos não relatou e que constituiu evidentemente uma forma de tentar desmentir o boato, tão forte ele se mostrava."

Tomás releu em silêncio os versículos de Mateus referentes ao que sucedeu depois da crucificação.

"Tenho de concordar consigo", acabou por admitir. "A ressurreição de Jesus não é uma questão histórica, mas de fé. Pertence ao domínio do sobrenatural. Se ela não passar de uma fantasia de mentes supersticiosas, como me parece aliás natural, é evidente que o corpo de Jesus foi transferido para outro local. Assim sendo, estamos de facto perante um caso de enterro secundário."

"E para que local terá ele sido transferido?"

"Estando nós a lidar com judeus apocalípticos, parece-me evidente que só poderá ser um ossário perto do monte Moriah, de modo que o corpo estivesse o mais perto possível do Templo para ressuscitar no dia do juízo final."

Com os olhos sempre fixos no seu interlocutor, Arkan tamborilou os dedos na superfície da mesa, como se esperasse que Tomás tirasse as devidas conclusões do que acabara de dizer.

"Os ossários eram usados no século I pelos judeus apocalípticos em enterros secundários", relembrou o presidente da fundação. "Jesus e os seus seguidores eram judeus apocalípticos do século I e a descrição que os Evangelhos fazem do que sucedeu depois da sua morte coincide com a primeira fase de um enterro secundário. Ou seja, é altamente provável que os ossos de Jesus tenham sido depositados num ossário junto ao monte Moriah." Arqueou as sobrancelhas peludas. "O que inevitavelmente nos remete para a descoberta de Talpiot, não é verdade?"

Tomás acariciou o queixo com os dedos, numa pose pensativa.

"É possível", reconheceu. "Não digo que não." Ponderou a hipótese mais um instante. "Há, porém, alguns problemas que é preciso resolver para aceitar que estejamos perante o túmulo de Jesus de Nazaré. O primeiro resulta de estes ossários estarem reservados a famílias endinheiradas. Ora Jesus era um zé-ninguém. Que se saiba, a família não tinha posses."

Arkan olhou-o de um modo estranho, como se soubesse qualquer coisa.

"Ai não? Qual era a profissão de José, o pai de Jesus?"

"Carpinteiro", devolveu o historiador quase automaticamente. "Toda a gente sabe."

"Onde está isso escrito?"

Tomás consultou de novo a Bíblia.

"No Evangelho segundo Mateus, em 13:55", indicou, lendo o versículo. "'Não é Ele o filho do carpinteiro?'"

"Essa é a tradução tradicional", notou Arkan. "Qual a palavra grega usada originalmente pelo autor de Mateus?"

"*Tekton*."

"O que significa *tekton* exactamente?"

O historiador abriu e fechou a boca. Tinha acabado de perceber a objecção do seu interlocutor.

"Em bom rigor significa *construtor*. A palavra *carpinteiro* não é, de facto, a tradução correcta. *Tekton* é um homem qualificado, senhor do seu negócio e que trabalha na construção."

"Ou seja, um empresário na área da construção", simplificou o anfitrião. "Se fosse hoje, dir-se-ia que José era um construtor civil. Parece-lhe uma profissão de gente pobre?"

Tomás passou a mão pelo cabelo. Como era possível que nunca tivesse pensado nisso?

"Bem... não necessariamente", reconheceu. "*Tekton* é alguém que trabalha com as mãos. É certo que podia ser um construtor civil, mas numa terriola como Nazaré não deveria ser abastado. Poderia ser de classe baixa."

"Lembre-se que o filho, Jesus, era educado. Conhecia as Escrituras de uma ponta à outra e sabia pelo menos ler, o que na época era relativamente raro. Esses indícios não apontam para uma família indigente e a viver na miséria, pois não?"

"Está bem", concedeu o português. "Aceitemos que possuíam dinheiro, embora a este respeito não tenhamos a certeza de nada. Mesmo que fossem remediados, teriam o suficiente para um ossário? Não se esqueça de que tudo indica que José terá morrido cedo e portanto deixou de poder providenciar às necessidades da família...”

“A eventual morte prematura de José é pura especulação”, sublinhou Arkan. “Nada nos Evangelhos estabelece explicitamente tal coisa. O facto é que estamos a falar de uma família educada que trabalhava na área da construção civil. É muito natural que, se acreditassem na ressurreição dos mortos no dia do juízo final, as pessoas desta família tivessem meios para investir num ossário como o de Talpiot. Mas, mesmo que não dispusessem de dinheiro, alguns dos seus seguidores podiam arranjá-lo. Esse José de Arimateia, por exemplo. Não é Marcos que diz que ele pertencia ao conselho de sábios que governava o Templo, o sinédrio? Se assim era, teria forçosamente de ser abastado. Aliás, os Evangelhos tornam claro que foi ele quem tratou do enterro de Jesus.” Encostou a palma da mão ao peito. “Ponhamo-nos no lugar dos nazarenos. Se eu acreditasse que a chegada do reino de Deus estava iminente e que Jesus era de facto o *mashia* previsto pelas Escrituras, não acham que consideraria a construção de um ossário para Jesus um bom investimento? Decerto Jesus, quando ressuscitasse para o dia do juízo final, daria ao seu Pai, Deus, uma palavra a meu favor. Não seria isso útil para eu ter entrada directa no reino de Deus?”

Tomás acenou afirmativamente.

“Sim, tem razão”, reconheceu. “Mesmo que Jesus não tivesse dinheiro, os seus seguidores arranjá-lo-iam para lhe construir o ossário. Todos queriam cair nas boas graças do Messias, sobretudo agora que aí vinha o grande julgamento.”

“Então diga lá”, pediu Arkan em jeito de conclusão, “é ou não provável que, não tendo ocorrido ressurreição física do corpo de Jesus, os seus ossos tenham sido depositados num ossário junto ao monte Moriah, com vista privilegiada para o Templo?"

"Sim, isso é provável", aceitou Tomás. "O problema é ter a certeza de que a descoberta de Talpiot corresponde ao ossário certo."

"E porque não há-de corresponder? Quer que lhe faça a demonstração?"

"Não estou cá para outra coisa..."

Em resposta, Arkan puxou uma gaveta da mesa e retirou do interior uma pasta de dossiê com vários documentos arquivados. Abriu-a e mostrou-lhe a primeira folha com uma referência no topo e a fotografia de letras esculpidas na superfície branca de um ossário.

"Esta é a inscrição que está no ossário 80/503", disse. "Encontra-se redigida em estilo cursivo e é de difícil leitura. Contudo, a maioria dos caligrafistas concorda que a inscrição diz *Yehoshua bar Yehosef*, ou *Joshua filho de José*. Como observou há pouco, *Jesus*, aliás *Yeshu*, é um diminutivo de *Yehoshua*, uma das formas do nome *Joshua*."

Os três visitantes inclinaram-se sobre a página e estudaram a inscrição cravada no ossário.

"Sim, mas quantos *Joshua* não existiriam naquele tempo?"

Arkan soergueu a sobrancelha.

"Está a referir-se a Joshuas que fossem judeus apocalípticos e tivessem meios, provenientes da sua família ou dos seus seguidores, para terem os ossos depositados numa câmara com vista para o Templo?" Fungou. "Havia alguns."

O historiador voltou a acariciar o queixo com a ponta dos dedos, avaliando os méritos de avançar para uma análise estatística. Pareceu-lhe um terreno promissor.

"Tenho ideia de que *Yehoshua* era um nome relativamente comum", observou. "Verificou a frequência com que ele surge nos ossários judaicos do século I?"

O anfitrião pigarreou.

"Nos mais de duzentos ossários catalogados pela Autoridade das Antiguidades de Israel, o nome *Yehoshua* aparece nove por cento das vezes e o nome *Yehosef* surge catorze por cento. Extrapolando para os oitenta mil homens que viveram em Jerusalém durante todo o período em que se usaram ossários, isto significa que sete mil chamar-se-iam *Yehoshua* e onze mil seriam *Yehosef*."

"Tem de concordar que estamos perante dois nomes muito comuns", verificou Tomás. "Demasiado comuns para que possamos estar confiantes de que o *Yehoshua bar Yehosef* do ossário de Talpiot corresponda a Jesus de Nazaré."

"Sim, mas é preciso avaliar quantos dos sete mil *Yehoshua* de Jerusalém poderiam ter um pai chamado *Yehosef*", lembrou Arkan. "Ora se multiplicarmos as percentagens, 0,9 de Yehoshua vezes 1,4 de Yehosef vezes oitenta mil pessoas correspondentes à população masculina de Jerusalém, ficamos com... com... mil. Ou seja, em todo este período só houve em Jerusalém uns mil *Yehoshua* que eram filhos de alguém chamado *Yehosef*."

"É um valor bem mais restrito", observou o historiador. "Mesmo assim, mil homens chamados Jesus com um pai chamado José são ainda um número demasiado elevado para que se possa reivindicar o que quer que seja com os achados de Talpiot."

Arkan esboçou uma expressão meditativa.

“Há ainda outras importantes considerações estatísticas que têm de ser equacionadas”, acrescentou. “Designadamente a presença de nomes diferentes.”

“O que têm eles de especial?”

“Esses nomes têm muito que se lhes diga”, notou o anfitrião. “E, claro, há ainda a questão do ADN.”

Tomás pareceu ainda mais admirado.

“ADN? Qual ADN?”

O presidente da fundação sorriu, sabendo muito bem que se aprestava a largar o seu mais forte trunfo.

“Não sabia?”, exclamou com fingida surpresa. “Foi detectado material genético no ossário 80/503.”

“O quê?”

O pasmo estampado no rosto do académico português, e também na face dos dois polícias que acompanhavam a conversa, era absoluto, o que encheu Arkan de um imenso sentimento de satisfação. Acabara de jogar o *jackpot* dos *jackpots*.

“Nós recolhemos o ADN de Jesus.”

LXV

O vulto negro do "electricista" irrompeu pela antecâmara do santo dos santos. Apanhado de surpresa, o homem que guardava a porta blindada ergueu a Uzi e apontou-a para a entrada, pronto a abrir fogo. Ao reconhecer o intruso, baixou o cano da arma automática e suspirou de alívio.

"Ufa!", bufou. "Você pregou-me um susto! O que está aqui a fazer? Não me diga que se perdeu outra vez!..."

Sicarius trazia na mão um pequeno invólucro cilíndrico amarelo, semelhante ao dos insecticidas. Esticou o braço e, de um ângulo que a lente não captava, apontou-o para a câmara de vigilância fixada no tecto.

"A avaria é aqui", disse num registo tranquilo, como se fizesse aquilo todos os dias. "É para resolver agora."

Sem perceber muito bem o que se passava, o guarda viu-o premir o botão do pequeno cilindro e observou o *spray* cobrir de tinta negra a câmara de vigilância, obscurecendo por completo a lente.

"Que é isto?", quis saber, de olhos fixos na câmara, a tentar compreender o procedimento. "Que fez à lente?"

Sem que se apercebesse do que lhe acontecia, sentiu-se rodopiar, viu tudo a andar à roda e, quando deu por ela, estava estendido no chão e tinha o intruso em cima dele. Tentou virar a arma para o atacante, mas a Uzi foi-lhe de imediato arrancada, o mesmo acontecendo com o intercomunicador.

"Que está a fazer?!", exclamou, atarantado. "Enlouqueceu?" Tentou rebolar pelo chão, num primeiro esforço para se libertar. "Largue-me!"

O segurança deu consigo totalmente encarcerado pelos braços de Sicarius e, por mais que se contorcesse, não se conseguia livrar daquele aperto férreo. Percebeu que o seu agressor devia ter um treino avançado de judo ou de luta greco-romana, porque parecia conhecer todas as maneiras de imobilizar um adversário.

"Quieto!", soprou-lhe Sicarius ao ouvido. "Não te mexas!"

Paralisado já o guarda se encontrava, e decerto que não por vontade própria. Pensou que a qualquer momento deveria receber ajuda da central de segurança, mas de imediato se lembrou de que o atacante havia regado de tinta negra a câmara de vigilância e percebeu então aquele primeiro movimento com o *spray*. A lente fora tapada e a central ia pensar que se tratava de uma mera avaria. Ou seja, estava entregue a ele mesmo; ninguém viria a correr para o ajudar.

"O que quer?", perguntou, alarmado por se encontrar inteiramente à mercê daquele intruso possante. "Porque está a fazer isso?"

Sicarius mantinha os lábios colados ao ouvido direito do guarda.

"Dá-me a senha", sussurrou num registo assustadoramente sereno. "Preciso de entrar lá dentro."

"Você está louco? Quer entrar no Kodesh Hakodashim?"

"A senha."

O guarda abanou a cabeça furiosamente.

"Não sei!", exclamou. "Só o presidente é que a tem. Eu limito-me a fazer a guarda à porta."

Sentiu o agressor mexer um braço e, instantes depois, viu a ponta de uma enorme lâmina dançar-lhe à frente dos olhos.

"A senha."

"Já lhe disse que não sei!", berrou de volta. "Sou apenas o guarda!"

Com um movimento brusco, Sicarius pegou na sua vítima e endireitou-a à bruta, obrigando-a a sentar-se. Puxou a corda que trazia à cintura e amarrou o tronco do homem, imobilizando-lhe também os braços.

Uma vez o guarda fora de acção, ergueu-se e foi até à porta. Verificou que havia uma chave na fechadura e rodou-a, trancando o acesso à antecâmara. Depois foi buscar uma cadeira e fixou-a contra o puxador, reforçando assim o bloqueio da entrada. Recuou dois passos e contemplou o trabalho. A porta não ficara blindada e poderia ser arrombada por alguém que estivesse mesmo determinado a entrar ali. Todavia, para as considerações práticas que tinha em mente, aquele dispositivo garantia-lhe a tranquilidade de que precisava.

Voltou para junto do seu prisioneiro e olhou-o de cima para baixo, a *sica* a dançar-lhe nas mãos.

"Não te volto a perguntar mais nenhuma vez", informou-o, apontando para a porta blindada que dava acesso ao Kodesh Hakodashim. "Qual é a senha para entrar ali dentro?"

"Já lhe disse que não sei", devolveu o guarda num tom de desafio. "Eu limito-me a fazer a segurança."

Sicarius tirou um rolo branco do bolso das calças e esticou um pedaço, que cortou com a adaga. Era uma fita adesiva. Aproximou a fita do rosto do prisioneiro e colou-a à boca, amordaçando-o. O guarda deixou de poder falar. A seguir empurrou-o com o pé, forçando-o a deitar-se de novo, e inclinou-se para lhe agarrar no pulso, que espreitava por baixo das cordas.

Puxou o pulso com força e obrigou-o a assentar a mão no chão, a palma para baixo. Depois aproximou a *sica* do dedo mindinho e premiu com força. O guarda começou a gemer e a espernear, mas não tinha modo de se libertar nem de gritar. Sicarius fez movimentos rápidos para serrar e o sangue jorrou pelo chão com esguichos sucessivos.

"Hmm!", vagiu o segurança, os olhos esbugalhados na loucura da dor. "Hmmm!"

Em alguns segundos o dedo estava amputado. A vítima arrulhava em desespero, os olhos injectados, a respiração ofegante e gotas de transpiração a banharem-lhe a face, mas os sons que emitia eram abafados pela fita adesiva que lhe selava a boca. O agressor aguardou uns instantes, deixando o homem acalmar-se e recuperar o fôlego, até que o encarou com um olhar gelado.

"A senha?"

O homem fitou-o nos olhos e hesitou em dar a resposta. Sicarius não esperou. Voltou a espalmar a mão ensanguentada contra o chão e pousou a lâmina sobre o polegar. A vítima recomeçou a gemer e a espernear em desespero, sabendo demasiado bem o que aí vinha, e o agressor fitou-o de novo nos olhos.

"Vais-me dar a senha ou vou ter de te cortar todos os dedos desta mão, depois os da outra, e depois os dos pés? Como é que preferes?"

O guarda pôs-se a fazer que sim com a cabeça, como se tivesse decidido falar. Sicarius pegou na borda da fita e arrancou-a com um movimento brusco.

"Agh!", gemeu o homem. "Preciso de... ajuda médica." Arfou. "Por favor!..."

"A senha?"

O homem suspirou e, sabendo que não tinha alternativas, o coto ensanguentando do dedo a menear-se no ar e o rosto a contorcer-se de dor, revelou o segredo que permitiria ao intruso abrir a porta blindada e violar a santidade do Kodesh Hakodashim.

LXVI

As expressões alteradas do rosto dos três visitantes que se encontravam no interior do Kodesh Hakodashim espelhavam com o rigor de um espelho a estupefacção que deles se apoderara quando Arpad Arkan lhes fez a revelação.

"Havia material genético nos ossários de Talpiot?"

O presidente da fundação assentiu com entusiasmo, um brilho de excitação infantil a cintilar-lhe nos olhos.

"Extraordinário, não é?"

Tomás encarou os seus companheiros, quase atordoado. Tudo aquilo lhe parecia demasiado incrível para ser verdadeiro, e os dois polícias mostravam-se igualmente surpreendidos.

"Mas... mas... é possível?"

O sorriso de Arkan transformou-se numa risada alegre.

"Então não é? Se conseguimos extrair ADN dos espécimes de mamutes e de homens de Neandertal com trinta mil anos, por que razão não haveremos de obter material genético de pessoas que morreram há apenas dois mil anos? Não se esqueça do que nos disse o professor Hammans há pouco. Nas temperaturas mais quentes, o ADN sobrevive uns cinco mil anos. Ora os ossários de Talpiot são bem mais recentes do que isso!...”

O historiador experimentou a estranha sensação de sonhar acordado. Aquilo parecia-lhe uma coisa surreal. Respirou fundo e fez um esforço para reordenar a mente e pensar com clareza.

“Está bem, vocês detectaram ADN no ossário 80/503”, registou, discorrendo em voz alta para benefício dos companheiros mas também para facilitar o seu próprio raciocínio. “E então? O que interessa isso se ninguém tem certeza alguma sobre a identidade da pessoa cujos ossos foram aí depositados?”

Mas Arkan não parecia alimentar a menor dúvida a esse respeito.

“É Jesus de Nazaré.”

“Como pode afirmar tal coisa com essa certeza?”, contestou o historiador. “Como acabámos de ver, a hipótese de o *Yehoshua bar Yehosef* referenciado no ossário ser o *nosso* Jesus, filho de José, é de uma em mil! Parece-me uma taxa de probabilidade baixíssima!”

O seu interlocutor levantou a mão.

“Seria, se não se desse o caso de haver outros ossários na mesma câmara”, sublinhou. “E esses ossários têm nomes de figuras que os Evangelhos associam a Jesus de Nazaré. E é aí que o cálculo de probabilidades se altera significativamente.”

“Figuras associadas a Jesus? Do que está o senhor a falar?”

O anfitrião folheou o dossiê que havia pousado na mesa diante dele e imobilizou-se na segunda folha. Tal como a anterior, esta página continha um número de referência e uma fotografia com o pormenor de uma inscrição num ossário.

"Comecemos pelo 80/505", sugeriu Arkan. "Este ossário regista o nome *Marya* em caracteres hebraicos. Parece-lhe familiar?"

"Não tem de ser necessariamente a mãe de Jesus", argumentou o historiador, analisando a inscrição. "Creio que *Maria* era também um nome muito comum na época..."

"Na verdade, tratava-se do nome feminino mais usado naquele tempo. Em trezentas e vinte e oito referências foram registadas setenta *Maryam*, nome hebraico que, na sua versão latina, se pronunciava *Maria* ou *Marya*."

Tomás fez a conta de cabeça.

"Isso dá... deixe cá calcular a percentagem... cerca de vinte por cento de mulheres chamadas *Maria*. Está a ver? É muita Maria!"

"É verdade que sim. Vinte por cento das mulheres judias eram *Maryam*. Mas o Novo Testamento refere-se à mãe de Jesus sempre como *Maria*, não *Maryam*. E qual o nome que aparece neste ossário? *Marya*. É no mínimo perturbador, há-de reconhecer."

"De facto..."

Arkan virou para a terceira folha, também com um número de referência e a fotografia de uma outra inscrição.

"Vejamos agora o ossário 80/504", sugeriu. "Tem inscrito o nome *Yose*. Como sabe, trata-se de um diminutivo de *Yehosef*. *Yose* está para *Yehosef* como *Zé* está para *José*."

O historiador fez um gesto enfaticamente negativo com a mão.

"Não pode ser o pai de Jesus!", sentenciou com grande convicção. "Os Evangelhos apenas mencionam José na infância de Jesus, o que nos leva a presumir que ele morreu cedo."

"E então?", questionou o presidente da fundação. "Não se esqueça de que Talpiot é um sepulcro secundário para ossos. O que impedia os familiares de transferirem os ossos de José para o mausoléu privado da família com vista para o Templo? Aliás, é até natural que o fizessem, se acreditassem realmente que o dia do juízo final estava iminente! Ou acha impossível?"

O português ponderou a possibilidade.

"Tem razão", admitiu, vergado pela força do argumento. "Se a família de Jesus mandou construir um sepulcro secundário, o mais natural é que trasladasse os ossos do patriarca para lá, sobretudo se pensasse que isso ajudaria a manter todos os familiares unidos quando ressuscitassem para o juízo final."

"Outra hipótese é tratar-se de outra pessoa ligada a Jesus", considerou Arkan. "Leia-me aí, por favor, o versículo 6:3 de Marcos."

Tomás abriu o exemplar da Bíblia que tinha nas mãos e localizou o trecho.

"'Não é Ele o carpinteiro filho de Maria e irmão de Tiago, de José, de Judas e Simão?'" Levantou os olhos. "Está a insinuar que o *Yose* de Talpiot poderá ser José, irmão de Jesus?"

"Porque não? Embora *Yehosef*, ou *José*, seja um dos nomes mais comuns da época, o facto é que a inscrição *Yose* é anormal. Trata-se do único caso em que um ossário da época apresenta este diminutivo de *Yehosef.*" Exibiu dois dedos. "O que nos dá dois familiares de Jesus chamados *José*. O pai e o irmão. O ossário 80/504 podia perfeitamente pertencer a qualquer deles."

"Hmm", anuiu o historiador. "E os outros ossários?"

Os dedos de Arkan procuraram a quarta folha do dossiê. Mais uma referência, mais uma fotografia com uma inscrição.

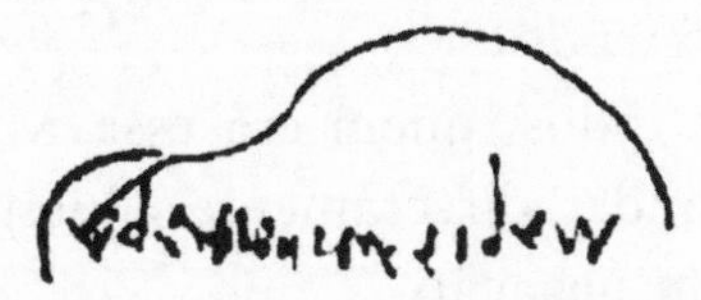

"Temos o ossário 80/500", indicou o anfitrião. "A inscrição regista *Mariamn-u eta Mara.*" Cravou os olhos no seu interlocutor. "Sabe o que isso quer dizer?"

Tomás acenou afirmativamente com a cabeça e contraiu as pálpebras enquanto perscrutava a imagem, ponderando as implicações suscitadas por aquela inscrição.

"Essa dá que pensar", reconheceu. "*Mariamn-u* é uma espécie de declinação de *Mariamne*, versão grega de *Miriam*, ou *Maria. Mariamn-u eta Mara* significa literalmente *de Maria, conhecida por Senhora. Senhora*, no sentido de *dona* ou *patroa.*"

O anfitrião mirou-o com a sombra de um sorriso desenhada nos lábios, sempre como alguém que sabia de antemão a resposta às perguntas que fazia.

"Conhece alguém nas Escrituras que seja referido por esse nome, *Mariamne*?"

O historiador folheou pensativamente a Bíblia que lhe pesava nas mãos. Aquele grosso exemplar continha o Antigo Testamento, o Novo Testamento, os escritos apócrifos e centenas de páginas de anotações e comentários. Procurou o índice e passou os olhos pelos títulos dos diversos textos.

"Por acaso, sim", acabou por dizer. "Mas não nos manuscritos canónicos." Apontou para um dos títulos assinalados no índice. "O nome *Mariamne* aparece aqui nos Actos de Filipe, um texto apócrifo sobre a vida do apóstolo Filipe." Indicou outro título. "E também em fragmentos gregos do Evangelho segundo Maria Madalena. Isto para não falar em textos antigos de Orígenes e Hipólito, que se referiram a Mariamne."

"Nesses textos todos, quem era essa Mariamne?"

Evitando responder directamente à pergunta, Tomás sacudiu a cabeça em negação.

"Não, não pode ser!", exclamou. "Isso já me parece uma fantasia desenfreada! Não é possível!"

"Diga lá", insistiu Arkan. "Quem é a Mariamne que aparece nos apócrifos e nos textos de Orígenes e de Hipólito?"

O académico deixou descair os ombros e rendeu-se. Se lhe faziam uma pergunta directa e pertinente, com que direito podia evitar a resposta, por fantástica que parecesse?

"Maria de Magdala", disse com uma certa relutância. "Também conhecida por Maria Madalena."

Um brilho de triunfo perpassou pelo rosto do presidente da fundação.

"É curioso, não é?"

"Não quer dizer nada!", cortou Tomás. "Os manuscritos apócrifos não foram escritos por pessoas que conheceram Jesus. A esmagadora maioria desses textos é do século II ou do século III. Com excepção talvez do Evangelho segundo Tomé, a informação que consta nos apócrifos não é fidedigna."

"É verdade", aceitou Arkan. "Mas também é um facto que esses escritos usavam por vezes tradições que lhes chegavam. O uso do nome *Mariamne* em referência a Maria Madalena podia ser uma dessas tradições."

"Admissivelmente. E então?"

Em resposta, os olhos do anfitrião pousaram na Bíblia que dançava nervosamente nas mãos do seu interlocutor.

"Esse exemplar contém os textos apócrifos, não é verdade? Leia-me aí o Evangelho segundo Filipe, versículo 32."

Tomás dedilhou as páginas e localizou o trecho.

"'Havia três que caminharam com o Senhor: Maria, sua mãe e sua irmã e Madalena, a quem chamavam sua amante. Uma Maria era sua irmã e sua mãe e sua amante.'"

"E agora o versículo 55."

"'A consorte de Cristo é Maria Madalena. O Senhor amava-a mais do que a todos os discípulos e beijava-a.'"

"Finalmente, o Evangelho segundo Maria Madalena", pediu Arkan. "Leia o versículo 5:5, que cita palavras de Pedro a Maria Madalena."

O historiador saltou algumas páginas até encontrar o texto apócrifo que lhe era indicado.

"'Sabemos que o Senhor te amava mais do que às outras mulheres.'"

As sobrancelhas felpudas de Arkan movimentaram-se para cima e para baixo, como se elas próprias falassem.

"Curioso, hem?"

Tomás encolheu os ombros.

"A única coisa que isto prova é que havia muita boataria a propósito da relação entre Jesus e Maria Madalena", sentenciou. "Mas não há nada de historicamente fiável. É verdade que Marcos e Lucas referem que Jesus era acompanhado por mulheres nas suas viagens. Algumas delas pareciam abastadas e ajudavam-no, como era o caso da Maria oriunda de Magdala, uma aldeia piscatória junto ao Mar da Galileia, por isso designada Maria Magdalena, ou Maria Madalena. Lucas diz em 8:3 que ela servia Jesus 'com os seus bens'. Em parte alguma é ela aliás referida como prostituta, reputação que só ganhou no século VI pela boca maledicente do papa Gregório. Os quatro evangelhos canónicos referem que as mulheres foram os únicos seguidores que assistiram à crucificação e que se mantiveram fiéis a Jesus até ao fim, tendo sido elas quem deu pela falta do corpo. No entanto, nenhum dos textos mais antigos menciona que Jesus fosse casado ou tivesse qualquer amante."

"Na Primeira Carta aos Coríntios, Paulo disse que os irmãos de Jesus e os apóstolos eram casados", argumentou Arkan. "Além disso, ao recomendar que os fiéis mantivessem o celibato, Paulo deu o seu próprio exemplo, mas não o de Jesus. Se Jesus fosse solteiro, decerto daria o exemplo do Messias, que tinha ainda maior autoridade do que o seu. Porque não o fez? Saberia que não era solteiro?"

"Isso é pura especulação", sublinhou o historiador. "O facto é que em parte alguma está escrito que Jesus casou."

"No entanto, o sepulcro de Talpiot inclui o ossário de Mariamne, identificada nos Actos de Filipe, no Evangelho segundo Maria Madalena e nos textos de Orígenes e Hipólito como Maria Madalena."

O historiador fez uma careta.

"Coincidência, decerto."

"Mais ainda, este ossário com o nome *Mariamne* foi encontrado ao lado do ossário com o nome *Jesus, filho de José*, como se faz quando se põe marido e mulher lado a lado num cemitério."

"Outra coincidência."

Arkan sorriu, o olhar carregado de ironia.

"Já estamos a contabilizar demasiadas coincidências", observou, folheando o dossiê em busca da fotografia seguinte.

"A próxima coincidência é a do ossário 80/501, pertencente a *Yehuda bar Yehoshua*. Pode traduzir-me esse nome, por favor?"

Tomás verificou a inscrição que constava na imagem.

יהודהברישוע

"*Judas, filho de Jesus.*"

"Curioso, não é?"

"Nenhum dos evangelhos canónicos refere que Jesus tenha tido um filho", lembrou Tomás. "Nem um."

"Os Evangelhos são peças de teologia, como muito bem sabe", contrapôs o presidente da fundação. "Não dizem tudo. Dizem apenas o que interessava aos seus autores para convencer os seguidores de Jesus a manterem a fé."

"É verdade", concordou o historiador. "O facto de não haver referências nos Evangelhos a um filho de Jesus não significa que ele não existisse. Mas também não significa que existisse. A verdade é que sobre isso nada sabemos."

"Assim é", concordou Arkan. "Finalmente, o ossário 80/502 está referenciado com o nome *Matya*, ou *Mateus*."

Exibiu a imagem que constava do dossiê.

"Está a insinuar que se trata do ossário do apóstolo?"

"Não estou a insinuar nada", sublinhou o anfitrião. "Este nome aparece no sepulcro de Talpiot. Haveria algum Mateus na família de Jesus? Tal como no caso de um eventual filho, os Evangelhos são omissos em relação a isso. Sugiro portanto que descontemos estes dois nomes, *Judas* e *Mateus*. Onde é que isso nos deixa?"

"Deixa-nos num sepulcro repleto de nomes comuns naquela época", constatou Tomás, desvalorizando o achado. "Se tirarmos o *Judas* e o *Mateus*, ficamos com quatro ossários, dois referentes a duas *Marias*, uma delas na versão helenizada de *Mariamne*, um *José* e um *Jesus, filho de José*. Acontece que a Palestina do século I está cheia de pessoas chamadas *Jesus*, *José* e *Maria*."

"É verdade", reconheceu o anfitrião. "Mas há um outro nome a acrescentar a esses."

"Qual?"

"Lembra-se de eu ter dito que foram encontrados dez ossários em Talpiot, mas um deles desapareceu? Uns anos mais tarde surgiu um ossário que fez sensação devido a uma inscrição em aramaico a registar *Ya'akov bar Yehosef akhui di Yeshua*." Arqueou as sobrancelhas lanzudas. "Sabe traduzir isto, não sabe?"

"*Jacob, filho de José, irmão de Jesus*."

"Jacob era o nome original. Com o tempo, latinizou-se no Ocidente e transformou-se em Tiago."

Tomás fez um esforço de memória.

"Tenho ideia disso", disse. "Mas esse achado não foi considerado uma fraude?"

"Essa foi a acusação feita pela Autoridade das Antiguidades de Israel, mas não teve acolhimento em tribunal", disse Arkan. "Ao contrário dos ossários de Talpiot, de autenticidade inquestionável, o ossário de Tiago não possuía origem arqueológica certificada. O seu dono dizia que o ossário havia sido encontrado em Silwan, um subúrbio de Jerusalém, mas não apresentou provas. A Autoridade das Antiguidades de Israel nomeou uma equipa de quinze peritos para analisar a descoberta. Os peritos concluíram que o ossário era genuíno e que parte da inscrição, a que diz *Tiago, filho de José,* era igualmente genuína, mas a outra parte, *irmão de Jesus*, era provavelmente uma falsificação, uma vez que suspeitavam que a pátina tinha sido implantada fraudulentamente nessa parte da inscrição. O proprietário foi detido por fraude."

"Ah! Isso invalida o ossário!..."

"Calma", pediu o anfitrião, indicando que a história não tinha chegado ao fim. "Acontece que mais tarde, durante o julgamento, o proprietário confessou ter roubado o ossário do lote encontrado em Talpiot. De resto, as análises aos vestígios de *terra rossa* do ossário de Tiago eram iguais às da *terra rossa* dos ossários de Talpiot e a assinatura das pátinas também apresentava semelhanças perturbadoras. Já comparações semelhantes com ossários oriundos de outros locais fracassaram. Além disso, as dimensões do ossário de Tiago correspondiam *grosso modo* às medições feitas pelos arqueólogos ao décimo ossário de Talpiot, antes de ele ter desaparecido, embora ninguém se lembre de ver lá qualquer inscrição. O julgamento durou cinco anos. Após mais de cem sessões e de se escutarem umas cento e trinta testemunhas, um perito da Universidade de Telavive admitiu que a pátina sobre o nome de Jesus não tinha sido falsificada e o veredicto do caso ficou selado. A sentença, lida em Outubro de 2010, ilibou o dono do ossário de ter forjado a inscrição."

Tomás cruzou os braços e assobiou de modo apreciativo. "E esta?", admirou-se. "Isso significa então que o décimo ossário de Talpiot era mesmo o de Tiago, filho de um José e irmão de um Jesus. Qual a popularidade do nome *Ya'akov* entre os judeus do século I?"

"Baixa", indicou Arkan com um brilho nos olhos. "Na casa de um por cento." Fechou o dossiê e arrumou-o na gaveta. "Contactámos peritos em estatística e eles disseram-nos que, ao contrário do que possa parecer à primeira vista, a conjugação de todos estes nomes num único sepulcro é extremamente rara."

O português esboçou uma expressão de surpresa.

"Rara como? Pois se a maior parte são nomes comuns!..."

"A raridade está em reunir estes nomes todos num único sepulcro e em eles terem relação com figuras centrais do Novo Testamento. Repare que temos aqui *Jesus*, *José*, *Maria*, *Mariamne* e *Tiago*. Mais ainda, *Jesus* e *Tiago* aparecem ambos explicitamente referenciados com a expressão *filho de José*, e *Tiago* aparece ainda identificado como *irmão de Jesus*, o que coincide com a informação de diversas fontes diferentes do século I, como os Evangelhos, as epístolas de Paulo e os textos de Josefo a estabelecer que Jesus de Nazaré teve um pai chamado *José*, uma mãe chamada *Maria* e um irmão chamado *Tiago*. Mais ainda, é muito raro um ossário referenciar alguém como irmão de alguém. Só se conhece mais um caso desses. O facto de o ossário de *Tiago* o identificar como *irmão de Jesus* só é possível se esse irmão, *Jesus*, for alguém de grande notoriedade. Assim sendo, pedimos aos matemáticos especializados em análise estatística que fizessem um cálculo profissional da possibilidade de, no caso do sepulcro de Talpiot, estarmos perante os restos mortais de Jesus de Nazaré e da sua família. Tendo por base toda a população masculina de Jerusalém ao longo do século I e a taxa de incidência de cada um destes nomes no universo total de ossários, mais a relação entre eles, os matemáticos chegaram a um número a que chamaram *P factor*, ou factor de probabilidade. Um em trinta mil."

O valor não deixou Tomás impressionado.

"Uma hipótese em trinta mil de se tratar de Jesus de Nazaré? Não me parece grande coisa..."

Arkan soltou uma gargalhada e abanou a cabeça.

"Não", corrigiu-o ainda a rir. "Uma hipótese em trinta mil de *não* se tratar de Jesus de Nazaré. Ou, se preferir, vinte e nove mil novecentas e noventa e nove hipóteses em trinta mil de ser o *nosso* Jesus!"

O historiador arregalou os olhos.

"O quê?"

"O sepulcro de Talpiot *é* o sepulcro de Jesus."

O presidente da fundação falava com absoluta convicção. Sem saber que argumentos invocar para contrariar essa conclusão, Tomás cruzou o olhar com os dois polícias, que acompanhavam toda a conversa em silêncio, e percebeu que dali não viria ajuda; aquela não era decididamente a especialidade deles.

Em boa verdade, interrogou-se, precisava de ajuda para quê? O sepulcro de Talpiot havia sido vistoriado por arqueólogos profissionais poucas horas depois da sua descoberta, em 1980. Nove dos seus dez ossários foram remetidos directamente para os armazéns da Autoridade das Antiguidades de Israel e nunca de lá saíram. Isto garantia que o sepulcro não era nenhuma fraude, coisa que de resto ninguém alguma vez sequer insinuara.

A única questão em debate era determinar se o ossário com o nome de *Jesus, filho de José* e os ossários com os nomes de *José* e de *Tiago, filho de José, irmão de Jesus* e os dois a referenciar *Maria* pertenciam ou não a Jesus de Nazaré e à sua família. Os matemáticos fizeram as contas aos diversos factores envolvidos e, com elevadíssimo grau de probabilidade, haviam concluído que sim. O que percebia ele de estatística? Com que direito questionava essa conclusão dos matemáticos? De facto, se Jesus não ressuscitou fisicamente, o seu corpo teria por força de ser enterrado nas redondezas. Que a família ou os seus seguidores tivessem pago por um sepulcro com vista para o Templo, onde acreditavam que Deus estava prestes a instalar-se para estabelecer o Seu reino, era uma coisa que se lhe afigurava absolutamente natural. Provável até. Assim sendo, qual era a dúvida?

"O ADN", disse de repente para o seu anfitrião. "Ainda não nos explicou essa história do ADN."

"O que quer saber?"

"Tudo!", pediu. "A começar pelo essencial, claro. Onde estão essas amostras?"

"Aqui."

"Aqui, onde? Em Israel?"

Arpad Arkan indicou com as mãos o espaço em redor.

"Aqui mesmo", insistiu. "Nesta câmara."

Os três visitantes voltaram a cabeça em todas as direcções, surpreendidos com a revelação.

"Como?"

O espanto dos convidados arrancou um sorriso luminoso ao presidente da fundação, invadido por um sentimento de alegria genuína. Arkan voltou-se para o grande congelador protegido pelo emaranhado de luzes vermelhas e digitou um código no teclado assente num pequeno pilar ao lado da porta. Os fios de luz desligaram-se de imediato, desfazendo o dispositivo exterior de segurança.

O anfitrião meteu a mão na porta do congelador e abriu-a. Do interior foi exalada uma nuvem de vapor gelado que, ao desfazer-se, revelou uma pequena caixa de vidro com um tubo de ensaio lá dentro. A fechadura da caixa continha um teclado miniatura com dez algarismos.

"Estamos no santo dos santos", lembrou. "Eu não vos tinha dito que Deus se encontrava fisicamente neste lugar? Quem é Jesus, na teologia cristã, senão Deus em carne? Se Jesus é Deus, e se temos aqui guardado o ADN de Jesus, isso significa que Deus se encontra fisicamente nesta câmara."

O presidente da fundação digitou o número de código e, acto contínuo, a caixa de vidro emitiu o característico som digital de uma fechadura electrónica a destrancar.

Bip.

LXVII

Bip.

A mensagem apareceu de repente no ecrã do *pager.* Era esperada havia já algum tempo. Sicarius deteve o olhar nela durante dois longos segundos, de modo a certificar-se de que tinha visto bem. Não havia dúvidas. O mestre acabara realmente de lhe dar a ordem final.

Atacar.

O assaltante inseriu no teclado a senha que o guarda lhe havia fornecido após o interrogatório sangrento. Com um suave bip electrónico, a fechadura destrancou-se e a porta blindada que dava acesso ao Kodesh Hakodashim abriu-se enfim. O ar glacial do interior da câmara embateu no rosto de Sicarius e envolveu-lhe o corpo, colhendo-o de surpresa.

"Brrr!", tiritou. "Que gelo!"

Virou a cabeça para trás e observou, para lá da porta entreaberta do armário, os escafandros pendurados em cabides. Deveria vestir um deles? Sentiu-se tentado, pensou até que seria a atitude mais avisada, dado o frio que vinha do santo dos santos, mas acabou por abanar a cabeça negativamente. Não, decidiu. Iria despender uns dois minutos a meter-se no escafandro e o mestre dera-lhe a ordem para atacar já. Não tinha tempo a perder. Havia que entrar, localizar o alvo e actuar. Nada mais interessava. Tinha uma missão para levar a cabo e executá-la-ia.

A hora chegara.

Retirou a *sica* do cinto e deu um passo, uma mão a empurrar a superfície glacial da porta blindada. Em pose felina, espreitou para o interior da câmara e estudou o espaço imediatamente à sua frente. Apesar de todo o equipamento sofisticado e dos armários visíveis à entrada do santo dos santos, não vislumbrou por ali vivalma. Tudo parecia silencioso e aquele sector da câmara apresentava-se deserto, o que o tranquilizou.

"Perfeito!", murmurou. "Ele é de facto um génio! Pensou em tudo!"

A actuação do mestre parecia-lhe engenhosa. Decerto arrastara toda a gente para outra área de câmara, de modo a deixar-lhe a via aberta para entrar e montar a cilada. Com o espaço imediatamente depois da entrada no Kodesh Hakodashim assim deserto, Sicarius poderia penetrar na câmara sem obstáculos. Estavam desse modo reunidas todas as condições para avançar, embora sempre com cautela, emboscar-se na melhor posição e surpreender o alvo.

Lançou um derradeiro olhar para trás, certificando-se de que deixara as coisas no seu respectivo lugar e nada esquecera. No tecto, a câmara de vigilância permanecia com a lente coberta de tinta negra e na parede encontrava-se a caixa que comandava o sistema de segurança do santo dos santos, já devidamente neutralizado. A porta de acesso à antecâmara estava trancada e com uma cadeira a bloquear a fechadura. No chão jazia o corpo inerte do guarda, a garganta rasgada pela adaga sagrada, a mancha de sangue vermelho-escuro a começar a secar sobre o piso. Ou seja, Sicarius deixava tudo como devia ser.

Cheio de confiança, deu dois passos e deixou a porta blindada encerrar-se automaticamente atrás dele.

A armadilha fechara-se.

LXVIII

O produto dentro do tubo de ensaio parecia líquido e exibia uma cor amarelo-esbranquiçada. Manejando o tubo quase com reverência, Tomás ergueu-o contra a luz de uma lâmpada e inclinou-o devagar para ver como a substância no seu interior se comportava. Manteve a mesma forma, indício de que tinha solidificado no congelador.

"Diz o senhor que aqui dentro está material genético?", perguntou Tomás num murmúrio fascinado. "E é o ADN de... de Jesus?"

Os olhos subjugados de todos os presentes fixavam o tubo de ensaio e a estranha substância no seu interior.

"Exacto."

As luzes da lâmpada atravessavam o produto congelado, cintilando numa miríade de estrelas minúsculas, como se o tubo contivesse de facto a centelha divina.

"É incrível!"

Os dois polícias estenderam as mãos, também queriam pegar no tubo de ensaio, mas Arpad Arkan antecipou-se e arrancou-o das mãos do historiador.

"Cuidado!", disse. "O ADN é delicado."

Ninguém conseguia descolar os olhos da substância congelada no interior do tubo; parecia que ela os dominava a todos como o pêndulo de um hipnotizador.

"Como foi possível?", interrogou-se Tomás. "Como conseguiram vocês extrair ADN do ossário?"

O anfitrião levantou pela primeira vez o olhar do tubo e sorriu; aquela história era das que gostava de contar.

"Lembram-se de vos ter dito que foi detectada pátina nos ossários?"

"Claro", anuiu o historiador. "A pátina é um composto químico com que os arqueólogos lidam frequentemente. Chamam-lhe *verdete* e parece que protege os metais da corrosão. E então?"

"A pátina cresce em camadas e funciona de facto como uma concha protectora. Acontece que, se se tornar suficientemente grossa, pode preservar traços de ossos e de sangue seco."

"Foi aí que encontraram o ADN?!"

O olhar de Arkan irradiava luz.

"Nem mais!", exclamou. "Os primeiros investigadores detectaram restos de tecido de mortalha nas pátinas situadas no fundo dos ossários referenciados com os nomes *Yehoshua bar Yehosef* e *Mariamn-u eta Mara*. A mortalha continha vestígios de fluidos corporais internos e lascas de ossos, as maiores das quais não excediam o tamanho de unhas. Este material foi enviado para um laboratório no Canadá especializado em ADN antigo, sem que se explicasse a sua origem para não condicionar os resultados. Os técnicos do laboratório estudaram os vestígios e acharam-nos muito secos e pequenos. Processaram as amostras numa câmara semelhante a esta, onde só se pode trabalhar com escafandros, e concluíram que o ADN estava muito danificado. Não se conseguiu extrair material genético do núcleo das células, pelo que os peritos se concentraram antes no ADN mitocondrial, que passa da mãe para os filhos. O laboratório canadiano teve sucesso na extracção deste tipo de ADN, embora o tenha encontrado muito fragmentado. Comparando vários marcadores, os técnicos detectaram diferenças significativas entre as duas amostras nas sequências A-T e G-C, ou adenina-timina e guanina-citosina, indício seguro de poliformismo."

"O que é isso?", quis saber Tomás com impaciência. "Traduza numa linguagem acessível, por favor."

"Variação genética", esclareceu Arkan. "As parelhas A-T e G-C eram diferentes."

"E então?"

"Os dois indivíduos sujeitos a análise genética não partilhavam a mesma mãe. Ou seja, não tinham relação de sangue, pelo menos por via materna. Por isso, se ocupavam o mesmo sepulcro e os seus ossários foram encontrados lado a lado, provavelmente seriam marido e mulher."

A testa do português contraiu-se num esgar de incredulidade.

"Como?", admirou-se. "O ADN mitocondrial provou que eram marido e mulher?"

"Não, a análise genética apenas provou que não tinham a mesma origem materna", esclareceu o anfitrião. "Que seriam marido e mulher é mera dedução, resultante da disposição dos ossários no sepulcro de Talpiot."

"Estou a ver. Mais alguma coisa?"

"Ficou determinado que o ADN mitocondrial de Jesus era coincidente com o das populações do Médio Oriente."

Os três visitantes acompanhavam embasbacados a explicação, a atenção a dançar entre o tubo de ensaio e Arkan.

"*Dio mio!*", exclamou Valentina, quebrando um longo silêncio. "Miguel Ângelo e todos os pintores enganaram-se! Jesus não era loiro de olhos azuis!"

"Longe disso."

"E... e essas análises de ADN? Foram mesmo feitas?"

O presidente da fundação riu-se.

"Acha que estou a inventar?", perguntou com uma gargalhada. "Foram executadas em 2005 no laboratório de Paleo-ADN da Universidade Lakehead, no Ontário."

Os olhos de Tomás mantinham-se presos ao tubo de ensaio que se encontrava nas mãos do seu interlocutor.

"Foi lá que lhe arranjaram essa amostra?"

Arkan fitou o tubo de ensaio.

"Isto?" Girou o tubo de ensaio na mão enluvada. "Não, esta é outra história."

"Então onde arranjou essa amostra?"

O anfitrião respirou fundo, exalando uma leve nuvem de vapor que por momentos lhe embaciou a máscara do escafandro.

"Depois das primeiras análises feitas no Canadá, a Autoridade das Antiguidades de Israel manteve os ossários encerrados no seu armazém em Bet Shemesh", explicou. "Enquanto tudo isto se passava, eu andava ocupado com projectos relacionados com a paz no Médio Oriente. O lema da minha fundação, como sabem, é um poema de Goethe sobre a paz. Só que as coisas nesse campo não estavam a correr nada bem. O processo israelo-palestiniano era constantemente torpedeado de diversas formas e a guerra alastrava pelo planeta, com os fundamentalistas islâmicos a espalharem o terror por toda a parte e os Americanos a responderem às cegas. Percebi que só um grande golpe de asa permitiria desbloquear esta situação horrível. Mas o quê? Nada parecia resultar e a esperança estava perdida. Até que um dia, encontrava-me eu em casa a ver televisão, vi um documentário sobre os ossários de Talpiot."

"Foi aí que teve a ideia?"

"Não de imediato. Achei as descobertas intrigantes, claro, e na manhã seguinte, já no final de uma reunião com os meus colaboradores na fundação, a conversa derivou para o documentário. Foi então que um dos meus colaboradores, um cristão, fez uma observação que gerou um clique na minha cabeça. E porque não?, pensei eu. De modo que foi assim que nasceu a ideia."

"Que ideia?"

"Já lhe explico. O nosso primeiro passo foi tentar perceber o que se poderia fazer com os ossários. Pelo que eu tinha visto no documentário, o método de recolha das amostras para extracção do ADN deixava muito a desejar. Nós já tínhamos a funcionar aqui em Nazaré este Centro de Pesquisa Molecular Avançada. Na altura o único edifício que existia era o Éden, montado para pesquisas na área transgénica. Queríamos desenvolver milho, trigo e outras plantas geneticamente modificadas de modo a crescerem sem precisarem de muita água. Sempre me pareceu que uma das razões para a violência no nosso mundo está relacionada com a pobreza e a fome, e a produção destes cereais transgénicos seria um contributo valioso da minha fundação para alimentar as populações do terceiro mundo e assim contribuir para a paz entre os homens."

Arnie Grossman impacientou-se.

"Desculpe, mas o que tem essa história da carochinha a ver com a descoberta de Talpiot?"

"Tudo", disse Arkan. "À frente do Departamento de Biotecnologia do centro já contávamos com o professor Peter Hammans, o cientista alemão que vocês conheceram há pouco. Perguntei-lhe se o novo projecto da fundação era viável. Ele enumerou-me as dificuldades, mas também me apontou caminhos para chegar às soluções. Graças aos meus contactos com o governo israelita, consegui autorização para visitar o armazém da Autoridade das Antiguidades de Israel em Bet Shemesh. Contactei o professor Alexander Schwarz, da Universidade de Amesterdão, que me foi indicado como um dos melhores arqueólogos do planeta e perito em arqueologia bíblica, e fui com ele e com o professor Hammans visitar o armazém. Chegámos lá e ficámos de boca aberta. Era um depósito gigantesco, cheio de prateleiras e com mais de mil ossários, todos eles numerados, datados e empilhados do chão até ao tecto. Impressionante!"

Tomás ardia de curiosidade.

"Encontraram os ossários de Talpiot?"

"Demos com eles num canto longínquo do armazém, arrumados em três prateleiras. As condições de preservação não eram, infelizmente, as ideais, mas o professor Hammans percebeu que havia mais fragmentos de ossos conservados no interior das pátinas e isso constituiu uma excelente notícia, porque implicava que essas amostras estavam protegidas. O ADN que flutua naturalmente no ar não as contaminara. Pegámos no ossário 80/503 e trouxemo-lo aqui para Nazaré, prometendo devolvê-lo no prazo de uma semana."

"O 80/503 é o ossário assinalado *Jesus, filho de José*..."

"Correcto. Levámo-lo para um laboratório esterilizado no Éden e começámos a extrair os fragmentos protegidos pela pátina. Estavam muito secos e, tal como tinha acontecido no laboratório canadiano, a extracção do ADN do núcleo das células revelou-se muito difícil. Andámos meses à volta do problema, até que tivemos um incrível golpe de sorte. Uma lasca de osso envolvida em camadas particularmente densas de pátina encerrava duas células intactas. Era um verdadeiro milagre. Com grande cuidado, conseguiu-se extrair o ADN dos núcleos dessas células. Estava quebradiço e apresentava algumas lacunas, o que constituiu uma grande decepção."

"Não era possível reconstituir o ADN completo."

"Esse era de facto o problema. Acontece que o professor Hammans comparou os marcadores dos dois núcleos e percebeu que as rupturas e lacunas se encontravam em pontos diferentes. O que faltava num núcleo, o outro tinha. A esperança renasceu. O professor Hammans disse-me que precisávamos de tecnologia de ponta para, combinando os dois núcleos, reconstituir todo o ADN ali encerrado. Era difícil e levaria tempo, mas não era impossível. Reuni o conselho de sábios da fundação e expliquei-lhes o projecto. Ele foi aprovado e decidimos usar todos os recursos ao nosso dispor para alargar a investigação no nosso Centro de Pesquisa Molecular Avançada à área animal. Construímos a Arca em tempo recorde e dotámo-la do equipamento mais sofisticado que existia, com laboratórios ultramodernos. Começámos a fazer clonagem de animais simples, como salamandras e lagartos. Depois passámos aos mamíferos e a seguir aos primatas, fase em que nos encontramos neste momento."

Valentina franziu o sobrolho.

"Para quê essas pesquisas?"

"Como já lhe expliquei, pretendemos clonar seres humanos", disse. "Será esse o passo seguinte e foi para nos ajudar a resolver algumas dificuldades técnicas que contratámos o professor Vartolomeev."

A italiana fez um gesto largo, a indicar todo o equipamento em redor.

"Nesse caso, este complexo serve para clonar pessoas..."

O presidente da fundação abanou a cabeça.

"Não. Esse é apenas o passo seguinte."

"Então o que estão vocês a tentar fazer? Qual é o objectivo final de todo este exercício?"

A pergunta deixou Arpad Arkan momentaneamente calado. Por detrás do visor, os seus olhos pequenos, como pontos negros entre a penugem das sobrancelhas densas, saltitavam por cada um dos seus interlocutores, avaliando como iriam reagir à revelação. O anfitrião ergueu por fim o tubo de ensaio que segurava na mão, exibindo-o como se fosse um troféu desportivo, e rompeu a curta pausa.

"Vamos clonar Jesus."

LXIX

Um zumbido.

Tudo o que se ouvia no interior do Kodesh Hakodashim era o zumbido monocórdico e ininterrupto dos congeladores e do ar condicionado a funcionar. Sicarius movia-se com mil cautelas, os sentidos despertos e atentos ao menor dos sinais, mas aquela zoada monótona dificultava-lhe a tarefa de localizar o alvo.

"Maldição!", rosnou entre dentes. "Onde estão eles?"

O som constituía uma contrariedade que o deixava enervado, mas não havia nada a fazer e o treino ensinara-lhe que tinha sempre de se adaptar às circunstâncias. Esforçando-se por dominar a irritação, Sicarius internou-se devagar na câmara, o corpo inclinado para a frente em posição de ataque, os olhos a varrerem o espaço em busca de ameaças, a *sica* em punho, pronta a ser usada.

Fazia um frio incrível, o termómetro na parede registava um grau Celsius e as narinas do intruso expulsavam grossas nuvens do vapor; parecia um dragão a exalar fumo de fúria pelo nariz. Definitivamente, não viera preparado para aquelas condições polares e se calhar fizera muito mal em não ter vestido o escafandro. Nesse momento já era tarde, sabia; não tinha de se preocupar com nada daquilo. Só a missão interessava.

Vozes.

Ouviu vozes à distância e quase suspirou de alívio e satisfação. Aqueles sons constituíam indício seguro de que a sua presença não havia sido detectada. Além disso, identificara por fim a posição do alvo. Assim sendo, dispunha de ampla oportunidade para escolher o local da emboscada e o momento mais adequado para atacar. Poderia pedir melhor?

Seguiu a direcção do som da conversa e avançou por um corredor em passo lento, o olhar a disparar para a esquerda e para a direita, preocupado com manter-se invisível. À medida que progredia ia ouvindo as vozes a crescerem, cada vez mais próximas, até que vislumbrou o primeiro vulto. Imobilizou-se, procurando fundir-se com a penumbra. Deu um passo cauteloso para o lado e encostou-se a um armário cheio de ampolas e mergulhado na sombra.

Sentindo-se dissimulado na escuridão, estudou o vulto com cuidado. Era um escafandro branco, cuja máscara ocultava o rosto, dificultando a identificação. Decorria por ali uma conversa e, quando o vulto virou a cabeça para dizer alguma coisa, conseguiu identificá-lo. Era o mestre. Reconfortado por confirmar visualmente a presença do seu aliado, Sicarius deu uns passos em frente e procurou uma outra posição igualmente abrigada, mas com um ângulo mais favorável para observar o que se passava ali adiante.

Do seu novo abrigo o campo de visão alargou-se. Detectou outro vulto e percebeu que se tratava do historiador português. E reconheceu as outras duas figuras. Os alvos estavam enfim todos confirmados e encontravam-se juntos, o que lhe facilitava a tarefa. Dialogavam animadamente uns seis metros adiante, junto a uma mesa e a um frigorífico enorme com a porta aberta, e pareciam discutir alguma coisa relacionada com uma ampola congelada que bailava entre os dedos de um deles.

Era *aquilo*.

Sicarius pôs-se em posição e preparou-se para lançar o ataque.

LXX

Não que a revelação fosse totalmente surpreendente para Tomás. O historiador já havia juntado as peças do *puzzle* e desde que tinha ouvido o professor Hammans explicar as experiências efectuadas no Centro de Pesquisa Molecular Avançada que intuía os contornos do verdadeiro projecto que alimentava aquele complexo científico. Mesmo assim vacilou, chocado, quando confrontado com a formulação crua daquela ideia extraordinária.

"Clonar Jesus?", interrogou-se, atordoado sob o efeito da revelação. "Isso é uma loucura!"

Os dois polícias ao lado mal se conseguiam manter quietos, também eles abalados pela dimensão do que haviam escutado, mas Arpad Arkan mantinha o seu sorriso inocente, como se fruísse de toda a perturbação que ele próprio tinha acabado de suscitar.

"Não vejo porquê."

O historiador voltou-se para Valentina e Grossman, em busca de apoio.

"É uma coisa... sei lá, incrível!" Esboçou uma careta de perplexidade, como se essa fosse a única maneira de expressar a estupefacção que lhe tolhia as palavras. "Jesus clonado? Onde diabo querem vocês chegar com isso?"

Uma serenidade beatífica enchia a face do anfitrião.

"Lembram-se de eu ter falado num encontro que houve na fundação depois de ver o documentário sobre os ossários de Talpiot? Na altura estávamos muito desanimados com a forma agreste como se desenrolavam as relações internacionais. O processo de paz israelo-árabe não atava nem desatava, a Al-Qaeda matava gente por todo o lado, havia guerras no Iraque, no Afeganistão... eu sei lá! Foi nesse quadro depressivo que um dos meus assessores fez a tal observação que desencadeou um clique na minha mente."

"O senhor já falou nisso", observou Tomás, "mas não contou o que ele disse."

"Lembro-me como se fosse hoje. O homem afirmou que, a julgar pela forma como as coisas se encaminhavam, só Jesus seria capaz de restabelecer a concórdia no planeta. Ele estava a gracejar, claro, mas..."

Deixou a frase em suspenso.

"Foi aí que teve a ideia."

"Foi mesmo aí! Ouvi aquela observação e imediatamente pensei na descoberta de Talpiot e no ADN que havia sido encontrado no ossário de Jesus!" Deu uma palmada na cabeça, como se reproduzisse assim o que havia sucedido naquele instante. "Pimba! As peças encaixaram-se na minha mente! E se fosse possível recuperar o ADN completo de Jesus? E se fosse viável cloná-lo? E se Jesus voltasse a caminhar na Terra? O que mudaria? Seria possível a humanidade permanecer indiferente ao regresso do homem cujo pensamento mudara o mundo? Seria Jesus capaz de nos fazer viver em paz? Era uma ideia... como direi? Única. Explosiva. Grandiosa. Tratava-se de uma daquelas epifanias tão extraordinárias e inspiradoras que encerrava o potencial de, por si só, alterar o curso da história. Se Jesus nos mudara ao longo de apenas trinta anos de vida, seria possível que nos mudasse outra vez? Porque não tentar? O que tínhamos a perder?"

O raciocínio de Arkan tornava-se transparente, e toda a actividade da sua fundação também.

"Estou a perceber", murmurou Tomás. "Foi aí que convenceu o conselho de sábios a avançar com o projecto."

"Primeiro consultei o professor Hammans em segredo, para avaliar a viabilidade técnica da ideia. A seguir fomos buscar o professor Schwarz, recrutado também com grande confidencialidade. Só depois de termos ido a Bet Shemesh levantar o ossário 80/503 para análise laboratorial e de termos isolado dois núcleos com os cromossomas de Jesus é que reuni o conselho de sábios e expus a ideia. A primeira reacção foi de choque, como devem calcular, mas os conselheiros acabaram por me apoiar sem reservas. Nasceu assim o Projecto Yehoshua."

"Mas porque o mantiveram secreto?", quis saber o historiador. "Porque não partilharam essa descoberta com o mundo?"

"E atraíamos assim a atenção de todos os fanáticos que por aí andam? E sujeitávamo-nos a actos de sabotagem da parte dos mais variados extremistas? Como reagiriam os fundamentalistas islâmicos e os judeus ortodoxos e os cristãos radicais e mais não sei quem?" Abanou vigorosamente a cabeça. "Não! Se queríamos levar o projecto a bom porto, tínhamos de o manter em segredo. Isso era essencial. E foi o que fizemos. Todo o trabalho decorreu na mais estrita das confidencialidades, o que nos garantiu a tranquilidade necessária para alcançar progressos."

"Contrataram o professor Schwarz por ser um perito em arqueologia bíblica e o professor Vartolomeev devido às suas pesquisas na área genética", disse Tomás. "E a professora Patricia Escalona? Ela era paleógrafa. Para que precisavam dela?"

"Vocês têm de perceber que o Projecto Yehoshua era tremendamente complexo e teve de ser desenvolvido em várias vertentes", explicou Arkan. "Havia uma fortíssima componente científica. Foi para isso que se construiu a Arca e se começou a trabalhar na clonagem animal. Mas o professor Schwarz chamou-me a atenção para um pormenor que não podia ser descurado. Vamos imaginar que conseguíamos resolver o problema dos telómeros curtos, responsáveis pelo envelhecimento prematuro dos animais clonados, e o problema das proteínas coladas aos cromossomas, que impedia a clonagem de primatas. Vamos imaginar que éramos bem sucedidos na clonagem de seres humanos saudáveis. Vamos imaginar que, uma vez ultrapassadas essas etapas todas, estávamos finalmente em condições de clonar Jesus." Fez uma pausa, deixando este cenário instalar-se na mente dos três visitantes. "E se Jesus não fosse nenhum deus? E se a a sua mensagem não fosse aquela que nós pensávamos que era?" Fitou Tomás com intensidade, depois Valentina e por fim Grossman. "Quem era realmente Jesus?"

O historiador assentiu enfaticamente.

"Agora é tudo claro", afirmou. "Precisavam da professora Escalona para responder a essa pergunta."

"O nome dela foi-me sugerido pelo professor Schwarz, que a tinha em elevada consideração. A Universidade Hebraica de Jerusalém estava nessa altura a organizar uma conferência sobre os manuscritos do Mar Morto e convenci os organizadores a convidarem-na. O professor Schwarz marcou de propósito para os mesmos dias uma visita destinada a inspeccionar outros ossários na Autoridade das Antiguidades de Israel, supostamente para um artigo da *Biblical Archaeology Review*, e arranjámos maneira de o Instituto Weizmann de Ciência convidar o professor Vartolomeev para uma palestra na mesma data. Aproveitando a presença simultânea dos três em Israel, chamei-os à Fundação Arkan e tivemos uma longa conversa. Os professores Schwarz e Vartolomeev já sabiam ao que iam, claro, mas para a professora Escalona foi tudo novidade. Explicámos-lhe algumas partes do projecto e ela aceitou juntar-se a nós, prometendo confidencialidade absoluta. No entanto, quando começámos a discutir quem era realmente Jesus, ela soltou uma gargalhada e disse uma coisa que... enfim, disse algo que não vou esquecer."

"O quê? Que disse ela?"

"A professora Escalona explicou-me que o grupo que originalmente seguia Jesus, os nazarenos, não era mais do que uma das várias seitas do judaísmo. O que pelos vistos os distinguiu das restantes seitas judaicas foi um dos seus líderes, Paulo, ter decidido estender a mensagem aos gentios. Ao contrário da maior parte dos judeus, os gentios aceitaram que Jesus era o *mashia* das Escrituras e mostraram-se dispostos a aderir ao movimento, desde que não tivessem de respeitar um conjunto de preceitos judaicos, como não trabalharem ao sábado, não ingerirem alimentos considerados impuros e, sobretudo, ser circuncidados. A professora Escalona sublinhou que estas práticas eram respeitadas e pregadas pelo próprio Jesus. Mas ele tinha morrido e os nazarenos não estavam a conseguir convencer os restantes judeus de que o seu líder crucificado pelos Romanos era o *mashia*. O que fazer? Paulo veio a Jerusalém por volta do ano 50 e convenceu Pedro e Tiago, o irmão de Jesus, a serem flexíveis. Depois de muito debaterem o problema, ficou acordado que os gentios que aderissem ao movimento estavam isentos das obrigações referentes ao sábado, à comida impura e à circuncisão. Removidos estes obstáculos, a mensagem dos nazarenos espalhou-se pelo Império Romano. Foi tão bem sucedida que, em algumas décadas, havia mais gentios a seguirem Jesus do que judeus. Os nazarenos judeus tornaram-se assim minoritários e, sobretudo após a destruição do segundo Templo, no ano 70, perderam poder e passaram a constituir uma mera seita dentro do movimento cristão."

"Eram os ebionitas", disse Tomás, que conhecia bem aquela história. "O seu nome vem de *ebionim*, palavra hebraica que significa *pobres*."

"Precisamente! A professora Escalona explicou-me que os cristãos de origem e costumes judaicos passaram a ser designados ebionitas. Parece que defendiam que Jesus era um homem de carne e osso, nascido de uma relação sexual normal e que Deus o escolhera por ser muito pio e conhecedor da lei. Além de Jesus, os ebionitas reverenciavam o irmão dele, Tiago, e consideravam que Paulo não passava de um apóstata que adulterara os ensinamentos originais. Por fim, aconteceu aos ebionitas uma coisa incrível. Embora fossem herdeiros dos fundadores do movimento e aparentemente portadores da verdadeira mensagem de Jesus, viram-se declarados hereges e marginalizados, acabando por desaparecer dos anais da história!"

"Sim, mas o que lhe disse a professora Escalona de especial? Que comentário foi esse que o senhor nunca mais esqueceu?"

Arkan sorriu.

"Disse-me que, se Jesus voltasse à Terra, a Igreja o declarava herege!"

"*Madonna!*", protestou de imediato Valentina. "Como pode afirmar uma coisa dessas? Jesus, herege? Por amor de Deus!"

"Estou apenas a citar as palavras da professora Escalona", lembrou o presidente da fundação. "Se Jesus voltasse à Terra, a Igreja declarava-o herege. Foram exactamente essas as suas palavras. Ela defendia que a actual mensagem cristã era muito diferente da mensagem original de Jesus. O tom apocalíptico perdeu-se e o contexto judaico também. Mas isso não era necessariamente mau, argumentou ela nessa ocasião. A professora Escalona chamou por exemplo a atenção para o facto de Jesus ser até um judeu ultra-ortodoxo que nem sequer aceitava o divórcio e dizia que uma mulher divorciada que casasse outra vez estaria a cometer adultério. Ora a lei judaica previa a lapidação dos adúlteros, punição que Jesus jamais reprovou. Claro que lhe lembrei logo o episódio da adúltera, em que Jesus disse que atirasse a primeira pedra quem nunca tivesse pecado."

"O problema é que esse episódio é uma fraude", recordou Tomás. "Não consta dos textos originais do Novo Testamento. É um acrescento posterior."

"Foi justamente o que ela me revelou. Ou seja, a mensagem de Jesus era estritamente judaica, para o bem e para o mal. Claro que a lapidação para punir o adultério foi considerada pelos gentios incrivelmente bárbara. Como era possível que Jesus não a tivesse invalidado? Daí que um escriba tenha inventado esse episódio da adúltera, pondo o Messias a anular a lapidação. A professora Escalona disse também que a mensagem universalista não era de Jesus, um judeu que se dirigia especificamente a judeus, mas da Igreja.

E mesmo o amor, que está agora no centro do ensinamento cristão, só é referido uma vez no primeiro evangelho. Ou seja, o cristianismo tornou-se em certos aspectos mais brando que a religião pregada pelo próprio Jesus, o que ela considerava positivo." Suspirou. "Contudo, para os efeitos do nosso projecto, o importante é que ficámos com um problema complicado entre mãos, não é verdade?"

O historiador soltou uma gargalhada.

"Estou mesmo a ver a vossa dificuldade", observou. "E se o Jesus clonado saísse um radical ortodoxo?"

A risada deixou Arkan escandalizado.

"Está a rir-se?", questionou. "Oiça, o problema era muito sério! Nós queríamos clonar Jesus para trazer a paz ao mundo. A intenção era a melhor possível. E o que tínhamos nós ali? Uma historiadora a dizer-nos que o tiro nos podia sair pela culatra! O homem que pretendíamos clonar raciocinava de uma maneira diferente daquela que julgávamos! Jesus era um profeta apocalíptico que achava que o mundo ia acabar a qualquer instante! Jesus tinha uma visão ultra-ortodoxa do judaísmo, afirmando até que não viera para anular as Escrituras, mas para as aplicar com ainda maior rigor do que os próprios fariseus! Jesus chegava a discriminar os gentios!"

"Estou a ver a vossa cara!", disse Tomás. "Como é que reagiram a tudo isso que a Patricia vos revelou?"

"Ficámos em estado de choque, como deve calcular! Imagine a nossa surpresa! Nem queríamos acreditar no que estávamos a ouvir!" Abriu as mãos, imitando a sua própria reacção. "E agora? O que vamos nós fazer? Como resolvemos este problema?" Retomou a postura normal. "Foi então que o professor Schwarz nos chamou a atenção para o facto de Jesus ser um produto da cultura judaica que impregnava a sociedade onde nasceu e cresceu. Se o homem que nós queríamos clonar fosse educado num ambiente diferente, isso iria decerto moldá-lo de outra maneira. No fim de contas, somos quem somos devido aos nossos genes, mas também às circunstâncias que nos rodeiam."

"Muito verdadeiro."

"Portanto, o Projecto Yehoshua mantinha-se válido. Tínhamos, no entanto, de ser cautelosos com a forma como iríamos educar o clone. Precisávamos de estabelecer uma estratégia educativa que se adequasse à sua personalidade. Mas que personalidade era essa? Será que podíamos determiná-la previamente com um mínimo de rigor? A professora Escalona, que era uma das paleógrafas mais qualificadas do mundo, disse-nos que talvez isso fosse possível. Segundo ela, o Novo Testamento contém informação relevante e credível sobre o Jesus histórico, desde que os textos sejam submetidos a um crivo crítico impiedoso. O que tínhamos a fazer era identificar os manuscritos mais antigos para extrair deles a informação mais próxima dos acontecimentos, de modo a obter um retrato fiel de Jesus." Calou-se momentaneamente para fitar os seus três interlocutores. "Estão a perceber?"

Tomás balançou afirmativamente a cabeça, os olhos desfocados no momento em que tudo compreendeu.

"Vocês decidiram proceder a um levantamento de todos esses manuscritos e da informação mais autêntica que era possível extrair deles", concluiu. "E era justamente isso o que a Patricia estava a fazer na Biblioteca Vaticana e o professor Schwarz na Chester Beatty Library."

Arpad Arkan respirou fundo, como se enunciar aquela missão bastasse para lhe tirar de cima um fardo.

"É isso mesmo!", exclamou. "Mas as coisas começaram a correr terrivelmente mal. A professora Escalona foi assassinada em Roma e o professor Schwarz em Dublin. Quando me deram a notícia, logo pela manhã, devo ter envelhecido dez anos em apenas um minuto. E no dia seguinte veio a informação relativa à morte do professor Vartolomeev em Plovdiv. Foi como se o céu me desabasse em cima da cabeça! O que se estava a passar? Os elementos da equipa do Projecto Yehoshua andavam a ser degolados!? Mas por quem? E porquê? Entrámos em pânico na fundação. O projecto estava sob violentíssimo ataque e nós não tínhamos maneira de saber quem o conduzia e quais as suas motivações. Era evidente que a informação sobre o que estávamos a fazer já transpirara cá para fora e caíra nas piores mãos possíveis. Mas nunca nos passou pela cabeça que as coisas chegassem a esse ponto. Estávamos a mergulhar no abismo."

O historiador mudou de pé de apoio.

"Porque não contou de imediato tudo à polícia?"

"Reuni o conselho de sábios da fundação e ponderámos essa hipótese", admitiu o anfitrião. "Acabámos por rejeitá-la porque achámos que isso iria torpedear definitivamente o projecto. A Fundação Arkan é uma organização que tem a paz como lema e que se esforça por promover acções que ponham fim à conflitualidade no nosso planeta. O Projecto Yehoshua é uma pedra central nessa missão. Ao trazer Jesus de regresso à Terra, iremos prestar o melhor e mais inestimável dos serviços à humanidade. Se contactássemos a polícia para dar essas informações, o projecto deixaria de ser secreto e a missão ficaria irreversivelmente comprometida. Residia aí o cerne do nosso dilema. Deveríamos cooperar com a polícia e arruinar o projecto ou manter-nos silenciosos e tentar salvar um projecto que pode ser crucial para a paz no planeta? O que era mais importante? Qual o nosso dever prioritário?"

"Estou a ver o conflito", observou Tomás. "Não se tratava realmente de uma posição fácil..."

"Nada fácil!", sublinhou Arkan. "Depois de uma grande discussão, concluímos que a paz no mundo estava acima de tudo e por isso escolhemos manter o projecto em segredo." Apontou para o português e para a italiana. "Daí que, quando há dias vocês me apareceram lá na fundação, tenha optado por me manter calado a propósito de tudo isto. Mas o facto é que este caso me deixou com os nervos à flor da pele e... enfim, receio ter-me exaltado um pouco durante a nossa conversa. Espero que me desculpem."

O historiador trocou um sorriso cúmplice com a inspectora da Policia Giudiziaria.

"Oh, não há problema."

O olhar de Arkan desviou-se para o tubo de ensaio que mantinha entre os dedos.

"Claro que agora há uma outra questão que..."

As palavras do anfitrião foram nesse momento interrompidas por um grito estranho, arrancado com uma mistura sinistra de selvajaria e loucura. Os quatro viraram-se e viram um homem de negro aparecer com um objecto cintilante numa das mãos.

E a morte no olhar.

LXXI

Embora parecesse um halo fantasmagórico de luz a tremeluzir no ar, a lâmina cortou o espaço com a precisão de uma bala e cravou-se com um ruído seco no braço de Arkan. O presidente da fundação largou de imediato o tubo de ensaio e soltou um urro de dor e de terror.

Acto contínuo, o corpo de Sicarius, que vinha em voo a empunhar a adaga, abateu-se com todo o seu peso sobre a vítima. Desequilibrado pela dor no braço e pelo impacto inesperado, Arkan desabou desamparado sobre o congelador aberto e embateu com a cabeça no gelo, perdendo a consciência.

O tubo de ensaio tombou no solo e, devido à sua estrutura cilíndrica, começou a rolar pelo chão. Apercebendo-se de que o objecto se escapava, o agressor hesitou uma fracção de segundo quanto ao que fazer a seguir. O seu primeiro instinto foi apanhar o tubo de ensaio, a prioridade da missão, mas travou o movimento. Antes teria de neutralizar as restantes ameaças.

A hesitação, porém, foi tudo aquilo de que Tomás precisou para recuperar da surpresa e reagir. O português reconheceu os movimentos do atacante; era de certeza o homem que lhe fizera a emboscada no seu quarto de hotel e quase o havia degolado. Na altura apercebera-se da grande destreza e força física do agressor, pelo que não tinha dúvidas de que ele seria capaz de os matar aos quatro em menos de dois minutos. A sua única hipótese era tirar partido do desequilíbrio momentâneo do desconhecido e não lhe dar tempo para recuperar.

Sem perder um instante que fosse, e consciente de que a vulnerabilidade do atacante era passageira, o historiador aproveitou o facto de Sicarius se encontrar de gatas sobre o corpo inerte de Arkan para lhe desferir um violento pontapé no rosto com a biqueira do sapato.

"Toma!"

Atingido pelo impacto brutal do pontapé, o agressor deu uma cabeçada para trás e rolou pelo chão. O ataque seria suficiente para deixar qualquer um fora de combate por alguns minutos, mas não aquele homem. O desconhecido pôs-se de pé num salto e apalpou o rosto dorido. O nariz estava torto, decerto partido, e jorrava-lhe sangue abundante pela narina esquerda. Tocou na ferida, sentiu uma dor lancinante e olhou para o líquido vermelho-vivo que lhe molhava a ponta dos dedos. Atirou de imediato um olhar de morte ao homem que o pontapeara, como se a partir desse instante aquilo já não fosse uma mera missão, mas uma questão pessoal.

"Vais pagar caro!..."

Tomás apercebeu-se de que tinha perdido quase toda a vantagem. Havia atingido o atacante com o máximo de força de que era capaz e não o pusera fora de combate.

Ele ficara combalido, era certo, mas já estava de pé e, de nariz torcido e ensanguentado, fitava-o com um ódio indisfarçável. Não havia dúvidas de que, mesmo ferido daquela maneira no rosto, a sua capacidade de combate era infinitamente superior à de qualquer outra pessoa naquela câmara.

Havia, porém, um pequeno trunfo que talvez permanecesse do lado do português. Tratava-se do tubo de ensaio que rolara pelo chão. Até que ponto era o ADN de Jesus precioso para o agressor? Com um movimento rápido, Tomás baixou-se e apanhou o objecto congelado. Quando se ergueu, viu o assaltante dar um passo na sua direcção, uma expressão letal estampada no rosto.

Talvez pegar no tubo de ensaio não tivesse sido uma ideia tão boa como inicialmente considerara, raciocinou. O homem parecia valorizar o conteúdo do invólucro acima de tudo o mais; afinal fora Arkan, que antes o segurava na mão, o primeiro a ser atacado. Se até àquele momento Tomás não tinha passado de um mero obstáculo, com o pontapé que desferira e o tubo de ensaio em que pegara tornara-se definitivamente o alvo a abater.

O historiador sentiu a indecisão tolher os dois polícias perante os acontecimentos inesperados que se sucediam a velocidade estonteante, mas sabia que não havia tempo a perder. Grossman e Valentina não tinham visto o agressor em acção e não podiam perceber quão perigoso ele era. Tomás, porém, já experimentara na pele um ataque daquele homem e tinha a perfeita noção do perigo que todos corriam. Ao pegar no tubo de ensaio congelado tornara-se ele próprio inadvertidamente o cordeiro sacrificial.

Que o fosse, pensou; o importante era que Valentina se salvasse!

"Dê-me o tubo de ensaio!", ordenou a italiana, estendendo--lhe a mão. "Já!"

Isso estava fora de causa, raciocinou o português. Entregar o tubo a Valentina era fazer dela o principal alvo do agressor. Isso Tomás não podia de modo algum permitir. A italiana não tinha hipótese alguma se o assaltante virasse para ela a sua atenção.

Sabendo que não dispunha de capacidade física ou treino militar que lhe permitisse enfrentar a verdadeira máquina de combate que dava agora o segundo passo na sua direcção, voltou-se e começou a correr, o tubo de ensaio bem seguro na mão esquerda. Sentiu a confusão atrás dele e escutou passos e uma respiração ofegante. Não precisava de virar a cabeça para saber que o desconhecido vinha no seu encalço.

"*Stop!*"

O grito gutural do homem apenas serviu para assustar ainda mais Tomás. O historiador meteu pelo corredor formado por maquinaria e outros congeladores, todos eles decerto a preservar diferentes tubos de ensaio com material genético de grande raridade. Não era fácil correr com o corpo envolto num escafandro, duas botijas de respiração às costas e a visão limitada por um visor. Mas a adrenalina ajudou-o, dando-lhe forças adicionais. Ao chegar ao final do primeiro lanço, guinou bruscamente para a esquerda e depois para a direita, e meteu por um corredor paralelo.

Virou a cabeça de lado, num esforço para localizar o seu perseguidor através da visão periférica que o visor lhe permitia, mas não o avistou. Sentiu naquele instante, sem que o tivesse planeado, que estava diante da oportunidade de que precisava. Tinha de a aproveitar.

Com um movimento rápido, estacou junto de uma prateleira com material de laboratório e suspendeu o tubo de ensaio com o ADN de Jesus numa pequena estrutura metálica de onde pendiam outros recipientes semelhantes. Que melhor sítio poderia existir para esconder a amostra congelada que em tão má hora apanhara do chão?

Sem perder mais tempo, retomou a corrida pelo corredor. Por esta altura começara já a perceber que precisava de um plano. Correr não seria suficiente; chegaria um momento, mais cedo ou mais tarde, em que o seu perseguidor o apanharia. O que fazer? O ideal seria sair dali, era evidente. Mas como? A câmara estava bloqueada pela porta blindada e para escapar precisava de a franquear.

Era verdade que, naquele grupo, apenas Arpad Arkan conhecia a senha de segurança que destrancaria a porta, mas Tomás acreditava que já adivinhara o segredo. Assim, tudo se resumia a chegar ao local e ter tempo suficiente para inserir a senha e abrir a porta. Depois fugiria e deixá-la-ia aberta, permitindo assim a passagem do assaltante no seu encalço. Era a melhor forma de se assegurar de que ele não atacava os seus três companheiros. Não que o português estivesse particularmente preocupado com Arkan ou Grossman; era Valentina que o enchia de cuidados.

Ao chegar ao fundo do corredor flectiu para a direita. Já dispunha de um plano; cabia-lhe agora executá-lo. Não seria fácil, mas não era impossível. Primeiro precisava de alcançar a porta blindada e tinha ideia de que a entrada se situava algures na direcção para onde corria. Conseguiria chegar lá?

Nesse instante apercebeu-se de que perdera o rasto do seu perseguidor e ficou na incerteza, incapaz de determinar se isso era bom ou mau. Seria bom se significasse que o conseguira ludibriar, mas foi assaltado pela dúvida. Era verdade que escapara graças à sua admirável rapidez de reacção. Porém, estava consciente de que não tinha sido assim tão rápido a movimentar-se. Como se explicava então o súbito desaparecimento do agressor?

Um vulto materializou-se de repente diante dele, cortando-lhe o caminho e dando-lhe resposta à pergunta.

"Tinhas saudades minhas?"

Era o assaltante, com a sua voz rouca, quase raspada. A última vez que a escutara fora no quarto do American Colony, o hotel em Jerusalém, soprada num murmúrio sinistro pelos lábios que então lhe colara ao ouvido num abraço de morte. Desta vez as palavras já não eram murmuradas, mas disparadas com a arrogância e a altivez de um caçador, a voz sempre com um timbre tenebroso.

Tentou travar a corrida e voltar para trás, mas patinou no chão escorregadio da câmara como numa pista de gelo e espalhou-se pelo piso frio. Viu o desconhecido saltar para cima dele e foi nesse instante que soube que estava perdido.

LXXII

O desconhecido caiu-lhe em cima e desferiu-lhe um potente murro no abdómen, que, apesar de amortecido pelo escafandro, apanhou Tomás em cheio no fígado e o deixou dobrado no chão, em posição fetal, quase sem ar e a contorcer-se de dores.

"Esta foi para te parar", rosnou o assaltante. "E esta agora é a paga pelo pontapé de há pouco."

O historiador sentiu o escafandro ser sacudido com violência e o visor abrir-se de repente, expondo-o ao ambiente exterior. Uma lufada de ar muito frio envolveu-lhe o rosto, seguida por uma pancada brutal que o fez embater com a nuca nos pés de uma estrutura de armazenagem de bidões de plástico.

"Ai!"

Sentiu uma dor nascer-lhe entre o malar esquerdo e o olho e tomou consciência de que fora pontapeado no rosto. Dobrou-se instintivamente, recolhendo-se de novo na posição fetal e cobrindo a cabeça com os braços, à espera de novos pontapés. Em vez disso, uma dor no couro cabeludo, como se lhe estivessem a arrancar os cabelos pela raiz, forçou-o a içar a cabeça da concha protectora que o corpo formara. Viu o rosto do assaltante perto dele e percebeu que o homem o puxava pelos cabelos.

"Espero que tenhas apreciado a retribuição", sorriu Sicarius sem humor, o nariz de lado e ensanguentado. "Lá dizem as Escrituras em Levítico 24:20: 'Fractura por fractura, olho por olho, dente por dente; conforme ele tiver feito a outro, assim se lhe fará.'" O sorriso transformou-se num esgar ameaçador. "Onde está o tubo de ensaio?"

Tomás abanou a cabeça.

"Não sei."

O agressor esmurrou-o sem aviso prévio no malar esquerdo, exactamente o sítio onde o pontapé de vingança o atingira momentos antes.

"Fala!"

Literalmente a ver luzinhas, o português sentiu o impacto doloroso do soco sobre a parte esfacelada do rosto e libertou um longo grito de dor. Teria o malar fracturado? A dor era tão grande e intensa que só podia pensar que sim.

"O tubo de ensaio?", voltou a perguntar Sicarius, erguendo de novo o punho para preparar mais um murro no mesmo sítio. "Onde está?"

O primeiro soco fora tão doloroso que estava fora de questão manter a recusa de responder. Tomás indicou com um ligeiro movimento de cabeça o corredor de onde viera.

"Lá atrás", murmurou, ofegante e dorido. "Escondi-o lá atrás."

O agressor fixou os olhos no fundo do corredor.

"Macaco esperto", murmurou. Pegou na sua vítima pelo tecido do escafandro e forçou-a a pôr-se de pé. "Levanta-te! Leva-me até lá e mostra-me onde o escondeste!"

Segurando Tomás pela parte de trás do escafandro, de modo a garantir que ele não lhe fugiria, Sicarius empurrou-o ao longo do corredor pelo caminho de regresso. O historiador cambaleou sob o efeito do pontapé e do murro que o haviam atingido na face, mas conseguiu manter-se de pé e, embora aos tropeções, começou a andar.

Tentou ver o percurso diante dele, mas apercebeu-se de que apenas o olho direito funcionava normalmente. Fechou-o por momentos, para determinar a capacidade de visão com o esquerdo. Apenas enxergou uma mancha indistinta e constatou que esse olho mal se abria. Estava decerto inchado, mas um receio maior toldou-lhe o espírito. Tê-lo-ia perdido? Era difícil saber, mas o facto é que as pancadas haviam sido muito violentas. Lembrou-se das palavras do assaltante, que citara as Escrituras. Os versículos de Levítico falavam em 'olho por olho, dente por dente'; naquele caso tinha antes sido nariz por olho.

"Mais depressa!", ordenou Sicarius, empurrando-o. "Onde está o tubo de ensaio?"

Tomás precisava de um novo plano, e depressa. Mas o que poderia fazer? Como poderia improvisar uma fuga naquelas condições, cego do olho esquerdo e prisioneiro de um guerreiro implacável? Haveria alguma maneira de dar a volta à situação? Se ao menos tivesse uma arma! Mas não. Apenas dispunha das mãos e elas eram o menor dos receios do seu agressor. Não havia murro que lhe pudesse dar que o pusesse *knock-out*. Tomás sabia-o e o assaltante também. Talvez conseguisse desferir um soco de surpresa, mas depois sujeitar-se-ia à retaliação.

Enquanto considerava as alternativas e tentava desesperadamente congeminar um novo plano, chegaram ao local onde o historiador havia escondido a amostra congelada.

Ali estava, sobre uma prateleira, a estrutura metálica com os diversos tubos de ensaio. Um deles era o que continha o ADN de Jesus. Deveria parar e entregar-lhe a amostra? Ou seria melhor continuar? Mas o que ganharia com isso quando o seu agressor se apercebesse de que estava a fazer-se de parvo? O hematoma no malar e o inchaço no olho esquerdo aguentariam mais alguma pancada?

"É aqui", anunciou com voz baixa, em rendição. Apontou a estrutura metálica com os tubos de ensaio e suspirou, claramente derrotado. "É um destes."

A atenção de Sicarius desviou-se para a fileira de tubos de ensaio pendurados na estrutura.

"Qual deles?"

Tomás voltou-se, aparentemente para indicar a amostra correcta, mas desferiu de repente um soco com a mão direita em cheio no nariz do assaltante. Em circunstâncias normais levaria de imediato com a resposta, provavelmente mortífera. Mas aquelas circunstâncias não eram normais, e o português sabia-o bem. É que o nariz de Sicarius estava partido, o que o tornava especialmente sensível ao mais pequeno toque, quanto mais a um murro.

E que murro! Por baixo da luva do escafandro, a mão direita de Tomás estava envolta em ligaduras. Tinham sido colocadas no hospital de Jerusalém para proteger a palma da mão da ferida feita quando agarrara a adaga do assaltante durante a agressão no quarto do hotel. Com as ligaduras a envolverem a mão, o punho do historiador tornou-se especialmente duro e perigoso; era como se tivesse uma socadeira metálica escondida na luva.

O impacto do punho endurecido pelas ligaduras revelou-se, por isso, brutal, sobretudo considerando que o soco atingira o nariz partido. Sicarius caiu para trás, estendeu-

-se no chão, as mãos agarradas ao rosto ferido, o corpo a contrair-se de dor.

"Aaaaah!", gritou. Fez um esforço hercúleo e, apesar do sofrimento, voltou a erguer-se, embora com equilíbrio instável e os olhos cerrados. "Vou matar-te, cão!"

A ideia de Tomás era deixar o seu agressor estendido e fugir dali, mas o homem revelava uma resistência espantosa e já se pusera de pé. Dentro de alguns instantes teria a dor sob controlo e, quando isso sucedesse, não haveria modo de o travar. O historiador sabia-se perdido. Era uma questão de segundos.

Sentiu-se tentado a correr dali para fora, mas instintivamente percebeu que a fuga apenas adiaria o inevitável. Quando recuperasse, o assaltante iria no seu encalço e dessa vez nada o deteria. A situação tinha de ser resolvida nesse momento, enquanto o homem permanecia atordoado pela dor. Não haveria uma nova oportunidade.

O português pegou num tubo de ensaio vazio e, com uma palmada desferida pela mão protegida pelas ligaduras, partiu-o em duas partes. Pegou no tubo e contemplou-lhe as bordas estilhaçadas de vidro. Tornara-se uma verdadeira lâmina. Sem perder tempo, e consciente de que naquele momento jogava a própria vida numa derradeira cartada, voltou-se para o agressor e, com toda a força, espetou-lhe o tubo de ensaio estilhaçado na garganta.

Os jactos de sangue jorraram em golfadas do pescoço de Sicarius. A garganta do assaltante emitiu um som ensopado, como se os canais de respiração fossem invadidos pelo líquido vermelho. O homem voltou a cair, contorcendo-se num esforço desesperado para respirar, dando pontapés desencontrados nos móveis que emparedavam o corredor. Ao fim de alguns segundos os estertores tornaram-se espaçados e, após um derradeiro espasmo das pernas, o sangue deixou de esguichar para o chão e o corpo ficou imóvel.

Tomás deixou-se tombar de joelhos, exausto devido ao esforço. Acabara de matar um homem. Era a primeira vez que o fazia e virou-se introspectivamente para ele próprio, tentado perceber o que sentia. Nada. Matara um homem e não sentia nada. Era estranho, mas o que fizera não o incomodava. Talvez fosse por causa do cansaço e das dores no rosto esmurrado e na mão direita que esmurrara. Ou talvez fosse por saber que acabava de vingar a sua amiga Patricia Escalona, degolada como um cordeiro sacrificial por aquele assassino. Ou se calhar, porque não?, o que sentia era alívio por ter morto o agressor porque isso significava que ele já não poderia fazer mal a Valentina.

Acima de tudo, a morte do assassino queria dizer que o maldito pesadelo terminara por fim.

"Professor Noronha?"

A voz do inspector-chefe Grossman parecia vir do fundo de um túnel. Tomás permanecia ajoelhado diante do cadáver de Sicarius, o coração a bater com força e a respiração ainda ofegante, libertada a espaços com nuvens de vapor, como um cavalo arquejante após a corrida. Sentiu o próprio corpo e verificou que recuperara um pouco as forças. Depois concentrou-se nas palavras que acabara de ouvir. A voz do polícia israelita viera de trás das suas costas. Depois de respirar fundo mais uma vez, o historiador pôs-se a custo de pé.

"Está tudo bem", disse. "Ele já não nos fará mal."

"Onde está o tubo de ensaio?"

O historiador voltou-se devagar para trás e viu o corpo de Grossman recortado pela luz ao fundo do corredor. A mão segurava um objecto com um cano curto. Como só tinha o olho direito a funcionar, levou alguns instantes a perceber que se tratava da pistola que o polícia trouxera para o interior do complexo.

"É um pouco tarde para usar a arma, não acha?", perguntou com sarcasmo. "O assassino já morreu." Arfou, numa tentativa de normalizar a respiração. "Isso tinha dado jeito era há pouco!..."

Ao fundo do corredor, Grossman puxou uma outra figura para junto dele e colou-lhe a ponta do cano da pistola à cabeça. Tomás pestanejou com o olho direito, tentando certificar-se de que estava a ver bem. O polícia israelita tinha a arma apontada à cabeça de uma figura de escafandro que, naquelas condições, era difícil reconhecer.

"O tubo de ensaio?", voltou a perguntar Grossman. "Vai dar-mo a bem ou só por cima de mais este cadáver?"

Pelo registo ameaçador da voz, o historiador percebeu que o inspector-chefe não brincava. Tinha a pistola voltada para uma pessoa e ameaçava abatê-la se não lhe fosse entregue o que queria. Ver através de apenas um olho numa atmosfera tão fria e com metade da face a arder de dor era tarefa difícil, mas Tomás esforçou-se por destrinçar o rosto do alvo de Grossman que o visor do escafandro escondia.

"Faça o que ele diz", implorou a figura ameaçada. "Por favor! Senão ele mata-me!"

Ao escutar aquela voz, o académico português reconheceu finalmente a pessoa que o israelita ameaçava e sentiu nesse momento o coração apertar-se de medo e angústia.

Era Valentina.

LXXIII

Uma estranha mistura de desânimo e fúria e desespero apossou-se de Tomás no momento em que tomou consciência de que Arnie Grossman ameaçava Valentina de morte, uma pistola apontada à cabeça, os corpos das duas figuras recortados como sombras espectrais diante da luz que banhava o fundo do corredor.

"O que diabo está a fazer?", perguntou o historiador, tentando impor alguma ordem racional naquele caos. "Baixe essa arma!"

O inspector-chefe da polícia israelita abanou a cabeça. "Primeiro dê-me o tubo de ensaio!"

O português tinha passado um mau bocado com o agressor de negro e pensara que a morte do homem tinha posto fim ao pesadelo. O que via diante dele, todavia, mostrava-lhe que o pior talvez ainda estivesse para vir. Uma coisa era enfrentar e matar um desconhecido, outra era ser traído por alguém em quem confiara.

O que deveria fazer? A situação com que se confrontava era inesperada. O que se passava mostrava-lhe que o seu quadro de referências estava errado. Grossman não era um aliado, mas um inimigo, e ele precisava de avaliar o seu novo antagonista. Tinha de o obrigar a falar, percebeu; só assim poderia obter informação que o ajudasse a enxergar o melhor caminho para sair daquela situação.

"Como sei que, se lhe der o tubo de ensaio, o senhor não a mata na mesma?"

Grossman empurrou a pistola contra a cabeça da italiana, reforçando a ameaça sobre ela.

"Não se meta em joguinhos comigo", avisou. "Tenho o dedo impaciente por carregar neste gatilho!..."

Tomás virou-se para contemplar o corpo de negro estendido atrás dele e depois voltou-se novamente para o polícia; dadas as circunstâncias, o seu raciocínio não era dos mais rápidos, mas tornara-se evidente que havia uma ligação entre aqueles dois.

"O senhor também é um *sicarius*?"

O israelita riu-se.

"Você sempre foi muito perspicaz", observou. "O seu azar é que isso já não o vai ajudar." O seu rosto endureceu de novo. "O tubo de ensaio?"

O olho inchado começou a doer com mais intensidade e o historiador esboçou um esgar de sofrimento e acariciou a ferida, como se assim conseguisse aplacar a dor.

"Porquê?", perguntou. "Porquê tudo isto? Porquê matar a professora Escalona e os outros dois? Porquê atacar-me a mim e a Valentina? O que se está a passar? O que querem vocês?"

"Queremos a nossa história", replicou Grossman num tom subitamente zangado. "Queremos a nossa cultura! Queremos a nossa dignidade! Queremos a nossa terra sagrada!"

Tomás fez uma careta de incompreensão.

"Mas alguém aqui pôs isso em causa?"

"Todos os dias! Vocês, os cristãos, apoderaram-se das nossas Escrituras, apoderaram-se do nosso passado, e agora querem apoderar-se do nosso futuro. Isso nunca permitiremos. Os *sicarii* organizaram-se no século I para enfrentar a ameaça romana. Uma nova ameaça paira sobre Israel, mas nunca nos entregaremos sem lutar!"

"Está a falar de quê? Que ameaça representavam as vítimas dos vossos ataques? Que ameaça represento eu? Que conversa é essa?"

O polícia israelita fez um gesto a indicar o espaço em redor.

"Todo este projecto é uma ameaça!", exclamou. "Se ele for para a frente, é uma ofensa aos judeus e uma ameaça à sobrevivência de Israel. O nosso governo recusa-se a ver isso, mas nós, os *sicarii*, tal como os nossos antepassados há dois mil anos, não deixaremos que se usurpe esta terra que Deus nos deu!"

Tomás sacudiu a cabeça, como se nada do que escutava fizesse o menor sentido.

"Como é que um projecto para clonar Jesus é uma ameaça a Israel? Desculpe, mas não entendo!..."

"Vocês, os cristãos, têm de perceber uma coisa", disse Grossman. "Deus escolheu os judeus e fez connosco uma aliança sagrada. Há dois mil anos apareceu um rabino judeu chamado Yehoshua, ou Jesus, que defendia o respeito escrupuloso das Escrituras e da vontade soberana de Deus. O que fizeram os seus seguidores com os ensinamentos dele? Deturparam-nos! Puseram-no a decretar a ab-rogação das Escrituras, coisa que em vida Jesus jamais fez nem autorizaria. Chegaram ao cúmulo de o transformar num deus, adorando-o como a um ídolo pagão e violando da forma mais desavergonhada o Shema, a declaração de que só há um Deus, o mesmo Deus que o próprio Jesus considerava único e que vocês transformaram numa trindade. Como se esse ultraje não bastasse, os cristãos apoderaram-se das nossas Escrituras e usurparam as nossas tradições. E o que querem fazer agora com este projecto louco? Querem repetir tudo! Querem recriar Jesus e educá-lo de maneira que ele apenas diga e faça o que vocês consideram ser correcto. Mas o que está correcto não é o que vocês pensam, é o que Deus determinou e mandou escrever nas Escrituras, as mesmas Escrituras que Jesus respeitava até ao último jota! Com a palhaçada deste projecto, pretendem apagar da memória o facto de que Jesus era judeu e apenas judeu, e planeiam fazer dele o cristão que ele não era. Este projecto não passa de uma fantochada destinada a transformar Jesus numa marioneta que irá papaguear o que interessa a um grupo de pessoas. Que acontecerá a Israel no meio desse processo? Será varrido por um vendaval! Vocês vão pôr esse novo Jesus a decretar a paz no mundo, como se a paz se impusesse por decreto e os problemas complexos se resolvessem por artes mágicas. Seguindo a liderança do Jesus clonado e pacifista, o Ocidente cristão deixará de nos apoiar e Israel ficará à mercê do extremismo islâmico. Por detrás das boas intenções estão desígnios que nos arrastarão para o abismo."

"Se pensa assim, porque não denunciou o projecto? Porque não fez uma campanha ou recorreu aos tribunais? Não era isso preferível a estes assassínios todos?"

Grossman soltou uma nova gargalhada sem humor.

"Fazer uma campanha? Recorrer aos tribunais? Acha que sou parvo ou quê? Quem me ouviria? Como decerto muito bem sabe, a maior parte das pessoas tem uma ideia errada sobre Jesus. Os cristãos desconhecem que Cristo não era cristão! Se eu aparecesse em público a dizer que alguém estava a tentar clonar Jesus para trazer a paz à Terra, haveria protestos? Provavelmente suscitaria um aplauso generalizado no Ocidente! Quem se iria opor a isso? As pessoas não têm a menor ideia de quem Jesus era realmente nem de quão ameaçador tal projecto seria!" Abanou a cabeça. "Não! Isto não podia ser tratado assim! Era preciso cortar o mal pela raiz! Era preciso actuar como os *sicarii* actuaram há dois mil anos!"

"Mas a alternativa foi pior", argumentou Tomás. "Vocês puseram-se a assassinar pessoas! Não é isso bem mais grave?"

"Não se fazem omeletas sem partir ovos", devolveu o polícia. "Quando tive a informação de que este projecto tinha sido posto em marcha, avisei os meus superiores hierárquicos e tentei convencê-los a travar esta loucura. Sabe o que fizeram? Riram-se! Riram-se na minha cara, os idiotas! Mesmo assim arranjei maneira de informar o governo. Sabe o que disse o primeiro-ministro de Israel? Que se tratava de uma iniciativa positiva!" Bateu com o indicador na testa. "Está tudo louco! As pessoas não têm a menor noção do que realmente significa esta ideia de clonar Jesus! Se uma coisa dessas se concretizasse, as consequências seriam desastrosas!" Abanou a cabeça com veemência. "Não! Isso eu não podia permitir! E não permiti! Do mesmo modo que no século I os *sicarii* se ergueram para defender Israel, nós erguemo-nos hoje para fazer o mesmo. Se ninguém mais o queria fazer, nós fá-lo-íamos. E fizemos!"

"*Nós* quem?"

"Nós, os *sicarii* renascidos."

Tomás indicou o corpo estendido no chão.

"E ele?"

"O Lev?", perguntou Grossman. "Pobre diabo!" Olhou com melancolia para o cadáver. "Conheci-o no Líbano, durante uma operação nas montanhas contra o Hezbollah. Pertencia a uma unidade especial do Tsahal e era um ás com as lâminas. Uma vez infiltrou-se sozinho numa gruta e, armado apenas com uma faca de mato, eliminou um pelotão inteiro de *mudjahedin*. A guerra deixou-o afectado, coitado. Acolhi-o sob a minha protecção, dei-lhe orientação religiosa e fiz dele um *sicarius*." Ergueu os olhos para Tomás. "Não sei como o senhor conseguiu matá-lo, nem isso interessa. Deus assim o quis." Desviou a atenção para o equipamento instalado naquela câmara. "Cabe-me agora a mim pôr fim a este infeliz projecto."

"O que vai fazer?"

"Isso é comigo." Estendeu a mão. "Vá lá! Entregue-me o tubo de ensaio!"

"Quem me garante que, uma vez na posse do ADN de Jesus, o senhor não mata a Valentina na mesma e a seguir me mata a mim?"

A atenção do polícia desviou-se para a italiana e depois regressou ao português.

"Vamos fazer assim", propôs. "Vou deixar aqui a nossa beldade afastar-se. Mas você fica onde está. Quando ela sair da minha mira, você entrega-me o tubo de ensaio. Parece-lhe bem?"

"Que garantias tenho eu de que não me mata e depois vai atrás da Valentina?"

A italiana, até ali imóvel com o cano da pistola encostado à cabeça, quebrou o seu mutismo.

"Não se preocupe comigo, Tomás", disse ela numa voz tranquila, como se estivesse senhora da situação. "Não se esqueça de que sou polícia e tenho treino de combate. Se me conseguir afastar, este tipo não me volta a ameaçar. Só aqui estou porque me apanhou de surpresa. Garanto-lhe que ele não terá segunda oportunidade."

O historiador não pôde deixar de admirar a coragem e a serenidade dela. Era extraordinário como, com uma arma apontada à cabeça, Valentina se mantinha segura e sem mostrar o menor vestígio de medo. Estaria a ocultar o receio ou aquela manifestação de segurança seria verdadeira? Fosse como fosse, o sangue-frio que exibia não deixava de impressionar.

"Tem a certeza?"

A italiana assentiu.

"Absoluta!", garantiu. "Esta câmara está cheia de químicos altamente inflamáveis, já reparou? Avistei ali material com o qual posso fabricar uma arma letal em apenas trinta segundos. Dê-me trinta segundos a sós e asseguro-lhe que este doido não voltará a ter-me na mira."

Tomás ponderou toda esta informação e, com base nela, começou a arquitectar um plano. O problema seria convencer Grossman. Que interesse poderia ter ele em deixá-los escaparem-se?

"Muito bem", disse com um suspiro na direcção do israelita. "Eu entrego-lhe o tubo de ensaio que contém o ADN de Jesus. Mas primeiro terá de deixar a Valentina afastar-se. Estamos de acordo?"

Considerando o que ela acabara de dizer, preparou-se para uma rejeição daquelas condições e para uma negociação difícil, mas, para sua imensa surpresa, o polícia aceitou de imediato.

"Combinado." Grossman ergueu ligeiramente a arma, apenas o suficiente para deixar de a apontar à cabeça da italiana, e fez-lhe sinal de que se afastasse. "Pode ir embora!"

Valentina recuou uns passos e, em alguns segundos, desapareceu de vista.

"Tudo bem?", perguntou Tomás para o ar, dirigindo-se evidentemente à italiana. "Está em segurança?"

"Sim", respondeu a voz dela, proveniente de lugar incerto. "Dentro de alguns segundos tenho até pronta a arma improvisada. O ponto de encontro é junto à saída."

O português fitou Grossman, que o encarava com a pistola na mão. Chegara a hora da verdade. O israelita havia cumprido o seu lado do acordo. Cabia agora a Tomás fazer a sua parte. E rezar para não levar um tiro quando deixasse de ser útil.

"O tubo de ensaio?", perguntou o polícia; a paciência não era decididamente uma das suas virtudes. "Agora!"

Tomás varreu a prateleira com o olhar e localizou a estrutura metálica com os tubos de ensaio pendurados em fila. Dois haviam tombado, atingidos no fragor do combate com Sicarius, mas o tubo de ensaio com o material genético de Jesus, com o seu característico conteúdo amarelo-esbranquiçado congelado, permanecia intacto onde o havia deixado. Estendeu a mão enluvada e retirou-o da estrutura, mostrando-o a Grossman.

"É isto", disse. "Vou deixá-lo aqui."

Pousou-o com cuidado sobre a prateleira e recuou uns passos. O polícia avançou pelo corredor, a pistola sempre em riste, até chegar junto da prateleira. Pegou no tubo de ensaio e analisou-o, certificando-se de que era o mesmo que havia visto nas mãos de Arpad Arkan. A cor do conteúdo e o facto de se encontrar congelado deu-lhe a confirmação que procurava.

Com um movimento rápido e inesperado, apontou a pistola à cabeça de Tomás.

"Adeus!"

E disparou.

LXXIV

O que salvou Tomás foi um misto de intuição, comportamento preventivo e reflexos rápidos. Depois de pousar o tubo de ensaio na prateleira tinha recuado até um ponto no corredor onde havia uma abertura lateral entre duas estantes carregadas de bidões com líquidos, decerto reagentes e outros químicos necessários para o trabalho de laboratório.

No momento em que Grossman estendeu o braço para disparar, o português mergulhou pela abertura e conseguiu escapar à bala assassina, que ainda lhe zumbiu perto da cabeça.

"Maldição!", vociferou o polícia quando se apercebeu de que tinha falhado o alvo. "Já te apanho!"

O historiador ergueu-se e desatou a correr, determinado a escapar. Sabia, contudo, que não seria fácil. Aqueles corredores longos constituíam verdadeiras carreiras de tiro e bastaria ao polícia colocar-se em linha de vista para o atingir pelas costas. Teria por isso de ziguezaguear entre as aberturas e rezar para encontrar Valentina e para que ela estivesse de facto preparada com as suas armas improvisadas para enfrentar o perseguidor.

Crack.

Crack.

Duas novas detonações ecoaram pela câmara com fragor, sinal de que o mestre dos *sicarii* o havia alvejado de novo. Tomás encolheu instintivamente a cabeça e ainda se interrogou sobre se havia sido atingido, mas percebeu que a dúvida era idiota; continuar a correr constituía prova suficiente de que permanecia ileso.

Um súbito clarão amarelo-avermelhado, acompanhado por um estrondo e por uma vibração do ar obrigou o português a olhar para trás. Uma bola de fogo crescia como um balão na parte do corredor por onde acabara de passar. Ainda pensou que se tratava do tão aguardado contra-ataque de Valentina, talvez com *cocktails* Molotov ou outra coisa do género, mas não a avistou em parte alguma e o facto de a explosão ter ocorrido precisamente naquele corredor fê-lo perceber o que acontecera.

Pelo menos uma das balas disparadas pelo seu perseguidor tinha atingido um recipiente com material inflamável. As estantes que ardiam estavam cheias de bidões e as labaredas pareciam formar tentáculos, estendendo-se a outras estantes e abraçando novos recipientes carregados de líquidos inflamáveis. Sucederam-se novas explosões, quase em cadeia. O ar dava a impressão de bailar sob o choque das sucessivas deflagrações.

"Meu Deus!"

A nova realidade impôs-se a Tomás. Cerca de vinte por cento do santo dos santos estava de repente transformado numa bola de fogo e o incêndio estendia-se depressa ao resto da câmara, devorando descontroladamente cada vez mais corredores. Estava lançada uma corrida infernal. Em breve a bola de fogo cobriria todo o espaço.

As opções do historiador, tal como as das restantes pessoas apanhadas naquela emboscada de chamas e fumo, reduziam-se a uma. Fugir. Correr para a saída e escapar enquanto havia tempo. O problema é que a passagem estava bloqueada por uma porta blindada e Arpad Arkan, que se encontrava fora de combate, era o único que conhecia a senha. Restava a Tomás a esperança de que o seu palpite sobre a chave do código que destrancava a porta fosse correcto.

O português esquadrinhou o santo dos santos em direcção à única escapatória possível, entrando por aqui e fugindo por ali, sempre a desviar-se das labaredas que ocasionalmente lhe bloqueavam o caminho, até por fim se deparar com o que procurava.

A porta blindada.

O último corredor por onde se meteu desaguou no espaço diante da porta. Tomás vinha lançado em corrida e só travou quando embateu com a barriga e as palmas das mãos no metal que lhe impedia a fuga. A porta blindada tinha uma janelinha circular no meio, mas o vapor e o fumo embaciavam-na e não deixavam ver através do vidro.

"Você está bem?"

O historiador olhou para trás, por cima do ombro, e viu Valentina a fitá-lo com os seus grandes olhos azuis. A italiana tinha retirado a parte de cima do escafandro e estava de cabeça descoberta, o que se afigurava inteiramente natural; o incêndio havia aquecido a câmara e naquelas novas circunstâncias já não se punha o problema do frio nem da contaminação das preciosas amostras guardadas no Kodesh Hakodashim.

Sem proferir uma palavra, Tomás abraçou-a e beijou-lhe o cabelo. Cheirava a fumo, mas o que lhe importava isso? Sentiu ganas de lhe cobrir a face de beijos e só parar quando lhe chegasse aos lábios, mas conteve-se; aquele não era com certeza o momento mais apropriado. A prioridade era outra.

Segurou-a pelos ombros e encarou-a.

"Temos de sair daqui", disse, fitando-a nos olhos. "Não tarda nada isto está tudo a arder!..."

Pela primeira vez apercebeu-se de que a italiana estava assustada. Não era de admirar. Já enfrentara o ataque do *sicarius* e a traição de Grossman, e, como se tudo o resto não bastasse, confrontava-se com aquele incêndio descontrolado. O pior é que as chamas se aproximavam cada vez mais depressa, conferindo uma maior urgência à necessidade de abandonarem a câmara.

"Mas como?", perguntou Valentina. "A porta está trancada. Você sabe o código?"

A atenção de Tomás desviou-se para a porta blindada.

"Não tenho a certeza", disse. "Mas acho que sei. Lembra-se que para entrarmos o..."

Calou-se a meio da frase. Diante dele viu Arnie Grossman, também de cabeça destapada, a emergir do fumo com a arma apontada para ele. O historiador lançou olhares para todos os lados, em busca de uma linha de fuga. Naquelas circunstâncias, porém, não havia mais nenhuma escapatória possível. Se quisesse fugir, para onde iria? Para o fogo que se aproximava?

"A armadilha fechou-se!", rugiu o mestre dos *sicarii*, saboreando o momento. "Ratos como você acabam sempre por ser apanhados, hem?"

O português ergueu as mãos, as palmas voltadas para o homem armado num gesto de rendição.

"Tenha calma!", disse. "Estamos todos no mesmo barco!"

O rosto de Grossman abriu-se num sorriso grotesco.

"Eu não partilho o meu barco com ratos", grunhiu. Fez pontaria e armou o gatilho, preparando-se para disparar. "Muito menos com um que se prepara para se tornar um cadáver."

A situação era desesperada. Sempre de mãos no ar, Tomás recuou um passo e embateu com as costas na porta metálica. Encontrava-se na posição clássica do fuzilado no momento anterior ao disparo.

Sentindo-se perdido, desviou o olhar para Valentina. Não tinha sido ela que dissera ter improvisado uma arma e que não voltaria a deixar-se surpreender pelo polícia israelita? Se tinha uma arma, este era o momento de a usar. Na mente do historiador não havia a menor dúvida de que, depois de o executar, Grossman voltaria a pistola para ela e abatê-la-ia também.

Chegara o instante do tudo ou nada.

"Arnie, espere aí!"

A italiana dirigiu-se ao israelita em termos que suscitaram uma profunda decepção em Tomás, em cuja mente se cruzaram múltiplas perplexidades. "Arnie, espere aí"? Que raio de ingenuidade era aquela? Será que ela achava que uma frase destas os iria salvar? Onde diabo estava a arma improvisada que Valentina havia fabricado? Porque não a usava?

"O que é?", quis saber Grossman, sem desviar a pistola do alvo. "Passa-se alguma coisa?"

Uma nova surpresa para Tomás. Afinal o apelo de último recurso, por muito ingénuo e ineficiente que parecesse, estava a funcionar! Era evidente que ela procurava ganhar tempo, decerto para usar a tal arma.

"Você tem o material genético?", perguntou Valentina.

"Claro", devolveu o israelita, retirando o tubo de ensaio do bolso interior do escafandro para o exibir como prova. "Achava que o tinha perdido?"

"Era só para me assegurar de que estava tudo sob controlo", explicou ela. Fez um sinal com a cabeça, a indicar o historiador. "Não o mate já!"

Grossman carregou as sobrancelhas, esboçando uma expressão intrigada.

"Ora essa! Porquê?"

Valentina indicou a porta.

"Sabe o código para sair daqui?"

O israelita olhou para a superfície metálica e hesitou; era evidente que aquele problema ainda não lhe tinha ocorrido.

"Ó diabo!", exclamou. "E agora?"

A inspectora da Polizia Giudiziaria fez um gesto na direcção de Tomás.

"Mas ele sabe."

Grossman olhou para o historiador com novos olhos, como se aquele dado alterasse tudo. Hesitou um longo momento e coçou a cabeça, reequacionando a situação. Não havia muito que pensar; as alternativas eram poucas e evidentes, e o tempo escasseava.

O mestre dos *sicarii* deu dois passos em direcção ao seu alvo e encostou-lhe a pistola à testa.

"Qual é a senha?"

Tomás devolveu-lhe um olhar carregado de desdém.

"O que faz se eu não disser?", perguntou em tom de desafio. "Mata-me?"

O polícia israelita ponderou o problema. Era evidente que a sua vítima se sentia perdida. Que incentivo tinha o português para lhe revelar a palavra de código que permitiria franquear a porta blindada se sabia que depois seria morto?

A realidade impôs-se. Era necessário recorrer aos grandes meios. Consciente de que o tempo urgia por causa da aproximação das chamas, Grossman aproximou-se da italiana e estendeu-lhe a pistola.

"Segure aí!", pediu. "Vou ter de lhe fazer um interrogatório a sério."

O coração de Tomás deu um salto quando viu o seu inimigo entregar a arma a Valentina. Ela era absolutamente genial!, pensou, dominando um desejo quase irresistível de dar um pulo de alegria. Teve vontade de voltar a abraçar aquela mulher, e desta vez não pouparia nos beijos nos lábios! Recorrendo exclusivamente à astúcia e à dissimulação, a inspectora da Polizia Giudiziaria conseguira ludibriar o israelita e levara-o mesmo a passar-lhe a pistola para as mãos! Se não tivesse visto com os seus próprios olhos, nunca teria acreditado! Aquilo era incrível! Tratava-se de uma obra-prima na arte da manipulação das mentes!

Valentina pegou na pistola e durante uns segundos estudou o mecanismo de tiro; tratava-se afinal de uma arma de fabrico israelita, que não estava habituada a usar. Como era polícia, depressa percebeu o que devia fazer e ergueu-a; no fim de contas, os princípios eram universais. Reprimindo com dificuldade a expectativa de pôr fim àquela situação insustentável, Tomás esperou que ela apontasse a pistola a Grossman, mas o que se passou a seguir deixou-o desconcertado. Em vez de voltar a arma contra o israelita, Valentina desviou o cano para as pernas do prisioneiro.

"Não se mexa!", ordenou ela ao português. "Se tentar fazer alguma coisa, leva com uma bala nos joelhos!"

Choque.

Ver a italiana virar-se contra ele constituiu um choque total. Foi nesse instante de perplexidade, arrastado numa autêntica montanha-russa de emoções, primeiro o desespero absoluto, depois a alegria quase incontida, agora a decepção completa, que Tomás tomou enfim consciência da terrível e incrível realidade.

Valentina era o inimigo.

LXXV

A imagem de Valentina em frente dele a apontar-lhe uma pistola parecia demasiado inconcebível para ser verdadeira; todavia, era isso mesmo o que naquele instante sucedia a Tomás. O historiador mantinha fixo nela o seu olho direito, fitando-a e recusando-se a acreditar. Não podia ser! Valentina não podia estar do lado dos *sicarii!* Isso era absolutamente impossível! Impensável! Incompreensível!

Porém, a realidade, por mais dura e inacreditável que parecesse, afigurava-se indesmentível. Arnie Grossman entregara-lhe a arma e ela não a virara contra o mestre dos *sicarii*, mas contra Tomás. Por mais que buscasse explicações e recorresse aos argumentos mais fantasiosos e imaginativos para justificar o injustificável, os factos eram o que eram. Valentina tinha a pistola nas mãos e apontara-a para ele.

"O que se passa?", perguntou-lhe o historiador, tentando extrair um sentido de tudo o que vira e ouvira nos últimos instantes. "Porque não prende este tipo? O que está a fazer?"

De olhos semicerrados e com a arma a dançar-lhe na mão, a italiana esboçou um sorriso malicioso, quase provocador. "Não sabia que nós, as mulheres, somos umas dissimuladas?"

"O quê?"

Valentina abanou a cabeça e fez um estalido desdenhoso com a língua.

"É mesmo tonto!", exclamou com condescendência. "Pensava que eu ia permitir que uma palhaçada destas fosse até ao fim? Achava que esses olhos verdes e o charme latino me traziam embeiçada ao ponto de ter perdido todo o discernimento?" Voltou a abanar a cabeça. "Ah, pobre tolo! Como são idiotas os homens!"

Arnie Grossman remexia no bolso das calças, ocupado com qualquer coisa que escapava a Tomás. Surpreendido com a reviravolta que se operara nos acontecimentos, o historiador nem tentou perceber o que ele fazia.

A sua atenção estava toda voltada para a inspectora da Polizia Giudiziaria, que encarava com uma expressão baralhada, como se nenhuma das palavras que ela acabara de proferir fizesse o menor sentido. Tinha a impressão de que não a reconhecia ou até de que nem sequer se tratava da mesma pessoa. O mesmo corpo, embora uma pessoa diferente.

"Mas... o que se passa? Que loucura é esta? Desde quando é que... que..."

"Desde o princípio."

"Como?"

Valentina desviou o olhar para o israelita, que nesse instante afiava o que pareceu um canivete suíço.

"Eu e o Arnie já nos conhecemos há algum tempo", revelou. "Somos ambos polícias e temos bem a noção dos limites da eficácia da lei. Por isso envolvemo-nos em sociedades secretas que se destinam a resolver problemas que pelas vias legais não têm solução. Ele refundou em Jerusalém os *sicarii*, eu faço parte da área operacional de segurança de uma loja maçónica chamada P2, não sei se já ouviu falar..."

Tomás estava boquiaberto; aquela mulher não era definitivamente a pessoa com quem convivera na última semana.

"O quê?"

"P2", repetiu ela. "Uma sigla que significa..."

"*Propaganda Due*", disse o português muito devagar, reconhecendo a designação e pronunciando o nome em italiano. "Sei muito bem o que é. A P2 tem ligações com o Vaticano, andou envolvida no escândalo da lavagem de dinheiro da máfia através do Banco Ambrosiano e consta que não está inocente na morte do papa João Paulo I, que se prepararia para denunciar as manigâncias da P2 e morreu antes de o fazer."

Valentina sorriu com esta última referência.

"Boatos", retorquiu com um trejeito de desdém. "Mas vejo que está familiarizado com a nossa pequena organização."

"A triste fama da P2 precede-a", devolveu o historiador. Olhava-a ainda com incredulidade. "Você pertence mesmo a esse bando de malfeitores?"

Ela fez um gesto com a pistola.

"Sou eu quem tem a arma na mão, não sou?"

Tomás rendeu-se à evidência; era manifesto que dessa vez ela dizia a verdade. Parecia-lhe incrível que Valentina o tivesse ludibriado e manipulado todo aquele tempo. A forma como o recrutara para a investigação, como o conduzira pelo trilho dos enigmas plantados de propósito para o levar a Israel e os ajudar a penetrar no interior da Fundação Arkan, até o ataque que ele sofrera no quarto do hotel e a compaixão que ela mostrara... tudo não passara afinal de fingimento!

O português sacudiu a cabeça. Não havia ainda chegado a hora adequada para rever ao pormenor toda a impostura montada pela italiana. Primeiro precisava de obter informações e de perceber como se atingira este ponto, e só depois se preocuparia com o resto.

"O que faz a P2 metida nesta história?"

Valentina indicou o vulto atarefado de Grossman.

"Tudo começou quando ali o Arnie, através dos canais apropriados, nos contactou para nos informar sobre este projecto da Fundação Arkan. Revelou-nos que a fundação tinha isolado células com o ADN de Jesus e planeava fazê-lo nascer logo que a clonagem de seres humanos fosse viável. Inicialmente essa história pareceu-nos demasiado fantasiosa e não acreditámos, mas depois verificámos a informação e, para nossa grande surpresa, tudo se confirmou. Achámos a ideia uma loucura, claro. Uma loucura perigosa."

"Perigosa? Porquê?"

Ela inclinou a cabeça de lado.

"Francamente, Tomás! Clonar Jesus? Já viu bem as consequências de uma coisa dessas? Como reagiria Jesus quando um dia chegasse ao Vaticano e visse toda aquela opulência? E se ele fizesse em Roma o que fez quando visitou o Templo de Jerusalém?" Esboçou um gesto teatral e citou as palavras de Jesus quando provocou o incidente no Templo. "'Não está escrito: A minha casa será chamada casa de oração para todos os povos? Mas vós fizestes dela um covil de ladrões.'" Fitou Tomás. "Está a ver a cena? Jesus a criticar o Vaticano e a mandar vender tudo para ajudar os pobres?" Inclinou a cabeça para o lado. "Acha mesmo que íamos tolerar uma coisa dessas?"

O historiador suspirou.

"Já percebi", disse. "O regresso de Jesus poderia pôr em causa os interesses instalados!..."

"Tínhamos de travar essa loucura", exclamou Valentina. "A P2 convocou uma reunião especial para discutir o assunto e ficou decidido que nos iríamos articular com os *sicarii*. Urgia pôr fim a esta fantochada. Acontece que a Fundação Arkan mantinha o projecto em grande segredo e as nossas tentativas para o infiltrar não foram bem sucedidas. Identificámos, no entanto, algumas figuras-chave ligadas ao projecto e delineámos um plano que implicava o recrutamento de um dos mais prestigiados historiadores do mundo." Sorriu. "Você."

A revelação deixou Tomás atónito.

"Eu?"

"O plano era simples", indicou ela. "Os *sicarii* iriam executar três dessas personalidades ligadas ao projecto e deixariam pequenas pistas que só um historiador perito em criptanálise e línguas antigas seria capaz de decifrar. Fomos entretanto informados de que a professora Escalona tinha pedido para consultar o *Codex Vaticanus* na Biblioteca Vaticana e soubemos que ela era sua amiga. Pareceu-nos perfeito. Graças a um contacto no ministério italiano da Cultura, arranjámos maneira de garantir que as autoridades culturais solicitavam à Fundação Gulbenkian que o envolvesse a si no restauro das ruínas do Fórum e dos mercados de Trajano na data em que a historiadora galega estaria em Roma. Uma vez todas as peças alinhadas no tabuleiro, foi só desencadear a operação. A professora Escalona chegou a Roma na data prevista e um colaborador nosso comunicou-lhe que você também estava na cidade. Como prevíamos, ela telefonou-lhe de imediato."

"Cabrões!", rosnou Tomás em voz baixa, lutando por controlar a fúria que dele se apossava à medida que percebia como fora manipulado desde o início. "E se ela não tivesse telefonado? Como fariam vocês para me envolver nessa vossa tramóia?"

"O homem de mão do Arnie teria feito uma chamada para o seu número a partir do telemóvel dela. Mas não foi necessário. A professora Escalona telefonou para si e depois dirigiu-se à Biblioteca Vaticana, onde tinha à espera dela o operacional dos *sicarii*. Quando fui chamada ao local para proceder às averiguações do homicídio só tive de espreitar a lista de chamadas no telemóvel da vítima e convocá-lo imediatamente ao Vaticano. Era o pretexto ideal para o envolver nas investigações."

"Mas porquê eu?"

"Porque você conhecia uma das vítimas e porque precisávamos de um pisteiro que nos conduzisse ao coração deste projecto." Ergueu a mão, exibindo o tubo de ensaio com o ADN de Jesus. "O facto de eu estar agora na posse deste material genético é prova suficiente de que o plano foi bem gizado." Arqueou as sobrancelhas, muito satisfeita consigo própria. "E, perdoe-me a imodéstia, bem executado."

Novas explosões sacudiram a câmara. O incêndio alastrava e aproximava-se. Percebendo que não dispunha de muito tempo, Grossman interrompeu a conversa.

"Para que está você a contar-lhe isso tudo?"

"Porque sou uma boa cristã", retorquiu a italiana num tom sarcástico. "Se ele vai morrer, tem ao menos o direito de saber por que razão morre."

"Antes disso, há uma coisa que ele precisa de fazer", disse o israelita, indicando a porta blindada. "Tem primeiro de nos dizer qual é a senha."

Com um movimento inesperado, o israelita agarrou o historiador pelos ombros, pôs a perna de lado e aplicou-lhe um golpe de judo, estendendo-o no chão de barriga para baixo.

"O que é isto?", espantou-se Tomás, a face colada ao solo. "Que está a fazer?"

O atacante agarrou no braço esquerdo do seu prisioneiro e estendeu-o à força, obrigando-o a espalmar a mão. Fixou-lhe o pulso ao solo e colou-lhe o canivete suíço à base do dedo mindinho.

"Vou apresentar-lhe uma técnica de interrogatório com uma taxa de sucesso próxima dos cem por cento", anunciou. "A técnica consiste em amputar os dedos dos suspeitos até eles começarem a falar. Muito simples, não é? Simples e eficaz. Garanto-lhe que todas as pessoas a quem apliquei este método acabaram por cantar que nem querubins. É o que você vai também fazer."

"O senhor está louco?"

"Dou-lhe uma última oportunidade que lhe irá poupar muito sofrimento desnecessário se a souber aproveitar", anunciou. "Qual a senha para destrancar a porta?"

O português sentiu a lâmina pousada no dedo e avaliou a situação. Não era famosa. Mas quais as alternativas de que dispunha? Tinha o olho esquerdo inchado, a mão direita engessada, sentia-se fatigado e traído, encontrava-se fechado numa câmara onde tudo ardia, havia uma mulher a apontar-lhe uma pistola e estava deitado no chão com um louco a ameaçar cortar-lhe um dedo. A palavra de código que permitia abrir aquela porta, a via de salvação para todos, era o único trunfo que lhe restava. O que deveria fazer?

"Porque diabo lhe iria revelar a senha?", perguntou, desesperadamente à procura de uma saída que o tirasse dali. "Para o senhor me matar a seguir?"

"Mais tarde ou mais cedo todos morremos", devolveu Grossman num tom quase paternalista. "A única coisa que não sabemos é como. Finamo-nos depressa e sem sofrimento ou morremos de maneira atroz, com grande dor e ansiedade? São estas as opções que lhe estou a oferecer. Agora escolha." A voz esfriou e endureceu. "Qual é a senha?"

"Vá à merda!"

O israelita respirou fundo; a sua paciência, já naturalmente escassa, tinha chegado ao limite.

"Você o quis!"

Uma dor aguda irrompeu nesse instante do dedo mindinho de Tomás, como se o universo inteiro se centrasse ali. O historiador sentiu a visão encher-se de luzes e soltou um grito de pura agonia. Grossman tinha começado a serrar com o canivete suíço que estivera a afiar e o sofrimento provocado pela lâmina era indescritível. A vítima tentou implorar que parasse, que tivesse dó, que aquilo era de mais, mas as palavras atropelaram-se e foram engolidas pelo berro de dor que lhe enchia a garganta, como se o grito fosse, por si só, capaz de o libertar da crueldade a que estava a ser sujeito.

Grossman amputava-lhe o dedo.

LXXVI

Algo aconteceu.

No auge de toda aquela dor, quando tudo parecia perdido e a confissão se tornara inevitável, Tomás sentiu o aperto firme do seu agressor descontrair de repente e, logo a seguir, o braço esquerdo soltou-se.

Encolheu-o num movimento instintivo e contorceu-se no chão, agarrando-se à mão ferida para tentar atenuar a agonia. Não percebeu o que acontecera, mas o importante é que acontecera. A dor no dedo mindinho era tremenda, mas abrandou o suficiente para que ele pudesse abrir o olho direito e tentasse perceber por que motivo Arnie Grossman lhe havia largado o braço.

Viu o polícia israelita de joelhos diante dele com uma expressão bizarra desenhada no rosto enrubescido, os olhos arregalados a revirarem-se, a língua de fora no estertor da asfixia e a ponta de uma lâmina a sair-lhe junto à maçã-de--adão por entre golfadas cadenciadas de sangue.

Crack.

Crack.

Dois tiros soaram com grande fragor, como se tivessem sido disparados mesmo ao lado dos seus ouvidos. Tomás quase se sentiu ensurdecer. Apercebeu-se nesse instante do movimento de um vulto atrás de Grossman e, olhando para ali, identificou-o. Era Arpad Arkan. O presidente da fundação tombou no chão como um saco e ficou deitado de barriga para baixo, com dois fios de fumo a saracotearem de buracos escuros nas costas como bafos exalados pelas crateras de vulcões que despertavam.

Tomás desviou o olhar para o lado e viu Valentina em posição de tiro, o fumo a esvoaçar do cano da pistola. No meio de toda aquela confusão compreendeu o que via e, como num sonho, conseguiu reconstituir os traços gerais do que acabara de suceder.

Arkan devia ter recuperado os sentidos e retirado do braço a faca que lhe fora espetada. Apercebendo-se do fogo que lavrava pelo santo dos santos, fugiu para a porta e viu Tomás a ser torturado por Grossman. Percebendo o que se passava, não perdeu tempo e espetou a adaga dos *sicarii* no pescoço do polícia. O problema é que não deve ter visto a italiana, ou então não compreendeu o verdadeiro papel que ela desempenhava naquela situação, e foi abatido pelas costas.

"Você enlouqueceu?", perguntou o historiador com a fúria a enrouquecer-lhe a voz, gatinhando para junto de Arkan. "Passou-se de vez?"

Valentina voltou para ele a mira da pistola fumegante. "Quieto!"

Tomás inspeccionou a face do presidente da fundação. Tinha os olhos semicerrados e vidrados no infinito, com uma expressão que lhe deixou poucas dúvidas.

O português voltou o rosto na direcção da inspectora da Polizia Giudiziaria.

"Tem a noção do que acabou de fazer?"

Valentina deitou um olhar assustado para as chamas que se aproximavam; as labaredas encontravam-se já a uns cinco metros e preparavam-se para envolver as estantes mais próximas do espaço onde eles se encontravam.

"Abra a porta!", ordenou ela, batendo com a palma da mão na placa metálica que lhes obstruía a fuga. "Não há tempo para andarmos aqui a discutir pormenores! Abra esta maldita porta!"

Tomás arrastou o corpo de Arkan para junto da entrada, passando ao lado do cadáver de Grossman.

"Ele é que sabia a senha!", berrou de volta. "Você quer sair daqui? Então porque matou a única pessoa que conhecia a palavra de código? Isso faz algum sentido?"

A italiana esboçou uma expressão desconcertada, os olhos a saltitarem entre Tomás e o corpo inerte de Arkan.

"O que quer dizer com isso? Pensei que você sabia a senha!..."

"Eu presumo que sei!", devolveu o historiador num tom furioso. "*Presumo!* Mas... e se o meu palpite estiver errado?" Indicou o corpo que acabara de arrastar para junto da porta. "O único que de certeza conhecia a senha era aqui o Arkan! E você acabou de o abater!" Abanou a cabeça. "Bravo! É mesmo esperta, não há dúvida!"

O calor galopante pôs fim à incerteza que por esta altura atormentava Valentina. Ela tomou consciência de que se precipitara e evidentemente cometera um erro, mas não tinha maneira de desfazer o que fora feito e o fogo começara já a alastrar à última estante. Dispunham de um minuto, talvez dois, para sair dali. Não mais. Depois disso, todo aquele espaço seria engolido pelo mar tormentoso de chamas que envolvia o Kodesh Hakodashim.

"Abra a porta!", berrou, já fora de si. "Abra imediatamente esta porta!"

O historiador deitou uma olhadela às chamas que se aproximavam. Não havia de facto muito tempo para agir.

"Eu abro", disse. "Mas primeiro você tem de lançar a pistola para o meio do incêndio."

"Abra a porta!"

"Não ouviu o que lhe disse?" Apontou para o fogo. "Atire a pistola para ali e eu abro-a! Se não fizer isso, não conte comigo. Não estou para apanhar um tiro depois de ter destrancado a porta."

Valentina perscrutou-lhe o rosto, tentando avaliar se ele falava a sério. Não conseguiu ler-lhe a face, mas não era difícil perceber o ponto de vista de Tomás. Por que motivo haveria ele de abrir a porta se depois se sujeitava a levar com uma bala na cabeça? Grossman havia tentado extrair-lhe a senha com a ajuda do canivete suíço, mas o idiota do Arkan aparecera de surpresa e estragara tudo. Agora ela estava inteiramente nas mãos daquele português.

"*Va bene!*", rendeu-se. Pegou na pistola pelo cano e atirou-a para o meio do inferno de chamas. "Já está!"

"Linda menina!"

A seguir a italiana pegou no tubo de ensaio com o material genético de Jesus, deu-lhe um beijo e lançou-o na mesma direcção.

"*Adio, Signore!*"

"O que diabo fez você?", perguntou Tomás, escandalizado com o que acabara de ver. "Destruiu o ADN de Jesus?!"

Valentina suspirou.

"Era essa a minha missão, lembra-se?", recordou-lhe. "Agora abra esta maldita porta! E depressa!"

Percebendo que o tempo se esgotava, que o calor se tornara sufocante e que só teria menos de um minuto antes de o fogo os devorar a todos, Tomás virou-se para a porta e destapou a placa que ocultava o teclado onde era inserida a senha. Depois passou os olhos pelo poema estampado no vidro da janela circular que se encontrava a meio da porta.

Über allen Gipfeln ist Ruh,
in allen Wipfeln spürest du kaum einen Hauch;
Die Vögelein schweigen im Walde.
Warte nur, balde. Ruhest du auch.

"O Arkan disse que a palavra de código que destranca a porta está relacionada com este poema que serve de *motto* à fundação", murmurou, falando mais para si próprio do que para a italiana. "Mandou colar o poema ao vidro para nunca se esquecer da senha. Quando a inseriu no teclado para entrarmos aqui, as teclas fizeram um barulho, o que me permitiu contar o número de letras. Eram seis." Olhou para Valentina. "Que palavra de seis letras tem relação com este poema?"

Os olhos horrorizados da italiana estavam presos às chamas a uns meros dois metros deles, e nem sequer o ouviu. Ou se ouviu não entendeu.

"Despache-se!"

"Goethe", disse Tomás, respondendo à sua própria pergunta. "É Goethe o autor do poema e o seu nome tem seis letras."

Premiu as letras no teclado.

G-O-E-T-H-E.

Depois aguardou que a porta destrancasse.

"Depressa!", gritou Valentina, já tomada de pânico. "Abra a porta! Por amor de Deus, abra a porta!"

Nada aconteceu.

A porta não abriu. Tentou outra vez e o resultado foi o mesmo. O desânimo apossou-se de Tomás. Tinha de se render à evidência. Enganara-se. *Goethe* não era a senha.

O calor tornara-se infernal e Valentina começou a chorar. Se dispusesse de mais dez minutos, o historiador estava convencido de que seria capaz de chegar à palavra de código. Assim não. As condições eram demasiado aflitivas e o tempo excessivamente curto. Restavam alguns segundos. O fogo envolvia já o corpo de Grossman e a todo o instante iria engoli-los a todos.

"Abra a porta!"

Pensa, Tomás.

Que palavra com seis letras tem relação com o poema? O historiador fechou os olhos e fez um esforço sobre-humano para se concentrar. Regressemos ao ponto de partida, raciocinou, tentando manter a calma. Qual o tema do poema?

"'Por todos estes montes reina a paz'", recitou em voz baixa, "'em todas estas frondes a custo sentirás sequer a brisa leve; em todo o bosque não ouves nem uma ave. Ora espera, suave. Paz vais ter em breve.'"

Paz.

Seria essa a palavra-chave? O coração de Tomás deu um salto. *Peace!* Era *peace!* Só podia ser *peace!* Contou mentalmente as letras. Um-dois-três-quatro-cinco.

Cinco.

"Merda!"

Cinco letras! Era uma letra a menos! A porra de uma letra a menos! Abanou a cabeça. Não era *peace*.

Valentina estava lavada em lágrimas, no desespero de quem se sabia perdida, e as labaredas começavam a lambê-los, queimando-lhes a pele.

"Abra!", implorou aos soluços, as duas mãos coladas numa prece. "*Per favore*, abra! *Dio mio!*"

Se não era *peace*, que palavra poderia ser? Tomás voltou a concentrar-se. A Fundação Arkan era uma organização israelita, com sede em Jerusalém e o centro de pesquisa a funcionar em Nazaré. Que língua seria natural que usasse? O inglês? Não, claro que não. O hebraico! O coração de Tomás deu um novo salto. Como se diz *paz* em hebraico?

Era a derradeira tentativa. O historiador agarrou-se ao teclado com sofreguidão e, a mão a tremer quase descontroladamente, digitou a palavra de seis letras.

S-H-A-L-O-M.

Bip.

A porta abriu-se.

Epílogo

Os raios do Sol jorravam pela janela como uma cortina translúcida de luz quando a mulher de bata branca entrou no quarto e atirou um sorriso profissional na direcção do paciente. Ao peito, junto ao estetoscópio que tinha pendurado ao pescoço, trazia uma faixa com um nome bordado a linha azul-escura a identificar *Lesley Koshet, M. D.*

"Bom dia!", cumprimentou com jovialidade. "Então como se sente o nosso herói esta manhã?"

Um grunhido dorido foi a resposta relutante de Tomás.

"Já tive dias melhores..."

A médica israelita sorriu.

"Quer outro analgésico ou já se acha capaz de aguentar a dor?"

O paciente fez uma careta.

"Mais um analgesicozinho não caía nada mal, não senhor. Será que mo poderia dar?"

Lesley esboçou uma careta.

"Creio que não", respondeu ela. "Está na hora de desmamar dessas drogas. O senhor já tem idade para aguentar uma dorzinha sem choramingar, não tem?"

Tomás endireitou-se na cama e inclinou-se para a frente, de modo a poder espreitar o espelho pregado na parede e mirar o seu rosto.

"Olhe para a minha cara, doutora", lamuriou-se. "Já viu isto? Não acha que mereço mais um analgésico?"

A imagem reflectida no espelho mostrava uma cabeça quase toda envolta em ligaduras brancas. A parte esquerda da face estava completamente tapada, com as ligaduras a protegerem o malar esfacelado e o olho inchado. A seguir o historiador levantou as duas mãos e exibiu os curativos. A mão direita apresentava-se mergulhada numa bola de gesso enquanto a esquerda tinha o dedo mindinho envolvido por ligaduras. E havia ainda, claro, o penso no pescoço.

"Parece uma múmia", gracejou ela. "Ramsés II!"

"Oh, não brinque!..."

"Vá lá, não seja mariquinhas!", repreendeu-o a médica. Pegou no boletim clínico aos pés da cama e consultou-o. "Mais um bocado e põe-se a choramingar!..."

"Goze, goze!", protestou Tomás, fazendo beicinho. "Isto não é brincadeira nenhuma! Vou ficar com a cara cheia de cicatrizes, já viu?"

"Não recomece..."

"Sabe que alcunha os meus alunos na faculdade me vão dar? *Scarface!* Vão-se rir de mim e chamar-me *Scarface!* Ou então *Frankenstein!* Oh, já os estou a ver!..."

A atitude melodramática arrancou uma risada a Lesley.

"E sabe qual é a minha alcunha aqui no hospital?", perguntou. "*Mãos de Fada!* Sabe porquê? Porque faço magia na mesa de operações. Garanto-lhe que vai sair daqui com um rosto de bebé. Nem um arranhão! Continuará bonitão como sempre."

"Jura?"

A médica pôs a mão sobre o coração, tapando a faixa com o seu nome bordado na bata, e assumiu um semblante solene.

"*Cross my heart!*"

A promessa deixou Tomás um tudo-nada mais tranquilo. Recostou-se na almofada da cama e pôs-se confortável. Não sabia porquê, mas tendia a ficar piegas sempre que caía de cama. Era assim já em criança e pelos vistos não mudara.

"Se eu vir nem que seja um arranhãozinho na cara, vai levar com uma queixa", avisou. "Vou direitinho à Ordem dos Médicos!"

"Ui! Estou cheia de medo!"

"Tem razões para estar. Veja lá como me trata!..."

A médica acabou de consultar a ficha do paciente e devolveu-a ao seu lugar, na grelha aos pés da cama. Ergueu os olhos para o português e desfez o seu sorriso de bonomia, como se entrasse agora nas coisas sérias.

"O senhor Arkan quer falar consigo."

O anúncio surpreendeu Tomás.

"Como está ele?"

"Que lhe parece?", respondeu Lesley com uma ponta de sarcasmo. "Levou dois tiros nas costas e ainda tem uma bala alojada nos pulmões. Daqui a pouco vou operá-lo de novo para a retirar."

"Acha que se safa?"

A médica assentiu com a cabeça.

"Claro que sim", disse. "Há pouco íamos anestesiá-lo, mas ele pediu para lhe dar uma palavra antes de iniciarmos os procedimentos para a cirurgia." Observou-lhe o corpo estendido na cama. "Sente-se em condições de caminhar até ao bloco operatório ou prefere que eu chame a enfermeira e peça uma cadeira de rodas?"

Com um gesto brusco, Tomás afastou o lençol e assentou os pés no chão. Lesley inclinou-se para o ajudar, mas ele repeliu-a com a mão engessada.

"Eu consigo", disse. "Vai ver."

Sentado à borda da cama, o português balançou-se e transferiu o peso para as pernas. Sentia-se fraco e as coxas tremiam-lhe, mas aguentou-se. Largou devagar os apoios com as mãos e endireitou-se, equilibrando-se sozinho em pé.

"Bravo!", exclamou a médica, batendo palmas entusiásticas. "Muito bem! Isto é que é um homem!"

Esta última frase soou a Tomás um tudo-nada condescendente, mas não se importou. Pusera-se de pé pelos seus próprios meios e sentia-se orgulhoso com o feito. Depois de tudo o que havia passado no inferno do santo dos santos, a convalescença estava a revelar-se rápida. Mais dia menos dia teria alta e sairia dali.

Ah, como era bom estar vivo!

"Vamos?"

Ao vê-lo de pé, Lesley passou à frente e saiu para o corredor, indicando o caminho.

"Por aqui."

Ainda de pijama, Tomás seguiu a figura de bata branca pelo corredor do hospital. Os seus movimentos não se mostravam ágeis e sentia os músculos das pernas flácidos, quase como gelatina; era o resultado dos dois dias que estivera deitado naquela cama. Apesar da evidente fragilidade, o facto é que se achava bem melhor e com força suficiente para caminhar. Aliás, o exercício só lhe faria bem.

O telemóvel tocou no bolso do pijama. Pegou no aparelho e consultou o visor. Dizia *Mãe*. Carregou no botão verde e atendeu.

"Bom dia, mãe!", cumprimentou. "Tudo bem?"

"*Ai, filho!*", devolveu a voz do outro lado da linha. "*Ando tão ralada contigo!*"

O coração de Tomás deu um pequeno salto. Não lhe contara nada do que se havia passado, para não a preocupar, mas pelos vistos alguém já lhe tinha dito alguma coisa.

"Estou óptimo", apressou-se a dizer. "Isto não é nada."

"*Não é nada?*", empertigou-se ela, quase indignada. "*Disseram-me que andas a viajar por essas terras onde só há guerras e malucos a meterem bombas e mais sei lá o quê! Minha Nossa Senhora! Nem imaginas como fiquei quando liguei para a faculdade e me disseram que tu andavas por essas paragens! Já fui à missa e tudo! Ai Jesus, estou que nem uma galinha! Não páro de rezar por ti!*"

Não era tão mau como isso, percebeu o historiador. A mãe fora pelos vistos informada de que ele estava no Médio Oriente, mas ninguém lhe contara o que havia sucedido nos últimos dias. Ainda bem! Teria uma síncope se soubesse!

"Está tudo bem", murmurou com doçura, num tom mais adequado para a tranquilizar. "Sabe onde me encontro neste momento? Em Jerusalém!"

A voz do outro lado hesitou.

"*Jerusalém?*", perguntou, como se se quisesse certificar de que havia escutado bem. "*Estás em Jerusalém? Na Terra Santa? O sítio por onde andou o Senhor?*"

"Aí mesmo!"

"*Ah, filho! Que sorte! Que sorte!*"

O tom de voz da mãe mudara por completo. Perdeu a urgência e a aflição e tornou-se entusiástico.

"É verdade. É uma terra muito interessante."

"*Interessante?*", escandalizou-se ela. "*Estás na terra do Senhor, filho! A terra do Senhor! Olha lá, já passaste pela Via Dolorosa, onde aqueles... aqueles torcionários torturaram Jesus? E foste ao Santo Sepulcro, onde o crucificaram, coitadinho?*"

"Vou lá amanhã... ou depois."

"*Ah! Quando fores ao Santo Sepulcro acende uma velinha por mim! Acendes? Não te esqueças de que Jesus morreu para nos salvar, filho! Temos de lhe estar agradecidos, ouviste? Ele morreu por nós! Está lá em cima, à direita de Deus Nosso Senhor, a ver o que fazemos e a velar por nós.*"

"Pois é", respondeu Tomás. "Eu... eu acendo uma vela por si."

"*Acende uma por mim, uma pelo teu pai e outra por ti, filho*", apressou-se ela a recomendar. "*Tu também és cristão, nunca o esqueças! Tu também tens direito à salvação!*"

"Com certeza. Vou acender três velas."

A mãe suspirou com satisfação, como se tivesse acabado de fazer a boa acção do dia.

"*Ainda bem, Tomás.*" Mudou o tom de voz, tornando-se de repente apressada. "*Olha, estão a sair para a missa. Vou aproveitar e dou ali um saltinho à Igreja de São Bartolomeu para contar ao padre Vicente por onde andas. Ele vai ficar muito satisfeito por saber que estás na Terra Santa rodeado desses apóstolos todos que para aí há. Cuida de ti, filhinho! Não te esqueças de acender as velas no Santo Sepulcro. Jesus morreu para nos salvar!*"

Tomás despediu-se e desligou, devolvendo o telemóvel ao bolso do pijama. Caminhava pelos corredores do hospital, sempre a seguir a médica, que o conduzia na direcção do bloco operatório. A mente, porém, encontrava-se ainda presa às palavras da mãe e não pôde deixar de pensar no que elas realmente significavam.

A mãe tinha fé. Mas o que era isso de ter fé? Fazia algum sentido ter fé em Cristo quando já se conhecia a verdadeira história de Jesus e da transformação dos seus ensinamentos judaicos numa coisa completamente diferente? Tomás sempre achara que era um disparate acreditar no que quer que fosse com dados insuficientes. Eram a investigação e a ciência e o conhecimento que conduziam à crença, não a repressão das dúvidas e a ignorância e os dogmas. A crença não podia ser cega; tinha de ser informada. Nenhuma verdade podia ser inquestionável. As pessoas que acreditavam sem dados suficientes, pensava ele, não passavam de simplórios crédulos e supersticiosos, dispostos a acreditar na primeira patranha que lhes contassem. A crença só era válida se fosse baseada no saber.

No entanto, Tomás tinha noção de que havia situações em que a crença sem dados suficientes era inevitável. Na amizade, por exemplo. Para se ser amigo de uma pessoa é preciso acreditar nela, crer que ela é digna de confiança. Claro que essa fé se revela muitas vezes infundada. Bastava ver o caso de Valentina. Ele acreditara nela sem ter dados suficientes para o fazer e acontecera o que acontecera. A italiana revelara-se dúplice e quase o matara. Claro que agora estava na prisão e ia pagar pelos crimes que havia cometido, mas a questão não era essa; a questão era que ele acreditara nela sem dispor de dados suficientes e dera-se mal. Não era isso a prova final de que a crença sem conhecimento é perigosa?

Mas qual a alternativa? Não deveria acreditar em ninguém até ter informação suficiente para estar certo que essa pessoa era digna de confiança? Então como faria amizades? Iria submeter cada amigo potencial a um rigoroso inquérito prévio? Apresentar-lhe-ia um questionário para preencher? Iria investigar toda a sua história em pormenor? Isso não fazia sentido! Havia situações na vida em que era preciso acreditar sem informação suficiente. A informação viria depois, claro. Mas primeiro tinha de haver crença. Crença de que a pessoa era de confiança e podia ser sua amiga. As informações posteriores confirmariam que essa crença tinha fundamento. Mas o primeiro passo era sempre a crença. Ou, para usar outra palavra, a fé. Valentina podia ser a prova de que o processo era falível, mas Arkan, por outro lado, trouxera a evidência de que o método não era necessariamente errado. Não fora o presidente da fundação, em quem aliás nunca havia confiado, que acabara por salvá-lo?

Se era assim nas relações entre as pessoas, porque não o poderia ser também na relação com o divino e o sagrado? Tomás tinha perfeita consciência da necessidade dos homens de acreditarem em algo de transcendente. Jesus podia não passar de um ser humano, mas aos olhos de quem nele acreditava, como a mãe, tornara-se um deus. O que havia de mal nisso, se essa crença a ajudava a enfrentar os seus problemas e a ser uma pessoa melhor? Não precisamos nós de fé para fazer as coisas? Não seria cruel despir Jesus da divindade que lhe fora atribuída? A vida é feita de incertezas e de uma relação permanente com o desconhecido. Quantas vezes tomamos uma decisão sem ter...”

“Professor Noronha?”

“... toda a informação? Não é isso afinal o salto no escuro de que é feita a nossa existência? Quantos pequenos saltos no escuro não temos nós de dar todos os dias? E o que...”

"Professor Noronha?!"

A interpelação interrompeu a divagação mental de Tomás, que deambulava pelo hospital como um autómato, os olhos colados à bata branca da doutora Koshet à maneira do cão que segue o dono, a cabeça a vaguear pelas crenças da mãe e a relação da sua fé com tudo o que havia desvendado sobre a figura humana de Jesus.

"Sim?"

Foi a médica que chamou por ele.

"Chegámos ao bloco operatório", anunciou a doutora Koshet, indicando duas portas à direita. "O senhor Arkan está aqui na enfermaria."

As portas estavam juntas e abriram-se em duas, como as dos *saloons* nos filmes do Faroeste. O paciente entrou na enfermaria e viu uma maca com rodas estacionada no meio da sala, com uma embalagem de soro no topo e um tubo longo e estreito a descer para os lençóis. Havia ainda dois enfermeiros sentados ao canto a conversar em voz baixa.

Aproximou-se e deparou com o rosto macilento de Arpad Arkan a emergir dos lençóis na maca. A face do paciente animou-se ao ver o recém-chegado abeirar-se dele.

"*Shalom!*", saudou o presidente da fundação com um sorriso frágil. "Folgo em vê-lo de saúde!"

"Ah, *Shalom!*", respondeu Tomás, pegando-lhe na mão fraca. "Que palavra mais bonita! Salvou-nos a vida no último instante, hem?"

"Não foi a palavra que nos salvou, professor Noronha." Tocou com o dedo na testa. "Foi o seu intelecto."

"Nada seria possível sem a sua intervenção quando aquele animal me estava a amputar o dedo", retorquiu o português, apertando com força a mão de Arkan, em jeito de reconhecimento. "O senhor teve uma grande coragem!"

"Nas mesmas circunstâncias, qualquer um teria feito o mesmo."

"Nem pense."

O presidente da fundação soltou uma gargalhada inesperada, mas tão profunda e alegre que se tornou contagiante. "É melhor pararmos com estas congratulações mútuas!", exclamou. "São enjoativas! Além do mais, parecemos umas velhas tontas. O que interessa é que estamos vivos!"

"Sem dúvida. Quando estávamos lá dentro e o vi inanimado depois de ter levado aqueles tiros, pensei que tinha morrido."

O seu interlocutor soltou uma gargalhada.

"Como vê, ressuscitei!"

"Um verdadeiro Cristo, sim senhor."

Arkan lançou um olhar para a porta da enfermaria, onde a doutora Koshet o aguardava. Fez-se uma curta pausa e Tomás olhou-o com expectativa, como se aguardasse que o seu interlocutor lhe explicasse por que razão o mandara chamar.

"Não sei se a doutora Koshet lhe disse, mas vou ser operado daqui a pouco", indicou o paciente estendido na maca. "É uma cirurgia delicada, porque ainda tenho uma bala alojada num pulmão. Ali a doutora Koshet diz que a extracção não é problemática e por isso não vê razões para ficar preocupado. Mas acontece que sou um burro velho e desconfiado. Além disso, já conheço os médicos de ginjeira. Dizem sempre que é uma coisinha sem importância e coisa e tal, e quando damos por ela estamos metidos em grandes sarilhos. Gosto por isso de me preparar para todas as eventualidades. Daí que tenha pedido que o trouxessem até mim."

Calou-se um momento, como se considerasse a melhor forma de pôr a questão.

"Que se passa?"

Desta vez expeliu um suspiro melancólico.

"Passa-se que não sei se sairei vivo da sala de operações."

"Oh, que disparate!", protestou o historiador. "Claro que sairá! Quem se safou de dois tiros nas costas safa-se de uma operaçãozita sem importância! Sabe o que lhe digo? Daqui a uma semana vamos ali à cidade velha tomar um copo juntos! A minha mãe quer que eu vá acender umas velas ao Santo Sepulcro. O senhor far-me-á companhia."

Arkan ergueu a mão direita, fazendo a Tomás sinal de que não o interrompesse.

"Também penso que irá correr tudo bem", sublinhou. "Esta conversa é apenas para o caso de... enfim, de Deus decidir de outra maneira. Estive a pensar bem e já tive uma conversa com alguns elementos do conselho de sábios da fundação, que me vieram ontem visitar, e com o professor Hammans. Se alguma coisa me acontecer, gostaria que o senhor assumisse o comando do Projecto Yehoshua. Parece-me a pessoa indicada para levar a bom porto esta importantíssima missão. A paz no mundo pode depender do seu sucesso!"

Ao ouvir estas palavras, o português fez um esforço para manter um semblante impassível. Ergueu o rosto para a porta e cruzou o olhar levemente inquisitivo com a médica, tentando perceber o que tinha ou não sido revelado a Arkan. Ele ainda estava sob o efeito do choque por ter sido baleado nas costas e era evidente que haviam decidido não lhe contar tudo o que se passara no Kodesh Hakodashim.

"Eu... enfim", titubeou Tomás, sem saber o que dizer. "É uma grande honra e... claro que gostaria de aceitar. O problema é que não sei se... se esse projecto é... como direi?, é... recuperável."

O rosto de Arkan contraiu-se numa interrogação e as sobrancelhas peludas tremeram.

"Como assim?", admirou-se. "Não sabe se o projecto é recuperável? O que quer dizer com isso?"

O historiador não sabia para onde se havia de voltar. Ainda lançou um novo olhar à doutora Koshet, como se pedisse ajuda, mas acabou por decidir enfrentar o problema directamente. Talvez a altura não fosse a mais indicada para grandes revelações, mas se ninguém tinha tido ainda a coragem de contar tudo a Arkan, ele tê-la-ia.

Apertou a mão do paciente com mais força, como se lhe pedisse que fosse bravo, e fitou-o nos olhos.

"Tenho uma coisa para lhe dizer", avisou. "Uma coisa... aborrecida. Não sei se me entende."

Disse-o com tanta gravidade que o presidente da fundação arregalou os olhos de preocupação, pressentindo pelo tom que vinha aí algo de muito sério.

"O quê?", alarmou-se. "O que se passa?"

Tomás pigarreou, inseguro sobre o que estava a fazer. Mas sabia que tinha de ir até ao fim. Por mais que lhe custasse, era o seu dever.

"O Projecto Yehoshua já não é possível." Baixou os olhos, embaraçado por ser portador daquela notícia. "Lamento."

"Porquê? O que aconteceu?"

O português encheu os pulmões de ar, tentando reunir toda a sua coragem. Não era fácil destruir com algumas palavras o sonho de uma vida.

"Lembra-se do tubo de ensaio com o material genético de Jesus?"

"Sim, claro", devolveu Arkan. "É aí que está o segredo do Projecto Yehoshua! É esse ADN que nos permitirá clonar

Jesus e trazê-lo de volta à Terra!" Estreitou as pálpebras. "Há algum problema?"

Tomás tentou encarar o paciente, mas não foi capaz. O que tinha para lhe anunciar era demasiado penoso, cruel até. Voltou a pensar em recuar, em adiar a conversa para depois da operação, mas achou que isso seria uma cobardia. Por mais duro que fosse, tinha de ir até ao fim.

"O tubo de ensaio foi destruído."

Fez-se um súbito silêncio na enfermaria. Até os enfermeiros, que dialogavam num sussurro contínuo no canto da sala, se calaram e suspenderam a respiração.

"Destruído?", perguntou Arkan, sem compreender o total alcance da afirmação. "Destruído como?"

O historiador encolheu os ombros, num trejeito de absoluta impotência e desânimo.

"Destruído." Soprou para a mão, como se expulsasse pó. "Puf! *Kaputt*. Acabou. Já não há tubo de ensaio." Fez um gesto final com os braços. "Foi destruído!"

O presidente da fundação olhava-o com uma expressão estupefacta e a boca a abrir e a fechar, como um peixe, tentando tirar um sentido do que acabara de escutar.

"O material genético de Jesus foi destruído? Mesmo destruído? Mas como? Como?"

"Foi a italiana", disse Tomás. "Nos instantes finais, quando o fogo já se aproximava de nós e eu tentava abrir a porta para sairmos dali, ela atirou o tubo de ensaio para o meio das chamas."

"O quê?"

O historiador voltou a baixar os olhos.

"Lamento dar-lhe a notícia", sussurrou. "Não houve nada que eu pudesse fazer. O ADN de Jesus está perdido. O Projecto Yehoshua acabou. Já não é possível clonar o Messias."

O silêncio absoluto voltou à enfermaria. A tensão era palpável. Apenas se escutavam as respirações ritmadas das pessoas presentes, as que conversavam e as que esperavam que a conversa terminasse, suspensas no que iria suceder a seguir.

Arpad Arkan recostou-se devagar na maca, virou a cabeça sobre a almofada e fitou o tecto enquanto digeria toda a informação que lhe fora dada. Era um momento de doloroso recolhimento e Tomás, sentindo-se de repente a mais, voltou as costas e afastou-se com passos leves, evitando fazer barulho.

"Professor Noronha?"

O português estacou e olhou para trás.

"Sim?"

Deitado na maca, Arkan observava-o de lado com uma expressão indefinida.

"O senhor sabe o que é uma PCR Machine?"

Tomás abanou a cabeça.

"Não faço a mínima ideia."

O presidente da fundação fez-lhe com o dedo sinal de que se aproximasse de novo, como se tivesse mais alguma coisa para lhe contar. O historiador obedeceu.

"Chama-se PCR Machine, ou Máquina de RCP", disse Arkan num tom quase confidencial. "De certeza que nunca ouviu falar?"

O português fez um esforço de memória.

"Máquina de RCP?", perguntou. Acabou por desenhar com os lábios uma expressão de ignorância. "Não. Não sei."

"RCP significa reacção em cadeia de polimerase", esclareceu Arkan. "Através desta tecnologia é possível pegar numa pequena quantidade de ADN e, recorrendo a enzimas, fazer muitas cópias. Ou seja, basta meter o ADN de uma única célula numa máquina de RCP e podemos multiplicar esse material genético milhões de vezes."

"Ah, que curioso!", anuiu Tomás, fingindo-se impressionado. "É incrível o que a tecnologia faz hoje em dia, hem?"

Arkan cravou os olhos no seu interlocutor, como se o convidasse a assumir as consequências do que lhe acabara de dizer.

"No caso dos ossários de Talpiot, conseguimos extrair dos restos de um osso de Jesus duas células com o núcleo praticamente intacto. Essas duas células foram colocadas na máquina de RCP que adquirimos para os nossos laboratórios em Nazaré. Produzimos assim milhões de células idênticas, que dividimos em três partes. Uma foi para um tubo de ensaio que ficou guardado no Kodesh Hakodashim do nosso Centro de Pesquisa Molecular Avançada. Foi esse tubo que, pelos vistos, acabou de ser destruído. As outras duas partes foram colocadas em dois tubos de ensaio diferentes. Um foi guardado pelo professor Vartolomeev no laboratório da Universidade de Plovdiv, na Bulgária, e o outro enviado pelo professor Hammans para o Laboratório Europeu de Biologia Molecular, em Heidelberga, na Alemanha." Fez uma pausa e perscrutou-lhe o rosto, como se buscasse uma reacção. "Percebeu o que lhe disse?"

Atónito com o que acabara de ouvir, Tomás fitou-o embasbacado e levou um longo momento a assentir com a cabeça e a retirar as devidas conclusões.

"Está a dizer-me que existem ainda dois outros tubos de ensaio?"

"Exacto."

"Com o mesmo material genético?"

A face de Arpad Arkan abriu-se num sorriso de bonomia, como se o esgar alegre fosse a resposta e nada mais precisasse de ser dito. Ergueu a mão e fez sinal à doutora Koshet de que estava pronto para a anestesia. A médica abriu a porta da enfermaria e os enfermeiros começaram a empurrar a maca na direcção do bloco operatório.

Como se tivesse sido atingido por um relâmpago e se encontrasse ainda atordoado, Tomás permaneceu absolutamente imóvel, os olhos perdidos na maca em movimento, a mente ainda a matutar no significado do que escutara. Dois tubos de ensaio haviam sobrevivido, sussurrava-lhe uma voz ao ouvido.

Dois tubos de ensaio haviam sobrevivido.

Quando atravessava a porta, o presidente da fundação travou a maca e, embora deitado, conseguiu voltar a cabeça para trás e fitar o português uma derradeira vez.

"Como é que os gregos dizem *boa nova*, professor? *Evan gelion*, não é? Pois é esse agora o nosso evangelho."

O historiador fitou-o com ar aparvalhado.

"Hã?"

Viu Arpad Arkan exibir o seu sorriso de criança antes de os dois enfermeiros voltarem a empurrar a maca e as portas se fecharem atrás deles. Tomás ficou enfim sozinho na enfermaria, entregue ao torpor da sua estupefacção, o silêncio apenas quebrado pela voz do presidente da fundação, que, já no corredor, libertou em tom triunfal o seu último segredo.

"Jesus vai voltar a caminhar na Terra."

Nota final

Mais chocante do que algumas das revelações feitas neste romance é o facto de nada do que ele contém ser realmente novo. Nada. Tudo o que aqui está resulta do labor crítico dos historiadores. A aplicação do método de análise histórica aos textos bíblicos recua, de resto, ao século XVIII e ao longo do tempo foi produzindo resultados surpreendentes neste campo. O Jesus histórico que emergiu destes estudos revelou-se bem diferente da construção divinizada que nos é apresentada na catequese, nas missas e nos textos religiosos.

Em momento algum foi minha intenção desrespeitar ou ofender qualquer crente desta grande religião que é o cristianismo, a maior do planeta. Mas é esta religião que funda a nossa moral. Podemos nem nos aperceber, mas o cristianismo encontra-se por detrás da nossa noção do bem e do mal, do correcto e do incorrecto, do caminho justo e do caminho corrupto. Mesmo que não tenhamos noção disso, estamos impregnados de cristianismo e da sua ética.

Parece-me, por isso, importante que conheçamos melhor esta religião. Quem era realmente o seu fundador? O que defendia? Tratava-se de um mero homem ou de um deus? Se por acaso voltasse à Terra, seria louvado como o Messias ou denunciado como um herege? Que afinidade teria Jesus com a religião que hoje se pratica em seu nome?

As respostas foram-nos sendo dadas ao longo dos anos por múltiplos estudos de análise histórica do Novo Testamento. Foi neles que me baseei para escrever este romance. O trabalho pioneiro pertenceu a Hermann Reimarus, autor de *Von dem Zwecke Jesu und seiner Jünger*, livro publicado em 1778 e que inaugurou um período prolífico liderado pela historiografia alemã. Entre as obras mais importantes, que consultei na sua tradução inglesa, contam-se os clássicos *The Quest of the Historical Jesus*, de Albert Schweitzer; *The Formation of the Christian Bible*, de Hans von Campenhausen; e *Orthodoxy and Heresy in Earliest Christianity*, de Walter Bauer.

Entre os historiadores contemporâneos, os mais importantes são E. P. Sanders, que escreveu *The Historical Figure of Jesus* e *Jesus and Judaism*, e sobretudo Bart Ehrman, autor de vários trabalhos, como *Misquoting Jesus — The Story Behind Who Changed the Bible and How; Jesus, Interrupted — Revealing the Hidden Contradictions in the Bible; Lost Christianities — The Battles for Scripture and the Faiths We Never Knew; Lost Scriptures — Books That Did Not Make It into the New Testament*; e *Jesus — Apocaliptic Prophet of the New Millennium*.

Outras obras de referência em que se sustenta este romance são *The Canon of the New Testament — Its Origin, Development, and Significance*, de Bruce Metzger; *The Text of the New Testament — Its Transmission, Corruption, and Restorations*, de Bruce Metzger e Bart Ehrman; *The Evolution of God*, de Robert Wright; *Who Wrote the New Testament — The Making of the Christian Myth*, de Burton Mack; *Jesus Was Not a Trinitarian — A Call to Return to the Creed of Jesus*, de Anthony Buzzard; *The Misunderstood Jew — The Church and the Scandal of the Jewish Jesus*, de Amy-Jill Levine; e *The Historical Jesus in Context*, uma vasta colecção de textos editada por Amy-Jill Levine, Dale Allison e John Dominic Crossan.

Entre as obras apologéticas, destaque para *The Historical Reliability of the Gospels*, de Craig Blomberg; *Reinventing Jesus — How Contemporary Skeptics Miss the Real Jesus and Mislead Popular Culture*, de Ed Komoszewski, James Sawyer e Daniel Wallace; *Fabricating Jesus — How Modern Scholars Distort the Gospels*, de Craig Evans; e *Misquoting Truth — A Guide to the Fallacies of Bart Ehrman's Misquoting Jesus*, de Timothy Paul Jones.

Como fontes para as citações bíblicas recorri à *Bíblia Sagrada*, edição lançada pela Verbo em 1976 para comemorar a visita do papa João Paulo II a Portugal nesse ano, e baseada nas melhores traduções dos mais antigos manuscritos em grego ao dispor do Vaticano.

Toda a informação relativa ao processo de clonagem, incluindo clonagem humana, é igualmente verdadeira e encontra-se disponível em toda a literatura científica relacionada com o assunto.

O sepulcro de Talpiot existe e tem a história e as características explicadas no romance. O ossário marcado com o nome de *Iehoshua bar Yehosef*, ou *Jesus, filho de José*, está guardado no armazém de Bet Shemesh, pertencente à Autoridade das Antiguidades de Israel, juntamente com os restantes ossários de Talpiot, como os de *Marya*, *Mariamn-u eta Mara*, *Yehuda bar Yehoshua*, *Matya* e *Yose*. Está igualmente estabelecido em processo judicial que o ossário de *Ya'akov bar Yehosef akhui di Yeshua* não é forjado, embora não haja certeza de que pertença efectivamente ao lote de Talpiot.

O único elemento ficcional no que à parte genética diz respeito é a descoberta de dois núcleos com ADN no ossário de Jesus. Na verdade foi detectado ADN mitocondrial nesse ossário com características partilhadas pelas populações do Médio Oriente, mas esse material genético não pode ser usado para clonagem. Porém, e embora sejam difíceis de encontrar, a verdade é que nem sequer foram procurados de forma sustentada núcleos com ADN e a maior parte do ossário permanece por explorar do ponto de vista da análise genética.

A informação relativa ao sepulcro de Talpiot e aos ossários nele identificados encontra-se em *The Jesus Family Tomb — The Evidence Behind the Discovery No One Wanted to Find*, de Simcha Jacobovici e Charles Pellegrino. Poderá também ser encontrada informação relevante sobre esta descoberta em *The Jesus Tomb — Is It Fact or Fiction? Scholars Chime In*, de Don Sausa. Outras fontes foram as notícias saídas na imprensa com o veredicto do julgamento da autenticidade do ossário de *Tiago, filho de José, irmão de Jesus*, segundo as quais o juiz determinou que não ficou provada qualquer fraude.

Agradecimentos são devidos ao professor Carney Matheson, pelas elucidações que me prestou a propósito dos testes de ADN que efectuou às amostras dos ossários de Talpiot no laboratório de Paleo-ADN da Universidade Lakehead, no Canadá; e a Miguel Seabra, professor catedrático de Biologia Celular e Molecular da Faculdade de Ciências Médicas da

Universidade Nova de Lisboa e revisor científico do romance. Agradecimentos igualmente a Eliezer Shai di Martino, rabino de Lisboa, e a Teresa Toldy, mestre em Teologia pela Universidade Católica Portuguesa e doutorada em Teologia na Alemanha pela Philosophisch-theologische Hochschule Sankt-Georgen, ambos revisores editoriais do romance. Todos me ajudaram a garantir o rigor da informação histórica, científica e/ou teológica que consta deste romance, embora naturalmente nenhum seja responsável pelas teses defendidas pelos personagens.

Obrigado ainda a Fernando Ventura e a Diogo Madredeus, que me auxiliaram a navegar pelos labirintos do Vaticano; a Irit Doron, minha dedicada guia pela Galileia, Qumran e Jerusalém; e também a Ehud Gol, embaixador de Israel em Lisboa, e a Suzan Klagesbrun, do ministério israelita do Turismo, pelas portas que me ajudaram a abrir em Israel. Um agradecimento igualmente a todas as minhas editoras pelo mundo fora, pelo seu empenho e dedicação. Por fim, uma palavra especial de reconhecimento aos muitos leitores que me seguem a cada aventura.

O último agradecimento vai para a Florbela, sempre a primeira leitora.

864 4599173 - PSEG
609205

Orlando - 2

[illegible]